ELDORADO

Ausstellung im Berlin Museum:
26. Mai – 8. Juli 1984

Herausgeber:
Berlin Museum

Organisation und Durchführung
der Ausstellung:
Michael Bollé
Rolf Bothe
in Zusammenarbeit mit den
Arbeitsgruppen

Sekretariat:
Käthe Kusserow
Marie-Luise Rackow

Leihverkehr:
Dieter Vorsteher

Ausstellungsgestaltung:
Klaus Strunk

Redaktion:
Michael Bollé

© Frölich & Kaufmann, Berlin, 1984 Berlin
Museum, für die Textbeiträge bei den
Autoren

Gestaltung:
Regelindis Westphal

Lithos:
Meisenbach Riffarth & Co., Berlin

Herstellung:
Druckhaus Hentrich, Berlin

ISBN 3-88725-068-0

1. Umschlagseite:
Jeanne Mammen, Siesta, aus der Serie:
Lieder der Bilitis, 1931, Berlinische Galerie,
Berlin
4. Umschlagseite:
Renée Sintenis, Zwei Knaben, 1923, aus:
Hans Siemsen, Das Tigerschiff, Jungensge-
schichten mit 10 Radierungen von Renée
Sintenis, Frankfurt am Main, 1923

ELDORADO

Homosexuelle Frauen und Männer in Berlin 1850–1950
Geschichte, Alltag und Kultur

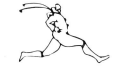

FRÖLICH & KAUFMANN

Inhalt

Einleitung

Mit der Ausstellung ELDORADO und dem hier vorgelegten Katalog wird der Versuch unternommen, die vernachlässigte und verdrängte Geschichte einer durch Vorurteil und Gesetz stigmatisierten Bevölkerungsgruppe zu rekonstruieren.

Seit der Antike artikulierte sich in den Kulturmetropolen Europas ununterbrochen die gleichgeschlechtliche Liebe und zwar mit einer Deutlichkeit, die nur um den Preis der bewußten Verfälschung übersehen werden kann.[1]

In der frühen Geschichte der relativ jungen Stadt Berlin, die allerdings in den ersten Jahrhunderten ihres Bestehens zu den unterentwickelten Randzonen der europäischen Kultur gehörte, haben die sogenannten »Sodomiter« kaum Spuren ihrer Existenz hinterlassen, es sei denn, man beruft sich auf die sie betreffenden Formen der Todesstrafen in der brandenburgischen Halsgerichtsordnung von 1516[2]. In der Gesellschaft scheinen die Homosexuellen erst zur Zeit Friedrichs II eine gewisse Rolle zu spielen. Zu den frühesten Erwähnungen über das Leben homosexueller Männer in Berlin zählt das Kapitel »Warme Brüder« in Johann Friedels »Briefe über die Galanterien von Berlin« von 1782: »Man versicherte mich, daß diese Ausschweifungen erst seit den Zeiten Voltaires hier Mode wurden... Diese Lüsternheit, ... der Reitz der Neuheit ...alles dieses trug mit bey, daß man sehr schnell anfing, eine Lieblingsidee aus der Knabenliebe zu machen.«[3] Über Friedrich II und seinen Bruder Heinrich wurden noch bis ins 20. Jahrhundert heftige Auseinandersetzungen geführt, ob sie homosexuell veranlagt waren oder aus anderen Gründen »keine Neigung zur Frauenliebe« hatten.[4] Fest steht, daß mit dem rapiden Wachstum der Stadt auch immer mehr Homosexuelle aus der Provinz nach Berlin kamen. 1846 formuliert ein Berliner Polizeibeamter erstmals den beginnenden Anspruch der Päderastie »auf Duldung«: »Namentlich die paiderastia ist ein Laster, welches, wenn es in seiner gegenwärtigen Entwicklung noch einige Zeit fortwährt, fast anfangen wird auf Duldung Anspruch zu machen.«[5] Otto von Bismarck erwähnt in seinen Memoiren gerichtliche Ermittlungen gegen Homosexuelle in den höchsten Kreisen der Hauptstadt.[6]

Der in Berlin lebende österreichische Schriftsteller Kertbeny veröffentlichte 1869 zwei Pamphlete, in denen er nach französischem Vorbild Straffreiheit für Homosexuelle forderte. Statt der früheren Begriffe »Sodomiterei« und »Päderastie« wurde erstmals das Wort »Homosexualität« gebraucht.

Mit dem Aufstieg zur weltstädtischen Metropole wurde Berlin zum Anziehungs- und Fluchtpunkt der Homosexuellen, die den sozialen Kontrollen der Provinz entkommen wollten, um in der Anonymität der Großstadt unterzutauchen. Der große Zustrom von Homosexuellen führte zur Ausbildung einer vielseitigen und facettenreichen Subkultur und einem nicht zu unterschätzenden Einfluß auf das öffentliche Leben Berlins. Berlin war Ausgangspunkt für wissenschaftliche Aufklärungsbestrebungen. 1897 gründete Magnus Hirschfeld das »Wissenschaftlich-humanitäre Komitee«, das den ersten Versuch einer Selbstorganisation der Homosexuellen darstellt. 1919 gründete er das erste Sexualwissenschaftliche Institut der Welt.

Im Zusammenhang mit der Frauenbewegung traten lesbische Frauen zu Beginn des 20. Jahrhunderts erstmals an die Öffentlichkeit. Nach dem Ersten Weltkrieg wurden Lesbierinnen durch zahlreiche Organisationen, Schriften und Veranstaltungen im gesellschaftlichen Leben aktiv. In den 20er Jahren wurde das schwule und lesbische Leben so prägend für die Großstadt Berlin, daß kaum ein Künstler, der sich mit der Stadt auseinandersetzte, die gesellschaftliche Situation der Homosexuellen ignorieren konnte. Der Schriftsteller Adolf Brand gab ab 1896 die erste Homosexuellenzeitschrift »Der Eigene« heraus. Andere Zeitschriften folgten. Als Publikationsorgane lesbischer Frauen erschienen in den 20er Jahren u. a. die Zeitschriften »Die Freundin« und die »Garconne«. In Berlin wurde 1919 mit »Anders als die Andern« der erste Homosexuellenfilm der Welt gedreht. 1931 erregte Christa Winsloes Film »Mädchen in Uni-

1 E. R. Curtius: Europäische Literatur und lateinisches Mittelalter, Bern 1948; J. Boswell: Christianity, Social Tolerance, and Homosexuality, Gay People in Western Europe from the Beginning of the Christian Era to the 14th Century, Chicago & London 1980; A. Bray: Homosexuality in Renaissance England, London 1982

2 Rudolf His: Das Strafrecht des deutschen Mittelalters, Teil 2: Die einzelnen Verbrechen, Weimar 1935, S. 166 ff.

3 Johann Friedel: Briefe über die Galanterien von Berlin. Gotha 1782, S. 173

4 N. Praetorius: Die Homosexualität des Prinzen Heinrich von Preußen, des Bruders Friedrichs des Großen, in: Zeitschrift für Sexualwissenschaft, Jg. 15, 1929, S. 465 ff.

5 W. Stieber: Die Prostitution in Berlin und ihre Opfer, 2. Aufl. Berlin 1846, S. 209

6 Otto von Bismarck: Gedanken und Erinnerungen, Bd. 1, Stuttgart 1898, S. 6

form«, der in einem Potsdamer Internat spielt, internationales Aufsehen.

Alfred Döblin, Klaus Mann, Karl Sternheim und Gerhart Hauptmann sind unter den Schriftstellern die bedeutendsten Gestalter gleichgeschlechtlicher Thematik. Unter den bildenden Künstlern setzten sich Otto Dix, Christian Schad, Otto Schoff, Marcus Behmer, Renée Sintenis, Marthel Schwichtenberg und Jeanne Mammen mit dem Thema auseinander. Das Berlin der Weimarer Republik ist ohne seine homosexuellen Bürger, die einerseits das Flair weltstädtischer Verruchtheit verkörperten und andererseits die traditionelle Liberalität auch für sich selbst forderten, nicht denkbar. Daß auch in dieser Zeit lesbisches und schwules Leben kriminalisiert wurde, zeigt die Diskussion um die Verschärfung des § 175, die schließlich in der brutalen Verfolgung homosexueller Männer und Frauen im Nationalsozialismus gipfelte.

Ein stadthistorisches Museum hat u. a. auch die Aufgabe, Aspekte der verdrängten Geschichte von Minderheiten darzustellen und ins allgemeine Bewußtsein zu rücken. Die Ausstellung Eldorado wurde im Frühjahr 1982 von einer Gruppe homosexueller Männer angeregt, die selbst im Kulturbereich tätig waren oder sind. Erst durch diese Anregung ist die Leitung des Museums auf das Thema aufmerksam geworden und erklärte sich bereit, einer Arbeitsgruppe Räume für eine kleine Ausstellung zur Verfügung zu stellen. Eine finanzielle oder personelle Unterstützung war zu diesem Zeitpunkt von seiten des Museums noch nicht vorgesehen. Erst eine kurze Pressenotiz im Dezember 1982, in der die Arbeitsgruppe die Öffentlichkeit aufforderte, Materialien und Angaben zum Thema zur Verfügung zu stellen, veränderte die Situation.[7]

Eine größere Anzahl von Mitgliedern des Vereins der Freunde und Förderer des Berlin Museums trat nach der Pressenotiz innerhalb weniger Wochen aus dem Verein aus. Die Zahl belief sich auf ca. 30 Personen, eine genauere Angabe ist nicht möglich, da bei den Austritten nicht immer eine Begründung angegeben wurde. Auch am Museum wurde zwischen verschiedenen Mitarbeitern eine kontroverse Diskussion über Für und Wider der Ausstellung geführt. Außerdem wurden nach Bekanntwerden des Aus-

stellungsprojektes zahlreiche Protestschreiben an führende Politiker und an die Museumsleitung gerichtet, die bis zur Forderung nach einem Verbot der Ausstellung reichten. Durch die Mehrzahl dieser Schreiben, sowie einige teils anonyme Anrufe und Briefe, war deutlich geworden, daß homosexuelle Frauen und Männer noch immer als Verfemte und Kriminelle eingestuft werden. Die schriftlichen Äußerungen eines betont christlichen Absenders über Minderheiten, »deren Verhalten vor noch nicht sehr langer Zeit unter Strafe stand«, zeigt in erschreckendem Maße die Diskriminierung einer ungeliebten Bevölkerungsgruppe. Im gleichen Brief wurde den Homosexuellen »ein krankhaftes – wo nicht böswilliges Verhalten nachgesagt« und der Regierende Bürgermeister gebeten, die Ausstellung zu verbieten und zwar in seiner Eigenschaft als »Repräsentant einer Partei, die den Namen unseres Herrn Jesus Christus auf ihre Fahnen geschrieben hat.«[8] Hinweise auf Perversität und Jugendgefährdung waren weitere Aspekte warnender Protestschreiben, häufig verbunden mit der Befürchtung, öffentliche Gelder zu vergeuden. Ferner »sollte nicht verschwiegen werden«, daß sich Homosexuelle »im kriminellen Spektrum bewegen«.[9] Besonders betroffen machte dabei eine vordergründige Toleranz: »Die Homosexuellen sind kein Segen für die Menschheit, aber wir müssen mit Ihnen leben... Daß aber die von den Abartigen geplante Ausstellung von normal veranlagten Bürgern mitfinanziert werden soll«, findet der Schreiber des Briefes »skandalös«.[10]

Ein häufiger Vorwurf gegen die geplante Ausstellung war der angeblich mangelnde Berlin-Bezug, weshalb eine Ausstellung in einem Stadtmuseum pauschal abgelehnt wurde, obwohl sich grundsätzlich alle Protestschreiber gegen ein Ausstellungsprojekt wandten, dessen Inhalt sie gar nicht kannten.

Die Notwendigkeit der Ausstellung, ihrer Ausweitung und organisatorischen Betreuung durch das Museum und die damit verbundene finanzielle Mehrbelastung waren durch die öffentliche Reaktion mehr als deutlich geworden. Von seiten des Museums wurde deshalb eine andere für 1984 geplante Ausstellung verschoben, um Platz und finanzielle Mittel bereitstellen zu kön-

7 Pressenotiz im Tagesspiegel und im Volksblatt vom 28. 12. 1982

8 Brief von Johannes T., Berlin, vom 26. 8. 1983 an den Regierenden Bürgermeister

9 Brief eines Verlegers an die Museumsleitung vom 8. 1. 1983

10 Schreiben des »alten Berliners« Harro S. aus Bruchsal, vom 25. 8. 1983 an den Senator für Kulturelle Angelegenheiten

nen. Durch das Bekanntwerden des Ausstellungsvorhabens und der zu erwartenden Resonanz erweiterte sich auch das Projekt selbst. So entstanden zwischen der Arbeitsgruppe der homosexuellen Männer und einer Gruppe lesbischer Frauen Verbindungen, die zur notwendigen und sinnvollen Erweiterung des Projektes führten. Beide Gruppen arbeiteten jedoch von Anfang an nur über ihre eigenen geschlechtsspezifischen Themen.

Besonders von den Frauen wurde eine streng nach Geschlechtern getrennte Darstellung der Thematik gefordert. Hier kommt die grundsätzlich benachteiligte Stellung der Frauen in einer männlich orientierten Welt zum Tragen, aber auch ein in diesem Konflikt geprägtes und formuliertes Selbstbewußtsein. Ebenso rechtfertigen die historisch unterschiedlichen Voraussetzungen und Bedingungen öffentlicher Äußerungs- und Lebensmöglichkeiten eine gesonderte Darstellung seitens der lesbischen Frauen. Die Abgrenzung zur Männerwelt zeigt sich auch in der Beurteilung der künstlerischen Darstellung lesbischen Lebens oder gar der Darstellungen lesbischer Liebe.

Von seiten der Museumsleitung sollte ursprünglich auf jede erotische Darstellung verzichtet werden, um nicht weiteren Vorurteilen den Boden zu bereiten und der Ausstellung mehr zu schaden als zu nützen und um dem Vorwurf einer jugendgefährdenden Veranstaltung auszuweichen. Von der Männergruppe wurde dies abgelehnt, von der Frauengruppe dagegen mit Einschränkungen akzeptiert. Um nicht durch eine sozusagen moralische Einengung zur historischen Verfälschung beizutragen, wurde der völlige Verzicht auf Kunstwerke mit erotischem Inhalt von seiten des Museums nicht mehr aufrecht erhalten.

Als bei Gesprächen mit Leihgebern entsprechende Zeichnungen und Bilder von Künst-lern wie Christian Schad, Otto Schoff und Erich Godal angeboten wurden, lehnte die Frauengruppe die Publikation im Katalog ab, da die Darstellungen von männlichen Künstlern stammten und dem voyeuristischen Interesse männlicher Betrachter diene. Ohne einen Nachweis dieser These führen zu können, ist ihr Wahrheitsgehalt nicht ganz von der Hand zu weisen. Es ist jedoch bezeichnend, daß die Darstellung lesbischer Liebe erstmals im liberalen Klima der 20er Jahre in Berlin für eine ganze Gruppe von Künstlern zum Gegenstand künstlerischer Thematik wurde. Vorrangig waren es männliche Künstler, jedoch auch Frauen, wie die Zeichnerin Marthel Schwichtenberg.

Die Auswahl der Ausstellungsobjekte, die zahlreichen Absagen für eine Ausleihe, die Diskussionen während der vorbereitenden Arbeit, die Kontroversen zwischen den beiden Arbeitsgruppen spiegeln zugleich den Stand der derzeitigen Diskussion wider.

Trotz manchmal unterschiedlicher Auffassung zwischen der Museumsleitung und den Arbeitsgruppen, sowie gelegentlichen Bedenken gegenüber einzelnen Beiträgen, wurden von seiten des Museums keine inhaltlichen Veränderungen an den Manuskripten der Autorinnen und der Autoren vorgenommen. Wenn Ausstellung und Katalog beitragen, Vorurteile in einer Zeit abzubauen, die Homosexualität auf spektakuläre Weise als Staatssicherheitsrisiko verhandelt, kann die gemeinsame Arbeit als Erfolg gewertet werden.

Berlin muß den Ruf einer toleranten weltoffenen Stadt wahren und ihm durch stetige Anstrengungen immer wieder gerecht werden. Das Berlin Museum, das der Geschichte und Gegenwart der Stadt verpflichtet ist, versucht hier, seinen Beitrag zu leisten. Somit seien Ausstellung und Katalog dem mündigen Bürger anvertraut.

Rolf Bothe

Manfred Herzer

Das Jahr 1869

Carl Westphal (1833–1890), Berliner Psychiater und Professor an der Charité, prägte 1869 den Begriff »konträre Sexualempfindung«, der bis ins 20. Jahrhundert hinein von den Medizinern neben dem Ausdruck »Homosexualität« verwendet wurde. Photo: Berlin Museum

In einem bis dahin unbekannten Ausmaß gelangte im Berlin des Jahres 1869 das, was man je nach Standpunkt widernatürliche Unzucht, Uranismus, conträre Sexualempfindung, Homosexualität oder Päderastie nannte, ins öffentliche Bewußtsein. Die Strafrechtsreform, der Kriminalfall Zastrow und neue Forschungsergebnisse, die in der Fachpresse publiziert wurden, gaben den sehr aufgeregten Auseinandersetzungen Nahrung. Die beiden Bezeichnungen »conträre Sexualempfindung« und »Homosexualität« wurden im Laufe dieser Auseinandersetzungen in jenem Jahr in Berlin sozusagen erfunden.

Der »dirigierende Arzt der Abteilung für Geisteskranke der königlichen Charité zu Berlin«, Carl Westphal, veröffentlichte in dem von ihm herausgegebenen »Archiv für Psychiatrie« im ersten Heft des Jahrgangs 1869 einen Aufsatz, der jene Wortneuschöpfung im Titel trägt: »Die conträre Sexualempfindung, Symptom eines neuropathischen (psychopathischen) Zustands«. Westphal beschreibt darin zwei seiner Patienten, das lesbische »Fräulein N.«, das »an einer Wuth leidet, Frauen zu lieben und mit ihnen außer Scherzen und Küssen Onanie zu treiben«, und einen 27jährigen Mann »Ha.«, der einen Drang zum Anlegen von Frauenkleidern empfindet und »sich als Weib gerirt«. Beide Beispiele von conträrer Sexualempfindung will Westphal als Belege für seine Ansicht verstanden wissen, daß es sich hier nicht um Verbrechen handelt, sondern daß die Mediziner allein zuständig seien, »in deren Gebiet sie gehören«.[1] Der Beginn dessen, was wir heute als Prozeß der Medikalisierung der Homosexualität, ihre Behandlung als vermeintliche Krankheit, bezeichnen, wurde hier von dem Berliner Irrenarzt Westphal gesetzt. Immerhin beteuert Westphal jedoch auch, und darin unterscheidet er sich von seinen Nachfolgern erheblich, »daß es mir nicht in den Sinn kommt, alle Individuen, welche sich der widernatürlichen Unzucht hingeben, für pathologische Naturen zu erklären. Ich weiß sehr wohl, daß dies nicht der Fall ist.«

Zugleich zeigt er sich überzeugt, daß es zu einer Abschaffung des § 143 des preußischen Strafgesetzbuches kommen werde, womit er den zentralen Punkt in den öffentlichen Erörterungen jenes Jahres berührt. Daß dieser § 143, der zunächst im Entwurf zu einem Strafgesetzbuch für den Norddeutschen Bund übernommen wurde, drei Jahre später mit der Nummer 175 versehen für das ganze Deutsche Reich gültig werden sollte, konnte Westphal ebensowenig voraussehen wie seine Kollegen von der Universität, die als »Königlich wissenschaftliche Deputation für das Medicinalwesen« am 24. März 1869 in einem öffentlichen Gutachten[2] die Bestrafung der widernatürlichen Unzucht ablehnten. Die zehn Ärzte, Professoren und Medizinalräte dieser Deputation, zu denen auch Rudolf Virchow gehörte, stimmten zwar mit dem Preußischen Justizminister Leonhardt überein, der sich mit dem Hinweis auf die Straffreiheit in Frankreich, Belgien und Bayern sowie auf die im Entwurf des österreichischen Strafgesetzbuchs ebenfalls vorgesehene Straffreiheit für die entsprechende Reform auch in Preußen einsetzte. Erheblicher Widerstand kam jedoch vor allem vom Minister der geistlichen, Unterrichts- und Medicinalangelegenheiten Heinrich von Mühler, der in einer öffentlichen Denkschrift vom 12. April 1869 gegen die Ansicht des Justizministers einwandte, daß allein »im Interesse der öffentlichen Moral« die Strafbarkeit der, wie er schreibt »Sodomiterei und Päderastie« ausdrücklich auch gegenüber dem drei Wochen vorher abgegebenen Gutachten der wissenschaftlichen Deputation aufrechterhalten bleiben müsse.[3] All diese Texte wurden von der Regierung veröffentlicht, und im Preußischen Staatsanzeiger vom 19. Oktober 1869 wurde dazu aufgerufen, »daß alle, welche die Aufforderung und den Beruf in sich empfinden, an dem nationalen Werke mitzuarbeiten, sich über den Entwurf möchten vernehmen lassen.«[4] Infolge dieser Aufforderung erschienen 1869 in dem Leipziger Verlag Serbe, der zuvor auch schon mehrere Traktate von Karl

1 Carl Westphal: Die conträre Sexualempfindung, in: Archiv für Psychiatrie, Berlin, Bd. 2, 1869, Heft 1, S. 73 ff.
2 Erörterungen strafrechtlicher Fragen aus dem Gebiete der gerichtlichen Medizin. Anlage zu den Motiven des Strafgesetzbuchs für den Norddeutschen Bund, Berlin 1869
3 Zitiert nach Kertbenys zweiter Broschüre »Das Gemeinschädliche des § 143 ...«, S. 1, s. Anm. 5.
4 Zitiert nach Kertbenys erster Broschüre »§ 143 ...«, S. 6, s. Anm. 5.

Heinrich Ulrichs zur Befreiung der Urningsliebe veröffentlicht hatte, zwei anonyme
Broschüren mit umständlichen Titeln und
weitschweifenden – Karsch-Haack, ein späterer Kommentator schreibt: »geschwätzi-
gen« – Ausführungen über die notwendige
Straffreiheit dessen, was der anonyme
Autor hier erstmals mit der neuen Wortbil-
dung als »Homosexualität« bezeichnete.[5]
Im »Jahrbuch für sexuelle Zwischenstufen«,
in dessen siebtem Band eine der beiden
Schriften nachgedruckt wurde, führte
Magnus Hirschfeld schlüssige Beweise
dafür an, daß der Verfasser und damit auch
der Erfinder des Wortes Homosexualität der
1824 in Wien geborene Schriftsteller und
Übersetzer Karl Maria Kertbeny war. In einer
Verlagsankündigung wird der Anonymus
als »einer der bedeutendsten Schöngeister
Deutschlands« bezeichnet, er selbst spricht
von sich in seiner ersten Broschüre als »wir
Ärzte« (S. 27) und als »nüchternen Antropo-
logen« (S. 57), wohl um das Gewicht seiner
Argumente zu erhöhen. Fest steht jedenfalls, daß Kertbeny in den Jahren 1868–1874
in Berlin lebte[6] und hier auch seine beiden
Traktate verfaßte.
Das »Rechtsbewußtsein des Volkes«[7], auf
das sich die Befürworter der Strafverfolgung
beriefen, war im Jahre 1869 durch ein Ereignis in Wallung geraten, das vielleicht auch
die Beratungen über die Strafbarkeit der
Homosexualität beeinflußt hat. Am 17. Januar wurde im 4. Stockwerk des Hauses
Grüner Weg 45 der fünfjährige Knabe Emil
Hanke schwer verletzt, verstümmelt und
offensichtlich sexuell vergewaltigt, auf-
gefunden. Diese Tat wurde mit einer ähnlichen, bisher unaufgeklärten, aus dem Jahre
1867 in Zusammenhang gebracht, wobei
aber das damalige Opfer, der 15jährige Bäk-
kerlehrling Corny nach der Vergewaltigung
und Verstümmelung von seinem Mörder in
der Panke ertränkt worden war. Am Tage
der Entdeckung des Verbrechens an dem
Knaben Hanke wurde der 48jährige Maler
und Leutnant a. D. Karl Ernst von Zastrow
als Tatverdächtiger festgenommen. Er sei als
Päderast bekannt und sei in der Nähe des
Tatorts gesehen worden. Als zudem noch
der verletzte Knabe angab, daß er in
Zastrow den Täter wiedererkenne, schien
alles klar.
Der Fall wurde nun, bis zur Verurteilung
Zastrows, zum Sensationsthema der Stadt;

oben:
Karl Maria Kertbeny (1824–1882),
österreichischer Schriftsteller und
Übersetzer, erfand 1869 während sei-
nes Aufenthaltes in Berlin das Wort
»Homosexualität« und verwendete es
erstmals in seinem Traktat gegen die
Bestrafung der Homosexuellen.
Photo: Berlin Museum

links:
Titelblatt von Kertbenys anonymer
Broschüre, die seine Wortschöpfung
»Homosexualität« enthielt. Kertbeny
hat sich nie als Autor dieses Werkes
bekannt, dennoch gibt es genügend
Hinweise im Text, die seine Autoren-
schaft beweisen.

in den Zeitungen und in mehreren Broschüren wurden die Untersuchungen und der
Prozeß ausgiebig verfolgt. Zastrow hatte
immer abgestritten, der Täter zu sein, und
aus heutiger Sicht, wenn man die Dürftigkeit
der Indizien betrachtet, scheint es nicht ausgeschlossen, daß Zastrow vor allem aufgrund des Rechtsbewußtseins des Volkes
verurteilt wurde. In Zastrows Wohnung
hatte die Polizei eine Schrift von Ulrichs gegen die Verfolgung der Urningsliebe gefunden, ferner hatte sich Zastrow offen bekannt und vor Gericht erklärt: »Vorliebe für
schöne männliche Formen ist mir angeboren und mit mir groß geworden, wie auch
der Trieb, mich ihnen anzuschmiegen. Es
gibt drei Geschlechter, nicht zwei; zu dem
dritten zähle ich mich. Die Neigung dieses
dritten Geschlechts besteht ebenfalls in der
Liebe, aber nicht zu den Weibern. Auch sie
ist durch die Natur berechtigt. Nie sollte die
Gesetzgebung sich richtend in dieselbe ein-
mischen.«[8]
Für Ulrichs war der Fall Zastrow Anlaß, in
zwei Broschüren (»Argonauticus« und »Incu-
bus«), die noch im gleichen Jahr und auch
wie Kertbenys Traktate im Leipziger Verlag
Serbe erschienen, das Vorgehen der Polizei,
der Justiz und der Öffentlichkeit gegen
Zastrow als Beispiele für die Wirkung jenes
Rechtsbewußtseins des Volkes anzupran-
gern.

5 Die beiden anonymen Broschüren
Kertbenys haben die Titel:
a) § 143 des preußischen Strafgesetzbuches vom 14. April 1851 und seine
Aufrechterhaltung als § 152 im Entwurf
eines Strafgesetzbuches für den Norddeutschen Bund. Offene fachwissen-
schaftliche Zuschrift an den königl.
preuß. Staats- und Justizminister
Dr. Leonhardt, Leipzig 1869;
b) »Das Gemeinschädliche des § 143
des preußischen Strafgesetzbuches
vom 14. April 1851 und daher seine
nothwendige Tilgung als § 152 im Ent-
wurfe eines Strafgesetzbuches für den
Norddeutschen Bund.«, Leipzig 1869.
6 Vgl. seine Lebensbeschreibung in:
Kertbeny: Die ungarische Literatur in
der Weltliteratur, Budapest 1876, S. 61,
sowie verschiedene Briefe Kertbenys
aus Berlin an Zeitgenossen.
7 Vgl. Entwurf eines Strafgesetzbuches
für den Norddeutschen Bund, nebst
Motiven und 4 Anlagen, Berlin 1869
8 Karl Heinrich Ulrichs: Argonauticus,
Leipzig 1869, S. 122 f.; Ulrichs zitiert aus
der »Berliner Gerichtszeitung«.

Ulrichs beschreibt die Situation in Berlin: »In welchem Grade insonderheit gegen von Zastrow die Volksmeinung Berlins gewalttätig ist, zeigen die Zusammenrottungen, welche vor seinem Gefängnis zu dem ausgesprochenen Zweck erfolgten: ihn mit Volkshänden an einen Laternenpfahl zu hängen. Das zeigt ferner die Berliner Presse, welche die vorhandene blinde Wuth mehr anstachelt als zügelt. Nach solchen Vorgängen dürfte eine warnende Stimme gar sehr am Orte sein, daß das Recht nicht gebeugt werde, weder vor dem Geschrei des Pöbels, welcher lechzt, an dem Pädicanten Lynchjustiz zu üben, noch vor dem der sog. Gebildeten, welche ›entrüstet‹ sein würden, sollte die unantastbare Unabhängigkeit des Gerichts über ›solch einen Menschen!‹ ein unerwartetes Urteil fällen.«[9] Das unabhängige Gericht fällte schließlich das erwartete Urteil von 15 Jahren Zuchthaus.

Im Jahre 1869 wurden in Berlin endgültig die Weichen gestellt für eine Entwicklung, die schließlich 1933 im »Dritten Reich« der Nazis zur vollen Herrschaft des »gesunden Volksempfindens« führte, das die Ausrottung der Homosexuellen in den KZs betrieb. Allerdings war auch die Reform des § 175 hundert Jahre später, 1969, in den kritischen Stimmen des Jahres 1869 vorformuliert.

9 Ebd., S. 81

Manfred Baumgardt

Berlin, ein Zentrum der entstehenden Sexualwissenschaft und die Vorläufer der Homosexuellen-Bewegung

Die Anfänge der Berliner Sexualwissenschaft gingen von Berliner Ärzten um die Jahrhundertwende aus. Dabei sind die Ursprünge dieser Wissenschaft weitgehend identisch mit den Pionierarbeiten bei der Erforschung der Homosexualität. Begünstigt wurden diese Aktivitäten durch ein aufklärerisches Interesse an den Prinzipien des Naturrechts. Umfangreiche Arbeiten auf dem Gebiet der Anthropologie, Medizin und Biologie eines Darwin, Mendel, Charcot, Griesinger, Westermark u. v. a. entstanden und bilden die Grundlage der Sexualwissenschaft. Iwan Bloch, Magnus Hirschfeld und Max Marcuse bauten auf diesem Fundament auf: I. Bloch entwickelte ein erstes Konzept der Sexualwissenschaft und gab ihr den Namen (1906); M. Hirschfeld gründete mit anderen die erste sexualwissenschaftliche Zeitschrift (1908), ein Institut (1919) und zusammen mit I. Bloch u. a. die erste Gesellschaft (1913); M. Marcuse lieferte für die Entwicklung der Sexualwissenschaft eine Reihe von Periodika, insbesondere die »Zeitschrift für Sexualwissenschaft« (1914–1932). Die neue Disziplin stieß in der Öffentlichkeit auf massive Abwehr. Schon damals waren im Ansatz zwei Hauptströmungen sichtbar, eine medizinisch und eine sozialwissenschaftlich orientierte Richtung, die nach 1945 wieder aufgenommen und weiterentwickelt wurden. Neben den wissenschaftstheoretischen Arbeiten war ein ausgeprägter Reformwille für die Genannten kennzeichnend.
Diese Entwicklung ist aber nicht denkbar ohne die Vorarbeiten, die v. a. von J. L. Casper und K. H. Ulrichs im 19. Jh. geleistet wurden, auf die hier eingegangen werden soll.

Johann Ludwig Casper (1796–1864)

J. L. Casper, Berliner Arzt für forensische Medizin und Universitätslehrer, ging es im Ansatz darum, die zeitgenössischen Moralvorstellungen aus den Gesetzen zu eliminieren. Seine Einstellung zur Homosexualität ist stark dem Aufklärungsgedanken verbunden, nach dem der Staat kein Recht hat, Moralgesetze zu erlassen. In der »Vierteljahrsschrift für gerichtliche und öffentliche Medicin« setzt sich Caspar erstmals mit der »Päderastie« auseinander. Die bisher vertretene Meinung, daß Päderastie Krankheiten, wie z. B. »Abzehrung, Schwindsucht oder Wassersucht«[1], zur Folge habe, versuchte Casper durch eigene Fallstudien zu widerlegen. Er kam zu dem Ergebnis, daß Päderastie nicht unbedingt an äußeren Merkmalen erkennbar sei und vertrat schließlich die Ansicht, daß Homosexualität meistens angeboren sei und es sich hierbei um eine »geistige Zwitterbildung«[2] handele. Seine »Theorie« von der angeborenen Homosexualität und dem »geistigen Zwittertum« hob sich weit von den damals üblichen Anschauungen ab. Für Casper war der Päderast ein Mensch, der »in vielen, vielleicht in den meisten Fällen … durch einen wunderbaren, dunkeln und unerklärlichen eingeborenen Drang sich ausschließlich zu Individuen seines eigenen Geschlechts hingezogen fühlt«[3]. Mit seiner »Theorie« legt Casper einerseits die Grundlage für eine qualitativ neue Beurteilung der Homosexualität, andererseits bildeten diese Annahmen in der weiteren Diskussion die Voraussetzung dafür, gleichgeschlechtliche Sexualität in den Bereich der Psychiatrie anzusiedeln.

Karl Heinrich Ulrichs (1825–1895)

Ulrichs ist der bedeutendste Aufklärer und Verfechter der Homosexuellenemanzipation im 19. Jahrhundert.
Er selbst bezeichnete sich als Urning[4] und nahm alle Diskriminierungen in Kauf, um sich für die Rechte Homosexueller einzusetzen.

Johann Ludwig Casper (1796–1846), Photo: Magnus Hirschfeldgesellschaft, Berlin

Karl Heinrich Ulrichs (1825–1895), Photo: aus Jahrbuch für sexuelle Zwischenstufen, Leipzig 1899, S. 36

1 Adolf Christian Heinrich Henke: Lehrbuch der gerichtlichen Medicin, Berlin 1829, § 183
2 Johann Ludwig Casper: Practisches Handbuch der gerichtlichen Medicin, Berlin 1858, S. 173 f.
3 Ders.: Klinische Novellen zur gerichtlichen Medicin. Nach eigenen Erfahrungen, Berlin 1852, S. 34

Um diese durchzusetzen, prägte Ulrichs ein neues Wort, das nicht unter dem Begriff der »Widernatürlichkeit« und somit unter der Sodomie subsumierbar war. Die bisher übliche Verwendung des Wortes »Päderasten« für Homosexuelle ersetzte er durch die aus der griechischen Mythologie abgeleiteten Bezeichnungen »Urning« für den Mann und daran anlehnend »Urninde« für die Frau.[5]

Nachdem er in Berlin und Göttingen studiert hatte, brach der Jurist aus Aurich nach den Revolutionsjahren seine Laufbahn ab. Vermögend genug, ließ er sich in Burgdorf bei Hannover nieder, um seinen vielseitigen wissenschaftlichen Forschungen – so trat er beispielsweise auch als Befürworter des klassischen Lateins hervor – nachzugehen. Seinen Verwandten begann er 1862 die gewonnenen Ansichten und Forderungen in Briefen mitzuteilen.[6] Im gleichen Jahr formulierte er einen seiner Leitsätze zur Befreiung der Homosexuellen: »Als Urninge sollen und müssen wir auftreten. Nur dann erobern wir uns in der menschlichen Gesellschaft Boden unter den Füßen, sonst niemals.«[7] Die unter dem Obertitel »Forschungen über das Räthsel der mannmännlichen Liebe« ab 1864 erschienenen Bücher, besaßen programmatischen Charakter und waren auf aktuelle Anlässe bezogen.

Als letzte Veröffentlichung erschienen die »Kritischen Pfeile«, die als Denkschrift an die gesetzgebenden Körperschaften gedacht waren. 1870 schrieb er: »Und während die Wissenschaft früher sich absolut weigerte, von der Urnings-Theorie Notiz zu nehmen, sieht sie sich jetzt fast wider Willen gezwungen, dieselbe statt todtzuschweigen zu discutieren. Theils wurden polemische Kritiken oder gar besondere Flugschriften gegen sie geschleudert, theils haben medicinische Zeitschriften, wie das › Archiv für Psychiatrie ‹, lange Stellen aus meinen Schriften abgedruckt …«[8] Aus dem Originaltext läßt sich der Einfluß seiner neuen Theorie auf die Psychiatrie ablesen, die sich eben in diesen Jahren aus der Medizin als eigenständige Disziplin herauslöste.[9] Johann Ludwig Caspers Fallstudien griff er in seiner Argumentation lobend auf und wandte sich um so heftiger gegen den Pariser Gerichtsmediziner Auguste Ambroise Tardieu (1818–1879)[10], dessen Veröffentlichungen er als unwissenschaftlich ablehnt. Wesentlich bei

Ulrichs war die Annahme von der »weiblichen Seele im männlichen Körper« bzw. bei der »Urninde«, die von »der männlichen Seele im weiblichen Körper«. Diese Eigenschaften glaubte er in der Natur angelegt und folgerte daraus ein Naturrecht der Homosexuellen, sich gleichgeschlechtlich zu betätigen: »Mit welchem Recht will man also zwei Erwachsene hindern, eine Handlung auszuführen, durch welche ein Gesetz der Natur erfüllt wird«[11]. Ulrichs war von dem sexuellen Dualismus der Menschen überzeugt. Für die homosexuellen Männer folgerte er: »Der geschlechtliche Dualismus, welcher ausnahmslos in jedem menschlichen Individuum im Keim vorhanden ist, kommt in Zwittern und Uraniern nur in höherem Grade zum Ausdruck, als im gewöhnlichen Mann und im gewöhnlichen Weibe. Im Uranier kommt er ferner nur in einer anderen Weise zum Ausdruck als im Zwitter«[12].

Fast in jedem seiner Bücher kommt er auf einen Kerngedanken seiner Aussagen zurück: »Der Fundamentalsatz, den ich aufstelle, und auf den ich mein ganzes System aufbaue, ist der Satz: Die Natur ist es, die einer zahlreichen Klasse von Menschen neben männlichem Körperbau weibliche Geschlechtsliebe gibt, das ist geschlechtliche Hinneigung zu Männern, geschlechtlicher Horror vor Weibern.«[13] Das Sittengesetz sagt, daß alle Menschen gleich behandelt werden müssen und daraus folgte für ihn, daß auch der Urning ein »berechtigter Bürger des Rechtsstaates«[14] ist. Daher forderte er die Streichung der Strafgesetzparagraphen gegen Homosexuelle.

Sicherlich war es für ihn ermutigend, daß einige deutsche Länder die Liberalisierung des Strafrechts unter französischem Einfluß durchgesetzt hatten. Er glaubte, daß sich dies durch Vernunft und Aufklärung auch auf die anderen deutschen Länder auswirken würde. Als Preußen nach dem Krieg mit Österreich 1866 Hannover nebst anderen deutschen Ländern annektierte und im Norddeutschen Bund einigte, mußten diese die preußischen Strafbestimmungen übernehmen.

Für die Homosexuellen bedeutete diese Ausdehnung der Bestimmungen des § 143 des Preußischen Strafgesetzbuches auf das ganze Reich einen großen Rückschritt. Der neue § 175 belegte homosexuelle Handlun-

4 Eine Bezeichnung, die Ulrichs aus Platons Gastmahl (Kap. 8 u. 9) ableitete
5 Vgl. Karl Heinrich Ulrichs: Vindex, Leipzig 1864, S. 2
6 Abgedruckt in: Jahrbuch für sexuelle Zwischenstufen (J. f. s. Z.), Leipzig 1899, S. 49 f.
7 Ulrichs: Venedicta, Leipzig 1865, S. 25
8 Ulrichs: Prometheus, Leipzig 1870, S. 5
9 Richard Freiherr von Krafft-Ebing (1840–1902), ein Pionier der Sexualwissenschaft in Wien, war von Ulrichs beeinflußt.
10 Verfasser von: Die Vergehen gegen die Sittlichkeit in staatsärztlicher Beziehung betrachtet, Weimar 1860
11 Ulrichs: Kritische Pfeile, Leipzig 1879, S. 99
12 Ders.: Prometheus, 2. Aufl. Leipzig 1898, S. 68
13 Ders.: Inclusa, 2. Aufl. Leipzig 1898, S. 13
14 Ders.: Argonauticus, Leipzig 1869, § 51, S. 93

gen zwischen Männern (»widernatürliche Unzucht«) mit einer Gefängnisstrafe von einem Tag bis zu fünf Jahren.

Einen Höhepunkt im Kampf Ulrichs stellte sein Auftreten als Mitglied der Juristenvereinigung auf dem deutschen Juristentag in München am 29. 8. 1867 dar. Zusammen mit dem Grazer Professor der Jurisprudenz Tewes hatte er schon 1865 einen Antrag formuliert: »Der Juristentag wolle es für eine dringende Forderung der gesetzgeberischen Gerechtigkeit erklären, ... daß angeborene Liebe zu Personen männlichen Geschlechts (von Mann zu Mann) nur unter denselben Voraussetzungen zu strafen sei, unter welchen Liebe zu Personen des weiblichen Geschlechts (von Mann zu Frau) gestraft wird; daß sie also straflos bleibe, solange: weder Rechte verletzt werden (durch Anwendung oder Androhung von Zwang, durch Mißbrauch unmannbarer [unerwachsener] Personen, bewußtloser, etc.), noch öffentliches Ärgernis erregt wird.«[15] Schon während er auf den Inhalt der betreffenden Paragraphen zu sprechen kam, wurde er mehrmals unterbrochen. Der Sitzungspräsident forderte Ulrichs auf, seine Rede auf lateinisch fortzuführen. Ulrichs mußte jedoch wegen des andauernden Tumultes im Sitzungssaal seine Rede abbrechen.

Ulrichs selbst wertete sein Auftreten auf dem Juristentag folgendermaßen: »Bis an meinen Tod werde ich es mir zum Ruhme anrechnen, daß ich ... zu München in mir den Mut fand, Aug' in Auge entgegenzutreten einer tausendjährigen, vieltausendköpfigen, wutblickenden Hydra, welche mich und meine Naturgenossen wahrlich nur zu lange schon mit Gift und Geifer besprizt hat, viele zum Selbstmord trieb, ihr Lebensglück allen vergiftete. Ja, ich bin stolz, daß ich die Kraft fand, der Hydra der öffentlichen Verachtung einen ersten Lanzenstoß in die Weichen zu setzen.«[16]

Die Publikationen konnten nicht ohne weiteres verbreitet werden. Von den ersten beiden Schriften wurden alle noch vorhandenen Exemplare durch das königlich-sächsische Polizeiamt beschlagnahmt, allerdings nachdem der Verleger schon 1350 Hefte von »Inclusa« versandt hatte. Auf Einspruch beim Leipziger Bezirksgericht konnten die verbotenen Bücher wieder verkauft werden. Kurze Zeit später fielen seine Publika-

tionen dem sächsischen Zensor in die Hände; für Preußen wurde vorübergehend ein totales Verbot verhängt. Ulrichs bezog klar Stellung, nicht zuletzt bedingt durch die Politik der Homosexuellenverfolgung, indem er sich gegen die Annektion Hannovers durch Preußen wandte.

Ulrichs glaubte vom Liberalismus seiner Zeit keine Besserung der Lage der Homosexuellen mehr erwarten zu können, er sah sich bitter getäuscht: »Unter allen Umständen verachten wir daher den herrschenden Liberalismus, welcher hohler ist, als taube Nüsse, welcher uns statt Brodes Steine beut; welcher Freiheit nur für Majoritäten fordert, die bereits am Ruder sind, sobald es sich dagegen um unterdrückte Minoritäten handelt, die seinem Geschmack nicht zusagen, nie und nirgend für Freiheit eintritt, der ohne Ende dieselbe fälscht durch den ihm innewohnenden Despotismus, der ohne zu erröthen alle Tage Menschenrecht verhöhnt und Menschenwürde zertritt.«[17] Ulrichs sah, wie weit sich das Bürgertum von seinen eigenen Grundsätzen entfernt hatte, da es seine wirtschaftlichen Forderungen erfüllt wußte und versuchte, sich gegenüber dem Proletariat abzugrenzen, während dieses sich zu konsolidieren begann und eine gesellschaftliche und politische Kraft wurde.

Wegen seiner politischen Anschauungen wurde Ulrichs zweimal verhaftet und saß 1867 für drei Monate in der Festung Minden. Ulrichs verteidigte in seiner Schrift »Vindicta« Johann Baptist Schweitzer (1833–1875), als diesem Homosexualität zur Last gelegt wurde.

Durch Zeitungsinserate versuchte Ulrichs J. B. Schweitzer, 1867–1871 Präsident des Allgemeinen Deutschen Arbeitervereins, in Schutz zu nehmen. An das Gericht schickte er seine erste Aufklärungsschrift »Vindex«, um sie mit den anderen Untersuchungsakten dem Verteidiger zugänglich zu machen.

Nicht nur im Fall Schweitzer versuchte er, durch Zeitungsinserate, richtigstellende Leserbriefe an Tageszeitungen und Eingaben an die Gerichte, Homosexuellen zu helfen. Seine Veröffentlichungen verschickte er in großer Zahl an die verschiedensten einflußreichen Männer. Karl Marx bekam seine Schrift »Memnon« in die Hände und leitete sie an Friedrich Engels weiter.

15 Ders.: Gladius furens, 2. Aufl. Leipzig 1898, S. 18
16 Ebd.: S. 13
17 Ders.: Kritische Pfeile, Leipzig 1870, § 7, S. 10

»Vindex«, Titelblatt der ersten Aufklärungsschrift von M. Hirschfeld (Numa Numantius), Leipzig 1864, Photo: Berlin Museum

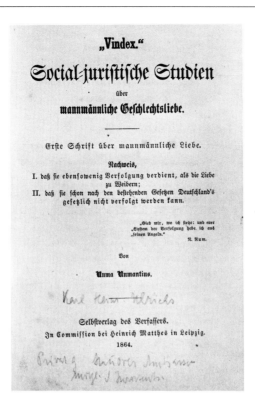

18 Ulrichs: Gladius furens, 2. Aufl. Leipzig 1898, S. 25

Um seine Schriften überhaupt herausgeben zu können, mußte Ulrichs vor 1871 häufig in liberalere Länder, wie z. B. Württemberg, ausweichen. 1880 ging er auf Grund der veränderten rechtlichen Situation im ganzen Deutschen Reich resigniert nach Italien und starb 1895 in Aquila.

Ulrichs eigene Einschätzung seiner Bestrebungen, sich für die Rechte Homosexueller einzusetzen, ist trotz seiner späteren Resignation durchweg positiv. »Es ist endlich einmal offen und laut Zeugnis abgelegt worden für der urnischen Liebe zertretenes Recht.«[18] Er selbst mußte scheitern, solange sich andere Homosexuelle nicht ebenso energisch für ihre Rechte einsetzten.

Manfred Baumgardt

Die Homosexuellen-Bewegung bis zum Ende des Ersten Weltkrieges

*Anfänge und Voraussetzungen der
Aktivitäten Magnus Hirschfelds*

Magnus Hirschfeld (1868–1935) war Gründer und erster Vorsitzender des »Wissenschaftlich-humanitären Komitees« (WhK) – der bis dahin einzigen Organisation zur Vertretung der Interessen Homosexueller – und Leiter seiner Aktivitäten bis zum Jahr 1929. Sein Name ist untrennbar verbunden mit der hier zu beschreibenden Phase der Homosexuellen-Bewegung.

Als Sohn eines jüdischen Arztes besuchte er bis 1887 das Gymnasium seiner Heimatstadt Kolberg und studierte in Breslau Philosophie und vergleichende Sprachwissenschaften. Ein sich anschließendes Medizinstudium in Straßburg und München beendete er unter Rudolf Virchow mit einer Arbeit über die nervösen Nachkrankheiten der Influenza.

Nach längerer Reise durch Amerika, Afrika, den Orient und verschiedene europäische Länder eröffnete er 1896 eine Arztpraxis in Berlin-Charlottenburg. Im Jahr 1910 ließ er sich – nach längerem Studienaufenthalt in Paris und London – endgültig als »Spezialarzt für nervöse und psychische Leiden« in Berlin nieder.[1]

1896 erschien im Verlag Max Spohr[2] unter dem Pseudonym »Dr. med. Th. Ramien« Hirschfelds erstes Buch[3], in dem er die Homosexualität als »einen tief innerlichen konstitutionellen Naturtrieb« bezeichnete. Die damaligen Forschungsergebnisse waren für ihn »gänzlich unzuverlässige Vermutungen«, und er forderte »im Namen der Wissenschaft und Humanität« die Streichung der einschlägigen Strafbestimmungen.

Seine Aktivitäten sind in die Zeit der allgemeinen Reform- und Sozialbewegung einzuordnen, die als eine Reaktion auf die negativen Folgen der Industrialisierung in der 2. Hälfte des 19. Jahrhunderts entstanden war. Vor allem das liberale Bürgertum hatte unter diesen Folgen zu leiden, so daß sich in ihm ein Bewußtsein von notwendigen sozialen Verbesserungen entwickelte. Dieser Reformgedanke wurde auch von jenen Splittergruppen getragen, die sich u. a. aufgrund des erfolglosen Kampfes der SPD gegen das Drei-Klassen-Wahlrecht und der relativen Einflußlosigkeit des gewählten Reichstages von der Arbeiterbewegung abgespalten hatte. Die reformerischen und kulturkritischen Tendenzen zogen sich durch große Teile der verschiedenen politischen Lager und sozialen Schichten. Allen gemeinsam war die Ablehnung einer Revolution im politisch-ökonomischen Bereich zur Durchsetzung gerechter Lebensverhältnisse. Die Reformbewegung appellierte an die Einsicht und die Vernunft des Menschen, auf eine evolutionäre Veränderung der Lebensumstände für alle hinzuarbeiten.[4]

*Magnus Hirschfeld (1868–1935),
Photo aus: François Aldor, Perversion
Sexuelles, Paris 1931*

*Die »Initialzündung« und das Erstarken
der Homosexuellen-Bewegung*

Nach der Veröffentlichung von »Sappho und Sokrates« (1896) hatte Hirschfeld vorgeschlagen, eine Petition an den Deutschen Reichstag mit dem Ziel der Streichung des § 175 zu richten. Um ihr mit den notwendigen Unterschriften mehr Nachdruck verleihen zu können, wurde am 15. Mai 1897 das »Wissenschaftlich humanitäre Komitee« gegründet. Zunächst wurden Persönlichkeiten des öffentlichen Lebens angeschrieben, die mit ihrer Unterschrift die Petition unterstützen sollten. Circa 1000 Unterschriften konnten zunächst dem Reichstag und dem Bundestag zugesandt werden. In den folgenden Jahren wurde die Petition von mehr als 6000 Menschen unterschrieben. Am 13. Januar 1898 begründete August Bebel – selbst Unterzeichner der Petition –, warum er die Forderungen des WhK unterstützte.

In der Reichstagssitzung vom 21. Januar 1901 wurde die erneut eingebrachte Petition nicht behandelt, sondern an die »Kommission zur Berichterstattung an das Plenum« überwiesen.[5]

1 Georg Plock: »Biographisches«, in: Vierteljahresberichte des WhK, 18. 1918, April–Juli, S. 1 f.
2 Spohr (1850–1905) war Verleger in Leipzig für belletristische und wissenschaftliche Schriften zur Homosexualität.
3 Th. Ramien (Hirschfeld): »Sappho und Sokrates oder Wie erklärt sich die Liebe der Männer und Frauen zu Personen des eigenen Geschlechts?«, Leipzig 1896
4 Wolfgang R. Krabbe: »Gesellschaftsveränderung durch Lebensreform«, Göttingen 1974, S. 16–166
5 JfsZ 3. 1901, S. 600

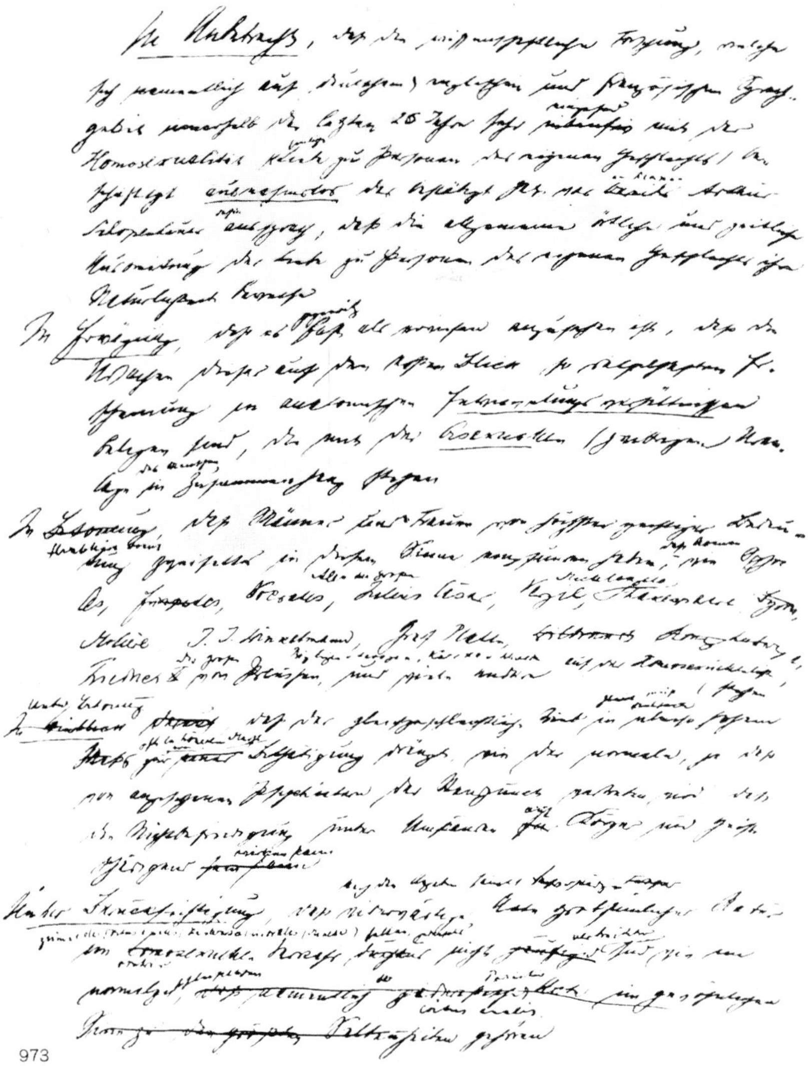

973

oben:
Handschriftlicher Urtext der ersten, von Dr. Hirschfeld verfaßten, Petition an die gesetzgebenden Körperschaften Deutschlands zwecks Beseitigung besonderer Strafbestimmungen gegen den homosexuellen Verkehr, Photo aus: M. Hirschfeld, Geschlechtskunde, Bd. 4, Stuttgart 1930, S. 656

rechts:
Führer des WhK: (v. l. n. r.) Georg Plack, Dr. Ernst Burchard, Dr. Magnus Hirschfeld, Freiherr von Teschenberg, 1904, Photo aus der Festschrift zum 25jährigen Bestehen des Wissenschaftlich-humanitären Komitees am 15. Mai 1922

Die Forderung nach Streichung des § 175 wurde begründet mit »einer tief innerlich constitutionellen Anlage ... welche mit der bisexuellen (zwittrigen) Uranlage des Menschen zusammenhänge«.[6]

Mit der Gründung des WhK hatte Hirschfeld begonnen, seine Forschungserkenntnisse politisch wirksam werden zu lassen; »... bis zu dieser Zeit (konnte) von einer planmäßigen Bewegung, von einer organisierten Arbeit, keine Rede sein.«[7]

Die Schwierigkeit des WhK, eine Organisation für Homosexuelle aufzubauen, bestand vor allem darin, daß Homosexualität innerhalb der Gesellschaft mit einem Tabu belegt war und somit Homosexuelle kaum bereit waren, in einer Organisation mitzuarbeiten, die es sich zur Aufgabe gemacht hatte, aufklärerisch zu arbeiten und für die Streichung der Strafbestimmungen einzutreten. Angst vor der Entlarvung und der damit verbundenen Diskriminierung und Furcht vor den Strafbestimmungen ließen viele vor Engagement zurückschrecken.

Es bedurfte erst einer »Initialzündung«, die es den Homosexuellen ermöglichte, zu einer Selbstidentifikation zu finden.

Die Petition an den Deutschen Reichstag stellte eine solche dar und veränderte langfristig die Situation der Homosexuellen: Sie hatten jetzt eine organisierte Interessenvertretung, die erstmals eine breite Öffentlichkeit erreichte. Das WhK, das bis zu diesem Zeitpunkt nur aus wenigen Mitgliedern bestand, konnte seine eigene Basis erweitern. Insbesondere stießen Leute hinzu, die sich aufgrund des Prozesses gegen Oscar Wilde im Jahre 1895 mit dem Thema Homosexualität beschäftigt hatten. Freiherr von Teschenberg, ein Freund Wildes, mußte aufgrund des »Skandals« London verlassen, kam nach Berlin und trat dem WhK bei.

Ab 1899 gab das WhK das »Jahrbuch für sexuelle Zwischenstufen unter besonderer Berücksichtigung der Homosexualität« heraus, das bis zum Jahr 1923 veröffentlicht wurde. Infolge der Inflation mußte ihr Erscheinen eingestellt werden. Die Jahrbücher versuchten durch Forschungsbeiträge die konstitutionelle Bedingtheit der Homosexualität nachzuweisen. Außerdem wurden Presseberichte über Verurteilungen nach § 175 sowie Fälle von Erpressungen und Transvestitismus abgedruckt. Eine umfangreiche Bibliographie zur Homosexualität erschien in jeder Ausgabe der Jahrbücher.

Schon der Titel des Jahrbuchs weist auf Hirschfelds Annahme von sogenannten »Zwischenstufen« hin. In dem Aufsatz »Die objektive Diagnose der Homosexualität« – erschienen im ersten Band – versuchte er, seine Erkenntnisse zu erläutern. Bei der Einteilung in Zwischenstufen ging Hirschfeld davon aus, daß sich Männer und Frauen in allen geistigen und körperlichen Punkten

6 M. Hirschfeld: »Die Homosexualität des Mannes und des Weibes«, Berlin 1914, S. 239 f.

7 Hirschfeld: »Die Homosexualität...«, a. a. O., S. 973

links:
Baron H. von Teschenberg (links),
Photo aus: M. Hirschfeld, Geschlechts-
kunde, Bd. 4, Stuttgart 1930, S. 625

rechts:
Aufklärungsschrift des WhK aus dem
Jahre 1902, Photo: Berlin Museum

nur graduell und quantitativ unterscheiden. Alle Geschlechtsunterschiede, die in fünf Gruppen eingeteilt wurden (äußere, innere Geschlechtsorgane, in der Pubertät hervortretende Merkmale, geistige Eigenschaften, Geschlechtstrieb) wären aus einer einheitlichen Uranlage entstanden. Normalerweise blieben nur »Rudimente der konträren Merkmale« übrig, aber vom »Vollmann« bis zur »Vollfrau« führe eine ununterbrochene Kette von »Abstufungen und Mischungen der andersgeschlechtlichen Merkmale«.[8] Charakteristisch hervortretende Gruppen seien dabei die Hermaphroditen und Homosexuellen. Somit war für Hirschfeld das Sexualverhalten der Homosexuellen biologisch determiniert. Ebenso wie Ulrichs sah Hirschfeld in der Homosexualität weder Laster noch Krankheit, sondern eine für die Betroffenen »natürliche und unausweichliche Anlage«.[9]

Die Entfaltung
einer breiten Öffentlichkeitsarbeit

Nach dem Mißerfolg der Petition im Reichstag griff das WhK den Vorschlag von Staatssekretär Nieberding auf. Die bisherige Taktik, sich ausschließlich an die Gebildeten zu wenden, wurde aufgegeben und eine breite Öffentlichkeitsarbeit betrieben. Mit der Aufklärungsschrift »Was soll das Volk vom dritten Geschlecht wissen?« wurde 1902 erstmals der Versuch unternommen, eine breite Öffentlichkeit zu erreichen. Durch

eine allgemeinverständliche Sprache sollte die Broschüre die »Zwischenstufentheorie« darstellen. Außerdem wurden die Ziele des WhK begründet. Sie schließt mit der Veröffentlichung der prominentesten Namen, die bisher die Petition des WhK unterzeichnet hatten. Bereits 1904 waren schon über 30000 Exemplare der Aufklärungsschrift verteilt.[10] Für die Mitglieder und Sympathisanten gab das WhK zwischen 1902 und 1907 die »Monatsberichte« mit aktuellen Beiträgen heraus. Zwischen 1923 und 1933 erschienen sie wieder unter der Bezeichnung »Mitteilungen«.[11]

Ein Schwerpunkt in der Öffentlichkeitsarbeit des WhK bestand darin, Homosexuellen vor Gericht beizustehen. Den Beteiligten – Richtern, Staatsanwälten und Sachverständigen – wurden Aufklärungsschriften des WhK zugesandt. Hirschfeld trat häufig selbst als Sachverständiger auf. Gerade hierbei, aber auch unter Berücksichtigung des Mißerfolgs der Petition im Reichstag wurde nur allzu deutlich, wieviel Aufklärung das WhK noch zu leisten hatte. Große Teile der Bevölkerung und auch der politischen Parteien nahmen die »homosexuelle Frage« nicht oder nur kaum wahr.

Zwischen 1903 und 1904 wurden vom WhK die ersten statistischen Untersuchungen über das Sexualverhalten bei Männern durchgeführt. 3000 Studenten der Technischen Hochschule in Charlottenburg wurde

8 Hirschfeld: »Die Homosexualität…«, a. a. O., S. 222–236
9 Ebd., S. 222–236
10 Hirschfeld: »Die Homosexualität…«, a. a. O., S. 974
11 Ebd., S. 975

Umfrage
für eine wissenschaftliche Untersuchung.

———————

Für eine wissenschaftliche Untersuchung, welche ich über die ebenso wichtige wie schwierige Frage der Bisexualität (auf beide Geschlechter sich erstreckender Liebes- bzw. Geschlechtstrieb) anzustellen beabsichtige, bitte ich unsere Freunde um gütige Unterstützung.

Vor allen Dingen liegt mir an s t r e n g w a h r h e i t s g e m ä ß e n und gut durchdachten Auskünften. Namennennung nicht erforderlich.

Unter I bitte ich, gleichviel ob Sie heterosexuell, homosexuell oder bisexuell sind, eine Schilderung des Typus zu geben, zu welchen Sie sich hingezogen fühlen, wie also der oder die Betreffende in Aussehen, Charakter, Alter etc. beschaffen sein soll (populär ausgedrückt, „was Ihr Fall ist").

Unter II bitte mitzuteilen, ob Sie sich zu beiden Geschlechtern geschlechtlich hingezogen fühlen, oder gefühlt haben (wann?), welcher Typus Ihnen beim weiblichen Geschlecht und welcher Ihnen beim männlichen Geschlecht besonders anziehend ist.

Unter III ob die Zuneigung zu beiden Geschlechtern gleich stark oder zu einem von beiden stärker ist, in welchem Verhältnis Sie sich zu dem einen und anderen hingezogen fühlen (also z. B. etwa 75% zum Weib, 25% zum Mann, oder beide gleich etc.).

Unter IV. Handelt es sich in beiden Fällen um eine wirklich vorhandene Zuneigung seelischer und sinnlicher Natur oder liegt nur die Möglichkeit vor, den Akt auszuführen. Woran erkannten Sie, ob es sich um Gefühle der Freundschaft oder um Liebesempfinden handelte. (Wie unterscheiden Sie also Freundschaft und Liebe?). Hat Betätigung mit beiden Geschlechtern stattgefunden, so bitte anzugeben, ob die Empfindungen vor, während und nach dem Verkehr die gleiche war oder verschiedener Art; in welcher Weise verschieden (z. B. küßten Sie beide Geschlechter gleich gern?).

Unter V ob Sie verheiratet sind; Kinder haben; ob Ihre Frau Ihren Zustand kennt; wie sie ihn beurteilt; ob die Kinder gesund sind.

Unter VI. Welche Erfahrungen Sie bei anderen in Bezug auf die Bisexualität gemacht haben, wobei ich die Möglichkeit der Betätigung und die wirkliche Liebesneigung zu beiden Geschlechtern zu unterscheiden bitte.

Die Antworten erbitte umseitig, eventuell unter Benutzung von Anlagen, möglichst eingehend und bald.

Auch Beantwortung einzelner Fragen ist willkommen.

Für Ihr freundliches Mitwirken verbindlichst dankend

C h a r l o t t e n b u r g , 31. August 1905.

---

12 Hirschfeld: »Das Ergebnis der statistischen Untersuchungen über den Prozentsatz der Homosexuellen«, Leipzig 1904, S. 27
13 JfsZ: 6. 1904, S. 677 f.
14 Hirschfeld: »Das Ergebnis…«, a. a. O., S. 47 f.
15 Ebd., S. 68
16 Ebd., S. 3. f.

im Dezember 1903 schriftlich die Frage gestellt, ob sich ihr »Liebstrieb auf weibliche, männliche oder weibliche und männliche Personen«[12] richtet. Die Umfrage, an der sich 1696 der angeschriebenen Studenten beteiligten, ergab einen Anteil von 1,5 % Homosexuellen und 4,5 % Bisexuellen. Sechs der befragten Studenten stellten

Strafanzeige gegen Hirschfeld wegen Beleidigung und Verbreitung unzüchtiger Schriften, woraufhin Hirschfeld zu einer Geldstrafe von 200 Mark verurteilt wurde.[13] Obwohl er in einem Begleitschreiben auf den wissenschaftlichen Charakter der Enquete aufmerksam gemacht hatte, zeigte sich durch die Anzeige, wie tief die Vorurteile gegenüber Homosexuellen lagen.

Im Februar 1904 befragte das WhK 5721 Metallarbeiter, deren Adressen dem WhK vom Verband deutscher Metallarbeiter zur Verfügung gestellt worden waren. Sie erhielten einen Begleitbrief und eine Karte, auf der sie die Frage beantworten sollten: »Hat sich ihr Liebestrieb immer nur auf weibliche, immer nur auf männliche oder sowohl auf weibliche wie auf männliche Personen gerichtet?«[14] Das Resultat dieser zweiten Befragung wich von der ersten ab. 1,1 % der 1912 antwortenden Metallarbeiter bezeichneten sich als homosexuell und 3,2 % als bisexuell. Am Ende seiner Beschreibung über das Ergebnis der statistischen Untersuchungen sagt Hirschfeld, weshalb er die Befragungen durchgeführt habe: »… es ist die Million (Homosexueller) in unserem Vaterlande, deren Menschenrechte, deren Lebensglück und Lebenswahrheit durch Vorurteile, Nachurteile und Mangel an naturrechtlichem Sinn verkürzt, verkümmert, vernichtet werden.«[15] Diese Umfragen waren die ersten ihrer Art in der Geschichte der Sexualwissenschaft. Alle bisherigen Veröffentlichungen über die Zahl der Homosexuellen beruhten auf Vermutungen.

Die Sachverständigen und Juristen dieser Zeit gingen davon aus, daß Homosexualität äußerst selten vorkommt. Sie waren daher auch der Ansicht, alle Strafdelikte erfassen zu können. Hirschfeld dagegen war der Auffassung, daß die Strafgesetze nur ausnahmsweise angewandt werden könnten, da es bedeutend mehr Homosexuelle gebe. Dabei entstand die Frage, ob die Strafbestimmungen aufrecht zu erhalten seien.

»Läßt sich aus dem zahlenmäßigen Mißverhältnis zwischen begangenen und verurteilten Handlungen, zwischen bestraften und straffreien Tätern die Ungerechtigkeit des heutigen Rechtes erweisen, so wird diese Ungerechtigkeit um so größer, wenn das Recht an sich ein Unrecht ist.«[16]

Homosexuelle wurden zu dieser Zeit in ihrer Gesamtheit nicht wahrgenommen bzw. geleugnet. Sie mußten sich vielmehr erst einmal die Anerkennung ihrer Existenz in der Gesellschaft erkämpfen. Hierin liegt auch der besondere Wert der Erhebungen des WhK.

Die Schwierigkeiten des WhK und deren Hintergründe

SPD-Abgeordnete waren die einzigen, die sich im Deutschen Reichstag für die Abschaffung des § 175 einsetzten. August Bebel, der Mitunterzeichner der Petition des WhK forderte das WhK auf, »die rein wissenschaftliche Methode seines Vorgehens aufzugeben und endlich aktuelle Fälle … zu schaffen, da sie allein den Reichstag zwingen könnten, endlich der Wahrheit die Ehre zu geben …«[17] Hirschfeld war davon überzeugt, daß die Wissenschaft, verbunden mit einer notwendigen Aufklärung innerhalb der Bevölkerung, zur Abschaffung des § 175 führen müßte. Dieser Auffassung entsprach auch sein Wahlspruch: Per scientia ad iustitiam (Durch Wissenschaft zur Gerechtigkeit). Der Aufforderung Bebels nach Offenlegung homosexueller »Fälle« folgte ein Artikel im »Vorwärts« mit der Überschrift »Krupp auf Capri«.[18] In diesem Artikel wurde gesagt, daß F. Alfred Krupp, »der reichste Mann Deutschlands« und »Freund des Kaisers« dem homosexuellen Verkehr »gehuldigt« habe. Der Bericht führte weiter aus: »Nunmehr aber muß der Fall in der Öffentlichkeit mit der gebotenen ernsten Vorsicht erörtert werden, da er nicht nur ein kapitalistischer Widerspruch ist.«[19] Zwischen den Zeilen ließ sich aus dem Artikel herauslesen, daß Krupps Veranlagung Ausdruck seiner Klassenlage wäre. Dieser Vorgang stellte eine Denunziation dar, mit deren Hilfe der politische Gegner getroffen werden sollte: der Vorwurf der Homosexualität diente als Beweis für den moralischen Verfall der herrschenden Klasse und ihres nahen politischen Untergangs.

In der Reichstagssitzung vom 21. 4. 1904 hatten sich diese Ereignisse niedergeschlagen. Die Petitionskommission des Deutschen Reichstags schlug vor, die Eingabe des WhK nicht zu behandeln und zur Tagesordnung überzugehen. Erst in der Reichstagssitzung vom 31. 3. 1905 gelang es dem WhK, seine Petition, nach Antrag der Petitionskommission, im Reichstag beraten zu lassen. Der SPD-Abgeordnete Thiele vertrat die Forderung des WhK und hielt eine längere engagierte Rede. Er übernahm Hirschfelds Ansicht, daß Homosexualität nicht eine Krankheit sei, sondern »ein Abweichen der Natur von den üblichen Mustern« und führte weiter aus:

»Wir begreifen es vielleicht als nicht homosexuell Veranlagte nicht, daß der Mann mit dem Mann in gleichgeschlechtlichen Verkehr treten kann. Was würden wir aber wohl sagen, wenn die Homosexuellen in der Mehrheit wären und Gesetze machten und sagten: die heterosexuelle Betätigung des Geschlechtslebens ist etwas Anormales?«[20]

Er erregte sofort den Widerspruch des Zentrumabgeordneten Thaler, der daraufhin die These des WhK zu widerlegen versuchte, nach der Homosexualität eine rein natürliche Anlage sei.

Andere Redner des Parlaments wandten sich gegen die »Agitation« des WhK und forderten dieses auf, »die Propaganda« für die Homosexualität einzustellen. Außerdem verbaten sie es sich, »mit Broschüren dieser Leute überschüttet zu werden«. Gegen Ende der Debatte ergriff der Abgeordnete Vollmar von der SPD das Wort und distanzierte sich von seinem Vorredner Thiele.

Die Rede des SPD-Abgeordneten Thiele, der die Forderungen des WhK vorbehaltlos unterstützte, zeichnete sich durch Sachlichkeit und Aufgeschlossenheit aus. Sie repräsentierte aber nur eine Minderheitsmeinung innerhalb der SPD. Die übrigen Reichstagsparteien lehnten die Forderungen des WhK von vornherein ab. Obwohl die ablehnenden Äußerungen von Parlamentariern in dieser Debatte überwogen und sich kaum die Möglichkeit bot, diese Situation in naher Zukunft zu überwinden, interpretierte Hirschfeld auch diese Aktion im Reichstag als Erfolg, da zum ersten Mal in einem Parlament »in öffentlicher Sitzung eingehend über das Wohl und Wehe der Homosexuellen beraten wurde.«[21]

Einige Mitglieder des WhK waren mit dieser Taktik nicht einverstanden und lehnten weitere Petitionen an den Reichstag ab. Sie schlugen dem Vorstand des WhK vor, »anstatt der Petition eine Massen-Selbst-Denunziation zu veranstalten. Es sollte eine

linke Seite:
Fragebogen des WhK M. Hirschfelds für eine wissenschaftliche Untersuchung, 1905, Archiv d.V.

17 Zitiert nach JfsZ: 23. 1923, S. 191
18 »Vorwärts«, vom 15. 11. 1902
19 Zitiert nach JfsZ: 5. 1903, Bd. 2., S. 1319
20 Stenographischer Bericht des Deutschen Reichstags, 11. Legislaturperiode, Bd. 204, S. 5828 f.
21 JfsZ: 7. Bd. 2, S. 1037

Kurt Hiller, Mitglied des WhK, Photo: Lotte Jacobi

größere Anzahl von Homosexuellen – etwa 1000 – in einer gemeinsamen Aktion sich selbst homosexueller Handlungen öffentlich bezichtigen. Es würde sich dann die Unhaltbarkeit des Paragraphen erweisen.«[22] Von einer überwiegenden Mehrheit der Mitglieder des WhK wurde dieser Weg abgelehnt. M. Hirschfeld schrieb 1914 zu dieser Idee, daß »die inneren und äußeren Hemmungen ... viel zu stark (seien), als daß eine nennenswerte Anzahl ... sich frei und offen als homosexuell«[23] bekenne. Kurt Hillers Vorschlag der Gründung einer Homosexuellen-Partei wurde ebenfalls verworfen.

1907 veröffentlichte der Herausgeber der Zeitschrift »Die Zukunft«, Maximilian Harden, einen Artikel, in dem er enge Ratgeber des Kaisers bezichtigte, »auch in psychisch-sexueller Hinsicht von der Norm ab(zu)weichen«.[24] In den folgenden Jahren wurden mehrere Prozesse gegen Harden geführt, einmal von dem Berliner Stadtkommandanten von Moltke, dann von dem Fürsten Eulenburg[25], einem engen Freund Kaiser Wilhelms II. Hirschfeld war als Gerichtssachverständiger an dem Prozeß beteiligt, den Moltke gegen Harden führte. Er kam in seinem Gutachten zu dem Schluß, daß Moltke homosexuell sei: »... und zwar eine unverschuldete, angeborene und m. E. in diesem Fall ihm selbst nicht bewußte Veranlagung, die man als homosexuell zu bezeichnen pflegt.« Hirschfeld versucht in seinem Gutachten besonders den Gedanken von der angeborenen Homosexualität hervorzuheben. Die bei Moltke konstatierte »unbewußte Veranlagung« sollte diesen vor dem Paragraphen des Gesetzes schützen, denn es konnte jemand nur für eine Tat bestraft werden, die er wissentlich begangen hatte. Das Gutachten Hirschfelds war ganz im Sinne der Forderungen des WhK. Hirschfeld verband damit die Hoffnung, daß der Kaiser, wenn er davon unterrichtet würde, daß »die in Ungnade gefallenen Herrn keine Verbrecher sind, sondern Opfer eines angeborenen mächtigen Naturtriebes«[26], sich für diese einsetzen und dazu beitragen würde, den Paragraphen abzuschaffen.

Diese Ereignisse erregten noch weit mehr die öffentliche Meinung, als es der »Krupp-Skandal« getan hatte. Genau das Gegenteil von dem trat ein, was Hirschfeld erwartet

hatte. Alte Vorurteile gegen die Homosexuellen schlugen wieder voll durch. SPD-Zeitungen, die bisher die Forderungen des WhK unterstützt hatten, paßten sich der allgemeinen antihomosexuellen Stimmung an.

»Die Eulenburg, Hohenau, Moltke gehören zu den intellektuellen Leuchten des Junkertums, hohe Posten der Zivil- und Militärhierarchie waren ihnen anvertraut, sie bildeten die Umgebung des Staatsoberhaupts und gegen ihren politischen Einfluß hat nicht bloß Harden gekämpft; er hat dem Kanzler des Reiches zu schaffen gemacht und hat ihm zu dem waghalsigen Spiel der Reichstagsauflösung getrieben. Und was sagt der Prozeß Moltke-Harden über die Geistesverfassung dieser Männer? Er zeigt uns trostlosen Verfall. Ein Flüchten vor dem Geist der Zeit in die Nebel des Mystizismus und Spiritismus, eine Entartung des Gefühls und Geschlechtslebens ins Anormale ... Wir sind Gegner der Bestrafung der homosexuellen Liebe, weil sie in der Tat in vielen Fällen ein unwiderstehlicher natürlicher Trieb ist. Aber das kann uns vor der Tatsache die Augen nicht verschließen, daß es außer der angeborenen Homosexualität noch eine erworbene, oder sagen wir künstliche, gibt, die ein Produkt des Verfalls ist.«[27]

In späteren Artikeln fällt der Ruf nach Beseitigung des § 175 weg. Die politischen Hintergründe der »Skandale« erwiesen sich für die Bemühungen des WhK als besonders nachteilig. Deutlich wurde, wie auf Kosten einer »Minderheit« die politischen Gegner Eulenburgs dessen Homosexualität hervorkehrten, um seinen Einfluß und die von ihm repräsentierte frankreich-freundliche politische Richtung auszuschalten. Für Eulenburgs Gegner war dieses Vorgehen die schnellste und ungefährlichste Art, ihre politischen Ziele durchzusetzen, zu deren Umsetzung sonst andere anspruchsvollere Mittel notwendig gewesen wären.

»... die Gegner der ›Liebenberger Tafelrunde‹«[28] wünschten zwar das alte System von innen her leistungsfähiger zu gestalten, (waren) aber nicht bereit, den Reichstag und die Öffentlichkeit in den politischen Entscheidungsprozeß mit einzubeziehen (und wußten) auf die neuen Fragen der Industriegesellschaft nur mit dem alten preußisch-militaristischen Rezept des siegreichen Krieges zu antworten.«[29]

22 MdWhK: November 1905, S. 1
23 Hirschfeld: »Die Homosexualität des Mannes und des Weibes«, a. a. O., S. 1003 f.
24 Zitiert nach MdWhK: 6. 1907, S. 127
25 Philipp Fürst zu Eulenburg Hertefeld (1847–1921)
26 Zitiert nach MdWhK: November 1907, S. 214
27 »Vorwärts« v. 24. 10. 1907
28 Gemeint sind einmal die Zusammenkünfte bei Eulenburg in Liebenberg und zum anderen stand dieser Ausdruck synonym für die politische Richtung des Kreises um Eulenburg.
29 Ph. Eulenburg: »Politische Korrespondenz« (John C. G. Röhl Hrsg.), Boppard 1976, S. 51

M. Harden, der das selbstherrliche System unter Wilhelm II. aus anderen Gründen ablehnte, wurden die Meldungen über die Homosexualität Eulenburgs zugespielt; Harden wurde von den Gegnern Eulenburgs lediglich als Werkzeug benutzt.

Diejenigen, die sich immer gegen die Streichung der Strafbestimmungen ausgesprochen hatten, erreichten nun, daß sich die Petitionskommission in ihrem Bericht an den Reichstag am 23. 1. 1908 für eine Verschärfung des § 175 aussprach.

Das WhK hatte nicht nur Schwierigkeiten aufgrund der »Skandale«; auch unter den eigenen Mitgliedern regte sich Opposition gegen die bisherige Taktik des Komitees. Besonders umstritten war Hirschfelds Auftreten als Gerichtssachverständiger. Die Gegner innerhalb des WhK unterstellten ihm, bei Prozessen, in denen er als Sachverständiger beiwohnte, Homosexuelle in Wirklichkeit als Kranke darzustellen, die man für ihr Schicksal nicht verantwortlich machen könne.

Für Hirschfeld, der sich dafür eingesetzt hatte, die Strafprozeßordnung zu ändern, damit Sachverständige zu den Prozessen hinzugezogen wurden, war sein Handeln ein Fortschritt. Der Erfolg schien Hirschfeld recht zu geben. Denn bei den meisten Prozessen konnte er einen Freispruch für die Angeklagten erwirken. Er warnte seine Widersacher im WhK davor, den eingeschlagenen Weg zu verlassen:

»... im Anschluß an verschiedene sensationelle Vorfälle im In- und Ausland (wurde) von einer Gruppe homosexueller Heißsporne wieder einmal lebhaft die Meinung vertreten, man solle sich doch der mühevollen wissenschaftlichen Auseinandersetzung entschlagen; der Weg über Leichen führe viel rascher und leichter zum Ziel.«[30]

Die Gruppe im WhK, die Hirschfeld in diesem Beitrag ansprach, beabsichtigte weitere »aktuelle Fälle« zu schaffen. Sie erhoffte sich durch die Offenlegung der Homosexualität hoher Persönlichkeiten die öffentliche Meinung verändern zu können.

Die Opposition spaltete sich schließlich ab und bildete die »Secession« unter der Führung von Benedikt Friedländer.

Das WhK hatte in der Zwischenzeit mehrere Zweigstellen in anderen deutschen Großstädten gegründet, trotzdem gingen im Jahr 1907 die Mitgliedsbeiträge stark zurück, denn obwohl das WhK immer wieder seine parteipolitische Neutralität betonte und die Mitarbeit Heterosexueller hervorhob, hielten sich viele Mitglieder und Sympatisanten aufgrund der »Skandale« von der Organisation fern, um nicht in den Verdacht zu geraten, homosexuell zu sein.

Geschwächt durch innere Schwierigkeiten und die »Skandalprozesse« der vergangenen Jahre, konnte sich das WhK seit 1908 nur noch defensiv verhalten.

Den letzten Versuch vor dem 1. Weltkrieg über die Strafbestimmungen des § 175 zu diskutieren, unternahm das WhK 1911 anläßlich der Kandidatenaufstellung zur Reichstagswahl 1912. Alle Reichstagsabgeordneten wurden angeschrieben und danach befragt, wie sie zu den Vorstellungen des WhK zur Streichung des § 175 stünden. 97 Kandidaten antworteten, von denen später 37 als Abgeordnete auch in den Reichstag gewählt wurden. Unter ihnen befanden sich 24 Sozialdemokraten, die sich für die Forderungen des WhK einsetzten.[31]

Benedikt Friedländer, Mitbegründer der Gemeinschaft der Eigenen (GdE), Photo: Manfred Herzer

Adolf Brand, Mitbegründer der GdE, Photo: Manfred Herzer

Adolf Brand und die Gemeinschaft der Eigenen (GdE) Brands Ideenwelt. Die Herausgabe der ersten Homosexuellenzeitung

1896 gab der Journalist und Schriftsteller Adolf Brand (1874–1945) die Zeitschrift »Der Eigene« in Berlin-Wilhelmshagen heraus. Die »Gemeinschaft der Eigenen« ging 1903 aus dem Leserkreis und einer Abspaltung von Mitgliedern des WhK hervor.

Die Ideen des individual-anarchistischen Theoretikers Max Stirner (1806–1856)[32] hatten besonderen Einfluß auf den Sprachgestus und die Ideenwelt des »Eigenen«. Stirners Hauptwerk »Der einzige und sein Eigentum« war Anfang der 90er Jahre von dem Schriftsteller John Henry Mackay (1864–1933) neu herausgegeben worden und führte unter Intellektuellen zu einer Stirner-Renaissance. Es entstanden zu dieser Zeit kleine anarchistische Zirkel und Zeitschriften.

Brand widmete seine Zeitschrift »jenen Weisen, die von ihren Bergen mit Gleichmut auf das kindische Treiben der Masse hinabblicken, ... jenen starken Individualisten, die des Lebens Wert nach eigenen Maßstä-

30 »Die Freundschaft«, Nr. 24, 1922, S. 4
31 Vgl. JfsZ: 1911, S. 260
32 H.-G. Helms: »Die Ideologie der anonymen Gesellschaft«, Neuwied 1964

Elisar von Kupffer (1872–1942), Mitbegründer der GdE, um 1900, Photo aus: E. v. Kupffer, Auferstehung – irdische Gedichte, Leipzig o.J. (1904)

ben messen, ... ihnen, den Eigenen, die alle Schranken stürzen, alle Fesseln sprengen, keine Gewalt über sich dulden, keiner Norm sich fügen, denen ihre Selbstherrlichkeit über alles geht!«[33]

Die Überwindung der Moral, der Religion und des staatlichen Zwangs wurde gefordert. Ein Einfluß der radikalen Kulturkritik Friedrich Nietzsches (1844–1900) war hierbei unverkennbar. Die Ansicht Nietzsches, daß zunächst im Künstler bzw. in der Kunst der geltende Normenkontext negiert wird, kam den im »Eigenen« vertretenen Auffassungen nahe.

Im Vordergrund stand jedoch eine Griechenlandverehrung, die durch Abbildungen des männlichen Körpers beschworen wurde. Mangels Unterstützung mußte Brand zeitweilig die Herausgabe neuer Zeitschriftennummern einstellen. 1899 unternahm er einen neuen Anlauf zur Herausgabe des »Eigenen«. Erstmals wurde hierin, durch Veröffentlichung von Werken des Schriftstellers und Malers Elisar von Kupffer (1872–1942) in kritischer Absetzung vom WhK, eine eigene Zielvorstellung und Ideenwelt formuliert. Mit Kupffers Aufsatz »Die ethisch-politische Bedeutung der Lieblingsminne«[34] begann dieses ideologische Bemühen. Der Hauptwesenszug seiner Gedankenwelt bestand in der Forderung nach einer männlichen und, davon getrennt, einer weiblichen Kultur. Der von ihm eingeführte Begriff der »Lieblingsminne« wurde später durch die »Freundesliebe« ersetzt. Beide Begriffe sollten das erotisch getönte Gefolgschaftsverhältnis zwischen Knabe und Mann bezeichnen. Es wurde gefordert, die »Lieblingsminne in ihre altgriechischen Rechte«[35] einzusetzen.

»... Denn sie fügt weder absichtlich noch unabsichtlich anderen Schaden zu. Das ergibt sich schon daraus, daß die Freundesliebe nicht den Stempel der Habsucht und des gewissenlosen Genießens, sondern das Zeichen freiwilliger Opferbereitschaft und umfassender Fürsorge für das Wohlergehen des anderen an der Stirne trägt, und daß es sich bei ihr nicht um die allerprimitivsten sexuellen Dinge handelt ... sondern um die tiefe, stille Freude an dem ganzen Menschen und um die hingebungsfrohe Betreuung und Bereicherung seiner ganzen Persönlichkeit.«[36]

Die GdE sah ihr Ziel in der Errichtung einer männlichen Kultur und es war nicht Hauptakzent ihrer Arbeit, den § 175 abzuschaffen.

Die GdE sah in Homosexuellen, die sich ausschließlich auf das gleiche Geschlecht beziehen, »Kümmerlinge« der Natur.
Der »Eigene« wurde von Brand bis zum Jahr 1931 herausgegeben. Häufig kam er mit den Behörden in Konflikt, die Verbote erzwangen oder Hausdurchsuchungen durchführten, so daß die Zeitschrift oft nur mit jahrelangen Unterbrechungen erscheinen konnte.

Gründung und Ziele der »Gemeinschaft der Eigenen«

Nach dem Krupp-Skandal von 1902 verliessen mehrere Mitglieder das WhK. Insbesondere Adolf Brand und Benedict Friedländer waren mit der Taktik Hirschfelds, den Paragraphen zu beseitigen, nicht einverstanden und gründeten die »Gemeinschaft der Eigenen«. Sie wollten ähnlich dem Krupp-Vorfall weitere Skandale initiieren, nachdem Hirschfeld Bebels Vorschlag abgelehnt hatte, »aktuelle Fälle« zu schaffen.

Die theoretische Grundlage der Gruppe war durch mehrere Publikationen schon gelegt worden, insbesondere durch Aufsätze in Brands Zeitschrift »Der Eigene«[37] und »Die Renaissance des Eros Uranios« von Benedict Friedländer (1904). Letztere faßte die Ideen der GdE in diversen Aufsätzen zusammen. Hauptsächlich wurde die Notwendigkeit einer Wiederbelebung des griechischen Männlichkeitsideals betont. Ende 1906 formulierte Friedländer die Kritik der GdE am WhK:
»... auch den gesetzgebenden Faktoren gegenüber werden wir die Taktik des Komitees verlassen: wir werden uns nicht bemühen, durch den wissenschaftlichen Nachweis einer angeblichen Anomalie das Mitleid der Regierung und der Volksvertreter zu erwecken und auf diese unmännliche Weise die Aufhebung des uns bedrohenden Strafgesetzes zu erreichen.«[38]
An die Mitglieder des WhK wurde die Forderung gestellt:
»Die sich als Weiber fühlenden Homosexuellen möchten sich dem Komitee, die sich männlich fühlenden der › Secession ‹ zuwenden.«[39]

33 A. Brand: Dieses Blatt, in: »Der Eigene«, 1. 1896, S. 1
34 E. von Kupffer: »Die ethisch-politische Bedeutung der Lieblingsminne«, Berlin-Neurahnsdorf 1900
35 E. Bab: »Frauenbewegung und männliche Kultur«, in: »Der Eigene«, 5. 1903, S. 391
36 A. Brand: »Freundesliebe als Kulturfaktor«, in: »Der Eigene« 13. 1930, Nr. 1, S. 2
37 Ab 1903 mit dem Untertitel: »Ein Buch für Kunst und männliche Kultur«; nach 1905: »Ein Blatt für männliche Kultur«
38 MdWhK: März 1907, S. 62
39 MdWhK: April 1907, S. 1

Titelbild des »Eigenen« von 1906, nach einem Relief von Ernst Jaeger-Corvus, Photo: Berlin Museum

DiE „TANTE"

HERAUSGEBER ADOLF BRAND

Eine Spott- und Kampf-Nummer der Kunst-Zeitschrift
X. Jg.   DER EIGENE   Nr. 9

»Die Tante« – Diese »Spott- und Kampfnummer« der GdE richtete sich gegen das WhK (1925), Archivverlag rosa Winkel, Berlin

einem Verfahren wurde Brand zu 1 ½ Jahren Gefängnis verurteilt.[40] Seine Hoffnung, über das Problem Homosexualität offen zu diskutieren, um die Streichung des § 175 zu erzwingen, trat nicht ein. Die Folgen für die Organisation waren verheerend. Der »Eigene«, der die Verbindung zu den Vereinsmitgliedern darstellte, konnte nicht erscheinen und brachte die Gruppe fast um ihre Existenz. Auch der Tod Friedländers, dem geistigen Kopf innerhalb der GdE, im Jahre 1908 hinterließ eine Lücke, die auch beim Wiederaufblühen der Gruppe während der Weimarer Republik nicht geschlossen werden konnte.

Die GdE versuchte nach seinem Tod wieder eine Annährerung an das WhK und ordnete sich dessen Taktik unter, ohne jedoch die eigene Organisation aufgeben. Erst zu Beginn der Weimarer Republik gelang es ihr, sich zu konsolidieren. Mit einer »Spott- und Kampf-Nummer« des »Eigenen« gegen das WhK, versuchte Brand mit der Zeitschrift »Die Tante« einen speziellen homosexuellen Leserkreis anzusprechen. Trotz dieser Bemühungen blieb die GdE eine kleine, elitäre Gruppe, in der sich die unterschiedlichsten Künstler, im »Eigenen« zu Wort melden konnten. Brand entwarf 1925 ein Organisationsmodell, das einen »äußeren Kreis« als Förderer beinhaltete und einen »inneren Kreis«, den er als »Ring der Treuen« bezeichnete. Da die GdE ein Privatverein Brands war, lag laut Nr. 28 der Satzung alle Verantwortung bei ihm. Zusammenkünfte der Gruppe bei sogenannten »Tafelrunden« fanden in seinem Haus in Berlin-Wilhelmshagen statt, »um über notwendige Hilfsaktionen und Unterstützung zu beraten, und nicht zum wenigsten, um durch künstlerische, literarische, musikalische, wissenschaftliche und kulturpolitische Vorträge – auch im Rahmen eines ganz kleinen Kreises – andauernd eine edle Geselligkeit zu pflegen.«[41]

Brands Plan, mit Hilfe einer »Genossenschaft Freihof« eine Burg oder ein Kloster zu kaufen, scheiterte an mangelnder Unterstützung. In diesem »Freihof des Eigenen« wollte Brand seinen Kunstverlag unterbringen. Außerdem sah er eine landwirtschaftliche Nutzung der Anlage durch die erholungssuchenden Mitglieder vor.

Ebenso wie andere kultur- und lebenreformerische Bewegungen den Endpunkt ihrer

Die GdE ging von der Bisexualität aller Menschen aus und lehnte dementsprechend Hirschfelds Ansätze eines »dritten Geschlechts« ab. In der Praxis versuchten die Mitglieder der GdE, ihrem Theorieansatz zu entsprechen, indem sie heirateten und gleichzeitig die »Gefolgschaft« eines Jünglings suchten.

Nach der Spaltung der Homosexuellenbewegung versuchte die GdE ihre Forderung, »aktuelle Fälle« zu schaffen, umzusetzen. Brand bezichtigte den Reichskanzler von Bülow (1849–1929) der Homosexualität. In

40 Fürst von Bülow »Denkwürdigkeiten«, Berlin 1930, Bd. II, S. 315
41 A. Brand: Satzung der Gemeinschaft der Eigenen, Berlin-Wilhelmshagen 1925, S. 28

Bemühungen in der Gründung einer autarken Siedlung erblickten, versuchte Brand für seine »Gemeinschaft der Eigenen« diesem Vorbild nachzueifern. Sein Anspruch nach Verwirklichung »einer dritten Renaissance« sollte in diesem Projekt realisiert werden. Dem elitären Charakter dieses Vorhabens entsprach es, daß Brand sich ausschließlich an die meist wohlhabenden Mitglieder wandte, für die der »Freihof« auch geplant war. Die verschiedenen bereits bestehenden kultur- und lebensreformerischen Siedlungen und Einrichtungen waren ein Grund dafür, daß sein Plan nicht verwirklicht werden konnte. Viele seiner Gleichgesinnten lebten und wirkten schon in derartigen Siedlungen.

Eine breite Öffentlichkeitsarbeit, wie sie das WhK betrieb, lehnte die GdE ab. Sie war mehr daran interessiert, eine kleine ausgewählte Gruppe für ihre Zielvorstellungen zu begeistern und sich um ihren »Führer« zu versammeln. Über Brand urteilte Kurt Hiller: »Er gehörte zu jenen in der »Bewegung« zu zahlreichen Dilettanten, deren Führungsanspruch zwar wohl durch Charakter und guten Willen zum Kampf, nicht aber durch intellektuelles Niveau und gute Kenntnisse gedeckt war. Brand zeigte anarchoide und deutsch-völkische Züge, also ultralinke und ultrarechte, und das machte die Zusammenarbeit mit ihm innerhalb einer Bewegung, die konkrete Ergebnisse in der öffentlichen Meinung ihrer Zeit und in der zeitgenössischen Gesetzgebung erzielen wollte, oft zur Qual.«[42]

Nach Machtantritt der Nazis war A. Brand direkten Angriffen ausgesetzt. Mehrere Verhöre mußte er über sich ergehen lassen. Die Beschlagnahme seiner Verlagsbücher ruinierte Brand nicht nur finanziell, sondern machte sein ganzes Lebenswerk zunichte. 1945 kam A. Brand bei einem Luftangriff auf Berlin ums Leben.

Karikatur auf das WhK in »Die Tante« Nr. 9, 1925, S. 387, Archivverlag rosa Winkel, Berlin

42 K. Hiller: »Persönliches über Magnus Hirschfeld«, in: Der Kreis, 16. 1948, Nr. 5, S. 4

Wolfgang Theis

Anders als die Andern
Geschichte eines Filmskandals

Die durch den Filmregisseur Richard Oswald eingeleitete Welle der Aufklärungsfilme mit überwiegend sexuellem Inhalt provozierte die Filmtheoretiker zu ganz unterschiedlichen Einschätzungen. So interpretierte z. B. Walter Kaul[1] den orkanartigen Anstieg der Aufklärungsfilme als den entscheidenden Durchbruch des Films in Deutschland, während Kracauer[2] die Lust des Publikums am angeblich »Pornographischen« dieser Filme als Verdrängung der sozialen und politischen Zustände brandmarkte. Auch in *Anders als die Andern* sah Kracauer nur eine heuchlerische kommerzielle Spekulation, die nichts mit »der Vorkriegsrevolte gegen überalterte Sexualkonventionen«[3] gemein habe. In der neueren Literatur wird Oswalds Filmen bestätigt, daß sie, »trotz aller spekulativen Elemente, von einem aufklärerischen Impetus geprägt (waren), der auf eine Liberalisierung der Gesetze drang«.[4] Im Rückblick betrachtet, führt Oswalds Schwulenmelodram, das als erster Film der Welt Homosexualität ganz offen thematisierte, ein bescheidenes, höchstens am Rande oder als Kuriosität erwähntes Dasein in der Filmgeschichte.[5]

Schon im Vorfeld der Entstehung des Films kam es zu gehässigen Verleumdungen, die hauptsächlich Hirschfeld betrafen.[6] Neben durchaus wohlwollenden Besprechungen in Blättern verschiedenster politischer Ausprägung[7] gab es allerdings auch antisemitische Hetzartikel.[8] Der »die Homosexualität verherrlichende Film« rief einen Sturm der Entrüstung hervor. In Wien, München und Stuttgart wurde er von der Polizei verboten.[9] In Berlin gab es eine Anfrage an die preußische Landesversammlung, die aber keine Handhabe zum Verbot sah, da die Zensur aufgehoben war.[10] Immer wieder kam es zu gelenkten Krawallen, die von völkischer Seite angezettelt wurden. Moreck vermerkt, daß in Berlin selbst Soldaten, »die sonst nicht zum prüdesten Teil des Publikums gehören, den Saal verlassen hätten. Ihr Exodus (war begleitet) von dem höhnischen Grinsen rassefremder Besucher, die

ostensibel sitzen blieben, um diese Köstlichkeit bis zu Ende (zu) genießen.«[11] Trotz oder gerade wegen dieser Mißfallenskundgebungen war der Film ein ausgesprochener Kassenerfolg. Für die Zustimmung, die der Film beim überwiegenden Teil des Publikums fand, spricht die polizeiliche Feststellung,[12] daß nur in vereinzelten Fällen Widerspruch zu registrieren war. Trotz seiner Zurückhaltung in der Darstellung – die Zuneigung der Männer beschränkte sich auf Händedruck und Blicke – wurde der Film 1920 von der wiedereingeführten Zensur verboten und eingezogen.

In der 1920 ausgelösten Debatte um die Wiedereinführung der Filmzensur dürfte der von einem Großteil der konservativen Publizistik angefeindete Schwulenfilm eine zwar nicht offen ausgesprochene, dafür unterschwellig um so stärkere Rolle gespielt haben. Um die »Öffentliche Moral zu retten«, brachte die Sozialdemokratische Fraktion im Parlament den Antrag auf Verstaatlichung der Filmindustrie ein. Der Reichstag entschied sich am 25. April 1920 gegen die Verstaatlichung und für die Einführung der Filmzensur.[13] Diese Überreaktion des Staates lief, was den Aufklärungsfilm betraf, ins Leere – der Höhepunkt dieses Genres war schon Ende 1919 überschritten[14] –, was dauerhaft blieb, war die staatliche Reglementierung der siebten Muse, für die keinerlei Kunstvorbehalt galt.

Wie war es nun um Form und Inhalt dieses Films bestellt, der soviel Ablehnung und Zustimmung erzeugte? Der Großteil der durch den Film freigesetzten Emotionen dürfte wohl der bis dahin tabuisierten Homosexualität geschuldet sein. Dem wissenschaftlichen Berater Hirschfeld ging es um die Popularisierung seiner Theorie vom »Dritten Geschlecht«, die das »Natürliche« der Homosexualität herausstellt, um um so nachhaltiger auf die Absurdität des § 175 hinweisen zu können, dessen Vorhandensein so viele »wertvolle Mitglieder der Gesellschaft« der Gefahr der Erpressung und

1 Walter Kaul, Robert G. Scheuer (Red.): Richard Oswald. (Deutsche Kinemathek, Nr. 20), Berlin 1970, S. 14
2 Siegfried Kracauer: Von Caligari zu Hitler – Eine psychologische Geschichte des deutschen Films, Frankf. a. M. 1979, S. 50 ff.
3 Ebd., S. 52
4 Georg Seeßlen, Claudius Weill: Ästhetik des erotischen Kinos. Geschichte und Mythologie des erotischen Films, Reinbek 1980, S. 107
5 Das rororo Filmlexikon, 1978 erschienen, führt unter »Oswald, Richard« auf Seite 1241 den Film nicht einmal in der angefügten Liste der erfolgreichen Problemfilme auf.
6 Vgl. *Der Kinematograph*, Düsseldorf, Jg. 13, Nr. 652, 2. Juli 1919
7 Z. B. *Deutsche Volkszeitung*, Hannover, 12. Juni 1919; – *BZ am Mittag*, Berlin, 30. Mai 1919; – *Vorwärts*, Nr. 377, Morgenausgabe 26. Juli 1919; – *Räte Zeitung*, 28. Mai 1919
8 Universitätsprofessor Dr. Johann Ude: Wissenschaftlicher Kinoschund, in: Christliche Volkswacht, 1919, Oktoberheft, S. 12
9 Vgl. »Das Filmwerk › Anders als die Andern ‹ – § 175 – Eine Zusammenstellung«, Sonderabdruck, aus: Jahrbuch für sexuelle Zwischenstufen, Jg. XIX, 1919, (Hefte 1 und 2)
10 Vgl. *Berliner Tageblatt* vom 24. September 1919
11 Curt Moreck: Sittengeschichte des Kinos, Dresden 1926, S. 190
12 Vgl. »Das Filmwerk › Anders als die Andern ‹...«, a. a. O., S. 46
13 Vgl. Siegfried Kracauer: Von Caligari zu Hitler..., a. a. O., S. 53 und *Der Kinematograph*, Düsseldorf, Jg. 14, Nr. 692/93, 25. April 1920
14 Vgl. Heinrich Fraenkel: Unsterblicher Film – Die große Chronik von der Laterna Magica bis zum Tonfilm, München 1956, S. 107

Richard Oswald (1880 – 1963) der »Erfinder« des Aufklärungsfilms. (Aufnahme aus dem Jahr 1920)

Reinhold Schünzel (1888–1954), Schauspieler, Drehbuchautor und Regisseur, verkörpert den Erpresser Franz Bollek.

oben links:
vordere Reihe: Conrad Veidt, Fritz Schulz, Anita Berber. Körner überzeugt Kurts Eltern von der musikalischen Begabung ihres Sohnes.
Mitte links:
Conrad Veidt, Reinhold Schünzel
unten links:
Conrad Veidt, Paul Körner ist am Ende seiner Kraft.

Zuneigung das musikalische Talent seines Schülers Kurt Sievers (Fritz Schulz) fördert. Dessen Eltern stehen der schwärmerischen Zuneigung ihres Sohnes zu dem älteren Mann ablehnend gegenüber, lassen sich aber von Körner überzeugen, daß ihr Sohn Musiker werden soll. Die zarte sich anbahnende Idylle wird jäh durch das Auftauchen eines Erpressers gestört. Reinhold Schünzel verleiht der Gestalt des Franz Bollek, den Körner früher auf einem Urningsball kennengelernt hat und der ihn seither erpreßt, die Aura eines schleimigen Unterweltsbourgeois. Nach dem ersten gemeinsamen Konzert überrascht Kurt den Erpresser beim Einbruch in der Wohnung seines Freundes. Aufgebracht stürzt er sich auf Bollek, der ihn durch seine zynische Zurechtweisung: »Mach dich hier nicht so wichtig. Du bist ja auch nur von ihm bezahlt!«[15] tief verletzt. Der heimkehrende Körner setzt den Erpresser vor die Tür. Es gelingt ihm aber nicht, den bestürzten Freund zu beruhigen, der fluchtartig die Wohnung verläßt und in der Anonymität der Großstadt untertaucht. Körner, der ewigen Geldforderungen müde, zeigt Bollek wegen Erpressung an. Dieser revanchiert sich mit einer Anzeige nach § 175 des Strafgesetzbuches. Beide treffen sich vor Gericht wieder. Bollek erhält wegen räuberischer Erpressung drei Jahre Zuchthaus. Solange der § 175 existiert, kommt er auch zur Anwendung. Der Richter muß Körner trotz besserer Einsicht verurteilen. Bis zum Antritt seiner zehntägigen Gefängnisstrafe bleibt er auf freiem Fuß und muß erkennen, daß er von nun an zu den Geächteten zählt. Dem bürgerlichen Ehrenkodex folgend, nimmt er Gift. Die an seinem Sarg versammelte Familie ist unfähig, etwas von der Tragik seines Schicksals zu begreifen. Voller Entrüstung wendet sie sich von dem herbeieilenden Kurt ab. Nur dessen Schwester Else (Anita Berber) hält treu zu ihm. Sie, die Körner einstmals liebte, mußte, von Hirschfeld beraten, einsehen, »daß solche Menschen sich nicht zur Ehe eignen«. Die verschiedenen weiblichen Nebenfiguren ermöglichen es der arg ächzenden Dramaturgie nachhaltig, auf das »Anderssein« der Protagonisten hinzuweisen. Else wird, nachdem Körner ihren Zärtlichkeiten ausgewichen ist, von ihm zu einem wissenschaftlichen Vortrag Hirschfelds über menschliche Zwischenstufen geschleppt. Das in diesem

Stigmatisierung aussetzt. Oswald verband die aufklärerischen Sequenzen, in denen Hirschfeld höchst persönlich auftritt, geschickt mit der üblichen melodramatischen Handlung, die sich durch eine überdurchschnittlich gute Schauspielerführung auszeichnet.
Conrad Veidt verkörpert den berühmten Geigenvirtuosen Paul Körner, der aus tiefer

15 Zit. nach »Das Filmwerk ‹ Anders als die Andern ‹ . . .«, a. a. O., S. 7

Hirschfeld bei seiner »umstrittenen« wissenschaftlichen Arbeit.

Fotonachweis:
Stiftung Deutsche Kinemathek: 1, 2
Deutsches Institut für Filmkunde: 3
Egmont Fassbinder: 4, 5
Berlin Museum (Bartsch): 6

16 Dr. Magnus Hirschfeld und Dr. H. Beck: Gesetze der Liebe – Aus der Mappe eines Sexualforschers, Berlin 1927
17 Friedrich Radszuweit: S.[anitäts] R.[at] Hirschfelds Filmskandal, in: Blätter für Menschenrechte, 6, Jg. 1928, Nr. 1, S. 1 ff.
18 Vgl. Niederschrift des Zensurentscheids, Film-Oberprüfstelle Berlin, Nr. 1009 vom 9. November 1927

Vortrag postulierte »natürliche Anderssein« wird durch Rückblenden auch im Leben Körners nachgewiesen. Schon während seiner Internats- und Studentenzeit hat er sich zu Männern hingezogen und von Frauen abgestoßen gefühlt. Eine kurze Traumsequenz bebildert die kollektive Leidensgeschichte der Homosexuellen. Unter dem zum Requisit geronnenen Damoklesschwert des § 175 zieht der lange Zug der Unglücklichen vorbei. Deutlich sind Friedrich der Große und Ludwig II. von Bayern zu erkennen. Dieser Zug der Berühmtheiten hat eine doppelte Funktion. Zum einen stärkt er das von gesellschaftlichen Vorurteilen arg gebeutelte Selbstbewußtsein der Homosexuellen, zum andern macht er dem heterosexuellen Zuschauer klar, daß auch Schwule in der Lage sind, Großes zu leisten.

Der schöne symbolische Schluß des Films zeigt einen Pinsel, der den § 175 des Strafgesetzbuches ein für allemal durchstreicht. Dieses Symbol, das Hirschfelds Lebenswerk trefflich verdeutlicht, führte 1927 zur sofortigen Beschlagnahmung der versuchten Neuauflage. Eingebettet in einen »naturwissenschaftlichen« Exkurs versuchten Hirschfeld und sein Mitarbeiter Dr. Beck, ihr Anliegen, die Straffreiheit für homosexuelle Handlungen, nochmals auf die Leinwand zu bringen. *Gesetze der Liebe – Aus der Mappe eines Sexualforschers* bestand aus fünf Teilen, die »Vom Suchen und Finden der Geschlechter« über »Ans Licht der Welt« bis zu »Mutterliebe« den natürlichen Drang der Geschlechter zur Fortpflanzung an Beispielen aus dem Tierreich belegt. Hirschfelds alte Idee, daß die Natur keine Sprünge mache, kommt im vierten Teil »Vom Zwischengeschlecht« zum Ausdruck. Um die Zensur des Lichtspielgesetzes zu umgehen, wurden bei der Premiere Diapositive gezeigt, die die Zwischenstufentheorie belegen sollten und als Überleitung zum Hauptanliegen »Schuldlos geächtet« dienten.[16] Diese Dias erregten besonders die Mitglieder des Bundes für Menschenrechte, deren Vorsitzender Radszuweit die Zensur des Films als willkommene Hilfe gegen »dieses Machwerk eines Mannes, der seit dreißig Jahren mit solch untauglichen Mitteln die Homosexuellen in Mißkredit bringt«[17]

begrüßte. Radszuweits harsche Abfuhr resultierte sicherlich aus der starken Ablehnung, die Hirschfeld mit seinem Insistieren auf dem Zwischengeschlechtlichen, Weiblichen bei den Vertretern des Männlichkeitskultes nicht nur griechischer Prägung hervorrief. Der Film mußte viermal die Zensur passieren. Im ersten Verfahren wurde die »Propaganda für die Aufhebung des § 175 Reichsstrafgesetzbuch« geschnitten. Die zweite Instanz gab den Film nur »in Verbindung mit dem Vortrag eines Arztes oder Naturwissenschaftlers« für die öffentliche Vorführung frei. In der endgültigen Entscheidung der Film-Oberprüfstelle Berlin[18] wurde der vierte Akt, also die gesamte Darstellung der menschlichen Anomalien und Abnormitäten in der Länge von 279 m verboten.

Nach dieser radikalen Schnittkur hatte sich jegliche »wissenschaftliche Begleitung« der Filmvorführung erübrigt, der Film konnte nun »gefahrlos« für Erwachsene freigegeben werden. Dem mutigen emanzipatorischen Grundcharakter von *Anders als die Andern* wurde in der Filmgeschichte der folgenden 50 Jahre nichts Vergleichbares entgegengesetzt.

Die verhinderte Wirkungsgeschichte von *Anders als die Andern* spiegelt die Schwierigkeiten, die nicht nur die deutsche Obrigkeit mit dem radikalen Anspruch einer »sexuellen Minderheit« auf Gleichberechtigung hatte und immer noch hat. In der Weimarer Republik kurze Zeit geduldet, später nur noch verstümmelt zugelassen, verschwanden alle noch vorhandenen Kopien mit der Machtübernahme der Nazis. Das heute wieder zugängliche Fragment überstand die Kriegswirren im Moskauer Filmarchiv und fand, mit kyrillischen Zwischentiteln versehen, nach dem Krieg den Weg ins staatliche Filmarchiv der DDR. Im Westen existierte bis weit in die 70er Jahre hinein nur der Mythos, den dieser Film als erster Schwulenfilm der Welt ausstrahlte. Erst Ende der 70er Jahre zog das Filmarchiv der DDR, nicht zuletzt wegen des durch die neue Schwulenbewegung wieder angefachten Interesses für die Schwulenbewegung der Weimarer Republik, neue Kopien, die einige westliche Filmarchive inzwischen auch erworben haben.

Manfred Baumgardt

Das Institut für Sexualwissenschaft und die Homosexuellenbewegung in der Weimarer Republik

»Die große Umwälzung der letzten Wochen können wir von unserem Standpunkt aus nur freudig begrüßen. Denn die neue Zeit bringt uns Freiheit in Wort und Schrift und, mit der Befreiung aller bisher Unterdrückten, wie wir mit Sicherheit annehmen dürfen, auch eine gerechte Beurteilung derjenigen, denen unsere langjährige Arbeit gilt.«[1] Mit diesen Worten umschrieb Hirschfeld, in einem Neujahrsschreiben 1918/19 an die Mitglieder und Förderer des WhK, seine Freude über das Ende des 1. Weltkrieges und die Abschaffung der deutschen Monarchie. Hirschfeld war schon zu Beginn des Krieges in die »Sozialistische Ärztevereinigung« und den pazifistischen »Bund Neues Vaterland« eingetreten. Zu den Wahlen für die Nationalversammlung 1919 engagierte er sich und sprach auf dem Königsplatz vor dem Reichstag.

Das WhK erhoffte sich besonders in dieser Zeit einen neuen Aufschwung seiner Arbeit. Diese Hoffnung wurde gestärkt, da die Sozialdemokraten an die Macht gelangt waren und nicht wenige ihrer Mitglieder die Forderungen bzw. Petitionen des WhK

unterstützt hatten. Der Volksbeauftrage Dr. Landsberg glaubte in einem Gespräch mit Hirschfeld bereits feststellen zu können, daß jetzt alle Ziele des WhK erreicht würden.[2]

Das Institut für Sexualwissenschaft

Einen Höhepunkt in der Entwicklung der deutschen Sexualwissenschaft war die Gründung des »Instituts für Sexualwissenschaft« im Jahre 1919 in Berlin-Tiergarten (In den Zelten 10). 1924 wurde sie vom preußischen Staat offiziell als gemeinnützige »Dr. Magnus-Hirschfeld-Stiftung« anerkannt. »Diese(s) stellt eine wichtige Stätte der Belehrung und Forschung sowie eine Heil- und Zufluchtsstätte dar und spiegelt die Spezialität des Komitees auf breiter Basis wieder und wirkt sich auf dieser wieder im Zusammenhang mit allen anderen Problemen aus: z. B. bei der Eheberatung u. a. m. In gemeinsamer Arbeit zwischen Komitee und Abteilung für Sexualreform am Institut ist eine stattliche Reihe wissenschaftlicher Arbeiten geleistet worden ...«[3] Als einziges dieser Art erlangte Hirschfelds Stiftung inter-

Institut für Sexualwissenschaft, In den Zelten 9 a und 10 und Beethovenstraße 3, um 1930, Photo aus: M. Hirschfeld, Geschlechtskunde, Bd. 4, Stuttgart 1930, S. 851

1 Zitiert nach: Jahrbuch für sexuelle Zwischenstufen, 20. 1918, S. 159 f.
2 Mitteilungen des Wissenschaftlich humanitären Komitees, Nr. 7, Mai/Juni 1927, S. 44.
3 Ebd., S. 44

4 Vgl. A. W. Lunatscharski: Ein Besuch im Institut für Sexualwissenschaft, in: Krasnaja gaseta, Leningrad, 28. 2. 1928
5 Vgl. Mitteilungen des Wissenschaftlich humanitären Komitees (MdWhK), Nr. 7, Mai/Juni 1927, S. 45
6 Vgl. MdWhK, April/Juli 1928, S. 33
7 JfsZ 20. 1919, S. 51

nationale Geltung. Offizielle Regierungsvertreter anderer Länder, wie z. B. der Kulturkommissar der Sowjetunion, A. W. Lunatscharski[4], besuchten das Institut und unterrichteten ihre Regierungen über die neuesten Forschungen. Einfluß hatten diese wissenschaftlichen Ergebnisse auf die neuen Bestimmungen der Sowjetunion, die die Strafbestimmungen gegenüber den Homosexuellen liberalisierte. Unter Berufung auf diese neuen Forschungen wurden auch die Strafbestimmungen in Norwegen und in der Tschechoslowakei gelockert.[5] Regelmäßige Vorträge, Kurse und Beratungen über sexuelle Probleme machten das Institut zu einer Begegnungsstätte für Homosexuelle aus ganz Deutschland. Durch diese Einrichtung konnten die Homosexuellen auch für die Ziele und Forderungen des WhK interessiert und dazu motiviert werden, sich in ihren Heimatorten für die Gleichberechtigung einzusetzen. Wenn die Krankenkassen zur Übernahme der Kosten nicht bereit waren, wurden Beratungen und Behandlungen vom Institut kostenlos gewährt. Für Ärzte, besonders für jene aus der von Hirschfeld 1913 mitbegründeten »Aerztlichen Gesellschaft für Sexualwissenschaft und Eugenik«[6], führten Hirschfeld und seine Mitarbeiter spezielle Kurse durch, um auch innerhalb der Fachwissenschaft die Erkenntnisse der noch jungen Sexualwissenschaft, die an den Universitäten noch nicht gelehrt wurde, zu verbreiten. In speziellen Kursen versuchte Hirschfeld mit einer Anpassungs- bzw. Adaptionstheraphie Homosexuellen ihre Minderwertigkeitsgefühle zu nehmen. Aus ihnen sollten in einer Gemeinschaft von »Gleichgesinnten« »tüchtige« Menschen werden. Da Hirschfeld in seiner Theorie von einer angeborenen Homosexualität ausging, lehnte er alle ärztlichen Maßnahmen ab, die auf eine Umwandlung der vorgegebenen Triebrichtung abzielten. Der Aufgabe, »alle Probleme der Sexualität im weitesten Umfang der wissenschaftlichen Erforschung und Lehre sowie der praktischen Bearbeitung ärztlicher und sozialer Art zugänglich zu machen«[7], versuchte das Institut unter der Leitung Hirschfelds gerecht zu werden. Es konnte auf diese Weise vielen Homosexuellen helfen, die entweder Schwierigkeiten mit ihrer Sexualität hatten oder vor Gericht standen, z. B. bei Erpressungen. In den ersten Jahren erweiterte sich die Tätigkeit des Instituts ständig. Eine der ersten Eheberatungsstellen in Deutschland entstand hier.
Diese Abteilung wurde von Menschen aufgesucht, die allgemeine Eheschwierigkeiten hatten oder eine »Ehetauglichkeitsbeschei-

linke Seite:
Handzettel des Instituts für Sexualwissenschaft, 1928, Slg. Baumgardt, Berlin

links:
Vortrag des Archivleiters Karl Gilze (?)
im Ernst Haeckel Saal des Instituts,
Photo aus: M. Hirschfeld: Geschlechtskunde, Bd. 4, Stuttgart 1930, S. 892

nigung« benötigten. Zur Aufgabe dieser Abteilung gehörte es auch, Gesundheitszeugnisse auszustellen oder in Scheidungsprozessen beratend zu helfen. Zu einer Berufsberatungsstelle des Instituts konnten die Bezirksfürsorgestellen Berlins Jugendliche schicken, die Schwierigkeiten bei der Wahl des »richtigen« Berufs hatten. Um erfolgversprechende Diagnosen zu stellen und bei der Berufswahl Ratschläge zu erteilen, bediente man sich eines »psychobiologischen Fragebogens«.

Durch die Einordnung des Homosexuellen-Emanzipationskampfes in ein umfassendes Konzept von Sexualwissenschaft, gelang es Hirschfeld, dieses Thema aus dem bis dahin vorherrschenden Zusammenhang von Krankheit und Verbrechen herauszulösen und in seiner allgemein sexualreformerischen Bedeutung zumindest im Ansatz bewußt zu machen.

Wissenschaftliche Kongresse und die Gründung der »Weltliga für Sexualreform«

1921 veranstaltete das Institut für Sexualwissenschaft die »1. Internationale Tagung für Sexualreform auf wissenschaftlicher Grundlage«. Hirschfeld erreichte, daß viele der Sexualwissenschaftler und Nervenärzte an diesem Kongreß teilnahmen.

Erster internationaler Kongreß für Sexualreform auf wissenschaftlicher Grundlage im Langenbeck-Virchow-Krankenhaus, Berlin 1921, Photo aus: M. Hirschfeld, Geschlechtskunde Bd. 4, Stuttgart 1930, S. 893

Weitere Kongresse fanden statt: 1928 in Kopenhagen, 1929 in London, 1930 in Wien und der letzte dieser Art 1932 in Brünn. Eine wesentliche Aufgabe dieser Kongresse bestand nicht nur im Austausch neuer wissenschaftlicher Erkenntnisse, sondern vor allem in Empfehlungen an die jeweiligen gesetzgeberischen Institutionen. Die Tatsache, daß an diesen Kongressen viele Fachärzte teilnahmen, zeigte auch den wachsenden Einfluß Hirschfeldscher Forschungen auf die Fachwelt.

Mit dem Ziel einer besseren Planung und Koordination der Kongresse wurde 1928 in Kopenhagen die »Weltliga für Sexualreform« gegründet. Neben dem Schweizer Sexualwissenschaftler August Forel und dem englischen Sexualreformer Havelock Ellis war Hirschfeld einer der drei Präsidenten. Ziel der Liga war, »daß in allen Ländern der Welt aus den Forschungsergebnissen

BLÄTTER FÜR
MENSCHENRECHT

Offizielle Monatsschrift des Bundes f. Menschenrecht, e.V., Sitz Berlin
Motto: Für Wahrheit und Recht

Nummer 12   Dezember 1929   7. Jahrgang

§ 175 gefallen!

§ 175 lautet: „Die widernatürliche Unzucht, welche zwischen Personen männlichen Geschlechts, oder von Menschen mit Tieren begangen wird, ist mit Gefängnis zu bestrafen, auch kann auf Verlust der bürgerlichen Ehrenrechte erkannt werden."

Dieser Paragraph erhielt im Entwurf zu einem neuen deutschen Strafgesetzbuch die Nr. 296 und folgende Fassung: „Ein Mann, der mit einem anderen Mann eine beischlafähnliche Handlung vornimmt, wird mit Gefängnis bestraft."

Durch die Streichung des § 296 wird also, sobald das neue Strafgesetzbuch in Kraft tritt, keine generelle Strafbestimmung für Homosexuelle bestehen. Vorläufig bleibt natürlich der § 175 in Kraft, bis das neue Strafgesetzbuch durch den Reichstag angenommen worden ist. Wie lange das noch dauern wird, kann man heute nicht sagen, aber es ist wohl mit Sicherheit darauf zu rechnen, daß das neue Strafgesetzbuch vor dem 1. April 1932 nicht in Kraft treten wird. Unsere Freunde haben also alle Veranlassung, sich so zu verhalten, wie sie das bisher getan haben, denn solange das alte Strafgesetzbuch besteht, bleibt auch der § 175 in Kraft.

Neu ist in dem Entwurf zu einem neuen Strafgesetzbuch der § 297, der folgenden Wortlaut hat:

„Mit Gefängnis nicht unter sechs Monaten wird bestraft:

1. Ein Mann, der einen andern Mann unter Mißbrauch einer durch ein Dienst- oder Arbeitsverhältnis begründeten Abhängigkeit nötigt, sich zur Unzucht mißbrauchen zu lassen;

2. ein Mann, der gewohnheitsmäßig zum Erwerb mit einem Manne Unzucht treibt oder sich dazu anbietet;

3. ein Mann über 21 Jahren, der einen männlichen Minderjährigen verführt, sich zur Unzucht mißbrauchen zu lassen."

Aus der Fassung dieses Paragraphen, wie er vom Strafrechtsausschuß einschließlich der Sozialdemokraten angenommen wurde, ersieht man, daß die große Mehrzahl der Parteien für eine Bestrafung ist, wer sich an Minderjährigen vergeht, war Gewalt usw. anwendet und wer sich gewerbsmäßig prostituiert.

kenntnisse anstrebt(e)« und »überall die Maßnahmen und Vorurteile bekämpft, die einer vernünftigen Regelung des Sexuallebens im Wege stehen«.[8]

Neben der Forderung nach Legalisierung von Abtreibungen, Mutterschutz und Liberalisierung des Eherechts setzte sich die Liga auch für die Gleichberechtigung der Homosexuellen ein. Nach der Machtübernahme der Nazis versuchte man, das Zentralbüro von Berlin nach Paris zu verlegen.

Aufgrund innerer politischer Differenzen sowie durch die politischen Ereignisse wurde die Liga nach dem Tod Hirschfelds 1935 von den amtierenden Präsidenten, dem Dänen Leunbach und dem Engländer Norman Haire, aufgelöst.[9]

»Kartell zur Reform des Sexualstrafrechts«

Der sozialdemokratische Reichsjustizminister Gustav Radbruch (1878–1949) hatte während der zweiten Regierung (Oktober 1921 bis November 1922) unter Joseph Wirth (1879–1956) den ersten republikanisch geprägten Entwurf für ein neues Strafgesetzbuch mit einem wesentlich gemilderten § 175 vorgelegt.

Die folgenden bürgerlichen Regierungen überarbeiteten den Entwurf Radbruchs und gaben ihrerseits im Jahre 1925 einen »Amtlichen Entwurf« heraus, der in den meisten sexualrechtlichen Regelungen fast identisch mit dem geltenden Recht war. Durch diesen »Amtlichen Entwurf« sahen sich alle sexualreformerischen Vereine in ihrem Bemühen nach einer Liberalisierung des Strafgesetzbuches enttäuscht. Um dem besser entgegentreten zu können, schlossen sich das WhK, das Institut, der Bund für Mutterschutz, die Gesellschaft für Sexualreform, die Gesellschaft für Geschlechtskunde, der Verband der Eherechtsreform und der Bund für Menschenrecht im »Kartell zur Reform des Sexualstrafrechts« zusammen.[10] Delegierte aus den genannten Organisationen bildeten einen »Aktions-Ausschuß«, der angesichts der beginnenden Strafgesetzreform sowohl für Mitteilungen an die Presse als auch für die Verbindungen zu den Reichstagsabgeordneten und den offiziellen staatlichen Stellen zuständig war. Die zuvor nur losen Verbindungen der einzelnen Organisationen führten nach dem Zusammenschluß auch zu inhaltlichen Konsequenzen bei den einzelnen Organi-

der Sexualwissenschaft die praktischen Folgerungen für die Beurteilung und Neugestaltung des menschlichen Geschlechts- und Liebeslebens gezogen werden«. Diese Aufgabe suchte die »Liga« dadurch zu erfüllen, »daß sie … eine möglichst weite Verbreitung der sexualwissenschaftlichen Er-

8 Die Satzung der Weltliga, Kopenhagen 1928

9 Vgl. Wilhelm Reich: Die sexuelle Revolution, 2. Aufl., Frankf. a. M. 1969, S. 92 f.

10 Vgl. MdWhK, September 1927, S. 65 f.

sationen. Hatte sich das Komitee früher hauptsächlich um die Reform des § 175 eingesetzt, so zählten jetzt die völlige rechtliche Gleichstellung der Frau, die Liberalisierung des Eherechts, die Freigabe von Verhütungsmitteln, die Abtreibung, die Gleichstellung unehelicher mit ehelichen Kindern usw. zu seinen Forderungen an den Gesetzgeber.

»Der Amtliche Entwurf« für ein neues Reichs-Straf-Gesetzbuch (RStGB) in der Reichstagsvorlage von 1925 und 1927 bedeutete für die Emanzipationsbestrebungen der Homosexuellen eine Niederlage. Trotz der großen Anstrengungen, durch Aufklärung der Öffentlichkeit und einer allgemein verbreiteten Basis durch das »Kartell« war es nicht gelungen, auf den »Amtlichen Entwurf« Einfluß zu nehmen. Viele Stellungnahmen zu dem Entwurf waren daher auch negativ: »Der Entwurf von 1925 war gewiß kein Meisterwerk der Reformierung, weder in den leitenden Grundgedanken des Allgemeinen Teils, noch in den besonderen Deliktstatbeständen (vor allem des Sexualgebiets), aber der Reichsrat hat ihm noch den letzten Schwung genommen. In dieser Form dürfte der Entwurf selbst für die bescheidensten Strafrechtsreformer unannehmbar sein.«[11]

Zwei Jahre nach Gründung des »Kartells« wurde von diesem ein »Gegenentwurf« zu dem »Amtlichen Entwurf« erstellt. Durch dieses Vorgehen konnte die Bewegung, die sich für die Liberalisierung des RStGB einsetzte, die Initiative wieder erlangen und eigene Vorschläge einbringen. Ziel dieses »Gegenentwurfs« war die Ersetzung der »religiös geprägten sexualstrafrechtlichen Regelungen« durch »biologische«.[12] Das bedeutete für das WhK bzw. das Institut in Bezug auf die Homosexualität die ersatzlose Streichung des § 175. »Strafwürdig sind jene Fälle des Homosexualverkehrs, wo entweder Erregung öffentlichen Ärgernisses, Nötigung oder Mißbrauch Geschlechtsunreifer oder Willenloser vorliegt.«[13] In der Begründung der erwähnten Forderungen wird, ähnlich wie in den Petitionen des WhK an den Reichstag, von einer »angeborenen Konstitution« gesprochen. Felix Halle[14], ein Rechtsexperte der KPD, war maßgebend an dem »Gegenentwurf des Kartells« beteiligt.

Zugleich
für
Eltern
Priester
Fürsorger
und
Gesetzgeber

Kundgebung
Katholischer
Homosexueller
an die
Reichstagsfraktion
der
Deutschen Zentrumspartei

Flugschrift Nr. 2 des Wissenschaftlich-humanitären Komitees E. V., BERLIN NW 40, In den Zelten 10

Einen gewissen Erfolg hatte der »Gegenentwurf« in Bezug auf den § 175. Am 16. und 17. Oktober 1929 wurden im Strafrechtsausschuß des Deutschen Reichstages die Bestimmungen für einfachen gleichgeschlechtlichen Verkehr fallengelassen. Die Bestimmungen für qualifizierte Fälle, wie z. B. Verführung Minderjähriger und Prostitution, erfuhren im neuen § 297 eine wesentliche Verschärfung.
Ausschlaggebend für die Liberalisierung des § 175 RStGB war, daß sich die wissenschaftlichen Erkenntnisse auf dem Gebiet der Homosexualität auszuwirken begannen.

WhK und Institut im Zeichen des erstarkenden Nationalsozialismus

Eine wirkliche Strafrechtsreform fand nicht statt, denn über einer endgültigen Entwurf wurde im Reichstag nicht abgestimmt. Das Ergebnis im Strafrechtsausschuß wurde vom WhK und dem Institut als ein »Etappenziel« bewertet. Noch im Jahre 1929 trat Hirschfeld als 1. Vorsitzender des WhK zurück. Hinweise darauf, welche Gründe zum Rücktritt Hirschfelds führten, lassen sich nur aus vereinzelten Formulierungen in den Mitteilungen des WhK finden. Diesen Andeutungen ist zu entnehmen, daß Hirschfeld im Zusammenhang mit den Ergebnissen im Strafrechtsausschuß der

linke Seite:
Kommentar der Blätter für Menschenrecht, Dezember 1929, zur Strafrechtsreform 1929, Slg. Baumgardt, Berlin

links:
Flugschrift zu einer Kundgebung katholischer Homosexueller, Berlin 1929, Slg. Baumgardt, Berlin

11 K. Steinhoff: Rechtswissenschaft, in: Sozialistische Monatshefte (Internationale Revue des Sozialismus) 33. 1926, Bd. 2, S. 857
12 MdWhK, September 1927, S. 67 f.
13 Ebd., S. 66
14 Felix Halle: Geschlechtsleben und Strafrecht, Berlin 1931.

Die Portraitbüste Magnus Hirschfelds (von Harald Isenstein) wird auf einem Zug der Nationalsozialisten zur Bücherverbrennung vorangetragen. Photo: Akademie der Künste, Berlin

15 Kurt Hiller: § 175: Die Schmach des Jahrhunderts! Hannover 1922, S. 55

16 W. Frick war seit 1924 Reichstagsabgeordneter der NSDAP und seit 1933 Reichsinnenminister.

17 Zitiert nach: MdWhK Juli/August 1927, S. 60

18 Gemeint ist der Prozeß Bülow gegen Brand

19 MdWhK, Juli/Aug. 1927, S. 62

20 Hirschfeld lehnte jeden Kompromiß mit den Nazis ab. Dieses Verhalten drückt sich in vielen antifaschistischen Beiträgen aus; siehe dazu: MdWhK 5, 1928, S. 108

21 MdWhK, Jan./Febr. 1932, S. 1

Vorwurf einer falschen Taktik gemacht wurde. Eine extreme Gruppe innerhalb des WhK taktierte schon seit seiner Gründung mit dem Gedanken, durch offenes Denunzieren von Männern aus Politik und Wirtschaft Parteien zu zwingen, positiv zu den Forderungen des WhK Stellung zu beziehen. Hirschfeld und eine überwiegende Mehrzahl der WhK-Mitglieder waren überzeugt, daß man durch Aufklärung unter Bezugnahme auf die neuesten wissenschaftlichen Erkenntnisse, den Paragraphen zu Fall bringen könne.

Kurt Hiller nahm in dieser Auseinandersetzung eine zurückhaltende Position ein. Er forderte Hirschfeld wiederholt auf, sich zu Reichstags-Wahlen auf die Liste der Sozialdemokraten setzen zu lassen. »Dr. Magnus Hirschfeld ist seit Jahrzehnten organisierter Sozialdemokrat. Die Sozialdemokratische Partei Deutschlands sollte es sich vor der nächsten Wahl zur Pflicht machen, zur Pflicht gegenüber einer ungerecht unterdrückten, einer sinnlos verfolgten Minderheit der Nation ... einen hervorragenden Platz auf ihrer Reichsliste zur Verfügung zu stellen.«[15] Hiller ging bei seiner Aufforderung an Hirschfeld davon aus, daß die Homosexuellen im Reichstag ihre Forderungen selbst vorbringen müßten, statt sich von Nicht-Betroffenen vertreten zu lassen.

Die extreme Gruppe innerhalb des WhK nahm anläßlich einer Reichstagsrede des NSDAP-Abgeordneten Frick[16] 1927 zur Strafrechtsreformdebatte die alte Diskussion über ihre Taktik wieder auf. Frick hatte in seiner Rede u. a. gesagt: »Natürlich sind es Juden, Magnus Hirschfeld und seine Rassengenossen, die auch hier wieder führend und bahnbrechend wirken, wie ja überhaupt die ganze jüdische Moral das deutsche Volk geradezu verwüstet.«[17] Die Mitteilungen des WhK fragten in diesem Zusammenhang: »Wissen Sie, daß in dem Verzweiflungskampf der Homosexuellen ›dieser Weg über Leichen‹ diskutiert wurde? Und daß einmal begonnen wurde[18], ihn zu beschreiten?«[19] Es kann angenommen werden, daß diese Gruppe im WhK plante, Nationalsozialisten, deren Homosexualität der Gruppe bekannt war, öffentlich zu denunzieren. Ziel dieser Aktion sollte es sein, die NSDAP zu zwingen, sich positiv zu den Forderungen und Zielen des WhK zu bekennen. Später erhoffte sich die Gruppe durch dieses Vorgehen die weitere Behandlung des § 175 im Reichstag, nachdem 1929 der Strafrechtsausschuß den Paragraphen liberalisiert hatte. Die Mehrheit des WhK lehnte jedoch dieses Vorgehen seit jeher ab; es setzte sich die Meinung durch, mit der NSDAP ins Gespräch kommen zu wollen. Dieses Vorhaben war möglich geworden, nachdem Hirschfeld[20] den Vorsitz im WhK niedergelegt hatte. Begründet wird diese neue Linie des WhK damit, daß »die Nationalsozialisten auf Grund ihrer numerischen Stärke in den gesetzgebenden Körperschaften auf die Verwirklichung unserer Forderungen maßgebend Einfluß erhalten können.«[21] An den inneren Auseinandersetzungen im WhK läßt sich, ähnlich wie in anderen gesellschaftlichen Gruppen oder Parteien, nachvollziehen, wie wenig man sich inhaltlich mit dem Wesen des Faschismus auseinandergesetzt hatte. Die unüberbrückbaren Meinungsverschiedenheiten innerhalb des WhK hatten nicht nur Hirschfelds Rücktritt zur Folge, sondern auch eine weitgehende Einschränkung der Aktivitäten. Auch wenn sich diese Einschränkungen zunächst auf das WhK bezogen, so litt doch auch das Institut unter den Folgen dieser Querelen.

Im März 1930 trat der »Interparlamentarische Ausschuß zwischen Österreich und Deutschland für Rechtsausgleichung« zusammen. Dieser paritätisch zusammengesetzte Ausschuß entschied sich für die Beibehaltung des § 175. Das WhK empfand diese Entscheidung als »eklatante Nieder-

Plünderung des Instituts durch die Nationalsozialisten, 1933, Photo: Akademie der Künste, Berlin

lage« und als »vollen Triumph der klerikalen Reaktion«.[22] Die Aussichten für eine neue Sexualgesetzgebung sollten sich noch mehr verschlechtern, als im Sommer 1930 ein neuer Reichstag gewählt wurde. In diesem neugewählten Reichstag nahm die Zahl von NSDAP-Abgeordneten stark zu. Unter diesen Umständen blieb dem WhK nur die Hoffnung, daß sich in absehbarer Zeit das Kräfteverhältnis wieder zu seinen Gunsten ändern könnte. Insbesondere die allgemein brutaler werdenen Auseinandersetzungen mit den Nazis und die daraus resultierenden Schwierigkeiten für die Mitglieder des WhK ließen die Aktivitäten völlig erlahmen. Als Richard Linsert[23], der führende Kopf des WhK nach dem Rücktritt Hirschfelds, im Februar 1933 starb, war das WhK eigentlich schon nicht mehr existent. Kurt Hiller schrieb: »Richard Linsert starb in schweren Tagen; in schwerster, trübster, gefährlichster Zeit für den Fortschritt, für die Humanitätsaktion in Deutschland; im Beginn einer schwarzen Periode von vielleicht langer Dauer. Niemand kann wissen, welche schaudervollen Erlebnisse unserem jungen Führer erspart geblieben sein werden!«[24]

Das Institut für Sexualwissenschaft stellte nicht nur einen Höhepunkt der deutschen Sexualwissenschaft dar. Es war auch ein geistiger Mittelpunkt für die Emanzipationsbestrebungen der Homosexuellen. Nach Machtübernahme der Nazis wurde die umfangreiche Bibliothek und das große Archiv des Instituts geplündert. Die Werke Hirschfelds wurden zusammen mit denen bekannter Dichter und Schrifsteller am 10. Mai 1933 auf dem Opernplatz in Berlin verbrannt.[25] Magnus Hirschfeld hatte im November 1930 eine Weltreise angetreten und ging danach ins Exil. In Paris versuchte er, ein neues Institut zu gründen. Geldmangel und seine angegriffene Gesundheit liessen das Projekt scheitern. 1934 zog Hirschfeld mit seinem Freund Tao Li nach Nizza und starb dort am 15. Mai 1935.

Durch Verfügung des Geheimen Staatspolizeiamtes vom 18. 11. 1933 wurde das gesamte Vermögen der »Dr. Magnus-Hirschfeld-Stiftung« zugunsten des preußischen Staates eingezogen. Eine besondere Beschlagnahmeverfügung vom 3. 3. 1934 erging hinsichtlich der beiden stiftungseigenen Grundstücke In den Zelten 9a und 10, Ecke Beethovenstraße Nr. 3, auf denen sich das Institut bzw. die Privatwohnung Hirschfelds befanden. Laut § 10 der Stiftungssatzung vom 4. Dezember 1918, sollte das gesamte Stiftungsvermögen nach dem Tode Hirschfelds bzw. bei Aufhebung der Stiftung

22 Vgl. MdWhK, Febr./März 1930, S. 253
23 Richard Linsert (1899–1933), Mitglied der KPD und Verfasser des Buches: Kabale und Liebe, Berlin 1931.
24 MdWhK, Sept. 1932 – Febr. 1933, S. 1
25 Vgl. Unsere Zeit 6. 1933, S. 40 f.

Erscheint jeden Freitag
2. Jahrg. Nr. 11
25. April 1924

Erscheint jeden Freitag
Einzelpreis 25 Pfennig

Die B. f. M. erscheinen **jeden Freitag**. Mit der Wissenschaftlichen Beilage „Geschlecht, Gesetz und Gesellschaft", der literarischen Beilage „Die Insel der Einsamen", der wöchentlichen Unterhaltungsbeilage „An sonnigen Ufern", und der kostenlosen Beigabe „Berliner Inseratenblatt", Bezugspreis im geschlossenen Brief Inland 1,95 Mk., Ausland 2,60 Mk., als Drucksache Inland 1,50 Mk., Ausland 2,15 Mk. — Redaktionsschluß Sonnabend Mittag 2 Uhr. — Sprechstunde der Redaktion 4—6 Uhr nachmittags.

Die Organisation der 12000

Statistische Merkwürdigkeiten an Hand des offiziellen Geschäftsberichtes des Bundes für Menschenrecht
für die Zeit vom 1. April 1923 bis 31. März 1924

*Kopf der Blätter für Menschenrecht,
Slg. Baumgardt, Berlin*

der Berliner Universität zufallen, mit der Maßgabe zur Einrichtung einer ordentlichen Professur für Sexualwissenschaft. Trotzdem wurde in einem 1950 eingeleiteten Wiedergutmachungsprozeß der betreffende Paragraph der Satzung nicht berücksichtigt. Die Allgemeine Treuhandorganisation (ATO) vertrat in diesem Prozeß »das Opfer der nationalsozialistischen Unterdrückungsmaßnahmen« und die Rechte des Verfolgten als seine Rechtsnachfolgerin. Mit einem Vergleich zwischen dem Senator für Finanzen und der ATO endete der Prozeß 1955 mit folgendem Inhalt:[26]
1. Die Parteien sind sich darüber einig, daß das Eigentum an den Grundstücken In den Zelten 9a und Beethovenstraße 3, Ecke In den Zelten 10 auf Berlin übergegangen ist.
2. Die Allgemeine Treuhandorganisation verzichtet auf Rückerstattung der Grundstücke.
3. Berlin wird als Eigentümer im Grundbuch eingetragen und der Rückerstattungsvermerk wird gelöscht.
4. Zum Ausgleich verpflichtet sich Berlin, an die ATO einen Betrag von 70400,– DM abzüglich des unstreitigen Teils des Rückgewährungsanspruches in Höhe von 13271,– DM, also 57129,– DM zu zahlen.
Mit diesem Vergleich endete in Wirklichkeit für Berlin die große Tradition einer Wissen-

schaft, die von hier ihren Ausgang genommen hatte. Die Möglichkeit eines Neubeginns nach 1945 wurde vertan.

»Der Bund für Menschenrecht e.V.« (BfM) 1923–1933

Erst die Weimarer Republik mit ihrer demokratischen Verfassung und einem liberaleren Klima ermöglichte es den Homosexuellen, sich in einer Massenorganisation zusammenzuschließen.

Unter diesen neuen Bedingungen entstanden 1919 in vielen deutschen Städten des Reiches sogenannte Freundschaftsbünde. In ihnen schlossen sich Homosexuelle überwiegend zur Unterhaltung zusammen. Eine Vielfalt homosexueller Zeitschriften entstand in diesem liberalen Klima.[27] Die wichtigsten waren: *Die Freundschaft,* die zwischen 1923 und 1926 als Informationsblatt des WhK herauskam und 1919 von Karl Schultz als *Wochenschrift für Aufklärung und geistige Hebung der idealen Freundschaft* gegründet worden war. Die *Blätter für Menschenrecht, Das Freundschaftsblatt, Die Freundin* und das Unterhaltungsmagazin *Die Insel* erschienen im Friedrich-Radszuweit-Verlag in Potsdam. Der Nationalsozialist Klare schrieb 1937 über diese Presse: »Den Höhepunkt erreichten diese Freigabebestrebungen in der Weimarer Republik. In einer Menge neuer Zeitschriften trugen die Homosexuellen ihre Ideen immer wieder vor, geschickt verflochten mit der Terminologie der parteipolitischen Propaganda der Linksparteien … Da diese Schriften an jedem Kiosk, bei jedem Zeitungshändler auslagen, war die Breitenwirkung entsprechend groß und intensiv.«[28] Sicherlich lag es in der Absicht Klares zu übertreiben. Gleichwohl trugen diese Publikationen dazu bei, breite Bevölkerungskreise auf die Probleme Homosexueller aufmerksam zu machen.

Gründung und Ziele des BfM

In Berlin wurde Ende September 1919 der »Berliner Freundschaftsbund e.V.« gegründet. Im folgenden Jahr schlossen sich der »Berliner Freundschaftsbund« mit ähnlichen Vereinen in Hamburg, Frankfurt und Stuttgart zum »Deutschen Freundschaftsverband« (DFV) zusammen. Auf dem 1. Verbandstag Anfang März 1921 in Kassel waren acht Vereine vertreten. Die Gründe für die Schaffung homosexueller Vereine lagen

26 Prozeßakte bei den Wiedergutmachungsämtern von Berlin.
27 F. Karsch-Haack: Die deutsche Bewegung zur Aufhebung des § 175 RStGB, Berlin 1924, S. 26 f.
28 Rudolf Klare: Homosexualität und Strafrecht, Hamburg 1937, S. 32 f.

Titelseite der »Freundschaft«, Nr. 7, 1924, Slg. Baumgardt, Berlin

32 Seiten Umfang — **Preis 50 Pfennig**

Die Freundschaft

(„Freundschaft und Freiheit") („Der Freund")

Nr. 7 | 6. Jahrg. | 1924 — Oktober 1924

Monatsschrift für den Befreiungskampf andersveranlagter Männer und Frauen

Antrag auf Abschaffung des § 175
im Deutschen Reichstag

Mitgeteilt von San.-Rat Dr. M. Hirschfeld

Die kommunistische Fraktion des deutschen Reichstages hat nach den Drucksachen des Reichstages unter Nr. 232 nebenstehenden Antrag gestellt.

Die kommunistische Partei kommt damit der Versicherung nach, die sie dem W. H. K. anläßlich der Reichstagswahlen gegeben hatte. Es ist in der Geschichte unseres Kampfes immerhin bemerkenswert, daß hier zum ersten Male ein ausdrücklicher Antrag auf Außerkraftsetzung des § 175 von einer politischen Partei gestellt wird. Selbstverständlich dürfen wir uns heute noch keinen übertriebenen Erwartungen auf einen positiven Erfolg hingeben, denn sowohl das Schicksal unserer Petition wie das der kommunistischen Initiative war bereits am 4. Mai dieses Jahres entschieden; so dürfte es sehr fraglich sein, ob noch in diesem Reichstage die für eine Annahme des Antrages erforderliche einfache Mehrheit erzielt wird. Immerhin mußte versucht werden, einer sachlichen Diskussion den Boden zu bereiten, zumal sich ja außer den Kommunisten, auch die Vereinigte sozialdemokratische Partei und die deutsche demokratische Partei für unsere Forderung erklärt haben Um dann aber auch eine neuerliche Verquickung des Antrages mit dem

Antrag Nr. 232

Thomas und Genossen. Der Reichstag wolle beschließen:

folgendem Gesetzentwurf die verfassungsmäßige Zustimmung zu erteilen:

Entwurf eines Gesetzes betreffend **Abänderung des Strafgesetzbuches**

Der Reichstag hat das folgende Gesetz beschlossen, das mit Zustimmung des Reichsrats hiermit verkündet wird:

Das Strafgesetzbuch wird wie folgt geändert:

1. § 175 wird außer Kraft gesetzt.
2. Alle bisher auf Grund dieses Paragraphen Verurteilten werden amnestiert.
3. Alle Verfahren, die auf Grund des § 175 schweben, werden eingestellt.

Berlin, den 23. Juni 1924.

Thomas. Creutzburg Eichhorn. Eppstein. Frölich (Westfalen) Dr. Herzfeld. Heym. Höllein. Koenen. Meyer (Franken). Müller (Frankfurt). Müller (Kaiserslautern). Münzenberg. Obendiek. Frau Reitler. Schubert. Stetter. Stoecker.

Falle Haarmann (vergl. die Stenogramme der 15. Sitzung des R. T. vom 22. Juli 24) zu begegnen, hat das Wissenschaftlich-humanitäre Komitee den Reichstagsabgeordneten folgenden Schriftsatz zugehen lassen:

Berlin, den 5. August 1924.

Zur Drucksache des Reichstages Nr. 232 betr.: Antrag Thomas und Genossen.

Hochgeehrtes Reichstagsmitglied!

Nachdem das Wissenschaftlich-humanitäre Komitee die Eingabe gegen das Unrecht des § 175 R.-St.-G.-B. dem Reichstage der Monarchie mehrfach eingereicht und stets nur die Zustimmung starker Minderheiten damit gefunden hatte, legte es die Eingabe am 18. März 1922 zum ersten Male dem Reichstage der Republik vor, mit dem Erfolge, daß dieser sie im Dezember desselben Jahres der Reichsregierung als Material überwies.

Inzwischen haben, unabhängig von dem Vorgehen des Wissenschaftlich-humanitären Komitees, die Abgeordneten Thomas, Creutzburg und Genossen den Initiativantrag eingebracht:

---

einerseits in der Politisierung durch die Novemberrevolution, andererseits waren es die enttäuschten Hoffnungen auf eine rasche Beseitigung des § 175 sowie das Wiederaufleben der Zensur (z. B. Verbot des Films »Anders als die Andern«), was dazu führte, daß sich die Homosexuellen auf eine längere Periode ihrer Bestrebungen nach Gleichberechtigung einzustellen begannen. Auf dem zweiten Verbandstag des DFV in Hamburg im April 1922 wurden zum erstenmal Forderungen und Ziele benannt:[29]

1. Kampf für die Abschaffung des Paragraphen.
2. Kampf gegen die gesellschaftliche Ächtung der Homoeroten.
3. Kampf gegen Erpresser und Ausbeuter.
4. Vollständiger kostenloser Rechtsbeistand.

Ab jetzt nannte sich der Verein »Bund für Menschenrecht e.V.« (BfM). Als offizielles Organ des Bundes wurden ab 1923 die »Blätter für Menschenrecht« halbmonatlich bzw. monatlich herausgegeben. Ihnen wurde im Wechsel eine literarische Beilage

29 Siehe: Blätter für Menschenrecht (BlfM), 15. 2. 1923, S. 1 f.

unter dem Titel »Insel der Einsamen«[30] und einmal monatlich eine wissenschaftliche Beilage unter dem Titel »Geschlecht, Gesetz und Gesellschaft in ihren Wechselbeziehungen« beigefügt. Der erste Vorsitzende des BfM war Friedrich Radszuweit (1876–1932), der auch zugleich der wichtigste Verleger von Homosexuellen-Zeitschriften war. Nach Angaben Radszuweits hatte der BfM zeitweilig 48000 Mitglieder.[31] Damit hatten sich viele Homosexuelle eine Organisationsform geschaffen, die nicht wie das WhK oder die GdE nur die bildungsbürgerlichen Schichten ansprachen.

Die Öffentlichkeitsarbeit des BfM

Neben der »Geselligkeit« galt der Kampf dem »Paragraphen«, »gegen die Erpresser« und »gegen die gesellschaftliche Ächtung der Homosexuellen«. Die Prozesse gegen Homosexuelle wurden vom BfM beobachtet und in seinen Schriften kommentiert. Dabei war es gleichgültig, ob es sich um BfM-Mitglieder handelte oder nicht. Den betreffenden Gerichten und Juristen schickte der BfM »Aufklärungsmaterial« zu.[32] Besondere Aufmerksamkeit zeigte die Organisation bei sogenannten Ehrengerichtsprozessen, in denen sich Homosexuelle, bei Bekanntwerden ihrer Homosexualität, vor ihren Standesorganisationen zu verantworten hatten und häufig bei »nachweisbarer« Homosexualität aus den Standesorganisationen ausgeschlossen wurden. Auf diese Weise verloren Homosexuelle ihre Existenzgrundlage.

Zur weiteren Öffentlichkeitsarbeit des BfM gehörte es, mit den Polizeibehörden zu sprechen. Häufige Verbote der Homosexuellen-Zeitschriften, repressives Verhalten gegen einzelne Homosexuelle oder gegen die Organisation veranlaßten den BfM dazu.

Inhaltlich legte der Bund auf die wissenschaftliche Argumentation keinen so grossen Wert wie das WhK. Trotzdem wurde die Theorie der »konstitutionellen Anlage« der Homosexuellen in Aufklärungsschriften des BfM verbreitet. Seine Vertreter betonten immer die rechtliche Seite, nämlich, daß homosexuelle Handlungen nicht in die Rechte Dritter eingreifen würden.[33]

Hauptziel des Bundes war die Beseitigung des Paragraphen. Zu diesem Zweck hatte er sich 1923 mit dem WhK und der GdE in einem »Aktionskomitee« zusammengeschlossen. Der BfM befürwortete eine Arbeitsaufteilung in dem Bestreben, den Paragraphen abzuschaffen. Das WhK sollte den »wissenschaftlichen Kampf« übernehmen und der Bund die allgemeine Aufklärung und die Verhandlungen mit den Behörden. Die begonnene Zusammenarbeit endete bald und machte »innerem Zwist und Hader«[34] Platz. In den folgenden Jahren ist das Verhältnis der beiden wichtigsten Organisationen von Verleumdungen und Herabsetzungen gekennzeichnet.[35] Das WhK forderte viel weitergehendere Zugeständnisse des Gesetzgebers in Bezug auf ein liberales Sexualstrafrecht, wie z. B. die Festsetzung des Schutzalters auf 16 Jahre, Verzicht auf Bestrafung der männlichen Prostitution, Streichung des § 218 und eine Erleichterung von Ehescheidungen. Für diese Forderungen glaubte der BfM nicht eintreten zu können, da der Vorsitzende des Strafrechtsausschusses des Deutschen Reichstags, Prof. Dr. Wilhelm Kahl von der Deutschen Volkspartei, dem BfM mitgeteilt hatte, anderenfalls im Strafrechtsausschuß gegen den Antrag auf Streichung des § 175 zu stimmen.[36]

Ein weiterer Grund für das schlechte Verhältnis zwischen BfM und WhK lag in dem Bild, das sich beide Organisationen von »dem« Homosexuellen machten. Der Bund wehrte sich gegen den Zusammenhang zwischen Homosexualität und Feminität, den Hirschfeld in seiner Zwischenstufen-Theorie hergestellt hatte.[37] Der BfM betonte, daß er eine auf Kameradschaft aufgebaute Organisation sei und distanzierte sich dementsprechend von dem femininen Typus des Homosexuellen.[38]

Seit seinem Bestehen führte der BfM Umfragen bei den Parteien durch. So verschickte er 1924 an alle Parteien und Mitglieder des Deutschen Reichstags Schreiben, in denen sie aufgefordert wurden, sich für die Streichung des Paragraphen einzusetzen und eine Stellungnahme zu diesem Problem abzugeben. Von den angeschriebenen Parteien antworteten die SPD und die KPD positiv und traten für die Streichung des Paragraphen ein.[39] Die bürgerlichen Parteien antworteten ausweichend oder ablehnend.[40]

Zu den Reichstagswahlen 1924 wurden Redner des BfM zu den Wahlveranstaltun-

30 Ab 1925 selbständig erschienen unter dem Titel »Die Insel«.

31 Vgl. Friedrich Radszuweit: Zum zehnjährigen Bestehen des »Bundes für Menschenrecht e.V.« 1919–1929, in: BlfM 7. 1929, Nr. 10, S. 20

32 Vgl. BlfM, Nr. 4, April 1925, S. 30 f.

33 BlfM, 7. 1929, Nr. 3, S. 2

34 Magnus Hirschfeld: Die Homosexualität des Mannes und des Weibes, Berlin 1914, S. 310

35 Vgl. Paul Weber: Lügen haben kurze Beine. In: BlfM 10.1932, Nr. 10/11, S. 6

36 Ebd., S. 8

37 Vgl. Freundschaftsblatt, 7. Jg., Nr. 43, S. 1 f.

38 Ebd., S. 3 f.

39 Vgl. BlfM, Nr. 10, 18. 4. 1924, S. 2

40 Ebd., S. 3 f.

gen geschickt, um auf das Problem des § 175 aufmerksam zu machen. Die Blätter für Menschenrecht berichten, daß von 22 Wahlveranstaltungen 14 eine Resolution annahmen, die eine Abschaffung des Paragraphen forderte. Viele Landtage wehrten sich, das Aufklärungsmaterial des Bundes zu verteilen. Im thüringischen Landtag wandte sich deshalb der BfM an die KPD. Erst auf Antrag der Kommunisten wurden die Materialien an die Abgeordneten des Landtages weitergegeben.[41] Ähnlich wie das WhK betonte der BfM wiederholt seine parteipolitische Neutralität. Obwohl die Nazis wiederholt ihre ablehnende Haltung gegenüber dem BfM zu verstehen gaben[42], richtete Radszuweit einen Brief an Hitler, in dem er auf die Widersprüchlichkeit zwischen den offiziellen Verlautbarungen der Partei und der Realität in der Partei aufmerksam machte: »Die Enthüllungen der *Münchner Post*[43] über einige Ihrer besten Mitarbeiter, die der gleichgeschlechtlichen Liebe huldigen, dürfte Ihnen wohl sehr unangenehm in den Ohren klingen. Unangenehm nicht etwa wegen der natürlichen Veranlagung..., sondern für Sie nur deshalb sehr unangenehm, weil Sie in ihrem Programm nicht nur die Beibehaltung des Schandparagraphen 175 fordern, sondern auch in Ihren Zeitungen wiederholt erklärt haben, daß, wenn Ihre Partei an die Regierung käme, diese sofort mit den gleichgeschlechtlichliebenden Menschen aufräumen, indem man diese ausweisen oder aufhängen würde.«[44] Der Bund wehrte sich gegen die Veröffentlichungen der *Münchner Post,* in der der Stabschef der SA der NSDAP, Ernst Röhm, der Homosexualität bezichtigt worden war. Die Mitgliedschaft Röhms im

BfM[45] führte auch dazu, daß Angriffe in der nationalsozialistischen Presse gegen jüdische Mitarbeiter Magnus Hirschfelds, wie z. B. gegen den Wiener Mediziner Felix Abraham[46], unbeantwortet blieben bzw. vom BfM ein Verbot der Schriften gefordert wurde.[47] Diese Vorgänge brachten den BfM in große interne Auseinandersetzungen, und der 1. Vorsitzende des Bundes, Radszuweit, mahnte die Mitglieder: »Nur so, wenn wir vollständig in politischer Beziehung unparteiisch sind, können wir unsere Organisation weiterhin vor einer Spaltung bewahren und können durch unsere Mitglieder, die sich auf alle politischen Parteien verteilen, indirekt Propaganda für die Beseitigung des Paragraphen in allen politischen Parteien treiben.«[48]

Zu den Reichstagswahlen empfahl der BfM seinen Mitgliedern, nur Parteien zu wählen, die sich für die Abschaffung des Paragraphen einsetzten. Trotz des immer stärker werdenden Drucks[49] gegenüber den Homosexuellen und ihren Organisationen brachte der BfM seine letzte Wahlempfehlung 1932 heraus: »...die sich noch ablehnend verhaltenen Parteien... sollten frei und offen für die Beseitigung des Schandparagraphen 175 eintreten. Tun sie es nicht, dann haben die Homosexuellen die Pflicht, diesen Parteien ihre Stimme zu verweigern...«[50]

Mit dem 11. Jahrgang Nr. 2/3, Februar/März 1933, stellte der BfM das Erscheinen seiner offiziellen Monatszeitschrift ein. Das Verlagshaus in Potsdam wurde ebenso wie das Institut für Sexualwissenschaft nach der Machtübernahme durch die Nazis 1933 geplündert.

41 Ebd., S. 2 f.
42 Vgl. BlfM, 8. Jg., Nr. 9, Sept. 1930, S. 2 f. und BlfM, 2. Jg., Nr. 10, April 1924, S. 2
43 Vgl. Münchner Post (22. 6. 1931, »Warme Brüderschaft des Braunen Hauses«, S. 1
44 Vgl. Die Freundin, 7. Jg., Nr. 23, 10. 6. 1931, S. 2
45 Vgl. BlfM, Nr. 10/11, Okt./Nov. 1932, S. 13
46 Mitherausgeber des Buches »Perversions Sexuelles«, Paris 1931
47 Vgl. Das Freundschaftsblatt, 9. Jg., Nr. 12, 26. 3. 1931, S. 2
48 Die Freundin, 7. Jg., Nr. 23, 10. 6. 1931, S. 2
49 Der Polizeipräsident von Berlin verbot 1932 alle öffentlichen homosexuellen Tanzveranstaltungen, in: BlfM, Nr. 10, Okt./Nov. 1932, S. 10
50 BlfM, Nr. 6/7, Juni/Juli 1932, S. 3

(Auszugsweise Abschrift)

Adolf Brand Verlag
Der Eigene

Berlin-Wilhelmshagen
Bismarckstr. 7
29. Nov. 1933

Meine sehr verehrten Herren!
Als Ehrenmitglied Ihrer Gesellschaft fühle ich mich verpflichtet, Ihnen über die völlige Aussichtslosigkeit einer Fortsetzung meiner Lebensarbeit im neuen nationalsozialistischen Deutschland einen ausführlichen Bericht zu geben.

Ich setze hierbei voraus, daß Sie hinreichend darüber unterrichtet sind, daß die Reichskanzlerpartei schon lange vor der Machtergreifung sich in allerschärfster Form gegen alle Bestrebungen ausgesprochen hat, die die Straffreiheit der gleichgeschlechtlichen Liebe und ihre gesellschaftliche Gleichstellung neben der Frauenliebe zu ihrem Ziele hatten.

Damals aus Anlaß der Beseitigung des § 175 durch den Strafrechtsausschuß des alten Reichstages – drohte die Reichskanzlerpartei im »Völkischen Beobachter«, dem Regierungsorgan des Reichskanzlers Adolf Hitler, alle Homosexuellen am Galgen aufzuhängen und alle Befürworter der Abschaffung des § 175 aus Deutschland auszuweisen, sobald Hitler zur Macht gekommen sei.

…

Sofort nach der Machtergreifung ging dann die Regierung des Reichskanzlers Adolf Hitler auch gleich mit allerlei strengen Maßnahmen zur Unterdrückung der homosexuellen Bewegung vor.

…

Daneben ging man mit Konfiskationen gegen Schriften und Bücher vor, die tatsächlich nur Schund und Schmutz gewesen sind, oder durch deren gewissenlose Sensationsmache die Bewegung ebenfalls nur in den übelsten Ruf gekommen ist. Ich erinnere hier nur an die schrecklich kitschige Schrift »Männer zu verkaufen!« von Friedrich Radszuweit, deren völlig geistloser Inhalt bloß eine plumpe Spekulation auf die allerblödeste Sinnlichkeit und literarische Anspruchslosigkeit des homosexuellen Pöbels war und durch die die ganze Bewegung bei allen Gebildeten völliger Mißachtung und Lächerlichkeit verfiel.

Schon einen wesentlich anderen Charakter hatten jedoch die Konfiskationen, die die Vernichtung der Schriften von Dr. Magnus Hirschfeld zum Ziele hatten. Denn hierbei waren nicht allein rein sachliche Motive ausschlaggebend, sondern überwiegend antisemitische Tendenzen und Vorurteile, die weniger den homosexuellen Vorkämpfer, als den homosexuellen Juden treffen wollten, und die dadurch die Aktion gegen Dr. Hirschfeld in das Märtyrerlicht des Mittelalters rückten.

Sie wissen ja, daß ich Dr. Hirschfeld ebenfalls bekämpft habe. Aber nicht weil er Jude ist, sondern weil seine ganze pseudowissenschaftliche Tätigkeit, die es fertig bekam, die allgemein verbreitete bisexuelle Veranlagung sich Jahre lang wider besseres Wissen hartnäckig abzustreiten und dafür krankhaft die gleichgeschlechtliche Neigung zu einem Spezifikum des sogenannten Urnings zu verfälschen, zu einer katastrophalen Gefahr für unsere gesamte Bewegung wurde.

…

Am 3. Mai – also kurz vor der Scheiterhaufensache – kamen ganz unerwarteter Weise drei Kriminalbeamte aus Berlin mit ihrem Auto hier vorgefahren und konfiszierten mein Aktwerk »Deutsche Rasse«. Mehr als 2000 Aktstudien wurden von den Beamten mit Beschlag belegt und nach Berlin mitgenommen.

…

Am 2. September und am 4. September fand die zweite und die dritte große Konfiskation in meinem Verlage statt. Das erste Mal – es war bereits Nacht geworden – wurden von der uniformierten Polizei rund 3000 Hefte vom letzten Jahrgang des *EIGENEN* abgeholt und das zweite Mal von der Kriminalpolizei auch etwa 3000 Exemplare des *EROS.* Es handelt sich in beiden Fällen um Hefte meiner Zeitschriften, die lange vor der Machtergreifung Hitlers erschienen sind und die die Polizei bei ihrem öffentlichen Verkaufe damals in keiner Weise beanstandet hat.

Bei der vierten Konfiskation am 15. November beschlagnahmte die Kriminalpolizei meine wichtigsten und wertvollsten Bücher. Nämlich erstens den Novellenband »Armer Junge« – zweitens die Novelle »Wüstenträumer« von Patrick Weston, die zuerst in England erschienen ist – und drittens die kleine filosofische Schrift »Die Liebe der Wenigen« von Ferdinand Knoll. Bei der fünften Konfiskation am 24. November fielen der Polizei einige Remittenten von den bereits beschlagnahmten Heften des EIGENEN in die Hände, die von der Polizei am zweiten September übersehen worden sind.

Ich wurde durch diese 5 Konfiskationen vollständig ausgeplündert, habe nichts mehr zu verkaufen und bin nun geschäftlich ruiniert. Ich weiß auch nicht mehr, wovon ich mit meinen Angehörigen zusammen noch weiter leben soll. Denn meine ganze Lebensarbeit ist jetzt zugrunde gerichtet. Und die meisten meiner Anhänger haben nicht einmal den Mut, auch nur einen Brief an mich zu schreiben, und erst recht nicht, zur Unterstützung meiner Arbeit irgendeine Zahlung an mich zu leisten. Der Verlust, der durch die vielen Konfiskationen und Verbote für mich entstanden ist, beträgt rund 10.000 Mark.

Aus dieser Lage ergibt sich die sehr einfache Tatsache, daß eine Fortsetzung meiner Arbeit und ein Weitererscheinen meiner Zeitschriften auf deutschem Boden nicht mehr möglich ist und daß die Weiterherausgabe meiner Zeitschrift DER EIGENE nur noch im Auslande geschehen kann, wo dafür die dafür notwendige Pressefreiheit und Rechtssicherheit besteht.

Ich bin Individualist geblieben, stehe weiter auf dem Boden des Privateigentums und der Privatwirtschaft, kämpfe für das Recht der persönlichen Freiheit und lehne jedes staatssozialistische Experiment als freiheitsfeindlich und gemeingefährlich ab.

Ihr sehr ergebener Adolf Brand

Harry Ransom, Humanities Research Center, The University of Texas at Austin

Manfred Herzer

Hinweise auf das schwule Berlin in der Nazizeit

Während seiner Berliner Jahre war der durch seinen Roman »Krieg« berühmt gewordene Kommunist Ludwig Renn (1889–1979) oft Gast, vielleicht sogar Mitglied in der Schwulengruppe »Gemeinschaft der Eigenen«. In seinem Exil-Roman »Vor großen Wandlungen« (1937) kommt Renns schwuler Selbsthaß darin zum Ausdruck, daß nur die Nazis und ein adliger Selbstmörder schwul sind, kommunistische Widerstandskämpfer sind heterosexuell, männlich und normal. Photo: Bildarchiv Preußischer Kulturbesitz

Das Leben in der Illegalität begann für die schwulen Männer Berlins nicht erst mit dem 30. Januar 1933. Da man ohnehin daran gewöhnt war, aus berechtigter Angst vor Verfolgung ein striktes Doppelleben zu führen, änderte sich für die meisten Schwulen nur wenig. Erste und deutlich sichtbare Opfer nazistischer Schwulenpolitik waren jedoch neben der steigenden Zahl von Verurteilten nach § 175 vor allem das Publikum und die Besitzer der zahlreichen Berliner Homosexuellenbars. Hatte die Berliner Polizei schon 1932 unter dem Regime des Kanzlers von Papen begonnen, solche Gaststätten zu schließen und ihre Besucher durch Razzien zu erfassen, so steigerte sich dies unter dem Kanzler Hitler Anfang März 1933 in neuer terroristischer Weise. Einlieferungen von Schwulen in KZs sind schon von Anfang an nachzuweisen.[1]

Allerdings gab es, soweit bekannt, unter denen, die nach der Nazimachtübernahme emigrierten, keinen, der dies wegen der verschärften Repression gegen Homosexuelle tat.

So wurde etwa Kurt Hiller nicht wegen seiner seit 25 Jahren ununterbrochenen Tätigkeit für das WhK ins KZ Columbiahaus gesperrt; Anlaß war vielmehr ein im März 1933 im letzten Heft der »Weltbühne« erschienener Artikel, in dem er an den Nazis vieles, aber nicht deren Schwulenfeindlichkeit kritisierte. Ende April 1934 wurde Hiller entlassen und konnte emigrieren. »Daß die Gestapo mich entließ, entgegen ihrer Gepflogenheit in verwandten Fällen, ist mir ein Rätsel geblieben«, schreibt Hiller in seinen Lebenserinnerungen.[2] Der schwule Kommunist Ludwig Renn wurde nach dem Reichstagsbrand verhaftet. Im Gefängnis, so berichtet er selbst, versuchten die Nazis, ihn zum Übertritt in die NSDAP zu bewegen, seine bekannte sexuelle Orientierung und seine Mitarbeit in der Schwulengruppe »Gemeinschaft der Eigenen« störte da anscheinend gar nicht. Renn blieb jedoch standhaft, bis ihm 1935 die Flucht in die Schweiz gelang.[3]

Auch Klaus Manns Entscheidung für das Exil war nie mit der Schwulenfeindlichkeit der

Die hier in einer Meldung des Berliner Tageblatts vom 4. März 1933 aufgezählten Berliner Schwulen- und Lesbenkneipen gehörten zu den bekanntesten, die die schon 1932 einsetzende Polizeikampagne gegen die Homosexuellen überdauert hatten. Das »Eldorado« hatte vermutlich schon vor der Nazimachtübernahme schließen müssen.

1 Vgl. R. Lautmann: Seminar Gesellschaft und Homosexualität, Frankfurt 1977, S. 328
2 K. Hiller: Leben gegen die Zeit, Band 1, Reinbek 1969, S. 287
3 Vgl. S. Bock: Ludwig Renns Roman »Vor großen Wandlungen«, in: Weimarer Beiträge, Jg. 28, 1982 , H. 4, S. 56 ff.

echnung
r politi-
chlossen
mal am

ude,
rdneten
Terror-
eifen zu
den die
nden, in
Bevölke-
er Kon-
zum so-

für alle
Sonntag
on rund
ebenfalls
n vorn-
er end-
es Ver-
durch
doch
det und

Nachtlokale geschlossen
Einschränkende Bestimmungen für Tanzlokale und Bars

Der Polizeipräsident hatte vor einigen Tagen scharfe Massnahmen gegen Gast- und Schankwirtschaften angedroht, gegen die in sittlicher Beziehung Beanstandungen erhoben wurden. Auf Grund des § 22 des Gaststättengesetzes sind daher mit sofortiger Wirkung folgende Betriebe geschlossen worden: Luisen-Kasino, Alte Jakobstrasse 64, Zauberflöte, Kommandantenstrasse 72; Dorian Gray, Bülowstrasse 57; Kleist-Kasino, Kleiststrasse 15; Nürnberger Diele, Nürnberger Strasse 6; Internationale Diele, Passauer Strasse 27/28; Monokel-Bar, Budapester Strasse 14; Geisha, Augsburger Strasse 72; Mali und Igel, Lutherstrasse 16; Boral, genannt Moses, Uhlandstrasse 14; Kaffee Hohenzollern, Bülowstrasse 101; Silhouette, Geisbergstrasse 24; Mikado, Puttkamerstrasse 15; und Hollandais, in der Bülowstrasse 69. Ausserdem ist bei drei weiteren Lokalen die Polizeistunde herabgesetzt worden.

Auch für die Tanzlokale und Bars sind wichtige Bestimmungen erlassen worden. Tanzdamen dürfen nicht mehr in Balltoilette in den Lokalen erscheinen und mit den dort beschäftigten Bardamen die Gäste zum Trinken animieren oder sich zum Trinken einladen lassen.

Nazis begründet worden. Es gab für ihn genügend andere Gründe, die Nazis zu hassen. In seinem Freund, dem Schriftsteller Erich Ebermayer, hatte Klaus Mann zudem ein deutliches Beispiel dafür, daß auch für einen Schwulen die Karriere in Nazideutschland nahezu ungebrochen weitergehen konnte. Zwar vermied Ebermayer in seinen für die Nazikulturindustrie produzierten Werken das Thema Homosexualität – seine einschlägigen Bücher aus den 20er Jahren waren verboten –, aber Erfolg und Wohlstand konnte man anders, etwa mit Drehbüchern für die UFA, sichern. Um schließlich auch die Opfer zu erwähnen: Es gibt nicht den geringsten Hinweis darauf, daß der Dichter Erich Mühsam wegen seiner in der Schwulenzeitschrift »Der Eigene« veröffentlichten Päderastengedichte und seiner entsprechenden Lebenspraxis ermordet wurde. Die Nazis hatten andere Anlässe genug, um in Mühsam einen ihrer Todfeinde zu sehen.

Die hier angedeuteten inneren Widersprüche der nazistischen Schwulenpolitik werden heute gern ignoriert. Sie passen nicht in die gängigen Klischees, nach denen die Nazis entweder in unfaßlicher Dämonie einen völlig singulären, alles Maß überschreitenden Holocaust unter den Schwulen veranstalteten, bei dem der rosa Winkel noch Entsetzlicheres bezeichnen soll als der gelbe Stern; oder man versucht, den Nazis eine besondere Affinität zur Homosexualität anzudichten, da ihr Regime viel patriarchalischer und männerbündlerischer gewesen sein soll als andere damalige politische Systeme.

Hans Blüher, ein schwuler Schriftsteller, der sich auch als Psychotherapeut betätigte und während der ganzen Nazizeit unbehelligt in Berlin-Hermsdorf lebte, war in den Jahren um den ersten Weltkrieg durch zwei Bücher bekannt geworden: »Der Wandervogel als erotisches Phänomen« (1912) und »Die Rolle der Erotik in der männlichen Gesellschaft« (2 Bände 1917/18). In ihnen hat Blüher erstmals eine aus Elementen der Psychoanalyse, aus Theorien des Ethnologen Heinrich Schurtz und des Wortführers des rechten Flügels der Schwulenbewegung Benedikt Friedlaender[4] gemixte Ideologie entwickelt, die besagt, daß alle Organisationen außerhalb der Familie auf »Inversion« gegründet seien, auf gleichgeschlechtliche

sexuelle Empfindungen der Männer zu ihren Führern, den »Männerhelden«. Blüher hatte damit jene heute so populäre Anschauung vorformuliert, die die Erfolge der Nazis auf die latente Homosexualität ihrer Anhänger zurückführt. In seinen Memoiren, die er kurz vor seinem Tod, 1953, veröffentlichte, verstieg sich Blüher zu der Ansicht, daß Hitler nicht nur einer seiner »Männerhelden« gewesen sei, Hitler habe bewußt Blühers Bücher als Anleitung beim Aufbau der Nazibewegung benutzt: »Hitler kannte meine Bücher natürlich sehr gut, und er wußte, daß seine Bewegung eine Männerbewegung war und auf denselben Grundkräften beruhte wie der Wandervogel.«[5] Auch die Mordaktion gegen Röhm und Genossen habe Hitler »aus meinem Buche gelernt«, behauptet Blüher allen Ernstes. Kein Wunder, daß der Führer über diesen großen Schwulen aus Hermsdorf schützend seine Hand hielt, obwohl Blühers einschlägige Werke immer wieder, besonders in den Veröffentlichungen der Hitlerjugend, wegen ihrer Gefährlichkeit angeprangert und schließlich von der Reichsschrifttumskammer beanstandet wurden.[6]

Blühers Freund, der schwule Historiker Hans Joachim Schoeps, der zudem noch jüdischer Herkunft war, verdeutlicht ebenfalls die komplizierte Widersprüchlichkeit nazistischer Schwulenpolitik: In seinem Erinnerungsbuch »Ja, Nein und Trotzdem« (Mainz 1974) schildert er nicht nur, wie er vergeblich versuchte, durch Eingaben und ein vertrauliches Gespräch mit Röhm den Nazis klar zu machen, daß ihr Drittes Reich viel besser funktionieren würde, wenn nur auf die Judenverfolgung verzichtet würde; auch von einer Romanze mit einem 17jährigen Fähnleinführer des »Deutschen Jungvolks« berichtet er stolz und ungeniert. Er hatte ihn 1935 »an einer Straßenecke in Berlin-Neukölln« kennengelernt. »Er war . . . mit seinen superkurzen Hosen so auffällig, daß ich mich nach ihm umdrehte. Er warf mir einen frechen Blick zu, ich blieb stehen, während er auf mich zuschlenderte. Ich sagte ihm, daß er mir gefiele und daß ich mich freuen würde, wenn er zum Abendessen zu mir käme. So geschah es denn . . .« (S. 145 ff.). Die Romanze wurde vollkommen, als der kleine Nazi aus Liebe zu seinem jüdischen Freund zum Antinazi wurde, sie endete aber, als Schoeps 1938 – nicht wegen seiner

Hubert

Ich liebte dich, als scheu Dein Knabenblick
aus weltenfernen, wunderfremden Römern
der Unerkenntnis Perlenschäumen sog, –
und meine Liebe war ein heißes Glück,
das schluchzend aus der Sehnsucht Klause flog;
denn ich hielt dir das Glas, daraus du trankst. –
Mit aller Glut, die je aus Liebe flammte,
mit aller Qual, zu der ein wildes Herz
je eines Menschen Liebeslos verdammte,
sah ich, wie du um deine Kindheit rangst
und rang mit dir dein zerglüht Geschick. –
Du warst ein Knabe – o, ein schöner Knabe,
und vor dir deine Welt. – Ich aber habe
manch Weib seither gesehn, – doch nie ein Glück.
Und nun – nun trittst du wieder mir entgegen
ein Jüngling, dem das Leben sich enthüllte.
In deinen Augen liegt ein weiches Weh
von einer Sehnsucht, die sich nicht erfüllte.
Wie sich mir ferner Tage Gluten regen! –
Es steigen lebensbunte Bilder hoch. –
O Dank, daß ich im Blick die Tränen seh'. –
Ich lieb' dich noch! – Ich lieb' dich noch! –

Erich Mühsam

Ein 1922 in der Schwulenzeitschrift »Der Eigene« publiziertes Gedicht, in dem Erich Mühsam seinen päderastischen Empfindungen Ausdruck verleiht.
Erich Mühsam begann seine Schriftstellerlaufbahn mit einer Broschüre »Die Homosexualität« (1904), die ganz der Hirschfeldschen Zwischenstufenlehre verpflichtet war. 1934 wurde er von den Nazis im KZ Oranienburg ermordet.

*Hans Blüher war zwar nie Mitglied der Nazipartei, und auch der von ihm seit 1919, nach dem Bruch mit Magnus Hirschfeld und Sigmund Freud propagierte Antisemitismus und Antifeminismus war weniger grob als die entsprechenden NS-Ideologien. 1933 begrüßte er jedoch die Machtübernahme Hitlers und erhoffte sich eine Lösung der »Judenfrage« durch die neue Regierung. Schon seit 1920 hatte Blüher sich vom Thema »Inversion« abgewendet und sich für die Wiedererrichtung einer deutschen Monarchie engagiert, die den Einfluß der Frauen und der Juden zurückdrängen sollte.
Photo: Berlin Museum*

4 Vgl. M. Herzer: Asexuality as an element in the selfpresentation of the right wing of the German gay movement before 1933, in: Among men among women, Amsterdam 1983, S. 315 ff.
5 H. Blüher : Werke und Tage, München 1953, S. 256 f.
6 Vgl. Brief des Verlegers Diederichs an Blüher vom 28. 8. 1935; Kopie im Besitz d. Verf.

Völkischer Beobachter — Bayernausgabe, München, Mittwoch, 31. Oktober 1928

Homosexuelle als Vortragsredner in Knabenschulen

Magnus Hirschfeld, der „Vorkämpfer" für Aufhebung des § 175, darf in deutschen Gymnasien sprechen

Die Zerstörung der Jugend!

Deutsche Mütter, Arbeiterfrauen! Wollt Ihr Eure Kinder Homosexuellen ausliefern?

Das erwachende Schweden

Was man vergißt
Von Alfred Rosenberg

Als Magnus Hirschfeld 1928 in der Neuköllner Karl-Marx-Schule bei einer Veranstaltung des Sozialistischen Schülerbunds über sexuelle Probleme der Jugendlichen sprach, entfachte die Nazipresse eine Kampagne gegen den jüdischen homosexuellen Jugendverderber, der für die Nazis alles Hassenswerte verkörperte. 1934 wurde Hirschfeld, der schon seit 1930 im Ausland lebte, von den Nazis ausgebürgert.

7 Anfang 1938 wurde von Cramm unter anderem aufgrund von § 175 zu einer Gefängnisstrafe verurteilt. Kielmansegg meint, dies sei ein Schachzug von Himmler und Heydrich gewesen, um die Glaubwürdigkeit ihres Hauptzeugen gegen den General von Fritsch zu sichern. Von Fritsch wurde mit dem Vorwurf, er sei schwul, aus der Führung der Wehrmacht entfernt. Der selbst schwule Hauptzeuge Otto Schmidt wurde im Sommer 1942 im KZ Sachsenhausen ermordet. Vgl. Kielmansegg: Der Fritsch-Prozeß 1938, Hamburg 1949, S. 70, und P. Hoffmann: Widerstand, Staatsstreich, Attentat, Berlin 1973, S. 59

8 Brief A. Brands vom 29. 11. 1933; Kopie im Besitz d. Verf.

9 Vgl. Der Kreis, Zürich, Nr. 2, Februar 1955, S. 12

Homosexualität, sondern wegen seiner jüdischen Herkunft – nach Schweden flüchten mußte. Sein Geliebter starb später im Krieg als Soldat der Naziwehrmacht.

Ein anscheinend relativ wirkungsvolles und häufig genutztes Mittel, um dem Verdacht der Homosexualität und damit möglichen Repressionen zu entgehen, war die Eheschließung. Von prominenten schwulen Nazis und Nazimitläufern wie Gustaf Gründgens, dem Tennisstar Gottfried von Cramm[7], dem Heldentenor der Berliner Staatsoper Max Lorenz und einigen anderen ist dies allgemein bekannt. Die heterosexuelle Scheinehe war aber nicht nur für schwule Nazichargen, sondern auch für viele »gewöhnliche Homosexuelle« ein wirksamer Trick, um zu überleben. So ist es nur auf den ersten Blick erstaunlich, daß einer der bekanntesten Aktivisten der Schwulenbewegung, Adolf Brand, die Nazizeit ohne größere Schwierigkeiten in seinem Haus im Bezirk Berlin-Köpenick unbeschadet überdauern konnte. Wie aus einem Brief hervorgeht, den er im November 1933 an die damalige englische Schwulenorganisation »The British Sexological Society« geschrieben hatte, war Brand nicht nur durch eine Ehe geschützt, auch freundschaftliche Verbindungen zu NSDAP-Mitgliedern machen sein einigermaßen glückliches Schicksal begreifbar.[8] Zwar berichtet er von mehreren polizeilichen Haussuchungen und der Beschlagnahme von Restbeständen der von ihm herausgegebenen Zeitschriften

und Bücher. Ein Verbot seiner »Gemeinschaft der Eigenen« und seines Verlages waren aber schon deshalb nicht erforderlich, da beide bereits 1932 eingegangen waren. Durch Wohlverhalten, eine Ehe und Protektion aus Nazikreisen scheint er sich sein Überleben gesichert zu haben; im Februar 1945 starb er jedoch 70jährig bei einem Bombenangriff.[9]

Das Bild des schwulen Berlin in der Nazizeit verkompliziert sich noch mehr, wenn man berücksichtigt, daß nicht nur während der Olympiade 1936, sondern in der ganzen Zeit des faschistischen Regimes eine schwule Bar- und Kneipensubkultur bestanden hat. Dies geht jedenfalls aus den Berichten vieler schwuler Männer hervor, die in dieser Zeit in Berlin gelebt haben. Zwar waren diese Gaststätten bei weitem nicht so zahlreich wie vor 1933, auch war das Leben in ihnen unvergleichlich viel diskreter und heimlicher als während der Weimarer Republik, aber es waren nichtsdestoweniger Sammelstätten schwuler Männer, die auch als solche genutzt wurden. Eine dieser Kneipen, die von einem Ehepaar Bart in der Fasanenstraße 70 geführt wurde, konnte gleich nach Kriegsende, jetzt aber sozusagen offen schwul, ihren Betrieb weiterführen.

Es scheint also zwei Extreme gegeben zu haben, zwischen denen sich das normale schwule Leben in der Nazizeit abspielte: zum einen gab es, zumindest in Berlin, Rudimente einer schwulen Subkultur, aber zu-

Strafbare Handlungen		**a) Rechtskräftig verurteilte Personen insgesamt** **b) Davon rechtskräftig verurteilte jugendliche Personen (14 bis unter 18 Jahren)**											
		1931	1932	1933	1934	1935	1936	1937	1938	1939	1. Vj. 1940	2. Vj. 1940	1. Hj. 1940
Verletzungen der Eidespflicht (§§ 153, 155, 156, 159, 160, 162, 163)	a)	2 149	2 510	2 792	2 617	1 912	1 949	2 051	2 008	1 546	269	279	548
	b)	35	34	33	25	12	11	18	38	27	4	4	8
Verbrechen und Vergehen wider die Sittlichkeit (§§ 171—184, 184b)	a)	12 879	13 178	15 059	13 973	16 143	20 323	23 069	22 106	19 980	3 002	2 962	5 964
	b)	985	898	860	779	1 058	1 465	2 374	2 169	1 651	229	305	534
darunter: Blutschande (§ 173)	a)	740	808	834	832	635	767	697	707	640	110	109	219
	b)	53	62	72	58	36	38	57	53	37	2	5	7
Widernatürliche Unzucht (§§ 175, 175a, 175b)	a)	665	801	853	948	2 106	5 320	8 271	8 562	7 614	942	966	1 908
	b)	89	114	104	121	257	481	973	974	690	69	119	188
Unzucht mit Personen unter 14 Jahren (§ 176 Nr. 3)	a)	3 935	4 155	5 442	5 746	6 185	7 012	6 969	6 712	6 285	1 085	970	2 055
	b)	634	517	518	478	589	763	1 065	853	678	119	144	263
Notzucht (§ 177)	a)	542	532	576	479	586	632	613	711	642	129	88	217
	b)	63	61	63	33	61	89	92	134	111	23	13	36
Mord und Totschlag (§§ 211, 212—215)	a)	502	653	674	667	478	387	410	351	336	48	41	89
	b)	9	18	21	14	5	11	28	13	13	2	1	3
Kindesmord (§ 217)	a)	100	105	106	97	113	118	129	117	119	20	34	54
	b)	6	10	11	6	12	7	12	12	8	4	3	7

Die Zahl der rechtskräftig verurteilten Personen und Jugendlichen bei den einzelnen strafbaren Handlungen von 1931—1940

gleich gab es die nach ernsthaften Schätzungen etwa fünfzehntausend Rosa-Winkel-Häftlinge in den KZs[10] und die nahezu fünfzigtausend Männer, die von der Nazijustiz nach den Paragraphen 175 und 175a abgeurteilt wurden[11]; letzteren hatten die Nazis 1935 als Verschärfung der Unterdrückungsmöglichkeiten ins Strafgesetzbuch eingefügt. Die vielleicht nach Hunderttausenden zählenden schwulen Männer in der Reichshauptstadt lebten und überlebten im Spannungsfeld dieser Extreme.

In den ersten Jahren des NS-Regimes gab es in Berlin und der Umgebung zahlreiche mehr oder weniger provisorische KZ-artige Lager, von denen wir heute nicht wissen, in welchem Ausmaß dort auch Schwule wegen ihrer Sexualität gefangengehalten und gequält wurden. Die vorliegenden Berichte über die Berliner KZs geben keine Hinweise darauf, daß hier eine besondere Kennzeichnung einzelner Häftlingskategorien bestanden hat. Dies mag dazu beigetragen haben, daß jede Erwähnung von Schwulen in Berliner KZs fehlt. Erst 1936, als nordwestlich von Berlin am Rande der Stadt Oranienburg das KZ Sachsenhausen errichtet wurde, gibt es erste Hinweise. Durch bürokratische Gründlichkeit und industriemäßiges Management erreichten Massenmord und Terror hier eine neue Qualität, die

sich auch darin ausdrückt, daß, zumindest bis Ende 1942, als Rohstoffmangel Einschränkungen erzwang, die Häftlinge einheitlich gekleidet und die Schwulen durch ein rosafarbenes Stoffdreieck, dem auf die gestreiften Häftlingsanzüge aufgenähten Rosa Winkel, gekennzeichnet wurden.[12]

Aus mündlichen Mitteilungen kann immerhin vermutet werden, daß während der ganzen Nazizeit im zentralen Gestapo-Gefängnis in der Kreuzberger Prinz-Albrecht-Straße »175er« inhaftiert waren. Die Gestapo hatte schon spätestens 1934 neben der Kripo ein Sachgebiet »Bekämpfung der Homosexualität und Abtreibung« in ihrem Aufgabenbereich, das im Oktober 1936 in die »Reichszentrale zur Bekämpfung der Homosexualität und der Abtreibung« umgewandelt wurde. Spätestens 1940 war jedoch die Jagd auf Schwule wieder, von Ausnahmen mit »politisch« relevantem Hintergrund abgesehen, Sache der Kriminalpolizei.[13]

So richtig es zweifellos ist, die Nazizeit als eine Periode extremster Verfolgung und Repression gegen Homosexuelle anzusehen, so falsch ist es doch, sich mit dieser Erkenntnis als der vermeintlich ganzen Wahrheit zu bescheiden. Die Komplexität des Verhältnisses zwischen Hitlerfaschismus und Homosexualität ist heute nicht annähernd so weit erforscht, um es verstehbar erklären zu können.

Nach der Verschärfung des § 175 im Jahre 1935 stieg die Zahl der wegen homosexueller Handlungen verurteilten Männer sprunghaft an. Für die Jahre 1940–45 haben die Nazis keine Verurteiltenzahlen mehr veröffentlicht. Die Tabelle wurde dem 1941 vom »Jugendführer des Deutschen Reiches« in Berlin herausgegebenen Lagebericht »Kriminalität und Gefährdung der Jugend« entnommen.

10 Dies schätzt Lautmann, a. a. O., S. 333

11 Eine exakte Zahl gibt es nur für 1933 bis 1. Halbjahr 1940: 35 582 rechtskräftig Verurteilte; nach: Kriminalität und Gefährdung der Jugend, Berlin 1941, S. 29, Tab. V

12 Vgl. Sachsenhausen, hrsg. vom Komitee der antifaschistischen Widerstandskämpfer der DDR, Berlin 1974, S. 23

13 H. Buchheim: Bearbeitung des Sachgebiets »Homosexualität« durch die Gestapo, in: Gutachten des Inst. f. Zeitgeschichte, München 1958, Bd. 1, S. 308 ff.

Wolfgang Theis/Andreas Sternweiler

Alltag im Kaiserreich und in der Weimarer Republik

»Freiräume«

Die Existenz des § 175 StGB und die Vorurteile der heterosexuellen Majorität zwangen die »gleichgeschlechtlich Empfinden-
den« zu einem Doppelleben.
»Dies bewirkt, daß der Urning im Gegensatz
zu dem Heterosexuellen seine Privatwohnung nach Möglichkeit von sexuellem Verkehr freihält, einerseits um das Geheimnis
seines Namens zu wahren, andererseits um
sich nicht in seinem Hause hinsichtlich seiner Neigung verdächtig zu machen. Er ist
daher in viel höherem Maße als der Normale darauf angewiesen, zur sexuellen Ent-
spannung außerhalb seines Hauses gele-
gene Stätten aufzusuchen.«[1]
Stätten, die sich hierfür anboten, waren die
»organisierte« Subkultur mit ihren Bars, Kneipen, Absteigen und Hotels. Neben diesen
gewerbsmäßig betriebenen Zufluchtsstät-
ten gab es vielfältige Nischen im Großstadt-
getriebe, die wir unter dem Sammelbegriff
»Freiräume« zusammengefaßt haben und
die oft mit nur leichten Verschiebungen
über viele Jahrzehnte bestanden. Traditions-
gemäß befanden sich diese »Freiräume« im
halböffentlichen und öffentlichen Bereich
der Stadtzentren, weil in dem hier herrschenden Trubel eine vorschnelle Klassifi-
zierung so gut wie ausgeschlossen war und
weil hier jederzeit harmlose Annäherungs-
versuche an die Objekte der schwulen Begierde möglich waren.

Der »schwule Weg« im Tiergarten

Das große schlecht einsehbare Gelände des
Tiergartens war seit seiner Entstehung eine
mal mehr, mal weniger geduldete Zufluchtsstätte für mannigfache »Laster« und
diente auch den »Sodomitern«, »Päderasten«, »Urningen«, »Warmen«, »Schwulen«
als Anknüpfungs- und Austragungsort ihrer
mit Strafe belegten Lust. In der »Gauner-
sprache« und im Umgangsjargon der
Homosexuellen gab es für die Strichjungen,
die sich auch auf bestimmten Wegen des
Tiergartens anboten, den Ausdruck »Pupe«

oder »Puppe«, der ironisch auf die »gezierte
weibische Sprechweise vieler Homosexueller«[2] anspielte, wegen seiner phoneti-
schen Ähnlichkeit zu »pupen« oder »Pups«
aber auch ganz handfeste anale Assoziationen auslöste.

Die Existenz eines »warmen Sammelplat-
zes« ist seit 1846 belegt. In dem anonym erschienenen Traktat »Die Prostitution in Berlin und ihre Opfer«[3] des Polizeikommissars
Wilhelm Stieber wurde besonders »das
Kastanienwäldchen hinter der neuen
Wache und der Karpfenteich im Tiergarten«
hervorgehoben. Hirschfeld erwähnt einen
anderen »Strich«, der im Volksmund der
»schwule Weg« genannt wurde und der sich
durch Jahrhunderte erhalten haben soll.[4]
Die Polizei duldete diese »Verkehrsstätten«,
weil sie wußte, daß Verbote oder andere aktive Maßnahmen diese »Begegnungen« keineswegs unterdrückt hätten.
»Als einmal ein Berliner Polizeipräsident bei
einer Orientierungsreise meinte, daß eine
bessere Beleuchtung dem »schwulen Weg«
im Tiergarten den Garaus bereiten könnte,
wurde ihm von seinem Begleiter mit Recht
erwidert, daß diese Maßregel nur eine
Abwanderung derselben Elemente nach
einer dunklen Stelle bewirken würde.«[5]
Zu Hirschfelds Zeiten stand abends am Eingang des »schwulen Weges« der »Beschlies-
ser des Tiergartens«, ein verarmter Homosexueller, bei dem man sich für 10 Pfennige
ein »Eintrittsbillet« lösen und damit erfahren
konnte, was sich so tat, ob die Luft rein, also
keine Polizei und kein Erpresser in der Nähe
waren.
»Während in der Stadt die weibliche und
männliche Prostitution durcheinander flu-
tet, hat hier jede ihren ›Strich‹ für sich, von
den männlichen ist der eine allabendlich
fast nur von Kavalleristen erfüllt, deren Säbel
in der Finsternis seltsam aufblitzen, während der andere, eine ziemlich lange
Strecke, größtenteils von den Burschen eingenommen wird, die sich im Berliner Volks-
ton mit Vorliebe selbst ›keß und jemeene‹

1 Magnus Hirschfeld: Die Homosexualität des Mannes und des Weibes,
Berlin 1914, S. 691/92
2 Vgl. Sigmund A. Wolf: Wörterbuch
des Rotwelschen – Deutsche Gauner-
sprache, Mannheim 1956, S. 257,
Nr. 398
3 Wilhelm Stieber: Die Prostitution in
Berlin und ihre Opfer, 2. Auflage, Berlin
1846, S. 209
4 Hirschfeld, Die Homosexualität...,
a. a. O., S. 698
5 Ebd., S. 698

nennen. Hier ist eine jener halbrunden Tiergartenbänke, auf der in der Stunde vor Mitternacht an dreißig Prostituierte und Obdachlose dicht nebeneinander sitzen, manche sind fest eingeschlafen, andere johlen und kreischen. Sie nennen diese Bank die ›Kunstausstellung‹. Dann und wann kommt ein Mann, steckt ein Wachsstreichholz an und leuchtet die Reihe ab. Nicht selten tönt in das Jauchzen der Jungen ein greller Schrei, der Hilferuf eines im Walde beraubten oder gemißhandelten . . .«[6]

Hirschfeld schildert den »Strich« des Tiergartens als ausschließlich der käuflichen Liebe vorbehaltenes Revier. Es scheint, als seien schnelle anonyme sexuelle Kontakte zwischen Männern ohne Bezahlung, also im gegenseitigen Einverständnis, die Ausnahme gewesen. Der Verdacht drängt sich auf, daß die Beschreibung solcher Kontakte mehr moralische Entrüstung hervorgerufen hätte, als die so eifrig bedauerte männliche Prostitution, die mit der ihr eigenen Erpressungsmöglichkeit den Homosexuellen stets als Opfer zeigte.

Plätze und Straßen

Die Berliner Großstadtstraßen mit ihrem pulsierenden Verkehr, ihren eilenden und flanierenden Passanten ergaben den idealen Hintergrund für unauffällige Anknüpfungsversuche. Meist befanden sich die von Schwulen bevorzugten »Jagdreviere« im Zentrum der Stadt. Besonders beliebt war die Passage in der Friedrichstraße, die Umgebung der Fern- und Stadtbahn, die Nachbarschaft einiger Bedürfnisanstalten und die Bürgersteige vor bestimmten Restaurants, Kneipen und Theatern. Im Berlin der Kaiserzeit war das Kranzlereck unter den Linden ein bevorzugter Treffpunkt. Das schon erwähnte Kastanienwäldchen hinter der neuen Wache büßte nach der Eröffnung der Passage in der Friedrichstraße seine Beliebtheit ein.[7] Gerade noch überaus bevölkert, war so mancher Treffpunk über Nacht zu gefährlich geworden, weil die Polizei ihre Beobachtungen verschärfte oder Prostitution und in ihrem Gefolge Erpressungen überhand nahmen. Hirschfeld beschreibt die Rituale solcher Anknüpfungsversuche, die sich kaum von denen im heterosexuellen Bereich üblichen unterscheiden.

»Der ein Abenteuer suchende Urning bemerkt eine ihm zusagende männliche Per-

son; er trachtet sich ihr bemerkbar zu machen, sieht sie an, bleibt stehen, sieht sich um und wartet, ob der andere auf dieses Zeichen reagiert. Scheint ihm dies der Fall zu sein, so versucht er, ihn an einen Ort zu dirigieren, an dem eine Ansprache ungestört bewerkstelligt werden kann, in eine stille Seitenstraße oder vor ein Schaufenster, an eine Anschlag- oder Wettersäule. Auf dem Weg dahin vergewissert er sich nochmals durch Umschauen und Innehalten, ob der Betreffende auch folgt. Sind nun beide an einem geeigneten Ort angelangt und nahe genug beieinander, dann leitet der Uranier, falls der Erwählte ihm nicht zuvorkommt, die Anknüpfung entweder

6 Magnus Hirschfeld: Berlins Drittes Geschlecht, Berlin 1904, S. 63/64
7 Hirschfeld: Die Homosexualität . . ., a. a. O., S. 698

mit einer gleichgültigen Bemerkung über irgendeinen Gegenstand in der Schaufensterauslage oder einer Ankündigung an der Anschlagsäule, einer Bitte um Feuer, einer Frage nach der Zeit, einer Äußerung über das Wetter ein.«[8]

Erleichterung bei der Suche nach geeigneten Partnern sollten wechselnde Erkennungszeichen verschaffen, die sich allerdings oft schon nach kurzer Zeit als wertlos erwiesen, weil sie von der heterosexuellen Umwelt als Modeanregung begierig aufgenommen wurden. So soll Ende des 18. Jahrhunderts ein starker Haarzopf in Verbindung mit einem stark gepuderten Rücken und einer dicken Halsbinde ein Zeichen für die Zugehörigkeit zur »Gesellschaft der Warmen« gewesen sein.

»Die Mitkonsorten wurden aber, da man an den dicken Zöpfen und stark gepuderten Rücken und dergleichen als einer neuen Mode bald ein Wohlgefallen fand, und nachahmte, sehr oft in ihrer Erwartung hintergangen.«[9]

In den 30er Jahren des vorigen Jahrhunderts galt in Berlin ein weißes Taschentuch, das aus der obersten Rocktasche lugte, als »sehr verdächtig«[10], fand aber, in den folgenden Jahrzehnten, als Kavalierstüchlein bezeichnet, seinen festen Platz in der Garderobe des eleganten Herrn und später im Sonntagsanzug des Kleinbürgers. Ähnlich verhält es sich mit bestimmten Blumen im Knopfloch oder dem Tragen von Schmuckgegenständen. Alle diese »Erkennungszeichen« funktionierten nur sehr eingeschränkt. Das wichtigste Zeichen blieb der einverständige Blick.

Die Treffpunkte auf öffentlichen Plätzen waren durch die Vorlieben, die der einzelne Homosexuelle hegte, unterschieden. Bevorzugte er mehr stämmige, kräftige Burschen, so wurden Straßen um Verladeanlagen und Häfen aufgesucht. Liebte er dagegen die Träger von schmucken Uniformen, so kam eher die Umgebung bestimmter Kasernen in Betracht. Besonderer Beliebtheit erfreuten sich, ohne ihr Zutun, Postanstalten, von denen Depeschen ausgetragen wurden. Die uniformierten Depeschenboten ließen so manches Päderastenherz höher schlagen.

Hirschfeld erwähnt als Anknüpfungsmöglichkeiten noch die großstädtischen Verkehrsmittel, besonders die Stadtbahn:

»In dieser Beziehung sind es in erster Linie die abgeschlossenen Einzelkupees, die häufig von urnischen Liebespärchen als Unterschlupf zu Touchierungen während der Fahrt benutzt werden. Es sind mir in Berlin verschiedene Homosexuelle bekannt, deren Liebesleben sich fast ausschließlich auf den Stadtbahngleisen abspielt, sie umkreisen oft mehrmals den Stadtring, bis der Zufall ihnen ein zusagendes bereitwilliges Objekt in einem von Mitreisenden freien Kupee zuführt.«[11]

Wie »fortschrittlich« Schwule den verborgenen Möglichkeiten technischer Errungenschaften gegenüber standen, zeigt die Tat-

8 Ebd., S. 693
9 Johann Friedd: Briefe über die Galanterien von Berlin, Gotha 1782
10 S. Hirschfeld, Die Homosexualität…, a. a. O., S. 694
11 Ebd., S. 698/99

*Berliner Bedürfnisanstalt in der Liesen-
straße in Wedding, vor 1900, Aufnahme 1962, Photo: Landesbildstelle,
Berlin*

sache, daß Hirschfeld zwei Uranier kannte,
»die ihren ersten erotischen Kontakt, der zu
einem dauernden Verhältnis geführt hat, als
Pilot und Fluggast auf einem Aeroplan ange-
knüpft haben«.[12]

Öffentliche Bedürfnisanstalten

Erst nachdem das in aller Öffentlichkeit
selbstverständliche Urinieren langsam aus
dem Straßenbild der Städte in eigens dafür
geschaffene Örtlichkeiten verlegt worden
war, entstanden mit der nun auch archi-
tektonisch ausgewiesenen Schamzone
Nischen, die mehr oder weniger verdeckte
sexuelle Annäherungen zwischen Männern
in einem halböffentlichen Bereich mit gros-
ser Anonymität ermöglichten. Homosexuelle, die diese Örtlichkeit nicht nur wegen
ihres »natürlichen Zweckes« aufsuchten,
waren immer der Gefahr der Entdeckung
und dem Risiko der Erpressung ausgesetzt.
Im Vergleich zu anderen subkulturellen Einrichtungen zeichnete sich die Bedürfnisanstalt durch eine größere Anonymität der
möglichen Kontakte aus. Anders als die
Stammgäste homosexueller Lokale brauchten »Rotundengänger« ihre ihnen selbst
befremdlichen sexuellen Wünsche nicht in
ihr sonstiges Leben zu integrieren. Hin und
wieder gab man seinem Trieb nach, besuchte eine einschlägige Bedürfnisanstalt
oder kaufte sich einen Stricher. Besonders

die gußeisernen Rotunden ermöglichten
durch »einsehbare Genitalentblößung«
sexuelle Erregung und wortlose Entspan-
nung. Freier, die hauptsächlich auf Pissoirs
verkehrten, wurden von den Strichern als
»Locusblume, Pißtazie oder Rotundelein«
bezeichnet, während sich die Stricher selbst
als »Blechkonfektioneusen« titulierten.
Neben den eindeutigen dem »Strich« zuge-
hörigen Bedürfnisanstalten gab es auch
andere, die vorwiegend von Homosexuellen besucht wurden, die kurze sexuelle
Kontakte mit anderen Homosexuellen
suchten. Auch diese Kontakte waren nicht
ganz ungefährlich, da jede Entdeckung zu
einer Anklage wegen Erregung öffentlichen
Ärgernisses führen konnte und eine Verurteilung die Vernichtung der bürgerlichen
Existenz bedeutete. Der sich verselbständi-
gende Drang zum anonymen Sex auf dem
Klo, der ursprünglich gesellschaftlicher
Repression geschuldet war, wurde sowohl
von den Schwulen selbst, als auch von der
heterosexuellen Majorität ideologisiert und
diente als häufig genutzter Beweis für die
Minderwertigkeit, Unmoral, Kriminalität
und Krankheit der Pißbudenschwulen oder
der Schwulen ganz allgemein.

Männliche Prostitution

Die männliche Prostitution und die mit ihr
einhergehende Erpresserkriminalität sorgte
in der Öffentlichkeit für Skandale, die alles
Schwule in die Nähe der Kriminalität rückte.
Nicht in den diskriminierenden Strafbestimmungen, die erst Erpressungen ermöglichten und manche schwule Existenz vernichteten, sah man den Ausgangspunkt des

12 Ebd., S. 699

Ein der Polizei bekannter Erpresser (§ 175), Photo aus: Georg Back, Sexuelle Verirrungen des Menschen und der Natur, Berlin 1910, Abb. 96,

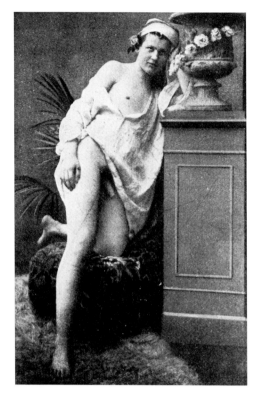

Übels, sondern in der Existenz der Homosexualität.

Hans Ostwald zitiert in seinem Traktat[13] gegen die die männliche Prostitution einen Bericht von 1870:

»In neuester Zeit hat sich wie in allen Großstädten so auch in Berlin ein neues auf der Päderastie fußendes industrielles Raubrittertum gebildet, indem diese Gauner, die sogenannten ›Rupfer‹, darauf ausgehen, ältere Herren bei der Befriedigung eines gewissen Bedürfnisses im Freien anzufallen, festzuhalten und sie der versuchten Päderastie zu beschuldigen. Unter der Drohung, sie zum nächsten Polizeibureau führen zu wollen, erpressen diese Strolche auf solche Weise namhafte Geldsummen, indem ein jeder gern ein pekuniäres Opfer bringt, um den Unannehmlichkeiten eines solchen Straßenskandals zu entgehen.«[14]

Der hin und wieder geäußerte Verdacht, daß auch »unbescholtene« Bürger durch diese dreisten Erpresser gefährdet seien, erwies sich stets als unbegründet. Opfer solcher Skandale waren fast immer Homosexuelle, die von ihren Peinigern kräftig »gerupft« und oft zu Verzweiflungstaten getrieben wurden.

»Sie [die Erpresser] wissen, daß Homosexuelle den § 175 des Strafgesetzbuches zu

fürchten haben. Sie wissen, daß dazu die Angst vor der gesellschaftlichen Acht und Verdammung vielen ihrer Kunden Unruhe und Angst bereiten – und für eine oder einige Freudenstunden glauben sie ihren ›Liebhaber‹ immer wieder brandschatzen zu können.«[15]

Die Meldung über die zur Verzweiflung getriebenen Opfer füllten die Spalten der Presse und hielten so die öffentlichen Vorurteile gegen die Homosexualität wach. Anzeige wegen Erpressung wurde nur in den seltensten Fällen gemacht, da das Opfer ebenfalls mit einer Strafanzeige wegen Verstoß gegen den § 175 StrGB rechnen mußte. Hirschfelds Wissenschaftlich-humanitäres-Komitee ermunterte alle Ratsuchenden, trotzdem Anzeige zu erstatten, um dem Erpressungsgewerbe ein Ende zu bereiten. Solange die Homosexuellen in Berlin nicht zu auffällig wurden, konnten sie fast unbehelligt ihren Wünschen nachgehen. Die Bevölkerung gab sich tolerant, und die Polizei griff nur ab und an einen aus den Tausenden heraus, obwohl sie mit der von Meerscheidt-Hüllessem eingerichteten »Päderastenliste«[16] ein weitaus größeres Repressionsmittel zur Verfügung hatte, das sie allerdings sehr liberal anwandte.[17]

Solange die Homosexuellen im Ungewissen und in Furcht gehalten wurden, blieb das Problem der »Folgekriminalität Erpressung« erhalten, das bei Streichung des § 175 StrGB kein Gericht und keine Polizei mehr beschäftigt hätte.

Nur ein kleiner Teil der männlichen Prostituierten war, wie sie es selbst ausdrückten, »echt«, also homosexuell.[18] Der weitaus größere Teil war angeblich heterosexuell. Als Ursache für die zu manchen Zeiten sprunghaft zunehmende Zahl von »Pupenjungen« sind nur zu einem Teil Wirtschaftskrisen verantwortlich zu machen, die vor allem Jugendliche zu Arbeitslosigkeit, Hunger und Not verdammten und in die Prostitution trieben. Denn die männliche Prostitution verschwand keineswegs mit dem wirtschaftlichen Aufschwung der 20er Jahre. Die vermeintliche Aussicht auf ein bequemes, sorgenfreies Leben, auf Luxus, der sonst nicht erreichbar schien, dürfte ein ebenso starkes Moment gewesen sein. Allerdings sah die Realität des Striches anders aus. Neben außerordentlichen Tagesverdiensten, die sofort mit Freunden

13 Hans Ostwald: Männliche Prostitution, Leipzig 1906
14 Ebd., S. 9/10
15 Ebd., S. 14/15
16 Vgl. Ostwald, S. 18
17 Vgl. Hirschfeld: Die Homosexualität..., a. a. O., S. 1002
18 Vgl. Hirschfeld: Berlins Drittes Geschlecht, a. a. O., S. 64

Christian Schad, »An der Ecke«, Federzeichnung, gespritzt, 1929,
25,5 x 20,5 cm, Slg. Lütze II, Stuttgart,
Photo: Lütze, Stuttgart

verpraßt wurden, gab es lange Durststrekken, die viele dazu verleiteten, ihre finanzielle Misere durch Beischlafdiebstähle
oder kleine Erpressungen zu beheben. Die
mögliche Verdienstspanne lag um 1900 zwischen drei und zwanzig Mark.
»Die nobelsten Freier sind meist Auswärtige, insbesondere auch Ausländer, während ein Berliner selten mehr als 10 MK ausgibt.«[19]
Polizeirazzien und regelmäßige Verhaftungen wurden als unabänderbares Übel hin

genommen, Aufenthalte im Gefängnis oder
in Fürsorgeheimen als »Urlaub« verstanden,
wo man wenigstens versorgt war.

Soldaten

Einen Skandal größeren Ausmaßes
erzeugte der Beschluß der »Servis-Deputation« vom 1. Juli 1833, der vorschrieb, daß
bei allen neu angemeldeten Ausmietungsquartieren für das Militär darauf zu achten
sei, daß nur »einschläfrige Bettstellen« für
die Mannschaften zu benutzen seien. Als

19 Erlebnisse eines Strichers, zit. nach
Ostwald: Männliche Prostitution,
a. a. O., S. 92

links:
»Nachtleben in Potsdam – Na, Dicker
willst du mitkommen?« Karikatur
1907, Photo: Archivverlag rosa Winkel,
Berlin

rechts:
»Bei der Rekrutenaushebung. – Oberstabsarzt: Famoser Kerl! Tauglich für
Garde du Corps! – Jochen: Entschul-
digen Se, Herr Doktor, dat geiht woll
nich! Ick hew'n innerlichen Fehler. –
Oberstabsarzt: Nanu, was hast du
denn? – Jochen: Hämorrheiden!« Karikatur aus dem »Simplicissimus«,
10. 12. 1907, Photo: Archivverlag rosa
Winkel, Berlin

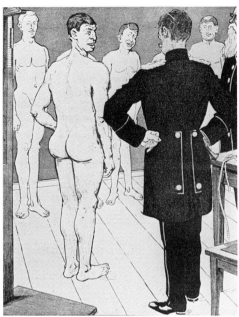

der Berliner Oberbürgermeister von Bären-
prung diesen Beschluß eigenmächtig auf
alle Ausmietungsquartiere ausdehnte, kam
es zur allgemeinen Entrüstung der Berliner
Bürgerschaft, die diesen Feldzug gegen ein
vorher nicht wahrgenommenes »Übel«
schließlich zu zahlen hatte. Mit einem
Schlag war dadurch die »Gefährlichkeit
zweischläfriger Bettstellen« in aller Munde,
obwohl keine Einzelheiten über »homoerotische Vorkommnisse« mitgeteilt wurden.[20]
Die reine Männergesellschaft des preußischen Militärs stand seit den Zeiten Friedrichs II. immer im Ruch, päderastischen Beziehungen Vorschub zu leisten, weswegen
die Militärführung besonders streng gegen
bekanntgewordene Beziehungen zwischen Soldaten vorging. Auf die Urninge der
Kasernenstadt Berlin übten »die Angehörigen des zweierlei Tuch«, wobei der Kavalle-
rie der Vorzug gegeben wurde, eine große
Anziehungskraft aus, die nicht verborgen
blieb und Proteste der schreibenden Zunft
hervorrief.
»Schicken denn Eltern ihre Söhne deswegen in den bunten Rock, damit dadurch ein
Verlockungsmittel geschaffen werde für
die Homosexuellen der Großstädte? Oder
ist der Anblick freudig, wenn Soldaten in
mißlichem Wettbewerb mit der [...] Sippe
der Lustbuben auf den Männerfang aus-
geht?«[21]

Der hier angeprangerte Soldatenstrich war
bei den Homosexuellen sehr beliebt, denn
von den Soldaten drohte keine Erpressung,
und oft ergab sich eine über die ganze
Dienstzeit anhaltende Beziehung.

»So mancher Urning erhält, wenn der Soldat
schon längst als verheirateter Bauer fern von
seiner geliebten Garnison Berlin in heimat-
lichen Gauen das Land bestellt, ›Frischge-
schlachtetes‹ als Zeichen freundlichen
Gedenkens. Es kommt sogar vor, daß sich
diese Verhältnisse auf die nachfolgenden
Brüder übertragen ...«[22]

Sobald das Militär von der Polizei über Treffpunkte oder Striche unterrichtet wurde,
verbot es per Kompaniebefehl den Soldaten den Aufenthalt an solchen Orten. Verboten war vor 1914 den Soldaten der Garnison Berlins, abends am Waterloo-Ufer, am
sogenannten »schwarzen Zaun«, einem
Weg dicht am Tempelhofer Feld, und auf
etlichen Promenaden des Tiergartens spazieren zu gehen. In Berlin wurden sogar
Militärpatrouillen eingesetzt, die nach »her-
umstreichenden« Soldaten fahndeten. In
Moabit und vor allem in der Gegend um das
Hallesche Tor gab es eine ganze Reihe von
Lokalen, in denen sich Zivilisten und Soldaten trafen. Allerdings flogen diese Kneipen
nach kurzer Zeit auf, aber genauso schnell
entstanden oft nur wenige Schritte davon
entfernt neue.

20 Vgl. Ferdinand Karsch – Haack: Erotische Großstadtbilder als Kulturphä-
nomene, Wien Berlin 1926, S. 45–47
21 Anonym: Das perverse Berlin, Kulturkritische Gänge, Berlin 1910, S. 93
22 Hirschfeld: Die Homosexualität ...,
a. a. O., S. 732

»Die Gründe, welche den Soldaten zum Verkehr mit Homosexuellen veranlassen, sind mannigfach; einmal der Wunsch, sich das Leben in der Großstadt etwas komfortabler zu gestalten, besseres Essen, mehr Getränke, Zigarren und Vergnügungen [...] zu haben; dazu kommt, daß der oft sehr bildungsbedürftige Landwirt, Handwerker oder Arbeiter im Verkehr mit den Homosexuellen geistig zu profitieren hofft; dieser gibt ihm gute Bücher, spricht mit ihm über Zeitereignisse, geht mit ihm ins Museum, zeigt ihm, was sich schickt, und was er nicht tun soll; das oft drollige Wesen des Urnings trägt auch zu seiner Erheiterung bei. Weitere Momente sind der Mangel an Geld oder an Mädchen, die den Soldaten nichts kosten, die Furcht vor Geschlechtskrankheiten und die gute Absicht, der daheim bleibenden Braut treu zu bleiben...«[23]

Die Vorliebe der Urninge für die berittene Truppe ist auch in den Spitznamen, die sich die »Soldatentanten« gegenseitig gaben, dokumentiert. Da findet sich eine »Ulanenjuste«, eine »Dragonerbraut«, eine »Kürassieranna« aber auch eine »Kanoniersche« oder gar die »Schießschulsche«, der seinen Namen seiner Vorliebe für Kneipen in der Umgebung der Schießschule verdankt.[24] Aber nicht nur die einfachen Urninge aus dem Volke bevorzugten oft Mannschaftsgrade, auch die besser gestellten homosexuellen Akademiker oder auswärtige Offiziere ließen sich mit Gemeinen ein.

»Ich kannte einen reichen Kunstsammler, der nur für Soldaten schwärmte, wenn sie die Tressen hatten, also Unteroffizier waren. Ein bekannter Baumeister, dem Berlin einige seiner schönsten Monumentalbauten verdankt, hatte nur Interesse für Kürassiere, aber sie mußten Trompeter sein und auf den Schultern die Schwalbennester tragen.«[25]

Um diese Beziehungen zu unterbinden, wurden alle Briefe aus Berlin, die einen männlichen Absender trugen, von den »Schwadronschefs einer Durchsicht unterzogen«. Briefe von »Männerfreunden« erhielt Polizeikommissar von Tresckow zur »Kenntnisnahme«.

»Unter diesen Briefen befand sich einer, den er [gemeint ist der Schwadronschef] für harmlos hielt, da er mit ›Röschen Hedemann‹ unterschrieben war, also von einem

»Sonnenfreunde«, Slg. Bouqueret, Paris/Berlin

weiblichen Wesen herrühren mußte. Leider war auch dieser Brief nicht harmlos, denn er rührte von einem homosexuellen Kammerherrn von Oppen her, der in der Hedemannstraße wohnte und von seinen Freunden wegen seiner weibischen Allüren Röschen genannt wurde.«[26]

Badeanstalten

Hirschfeld erwähnt als unorganisierte Treffpunkte auch Volksbäder, Schwimmhallen und Brausebäder, in denen sich die Urninge am »Anblick sympathischer Gestalten« weiden. Sexuelle Betätigung wird von ihm ausdrücklich verneint. Dem widerspricht sein Hinweis auf die ausgehängte Badeordnung eines »der ersten Berliner Lichtluftbäder«: »Homosexuelle Herren werden gebeten, sich ihre Anlage nicht anmerken zu lassen.«[27]
Einigen Herren soll auf Grund ihrer bekanntgewordenen »seelischen Neigung zum gleichen Geschlecht« der Zutritt verboten worden sein. Sicherlich verlief dieses Bekanntwerden der »seelischen Neigung« recht handgreiflich. Ein Hinweis auf die Möglichkeit des sexuellen Austauschs findet sich in einer Theaterkritik eines homosexuellen Blattes; hier wird nach einem mißglückten Theaterabend lapidar festgestellt: »...dafür [Eintrittspreis] könnten wir doch schon fast ein Brausebadbillet in der Turmstraße bekommen, da hat man doch wenigstens was davon, na, und überhaupt...!«[28]

23 Ebd., S. 731
24 Vgl. Ostwald: Männliche Prostitution, a. a. O., S. 88/89
25 Hans von Tresckow: Von Fürsten und anderen Sterblichen, Berlin 1922, S. 114
26 Ebd., S. 123
27 Hirschfeld: Die Homosexualität..., a. a. O., S. 691
28 Fanfare, Berlin 1925, Nr. 10, S. 4

oben:
Bassin im Russisch-Römischen Bad für Herren am Potsdamer Platz, Berlin, Photo: Landesbildstelle, Berlin

unten:
»Militärische Erneuerungen. (Aus Bollharts Erinnerungen) – Seit wann kommandiert man denn bei Besichtigungen: Das Ganze kehrt!? – Zu Befehl Herr Rittmeister, melde gehorsamst, Abteilung wird heute vom Grafen Hohenau besichtigt.« Karikatur aus »Der wahre Jakob«, 26. 12. 1907, Photo: Archivverlag rosa Winkel, Berlin

29 Die Welt am Montag, Berlin, 13. Jg., Nr. 44 vom 4. 11. 1907, S. 3
30 Magnus Hirschfeld: Von einst bis jetzt, in: Die Freundschaft, 1922, Nr. 23
31 O. v. Bismarck: Gedanken und Erinnerungen, Bd. 1, Stuttgart 1898, S. 6

Ganz eindeutig belegt ist eine mißglückte homosexuelle Annäherung in einem öffentlichen Bade in der folgenden Pressenotiz:

»Ein Homosexueller im Russisch-Römischen Bade. Im Russisch-Römischen Bade einer Charlottenburger Badeanstalt in der K...straße machte gestern morgen der 40jährige Agent Z. einen unsittlichen Angriff auf den 22jährigen Student techn. M. Als M. und Z. gemeinsam die Heißluftkammer des Bades betreten hatten, belästigte der letztere den M. fortgesetzt mit anzüglichen Redensarten, was sich der Student sehr energisch verbat. Plötzlich versuchte sich Z. unsittlich an M. zu vergreifen. M. setzte sich zur Wehr und klingelte nach dem Badediener. Dieser erschien auch sofort, und vereint mit den übrigen in der Liegehalle sich aufhaltenden Badegästen verabreichte man Z., ohne seinen speziellen Wunsch, auf einer Badepritsche eine gehörige Massageabreibung. Nach Feststellung des Namens und der Wohnung des Männerfreundes mußte Z., schneller wie er gekommen, die Badeanstalt verlassen.«[29]

Neben den öffentlichen Badeanstalten existierten verschiedene private Etablissements, die homosexuellen Verkehr erlaubten, oder gar gewerbsmäßig betrieben. »Es mögen schon einige Jahrzehnte her sein, da wurde in Berlin ein Badeanstaltsbesitzer

wegen Kuppelei angezeigt und angeklagt, der in den Zellen und Ruhekabinen seines Bades zahlreichen Personen homosexuellen Verkehr ermöglicht hatte. Zu seinen Stammgästen gehörte auch der Richter, der zum Referenten dieser Strafsache ausersehen war. Anfänglich dachte dieser daran, sich krank zu melden, zog es aber dann vor, den Angeklagten wenige Abende vor dem Verhandlungstermin aufzusuchen, um mit ihm offen – richtiger wäre vielleicht zu sagen heimlich – zu besprechen, was wohl das bessere wäre, er ließe sich an dem verhängnisvollen Tage durch einen anderen Richter vertreten oder käme selbst und versuche bei der Beratung das Urteil zu mildern. Wohlweislich wählte der Badeanstaltsbesitzer letzteres.«[30]

Oft waren in solchen Bädern Badediener oder Masseure angestellt, die, selbst homosexuell, ihrem Bekanntenkreis gegen ein kleines Entgeld erlaubten, bestimmte Räumlichkeiten zu benutzen. Die bestürzten Besitzer der Badeanstalten erfuhren erst durch die Vorladung und Anklage, gewerbsmäßiger Unzucht Vorschub geleistet zu haben, von der zweckentfremdeten Nutzung ihrer Wannenbäder.

SUBKULTUR IM KAISERREICH

Privatgesellschaften

Das Bedürfnis nach Geselligkeit und Aussprache unter Gleichgesinnten, in deren Gesellschaft ein freierer Umgang möglich war, erfüllten die unterschiedlichsten Privatgesellschaften.

Bismarck erwähnte schon für das Jahr 1835 eine solche »gleichmachende Wirkung« infolge des »gemeinschaftlichen Betreibens des Verbotenen durch alle Stände.«[31] Das Programm derartiger geselliger Zusammenkünfte setzte sich aus musikalischen und literarischen Vorträgen, Theaterstücken oder Lebenden Bildern zusammen. Hirschfeld schildert Gesellschaften, auf denen der neueste Tratsch ausgetauscht wurde und solche mit ungleich ernsterem Charakter, deren Gastgeber noch Alexander von Humboldt und Iffland gekannt hatte und mit Hermann Hendrichs und Karl Ulrichs befreundet gewesen war. Zu den Teeabenden im Prinzessinnenpalais, der Dienstwohnung des Grafen Edgar Wedel, Zeremonienmeister und Kammerherr des Kaisers, pflegten viele hochgestellte Homosexuelle zu kommen; der Berliner Stadtkommandant Graf Kuno Moltke, genannt »Tütü«, die Brüder Graf Fritz von Hohenau, Flügeladjutant des Kaisers und Kommandeur des Gardekürassierregiments, und Graf Wilhelm von Hohenau, gleichfalls Flügeladjutant, in deren Adern Hohenzollernblut floß, der Vizeoberzeremonienmeister Bodo von dem Knesebeck und der kommandierende General des Gardekorps von Kessel. Ihre Namen finden sich allesamt in der Schwulenkartei des Kriminalinspektors von Meerscheidt-Hüllessem.

Als Freunde des Fürsten Eulenburg wurden sie, sofern sie nicht schon vorher wie Graf Fritz von Hohenau wegen eines homosexuellen »Vergehens« gezwungen waren, nach Italien, dem gelobten Land der Männerfreunde, auszuweichen, in die Skandale des Jahres 1907 hineingerissen.[32] Graf Wedel trat nach dem Verhör, seelisch vollständig gebrochen, im Sommer 1908 gleichfalls eine Reise nach Italien an.

Bei den Gesellschaften wurden oftmals selbstentworfene Gewänder, nicht eigentliche Frauenkleidung, sondern mehr eine Art Fantasiekostüm, getragen, welche die schwule Vorliebe für bizarr exotisches und antikes Zeremoniell widerspiegelt.

»Er empfing seine Gäste in einem eigenartigen Zwischenstufengewand, einem Mittelding zwischen Schleppkleid und Schlafrock.«[33]

Gleichfalls war das Stellen Lebender Bilder Ausdruck schwuler Antiken- und Renaissanceverehrung. Das Arrangieren griechischer Tänze durch leichtgeschürzte Jünglinge nach Bildern auf ausgegrabenen Vasen konnte zwar das ästhetische Bedürfnis der »reinen« Schönheitsanbeter befriedigen, aber es gab auch Gäste, die danach verlangten, ihre sinnlichen Wünsche zu realisieren.

»Es wirkt ermüdend. Immer nur diese Tänze, schön, ja, läßt sich nicht bestreiten. Die Burschen sehen oft prächtig aus. Man möchte oft zugreifen . . . Aber es hindert Sie doch kein Mensch, daß Sie einen der Burschen zu einer Separatvorstellung in Ihrer Wohnung einladen. Da können Sie Ihre kleinen, priva-ten Wünsche aussprechen. Die Burschen . . . sind nicht mehr schüchtern.«[34]

Theater

Immer wieder sind gerade homosexuelle Schauspieler von großer Bedeutung für das Berliner Theaterleben gewesen. Angefangen bei Iffland, über Wilhelm Kunst, Hermann Hendrichs bis zu Gustaf Gründgens trugen diese Identifikationsfiguren sowie berühmte schwule Besucher, die hier häufig verkehrten, dazu bei, daß einige Theater zu einschlägigen Treffpunkten wurden.

»Einer großen Beliebtheit erfreut sich das Theater unter den Homosexuellen auch insofern, als es ihnen gestattet, einige Stunden Seite an Seite mit ihren Freunden in unauffälliger Weise zu verbringen. Viele sitzen während der ganzen Vorstellung, unbemerkt von ihren Nachbarn, Hand in Hand.«[35]

Seit der Mitte des 19. Jahrhunderts bildete das Nationaltheater am Weinbergsweg im Vogtland, dem nördlichen Arbeiterviertel, einen solchen Anziehungspunkt, bis es im Frühjahr 1883 abbrannte. Nicht nur der Direktor, sondern auch der Hofschauspieler Hermann Hendrichs und die Tragödinnen Klara Ziegler und Felicita von Vestvali, die hier oftmals gastierten, gehörten zu den »Anhängern gleichgeschlechtlicher Liebe«. Unter den namenlosen, urnischen Besuchern fielen Prinz Georg von Preußen, von dessen Stücken das Nationaltheater die Erstaufführungsrechte besaß, und seine Freunde Alexander von Zastrow und Johann Babtist Schweitzer, der Präsident des Allgemeinen Deutschen Arbeitervereins, besonders auf. Im selben Gebäude befand sich ein Kellerlokal, der »Tunnel des Nationaltheaters«, ein Treffpunkt der Homosexuellen, in dem fast allabendlich ein reger Verkehr und die fröhlichste Heiterkeit herrschten.[36] Nachdem der urnische Hofschauspieler Hendrichs die Direktion des Viktoriatheaters in der Münzstraße übernommen hatte, wurde es gleichfalls ein Treffpunkt. Im Foyer, »wo der urnische Dichterprinz G. eine nicht seltene Erscheinung war«[37], tummelten sich die Berliner Schwulen. In dem Restaurant neben dem Theater traf sich ein homosexueller Stammtisch von Schauspielern unter der Leitung des Sekretärs des Viktoriatheaters und Schriftstellers Ruppert Mohortschitsch.[38]

Graf Fritz von Hohenau hatte eines Abends die Bekanntschaft eines Strichers namens Aßmann, der der Polizei als Erpresser schon lange bekannt war, auf der Straße gemacht und war mit ihm in einer geschlossenen Droschke durch den Tiergarten gefahren. Der Graf wurde von diesem erpreßt, zahlte und wandte sich zuletzt an den Polizeikommissar von Tresckow. Dieser legte ihm den Band homosexueller Erpresser des Verbrecheralbums vor und er erkannte mehrere seiner Peiniger. Aßmann und Genossen wurden zu hohen Freiheitsstrafen verurteilt, aber ein findiger Reporter hatte von der Verhandlung, die unter Ausschluß der Öffentlichkeit stattfand, doch Kenntnis erhalten und schrieb einen sensationellen Bericht für seine Zeitung, in dem er auch Namen und Stellung des Erpreßten nannte. Graf Hohenau erhielt sofort seinen Abschied aus dem Staatsdienst und ging nach Italien. Vgl. v. Tresckow: Von Fürsten und anderen Sterblichen, Berlin 1922, S. 117

Graf Wilhelm von Hohenau, »der Bruder des Grafen Fritz Hohenau war Flügeladjutant des Kaisers und Kommandeur des Gardekürassierregiments und darauf des Regiments Gardes du Corps. Er war, wie ich wußte, ebenso veranlagt wie sein Bruder, aber noch viel unvorsichtiger in seinem Umgang, und das Allerschlimmste war, daß er seine dienstliche Stellung als Regimentskommandeur dazu mißbrauchte, um mit seinen Untergebenen seiner Leidenschaft zu fröhnen. Ich hatte mit einem Skandal Hohenau gerade genug und . . . warnte ihn. Er tat aber so, als ob er mich nicht verstünde und ließ von seinem Treiben nicht ab, bis er angezeigt und durch das Militärgericht zu Gefängnisstrafe verurteilt wurde.«, aus: v. Tresckow: Von Fürsten und anderen Sterblichen, Berlin 1922, S. 118/9

32 Hans v. Tresckow: Von Fürsten und anderen Sterblichen, Berlin 1922, S. 138–144
33 Hirschfeld: Die Homosexualität . . ., a. a. O., S. 679
34 Homunkulus: Zwischen den Geschlechtern, Leipzig, S. 102
35 Hirschfeld, Die Homosexualität . . ., a. a. O., S. 688
36 F. Hugländer: Aus dem homosexuellen Leben Alt-Berlins, in: Jahrbuch für sexuelle Zwischenstufen, XIV Jg., 1914, S. 53/4
37 Hirschfeld: Die Homosexualität . . ., a. a. O., S. 688

»Jahrelang hat (der Schneider Rode) den Vizeoberzeremonienmeister und Einführer des diplomatischen Korps, Bodo von dem Knesebeck, erpreßt. Dieser hatte seine Bekanntschaft auf einer Bank des Tiergartens gemacht … Als Knesebeck, der auch Kabinettssekretär der Kaiserin war, die ewigen Geldforderungen des Rode nicht mehr befriedigen konnte, kam er zu mir und erstattete Anzeige. Ich ließ Rode festnehmen. In der Gerichtsverhandlung wurde er zu mehreren Jahren Gefängnis verurteilt. Knesebeck hatte Glück, denn es kam nicht in die Öffentlichkeit, und er starb später in Amt und Würden.«, aus: v. Tresckow: Von Fürsten und anderen Sterblichen, Berlin 1922, S. 119

Lokale

Aus Angst vor Enthüllung und den daraus resultierenden Repressalien versuchten viele Homosexuelle ihre Neigungen vor der Gesellschaft, selbst vor den nächsten Verwandten auf jede nur denkbare Weise zu verbergen. Ein Besuch eines als homosexuell bekannten Lokales wäre für die meisten undenkbar gewesen. Nur mehr oder weniger »Emanzipierte« wagten es, derartige Stätten zu besuchen; »aber dafür genießen diese letzteren wenigstens das Leben in ihrer Art. Oft bis zur Neige. Immer sind sie in der Lage, Bekanntschaften und wieder Bekanntschaften einzugehen. Sie lieben und werden geliebt.«[39] Neben diesen Stätten, an denen die Homosexuellen ganz unter sich waren, existierten Lokalitäten, die zwar von Urningen bevorzugt, aber auch von anderen Personen aufgesucht wurden. Eine solche Unterscheidung fällt für die ältesten Lokale, von denen wir heute lediglich durch Hugländers Artikel »Aus dem homosexuellen Leben Alt-Berlins« unterrichtet sind, schwer. Der »Krausentunnel«, ein ziemlich primitives Kellerlokal in der Krausenstraße, den er für die Mitte der 70er Jahre angibt, ist das erste schriftlich belegte homosexuelle Lokal in Berlin. Um 1880 bestand bereits die Möglichkeit, an einem Abend einen Bummel durch mehrere Lokale zu unternehmen.

Eine polizeiliche Schließung konnte jederzeit mit der Begründung, der Wirt betreibe Kuppelei oder die Gäste erregten Öffentliches Ärgernis, durchgeführt werden. Das eher primitive Parterrelokal in der Brüderstraße/Neumannsgasse, »Die Lachmine«, in dem sich die »junge Welt« auch dem Tanzvergnügen hingab, konnte nicht lange bestehen und wurde 1880 geschlossen, da es wegen seiner exponierten Lage in der weiteren Öffentlichkeit als homosexueller »Sammelpunkt« bekannt war.[40] Hugländer nennt für die 80er Jahre folgende Treffpunkte: den »Pariser Keller« am Brandenburger Tor im Hause der französischen Botschaft, in dem sich die vielen Homosexuellen aus dem Tiergarten an Sommerabenden trafen, um noch ein »Schlummerseidel« zu trinken; den »Riesen-« oder »Renztunnel« am Zirkus Renz (Friedrichstadt-Palast), ein auch von Dirnen und Zuhältern stark besuchtes Kellerlokal, dessen Hauptanzie-

hungspunkt die dort spielende Jünglingskapelle darstellte; den »Markgrafenkeller« am Gendarmenmarkt, in einem Gebäude, in dessen oberen Räumen das Oberverwaltungsgericht untergebracht war, und das »Seegersche Lokal« in der Jägerstraße 10, dessen Schließung einen Prozeß gegen Wirt und Gäste nach sich zog.[41] Gegen Wirt und Kellner erging Anklage nach § 180 StrGB wegen Kuppelei. Zehn Gäste sollten als Tatbestand des § 74 StrGB durch mindestens je zwei selbständige Handlungen öffentlich ein Ärgernis gegeben haben, da sie allabendlich, unbekümmert um andere anwesende Gäste, sich geküßt, geliebkost, auf das Gesäß geklopft, einander auf den Schoß gesetzt, sich fast alle mit Mädchennamen genannt, an die Geschlechtsteile gegriffen, dabei laut über unzüchtige Handlungen gesprochen und somit den Tatbestand des § 183 StrGB erfüllt haben.

»Von den Angeklagten wurde … der Einwand erhoben, sie hätten bei Begehung ihrer unter Anklage gestellten Handlungen deren Öffentlichkeit nicht gekannt. Durch den einen oder den andern von ihnen wäre, sobald ein ihnen unbekannter Gast ins Lokal getreten sei, gezischt oder ein ähnliches Warnungszeichen gegeben worden.«

Trotzdem wurden alle schuldig gesprochen und erhielten je eine drei bis acht monatige Gefängnisstrafe. Aus der unter Ausschluß der Öffentlichkeit geführten Hauptverhandlung gelangten in die Berliner Zeitungen meist recht dürftige Berichte, die gegen die angeklagten Homosexuellen Stimmung machten. Der Berliner Lokal-Anzeiger betitelte seinen Bericht »Ein widerwärtiges Sittenbild« und das Berliner Tageblatt schrieb über »Eine nette Brüdergemeinde«:

»Ein Ekel sei es gewesen, dieser Verhandlung beiwohnen zu müssen, und dieser Ekel sei gesteigert worden durch den Umstand, daß auf der Anklagebank Männer saßen, die zum großen Teil den besseren Gesellschaftskreisen angehörten.«

Die Berliner Zeitung stellt dagegen ganz richtig fest, daß es scheint, als hätte der Prozeß ein »größeres Ärgernis hervorgerufen, als die stillen und heimlichen Vorgänge in dem kleinen unbeachteten Seegerschen Lokal das je vermocht hätten«. Hugländer[42] berichtet von der Umwandlung der Gefäng-

38 Hugländer: Aus dem homosexuellen Leben …, a. a. O., S. 55
39 Das perverse Berlin. Kulturkritische Gänge, Berlin 1910, S. 115
40 Vgl. Hugländer: Aus dem homosexuellen Leben …, a. a. O., S. 55
41 Vgl. Ferdinand Karsch-Haack: Erotische Großstadtbilder, Heft 1: Wien und Berlin, Berlin 1926, S. 50–71
42 Hugländer, Aus dem homosexuellen Leben …, a. a. O., S. 59

nisstrafen in Geldstrafen auf Grund eines kaiserlichen Einspruchs, den der Vater des angeklagten Damenschneiders Engel, der königlicher Oberkammerdiener war, bei Wilhelm I. erwirken konnte, da er diesem einst durch einen Rat das Leben rettete. Damenschneider Engel, später als »Die Engeln!« berühmt, berüchtigt, machte eine Karriere als Unterhalter, Klavierspieler und Sänger in der schwulen Subkultur. Nach der Schließung des Seegerschen Lokals entstanden Treffpunkte an der Schleuse, der Alten Leipziger Straße, Ritterstraße, Wallstraße und Alexandrinenstraße. Letzteres hieß »Hannemann« und war die erste Kneipe, die sich in Berlin unbeanstandet durch mehrere Jahrzehnte hielt.[43] Zudem war »Hannemann« das erste homosexuelle Lokal, das Magnus Hirschfeld und zwar 1896 besuchte. Dieses Lokal konnte wohl nur deshalb unbeanstandet mehrere Jahrzehnte hindurch bestehen, weil man sehr auf Seriösität achtete und hier nur Stammgäste verkehrten, »und zwar vorwiegend Homosexuelle, die nur Homosexuellen zugetan sind. Also nicht etwa Geschlechtlichnormalen«[44] wie Soldaten und Strichern. Von der Schließung eines wesentlich auffälligeren Lokals für die »holde Männlichkeit« in teilweise weiblicher Tracht und mit weiblichen Namen, wie »dicke Paula«, »lange Anna«, »liebe Marie«, »süße Berta« berichtete die Berliner Morgenpost vom 4. Mai 1892. Entscheidend für das Vorgehen gegen das Schanklokal von Wiebusch in der Schützenstraße 55 war die Plakatankündigung eines »Lumpenfestes« für den 12. Mai gewesen, auf dem es hochhergehn sollte. Soldatenkneipen, wie »Zur Katzenmutter« am Waterlooufer, drohte ständig die Schließung. Nachdem dies Lokal schon 1903 aufgeflogen war, existierte es 1904 wieder als eines des »niedersten Ranges«, wie es Näcke[45] nach seinem Besuch bezeichnete. Aus zwei kleinen Räumen bestehend, an den Wänden Bilder von Katzen, stellte es abermals einen der Hauptorte dar, wo man Soldaten haben konnte. Nach 1910, als hier schon längst kein Militär mehr verkehrte, hielt die Beliebtheit für das Lokal der alten Frau an, »weil bei ihr – im Gegensatz zu den meisten übrigen Lokalen der Homosexuellen – nicht der mindeste Animierzwang ausgeübt« wurde. »Bei der ›Katzenmutter‹ hat sich zu nicht geringem Teil die Geschichte der Homosexualität während der beiden letzten Jahrzehnte [vor 1910] abgespielt.«[46]

Treffpunkte bildeten sich stets auch in den neuesten heterosexuellen Etablissements, die auf Urninge eine große Anziehungskraft ausübten, und wo Wirt oder Kellner selbst urnisch waren, wie z. B. »ein sehr großes Münchner Bierrestaurant der Friedrichstadt, in dem seit Jahren zu bestimmten Stunden stets an hundert Homosexuelle zu finden sind«.[47]

»Ferner war Verkehr im Pschorrbräu und im Weihenstephan in der mittleren Friedrichstraße und im Löwenbräu (Charlotten- Ecke Französische Straße). Längere Zeit bildete auch ein besseres Restaurationslokal Unter den Linden 4 einen Treffpunkt der feineren Homosexuellen.«[48]

Zu den Konzert-Etablissements, die sich eines regen Interesses der Urninge erfreuten, gehörten in den 80er und 90er Jahren die am Dönhoffplatz gelegenen »Reichshallen«. Das Geschäft mit den Homosexuellen lief nach 1900 offensichtlich so gut, daß einige Tanzlokale, vor allem eines im Südosten in der Dresdner Straße, hauptsächlich von deren Besuch lebten.[49] An jedem ersten Sonnabend des Monats fand im Dresdner Kasino ein Ball statt.

»Der Mikado«, eine Berühmtheit der schwulen Subkultur, existierte seit seiner Eröffnung 1907 ununterbrochen 25 Jahre unter dem selben Namen; spätestens in den 20er Jahren bis zu seiner Schließung 1932/33 als Transvestitenbar.

Emil Szittya erinnert sich an einen Besuch im Mikado der Kaiserzeit:

»Vor vielen Jahren führte mich ein Bekannter in das damals berühmte Berliner Café Mikado. Am Klavier saß Herr Baron Sattlergrün, der sich aber ›Baronin‹ nennen ließ. Er spielte Kompositionen vom Grafen Eulenburg. Im Lokal sah man sehr oft Adolf Brand, der eine Zeitschrift unter dem Protektorat des bekannten Freundes von Eugen Dühring, Dr. Benedikt Friedländer, herausgab.«[50]

Für das Jahr 1910 beschreibt die anonyme Schrift »Das perverse Berlin« die dreizehn wichtigsten Treffpunkte. Abgesehen von der »Katzenmutter«, »Hannemann« und dem »Mikado« werden Lokale in der nördlichen City in der Ackerstraße und der Kleinen Hamburger Straße, im Süden in der

»Der Regierungspräsident zu Potsdam hat dem 20jährigen Georg v. Zobeltitz auf das von diesem vorgelegte Gutachten die offizielle Erlaubnis zum Tragen weiblicher Kleidung erteilt. Der junge Mann hat die Öffentlichkeit schon öfter beschäftigt, teils weil er in seinem Wohnort Weißensee bereits einige Male als Dame polizeilich sistiert, aber in Anbetracht der unzweifelhaft bei ihm bestehenden Veranlagung bald wieder freigelassen wurde, teils weil er sogar zur militärischen Stellung in Frauenkleidern erschienen war. Die Fälle, in denen die Behörden auf Grund von Gutachten Männern und Frauen die Erlaubnis zum Tragen der Kleidung des anderen Geschlechts erteilen, haben sich in letzter Zeit erheblich gemehrt. Der Grund dieser Erscheinung ist weniger in der sich steigernden Häufigkeit solcher Fälle zu suchen, als vielmehr in der Tatsache, daß sich allmählich eine richtigere wissenschaftliche Erkenntnis dieser bisher fälschlich vorwiegend vom Standpunkt der Sensation betrachteten Erscheinungen und »Spielarten« Bahn gebrochen hat.« Artikel aus: Berliner Börsen-Kourier vom 18. 3. 1913. Unter dem Namen Gerda von Zobeltitz wurde sie in den 20er Jahren als Tänzerin berühmt.

43 Hirschfeld: Von einst bis jetzt, 11. Fortsetzung, in: Die Freundschaft, 1922, Nr. 12
44 Das perverse Berlin, a. a. O., S. 130
45 P. Näcke, Ein Besuch bei den Homosexuellen in Berlin, in: Archiv für Kriminal-Anthropologie, XV. Bd., 1904, S. 247
46 Das perverse Berlin, a. a. O., S. 140
47 Hirschfeld, Berlins Drittes Geschlecht, a. a. O., S. 38
48 Hugländer, Aus dem homosexuellen Leben . . ., a. a. O., S. 60
49 Hans Ostwald: Männliche Prostitution, a. a. O., S. 64
50 Emil Szittya: Das Kuriositätenkabinett, Konstanz 1923, S. 60

links:
Bekannter Herr in seiner »großen
Gesellschaftstoilette«. Aus: Georg
Back..., Abb. 93

rechts:
Der Damenimitator Max Waldon
gehörte zu den großen Attraktionen
des Apollo-Theaters in der Friedrich-
straße und des Transvestitenkabaretts
»Eldorado« in der Kantstraße in Char-
lottenburg, das hier vor dem 1. Welt-
krieg gegründet wurde und 1927 in
die Martin-Luther-Straße umzog. Aus:
Georg Back..., Abb. 94

»Anderseits könnte es wirklich nicht schaden, wofern manche Homosexuellen, auch wenn sie ganz ›entre nous‹ sind, sich eines mehr gesitteten Tons in Unterhaltung und Betragen überhaupt befleißigten. Schließlich sind es doch immer öffentliche Lokale, in denen sie sich zusammenfinden. Die Schamröte aber muß ja dem Besucher ins Gesicht steigen, der von ungefähr hierher gerät. Nicht etwa allein dem Geschlechtlich-normalen, sondern auch jedem Homosexuellen, der nicht gerade zu der betreffenden Clique gehört. Daher denn auch die verfehmenden Urteile über die Homosexuellen; das große Aergernis, das man an ihnen hat; der Ekel, den sie so oft erregen. Ich meine, diese Parias der Menschheit haben doch wirklich allen Grund, sich so zu betragen, daß mit den wider sie herrschenden Vorurteilen endlich einmal aufgeräumt werde. Allein wenn sie unter sich und in der richtigen Stimmung sind, benehmen sie sich oftmals so, daß auch dem, der ihnen durchaus wohl will, übel und weh werden muß. Dirnenton – nichts weiter!« 52

51 Das perverse Berlin, a. a. O., S. 115
52 Ebd., S. 135
53 Hirschfeld: Die Homosexualität..., a. a. O., S. 682

Brandenburgstraße, Franzstraße, Krausenstraße und Willibald-Alexis-Straße und im Osten in der Müncheberger Straße erwähnt. Die jeweiligen Wirte, Kellner, Klavierspieler und Coupletsänger, die fast ausnahmslos selbst homosexuell waren, wie die Kosima, die Müllerin, die Rita, die Mieke, die Pokahuntas und die Sächsin, sorgten für die Unterhaltung der Gäste und waren eigentlich der Anziehungspunkt für die Wirtschaften. Auffällig und immer wieder genannt war ein Hang zum Weiblichen.

»Meist bemühen sich so wenig die › Schwestern ‹ oder › Tanten ‹ – so nennt sich diese Art Konträrsexueller im Verkehr unter sich –, die weibische Ader in ihrem Wesen zu unterbinden, daß sie vielmehr Gefallen daran finden, auch die letzte Spur von Männlichkeit beiseite zu werfen. Damit leider auch oftmals alle Scham. Ihre Gespräche nehmen sich dann um so obszöner aus, als sie doch trotzdem aus dem Munde eines Mannes erklingen. Sie kreischen, juchzen und sprechen im Fistelton.«51

In der Auffälligkeit der effeminierten Homosexuellen auch für die »Heterowelt« sah man einen der Gründe für die Fortdauer der Verurteilung gleichgeschlechtlicher Liebe. Als Äußerungen schwulen Selbsthasses, insbesondere der Verehrer der doch so viel »reineren« griechischen Liebe, häuften sich Vorwürfe und Ratschläge, sich doch »anständiger« zu benehmen.

In der Potsdamer Straße befanden sich zwei vornehme Cafés, in denen wiederum homosexuelles und heterosexuelles Publikum aufeinanderstießen, ohne sich zu mischen. Wer sich auffällig benahm, wurde unnachsichtig hinausgewiesen.

Von einem sicherlich wenig bekannten Treffpunkt berichtete ein Berliner Blatt am 6. 2. 1910. Im Kasino des Künstlerheims in der Corneliusstraße wurde beiden Geschlechtern der höheren Schichten Gelegenheit zu urnischen Bekanntschaften geboten. Auch im Bülow-Kasino in der Bülowstraße 27 verkehrten homosexuelle Damen und Herren. Im Sommer 1912 wurde das Kasino ausgehoben, wobei die Polizei alle Anwesenden bis auf 18 Jugendliche, die auf die Wache mitmußten, entkommen ließ.

1914 kannte Hirschfeld bereits 38 homosexuelle Lokale, »die sich vom äußersten Westen über die Stadt bis zum weitesten Osten verteilen, am zahlreichsten sind sie gegenwärtig im Südwesten«.53

Urningsbälle

Im subkulturellen Leben der Homosexuellen nahmen die Bälle im Winterhalbjahr –

schon für das Ende des 18. Jahrhunderts belegt[54] – eine herausragende Stellung ein. Auffällig und deshalb immer wieder erwähnt, war das Erscheinen der Urninge in Damentoiletten, und zwar in einer Zeit striktester Trennung weiblicher und männlicher Mode.

»Berlin, 23. Februar 1868. Vor wenigen Tagen gab ein hier anwesender reicher polnischer Graf (Urning) in einem Restaurant einen kostümierten Urningsball. Anwesend waren 10 ausgesucht schöne Soldaten, Droninge. Von den Urningen erschienen sechs in Damentracht. Der Ball nahm übrigens ein klägliches Ende. Die jugendschönen Söhne des Mars wurden allmählich angetrunken; worauf sie, anstatt mit den ›Damen‹ zu tanzen, mit den Musikanten in Streit gerieten und mit denselben sogar handgemein wurden.«[55]

Die Tatsache, »daß diese Bälle dazu dienen, die Päderasten untereinander bekannt zu machen, das Gefühl ihrer Zusammengehörigkeit zu nähren und künstlich in ihnen die Einbildung zu erzeugen, daß diese letztere und ihr ganzes Treiben sozusagen offiziell gutgeheißen werde«, gab zu denken.[56] Über ein Verbot der »Puppenbälle« ist allerdings nichts bekannt, doch wurden sie immer polizeilich überwacht. Die zunehmenden Ausmaße der Bälle und deren Exotik, insbesondere das Auftreten von Männern als perfekte Damen, erregte das Interesse einer größeren Öffentlichkeit, so daß die Berliner Tagespresse immer wieder über sie berichtete.

Veranstaltet wurden die Bälle in größeren Tanzlokalen, wie dem »Deutschen Kaiser« in der Lothringer Straße, oder bekannten Sälen der Innenstadt, z. B. in der Philharmonie in der Bernburgstraße.

»Vornehmlich um 1900 herum bildeten die großen Urningsbälle in ihrer Art und Ausdehnung eine Spezialität von Berlin. Hervorragenden Fremden, namentlich Ausländern, die in der jüngsten der europäischen Weltstädte etwas ganz besonderes zu sehen wünschten, werden sie als eine der interessantesten Sehenswürdigkeiten gezeigt.«[57]

In der Hochsaison von Oktober bis Ostern fanden sie mehrmals in der Woche, oft sogar mehrere an einem Abend, statt, z. B. im Dresdener Kasino in der Dresdener Straße und in den Central-Festsälen, dem einst so

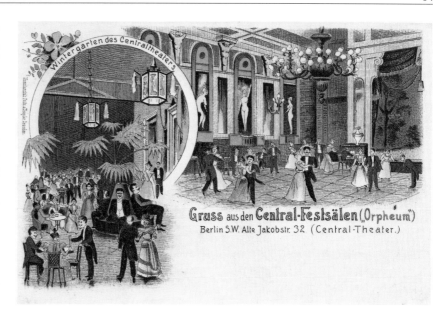

Gruss aus den **Central-Festsälen** („Orpheum") Berlin S.W. Alte Jakobstr. 32 (Central-Theater.)

berühmten Orpheum in der Alten Jakobstraße 32, das in den 20er Jahren eine große Rolle im schwulen Alltag spielen sollte.

Als Folge des Eulenburgskandals und der daraus resultierenden ungünstigen Volksstimmung wurden die Urningsbälle 1907 verboten. Seit 1910 wieder erlaubt, erreichten sie jedoch nicht wieder ihren alten Glanz.

VATERLANDSLIEBE UND PAZIFISMUS

Homosexuelle und der 1. Weltkrieg

Anhand der von Hirschfeld und seinen Mitarbeitern gesammelten Materialien über das Leben der Urninge während des »grossen Völkerringens«, die in den *Vierteljahresberichten*[58] veröffentlicht wurden, lassen sich die unterschiedlichen Reaktionen der Schwulen auf die Zumutung, einen Staat zu verteidigen, der ihre Existenz nicht nur in Friedenszeiten ahndete, nachvollziehen. In der ständigen Rubrik »Aus der Kriegszeit« finden wir neben den Berichten über »viril verwegene Urninge«, die sich auf »antiken Heldenmut« und »heroische Freundschaften« berufen, für die »Kameradschaft« die »herrlichste Frucht des Krieges« ist, auch solche über den Leidensweg »femininer Urninge«, die ihre frauliche Bestimmung eher im Sanitätswesen fanden. Exotisch erscheinen die Transvestiten, die für den Heeresdienst entweder völlig untauglich waren, oder aber zu beliebten Truppenunterhalterinnen avancierten. Schwerer hat-

»Central-Festsäle«, einst als »Orpheum« das beliebteste Ballhaus Berlins, waren um 1900 Ort verschiedener Urningsbälle und in den 20er Jahren das Vereinslokal der »Vereinigung der Freunde und Freundinnen«. Postkarte, AGB, Berlin

54 Johann Friedel: Briefe über die Galanterien von Berlin, Gotha 1782
55 K. H. Ulrichs: Memnon. Abt. 2., Schleiz, S. 77
56 O. Z.: Die Verbrecherwelt von Berlin, Berlin 1886, S. 175/6
57 Hirschfeld: Die Homosexualität . . ., a. a. O., S. 685
58 Seit April 1915 erschienen die »Jahrbücher für sexuelle Zwischenstufen« als »Vierteljahresberichte des Wissenschaftlich-humanitären Komitees während der Kriegszeit« im Verlag Max Spohr, Leipzig.

ten es die heimlichen Transvestiten, die ihre »Veranlagung« zu verbergen suchten und oft unter tragisch-komischen Umständen enttarnt wurden. Von der Zensur ständig bedroht und immer am Rande des Verbots, versuchten die Herausgeber der *Vierteljahresberichte* ihre weltbürgerliche Haltung nicht ganz zu leugnen. Die meisten Artikel betonten den freiwilligen Beitrag der Urninge zur Vaterlandsverteidigung. Die sich dabei einschleichenden patriotischen Töne sind zu Zeiten eines allgemeinen Hurrapatriotismus nicht weiter verwunderlich.

»Der Ausbruch des Krieges hat jedenfalls die merkwürdige Erscheinung gezeigt, daß sich auffallend viele Homosexuelle mit heller Begeisterung ins Heer drängten und freiwillig zum Militärdienst meldeten. Es gab unter ihnen eine große Anzahl solcher, die die ständige Drohung des § 175 und die gesellschaftliche Ächtung der gleichgeschlechtlichen Liebe in Deutschland vor dem Krieg gezwungen hatte, ins Ausland auszuwandern.«[59]

Ernst Burchard, Arzt und Mitglied im WhK, führte diese »Kriegslust« der Urninge auf ihren »gesteigerten Allgemeinsinn« zurück, der sich gewissermaßen aus der Entwurzelung der schwulen Existenz und der fehlenden Fortpflanzungsmöglichkeit als Ersatz ergebe. Hinzu komme der »Hang zum unsteten und abenteuerreichen Leben« und die »Aussicht, in ausschließlich männlichem Milieu leben zu können«, das auch ohne »grob sinnliche Betätigung« einen befreien-

den Einfluß auf die »sexuellen Spannungen« ausübe.[60]

Neben der sicher nebensächlichen erotischen Verlockung einer reinen Männergesellschaft stand die Möglichkeit, die sonst von der Umwelt unterstellte Weichlichkeit durch »echte« Männlichkeit ins Reich der Fabel zu verweisen. Als häufige Begründungen tauchen in den *Vierteljahresberichten* immer wieder Urninge auf, die auf dem Kriegsschauplatz den Tod suchen, um so ihrem als unehrenhaft empfundenen Leben ein »ehrenhaftes Ende« zu bereiten.

»Es ist mein größter Wunsch, so schnell als möglich ins Feld zu kommen, um dort einen ehrenvollen Tod zu sterben, da ich sonst vielleicht später gezwungen wäre, meinem durch meine homosexuelle Veranlagung, an der ich doch nicht schuld bin, verfehlten Leben ein Ende zu machen. Es ist besser, daß meine Mutter, wenn ich falle, sagen kann: »Mein Fritz starb den Heldentod fürs Vaterland«, als daß die Leute sagen: ›So’n Selbstmörder!‹ «[61]

Mit derartigen immer wiederkehrenden Darstellungen versuchten die Herausgeber der *Vierteljahresberichte,* den imaginierten heterosexuellen Leser, letztendlich den Zensor, für die armen Geschöpfe einzunehmen, denen endlich ein lebenswertes Dasein ermöglicht werden muß. Dürkheim hat in seiner bis heute gültig gebliebenen Studie über den Selbstmord[62] festgestellt, daß gerade zu Zeiten nationaler Katastrophen die Selbstmordrate keinesfalls steigt, sondern eher fällt. Die Begeisterung, mit der sich viele vormals aus dem Heeresdienst

59 Magnus Hirschfeld (Hrsg.): Sittengeschichte des Weltkrieges, Verlag für Sexualwissenschaft Schneider & Co, Leipzig – Wien 1930, S. 276
60 Ernst Burchard: Sexuelle Fragen zur Kriegszeit, in: »Zeitschrift für Sexualwissenschaft«, Jg. 1 (1914/15) S. 63
61 Vierteljahresberichte, a. a. O., Januar 1916, Heft 1, S. 38/39
62 Emil Dürkheim: Der Selbstmord, Darmstadt und Neuwied 1973

entlassene Homosexuelle zum Kriegsdienst drängten, verweist darauf, daß auch sie sich dem vom Krieg ausgelösten kurzfristigen Gemeinschaftstaumel nicht entziehen konnten.

Zumindest im fortgeschrittenen Stadium des Krieges dürfte die Angst vor Enttarnung dazu beigetragen haben, daß auch friedliebende Charaktere sich freiwillig meldeten.

»Kaum wagen wir auf die Straße zu gehn,
Uns drückt es wie Schmach und wie
               Schande. –
Verwunderte Augen nach uns seh'n.
Und würden unsern Mann doch stehn
Wie andere im Feindeslande.«[63]

Die Schlußzeilen dieses Gedichtes betonen die Bereitschaft vieler, sich für ein »Vaterland« aufzuopfern, das den Homosexuellen außer Diffamierung und Verfolgung nichts zu bieten hatte. Ähnlich wie ihre jüdischen Mitbürger wollten sich auch die Schwulen durch ihr vorbehaltloses Eintreten für die »Ehre des Reiches« als vollwertige Mitglieder der wilhelminischen Gesellschaft erweisen. Der Heldentod zahlte sich allerdings weder für Schwule noch für Juden aus. Ihr Einsatz für den preußischen Obrigkeitsstaat wurde von dessen selbsternannten Nachfolgern, den Faschisten, trotz deren nostalgischer Sehnsucht und Verherrlichung der reinigenden »Stahlgewitter«, nicht zur Kenntnis genommen. Für die nazistische Ideologie waren beide Bevölkerungsgruppen »rassisch nicht tragbar« und damit der staatlichen Willkür bis hin zur physischen Vernichtung ausgeliefert.

Lokale der 20er Jahre

Seit 1910 hat sich ein enormer Anstieg vollzogen und 1922 heißt es, »daß es gegenwärtig wohl 90 bis 100 homosexuelle Lokale in der Reichshauptstadt geben dürfte. Wenn kürzlich in einem Artikel des › Vorwärts‹ geschrieben wird, daß ›sich in etwa 150 Berliner Lokalen ein offenes Treiben von Homosexuellen entwickelt hat‹, so scheint mir diese Angabe um mindestens ein Drittel zu hoch gegriffen.

Die starke Vermehrung der Lokale in den letzten Jahren hängt meines Erachtens weder mit dem Krieg noch mit der Revolution noch auch, wie gelegentlich behauptet wird, mit einer stärkeren Verwilderung der Sitten zusammen, sondern lediglich mit der

größeren Toleranz und Einsicht der Behörde in das Wesen der Homosexualität.«[64]

Man kann davon ausgehen, daß Hirschfelds Angabe über die Anzahl homosexueller Lokale für die gesamte Zeit der Weimarer Republik zutrifft. »Eingeweihte schätzen die Zahl der Lokale, in denen als Stammgäste jene Männer verkehren, die den Frauen abgeneigt sind, in Berlin auf etwa achtzig.«[65] Fast alle Lokale bestanden mehrere Jahre hindurch. Wenn eines schloß, öffnete schon ein neues. Einige hielten sich, teilweise seit dem Kaiserreich, am selben Ort mit wechselndem Namen, seltener zog ein Lokal mit seinem alten Namen um. Eine Trennung entsprechend ihrer Lage in der Stadt in die billigen, aber echt berlinerischen im alten Zentrum und in die besseren, kostbarer ausgestatteten im feinen Westen, wie sie Curt Moreck[66] 1930 erwähnt, läßt sich bereits für den Beginn der 20er Jahre an Hand eines »Dielen-Bummels«[67] in einer der Schwulenblätter feststellen. Die folgende Beschreibung geht von einer derartigen topographischen und stadtgeschichtlichen Teilung nach der Eingemeindung mehrerer Städte und Dörfer zu Groß-Berlin 1920 aus.

Das alte Berliner Zentrum

Umgeben von den Arbeitervierteln Kreuzberg, Wedding und Prenzlauer Berg meint »altes Zentrum« das Scheunenviertel, die Altstadt Berlin-Cölln, die Vergnügungs- und Prostitutionsmeile Friedrichstraße vom Halleschen bis zum Oranienburger Tor und das Gebiet südlich des Spittelmarktes. In Verbindung mit den Möglichkeiten verschiedener »Freiräume« traf man hier in eher kleinstädtischen, billigen Dielen und Kaschemmen echt Berliner Jungs, »die sich geben wie sie sind, ohne Ziererei, ohne Affektiertheit. Junge Burschen, denen die Gesundheit aus den Augen lacht«.[68] Ein beachtlicher Teil waren arbeitslose Jugendliche, die sich für eine geringe Entlohnung anboten. Eine entsprechende Schilderung findet sich in Walter Schönstedts Roman »Motiv unbekannt« von 1933.[69] Unter diese »kessen« Berliner mischten sich im Marienkasino, in dem die Stricher teilweise auch in Frauenkleidern verkehrten, »Junge Burschen in Matrosenuniformen oder im Sportanzug, fröhlich singend, tanzend, wie es die Laune ihnen gerade eingibt.«[70] Im Bromelia in der Linienstraße im Scheunenviertel, wo sich mehrere

Ein »kesser« Berliner, Photo aus: Der Eigene Nr. 5, 1924

63 Zitiert nach Hirschfeld: Sittengeschichte, a. a. O., S. 278

64 Hirschfeld: Von einst bis jetzt, 10. Folge, in: Die Freundschaft, 1922, Nr. 11

65 Curt Moreck: Führer durch das lasterhafte Berlin, Leipzig 1930, S. 133

66 Ebd.

67 Lugisland: Dielen-Bummel, in: Freiheit und Freundschaft, 1921, Nr. 2–8

68 Ebd., Nr. 2

69 Walter Schönstedt: Motiv Unbekannt, Berlin 1933

70 Lugisland: Dielen-Bummel, a. a. O., Nr. 2

71 Moreck, Führer durch ..., a.a.O., S. 139

72 Hans Siemsen: Verbotene Liebe, Berlin 1927, Nachwort S. 61

73 Christopher Isherwood: Christopher and his Kind, Suffolk 1977, S. 30 »Nichts konnte weniger dekadent aussehen als das Cosy Corner. Es war schlicht und gemütlich und anspruchslos. Seine einzige Dekoration bestand aus ein paar Fotos von Boxern und Radrennfahrern an der Wand über der Bar. Es wurde durch einen großen, altmodischen Eisenofen geheizt. Teilweise wegen der starken Hitze dieses Ofens, teilweise weil sie wußten, es würde ihre Freier (die Stubben) erregen, zogen die Jungen ihre Pullover oder Lederjacken aus und saßen herum, die Hemden bis zum Nabel aufgeknöpft und die Ärmel bis zu den Achseln hochgerollt.« (Übersetzung der Verfasser)

homosexuelle Dielen konzentrierten, »foxtrottet der junge Schlosser mit einem ehrwürdigen alten Herrn, der Student mit seinem Freund, der kleine Banklehrling mit seinem Abteilungschef« zum »Lila Lied«. Gleichfalls in der Linienstraße befanden sich die Rosenhain-Diele und das Café Nordstern. Das Hotel Amsterdam im selben Gebäude inserierte gleichfalls in den einschlägigen Zeitschriften. Eine derartige Symbiose von Lokalen und Absteigequartieren gab es auch in der Marienstraße, wo das Hotel Marienhof homosexuelle Gäste erwartete.

Am südlichen Ende der Friedrichstraße, am Halleschen Tor, wo man an den Ufern des Landwehrkanals ohne Bezahlung jemanden kennenlernen konnte und wo der Jungenstrich florierte wie vor dem 1. Weltkrieg

der Soldatenstrich, befand sich in der Alexandrinenstraße schon seit Beginn der 20er Jahre die Adonisdiele. »Vom weißen Gift bis zur Liebe jeder Art wird hier alles gehandelt, was sich in Geldeswert umsetzen läßt.«[71]

»Es wird wohl ein bißchen gekokst, ein paar sind mal besoffen, es gibt einen Zoff, ein verliebtes Paar ist zärtlich miteinander – aber im allgemeinen geht es ungemein anständig und ehrbar zu. Dafür sorgt schon der Wirt, der ja mit der Polizei auf gutem Fuße steht und ihr gegenüber dafür verantwortlich ist, daß alles in anständigen Grenzen vor sich geht. Ein schwules Lokal, das der Polizei nicht bekannt wäre, ein Lokal ohne Polizeiaufsicht, gibt es in ganz Berlin nicht.«[72]

Das Planufer 5 war eine schon seit dem Kaiserreich historische Adresse für ein derartiges Lokal. Um 1919 nannte es sich Zum Patzenhofer, ab 1922 Restaurant Heideblume und seit 1931 Monte-Casino.

Ein ebenso traditioneller Treffpunkt befand sich in der Zossener Straße 7. Seit der Eröffnung im August 1909 bis ungefähr 1927 als Noster's Restaurant zur Hütte bekannt, erwähnt es Christopher Isherwood in seiner Autobiographie als Cosy Corner. Hier erhielt er im Herbst 1928 seine Initiation in das schwule Berlin, als sein Freund W. H. Auden die schweren Ledervorhänge am Eingang zu dieser Jungensbar beiseite schob.

»Nothing could have looked less decadent than the Cosy Corner. It was plain and homely and unpretentious. Its only decorations were a few photographes of boxes and racing cyclists, pinned up above the bar. It was heated by a big old-fashioned iron stove. Partly because of the great heat of this stove, partly because they knew it excited their clients (die Stubben), the boys stripped off their sweaters or leather jackets and sat around with their shirts unbuttoned to the navel and their sleeves rolled up to the armpits.«[73]

Erst seit Mitte der 20er Jahre existierte das Bürger-Casino an der Friedrichstraße 26, das auch auf Grund seiner Lage vermutlich das Vorbild für die in Otto Zareks Roman »Begierde« beschriebene Kaschemme darstellt. Lebhafter und animierter war um 1930 der Betrieb bei Voo Doo, wohin meist Freundespaare kamen. Voo Doo nannte sich der Besitzer, ein bekannter Transvestit, dessen

»weibliche Ausdrucks-Formen als androgyner Jüngling« im Tanze schon Hirschfeld in seiner Geschlechtskunde abgebildet hatte.

»Hier gibt es ›Exotische Nächte‹, bei denen alles aufgeboten wird, was man sich unter Exotik vorstellt. Aber Exotik scheint ein Relativbegriff zu sein. Ich habe Leute gesehen, die das Exotische nicht fanden und andere wieder sprachen mit Begeisterung davon.«[74]

In dem Gebiet südlich des Spittelmarktes, in der Kommandanten-, Alte Jakob-, Stallschreiber-, Alexandrinen- und Dresdener Straße, einem der traditionellen Vergnügungsviertel, befanden sich mehrere große Festsäle und Ballhäuser. In einigen wurden schon im Kaiserreich Urningsbälle veranstaltet. In der Weimarer Republik übernahmen sie darüber hinaus noch die Funktion von Vereinslokalen der verschiedenen Freundschaftsbünde und des Bundes für Menschenrecht (BfM). Die Alte Jakobstraße erwies sich als eine der Hauptmeilen schwulen Lebens: Im Restaurant Nr. 49 von Carl Terlichter, dem Mitbegründer des Berliner Freundschaftsbundes und späteren Vorstandsmitglied des BfM, sammelten sich »solide, kleinbürgerliche« Herren. Die Eldorado-Diele in Nr. 60 bot ein »gemütliches Heim für ältere Herren«. Bei freiem Eintritt brachte das Kabarett die Spinne in Nr. 174 am Wochenende, samstags und sonntags ab 7 Uhr Attraktionen wie Luziana, das rätselhafte Wunder auf dem Erdball – Mann oder Frau? – Liselott vom Mikado, das Alhambra-Duo, ein männliches Zwillingspaar mit Tanz und Gesangsvorträgen oder die beliebte Gert Bathé als Herr. »Als Symbol der Diele an der Wand eine Riesenspinne, die wohlgefällig in ihrem Netze hockt.«[75] Die Vereinigung der Freunde und Freundinnen tagte jeden Dienstag um 8 Uhr in den Zentral-Festsälen Nr. 32, ihre Unterabteilungen, die Baldurgruppe für Kunst und Wissenschaft und die Wandergruppe, im Luisenstadt-Kasino Nr. 64. Das Vereinslokal des Berliner Freundschaftsbundes befand sich im Gartensaal des Hauses Nr. 89. Nachdem man bei der Gründung des BfM Ende 1922 auf die City-Festsäle in der Dresdener Straße ausgewichen war, traf man sich schon im Mai 1923 wieder in den angestammten Sälen der Alten Jakobstraße. Bälle wurden in allen diesen Etablissements veranstaltet, zudem in den großen Häusern der Kommandantenstraße, wie den Armin-Sälen und den National-Festsälen und auch im Norden in der Tieckstraße in den Köhler-Festsälen. Als einziges Ballhaus des Ostens stellte das Alexander-Palais mit seinen verschieden großen Sälen, Orchester und Cabaret ebenfalls eine bedeutende Institution schwuler Subkultur dar. Allein über dieses haben sich detaillierte Beschreibungen erhalten.

»... jene Stätte, an der sich die vornehme Herrenwelt Berlins ein Rendezvous gibt. Große, luxuriös ausgestattete Räumlichkeiten, eine verblüffende Beleuchtung und ein glänzendes Parkett, das zum Tanzen einlädt ... Hochoben von der Eckgalerie spielt ein Scheinwerfer und läßt die tanzenden Paare in lila Licht erscheinen. Wir ge-

linke Seite:
*Christian Schad, Adonisdiele, 1930,
Federzeichnung gespritzt,
23,5 x 18,2 cm, Privatbesitz, Photo:
Galerie Richter, Stuttgart*

oben:
*Christian Schad, Bürger-Casino, 1930,
Federzeichnung, 26,9 x 19,6 cm, Berlin
Museum, Photo: Bartsch*

74 Moreck: Führer durch ..., a. a. O., S. 138
75 Lugisland: Dielen-Bummel, a. a. O., Nr. 8

nießen in der Rosen-Diele die erstklassigen Kabarett-Vorführungen.«[76]

1922 lud der Gesellschaftsklub Alexander e.V., der Mitgliedskarten ausgab, täglich um 7 Uhr zum Ball mit erstklassigem Ballorchester ein und sonntags zum 5-Uhr-Tee. Samstags traten Sterne des Nachtlebens, wie der großartige Damenimitator Mieke, die Verwandlungstänzerin Anita Oderis, der Kabarettist W. Adam Traut, der Schauspieler Ludwig Trautmann und Wilhelm Bendow, Berlins beliebter Komiker, auf. 1927 übernahm der BfM das Gebäude unter dem Namen Alexander-Palast.

Wie lange er sich im Besitz des BfM befand, ist nicht mehr festzustellen. Seit Herbst 1929 jedenfalls veranstaltete er seine Bälle und Treffen im Florida-Saal der Zauberflöte, Kommandantenstraße 72. Dies aus dem Ende des 19. Jahrhunderts stammende Ballhaus besaß genau wie der Alexander-Palast verschiedene Tanzsäle. Bereits am 30. April 1927 war der amerikanische Tanz-Palast, der Prachtsaal des Hauses, für die Homosexuellen eröffnet worden. Schon damals fand der »beliebte Tanz für unsere Gesellschaft« täglich, außer montags, statt. Bei freiem Eintritt mußte man wie üblich für das Tanzen

Christian Schad, Zauberflöte, 1930,
Federzeichnung gespritzt, 25 x 17 cm,
Privatbesitz Laszlo, Basel

bezahlen. Eine Tanzkarte kostete 50 Pfennig.

Der feine Westen

Größere Tanzpaläste der Bülowstraße, Caféhäuser der Potsdamer Straße und das Weinlokal Como am Schöneberger Ufer, in denen schon vor dem 1. Weltkrieg Homosexuelle verkehrten, bildeten den Anfang einer Konzentrierung einschlägiger Lokale auch im feinen Westen Berlins. Mit dem Zentrum Bülow-, Potsdamer Straße und Nollendorfplatz erstreckte sich das Gebiet bis zum Kurfürstendamm. Genau wie sich im Zuge des Ineinanderwachsens von Berlin und Charlottenburg schon nach 1900

links:
Das Berliner Homosexuellen-Lokal »Silhouette«, in dem unter anderem Marlene Dietrich sehr oft und gerne verkehrte, Photo: Serkis

rechts:
Damenimitator Mieke, aus: M. Hirschfeld: Geschlechtskunde, Bd. IV, Stgt. 1930, S. 575

77 Lugisland: Dielen-Bummel, a. a. O., Nr. 2

größere Café- und Vergnügungshäuser im neuen Westen am Wittenbergplatz und Kurfürstendamm angesiedelt hatten, und sich in der Weimarer Republik diese Gegend zu einem neuen Zentrum entwickelte, läßt sich ein Zug homosexueller Lokale hierher feststellen. Immer in nächster Nachbarschaft zu Stätten der anderen und der halbseidenen Nachtwelt, eröffneten seit 1919 verstärkt auch hier einschlägige Bars. Die Plätze, die der »Dielen-Bummel« von 1921 in dieser Gegend erwähnt, unterscheiden sich in ihrer luxuriösen Innenausstattung wesentlich von den Kaschemmen der alten City. Das Publikum war vornehmer, fühlte sich zumindest der »besseren«

Gesellschaft zugehörig, selbst wenn es an anderen Tagen in den Kaschemmen nach starken Jungs Ausschau hielt. Genau wie dort florierte auch hier die Prostitution, allerdings professioneller und für mehr Geld. In der Kurfürstenstraße 149, im dritten Haus von der Potsdamer Straße aus, lag das Kurfürsten-Kasino, wo schon 1919 der bekannte Damenimitator Renato gastierte. 1921 trat allabendlich Mieke mit ihren neuesten Tänzen nach Bildern aus dem Ulk, Parodien auf bekannte Tänzerinnen der Zeit, auf.

»Kostümiert als ägyptische Tänzerin sah sie jedoch mehr aus wie eine der fetten Kühe Pharaos. Ein Schönheitstanz nach Olga Desmond! Mieke in einem weißen Tüllkleidchen mit entblößten Schultern und barfuß. Einen Blumenkranz im Haar. Man wußte tatsächlich nicht, ob man lachen oder weinen soll. Ein indischer Opfertanz nach Ruth St. Denis und ›ihr‹ Tanz als ›Salome‹ um den Kopf des Johannes wirkte so drollig, daß man ›ihr‹ unmöglich böse sein kann.«[77]
Der Tänzer Gert van Durp zeigte 1922 im Palais Papagei desselben Gebäudes seine neuesten Produktionen. Noch im selben Jahr eröffnete hier auch der »Prinz Kuckuck«, so benannt nach dem gleichnamigen Roman von Otto Julius Bierbaum.

Sonnabend, 10. Juni 1922 — Gesellschaftsklub Alexander E. V.

1. Groß. Strandfest

Ende Sonntag früh. Ende Sonntag früh. Ende Sonntag früh.
Strandanzug erwünscht. — Festpolonaise durch den illuminierten Naturgarten.

=== Dienstag, den 13. Juni 1922: **ELITE-KUNSTABEND** ===

MIEKE mit neuem Repertoir, außerdem das hervorragende Kabarettprogramm.

Wir weisen hierdurch nochmals besonders darauf hin, daß die Besucher des Alexander-Palastes, sofern es sich um einwandfreie Personen handelt, auch ohne Klubkarte Zutritt haben. Es wird jedoch den werten Gästen im eigenen Interesse geraten, sich Mitgliedskarten zu fordern, da durch diese Einrichtung unlauteren Elementen der Zutritt unmöglich gemacht werden soll. · Die Direktion: Lotge-Hofer.

NÜRNBERGER DIELE hat WELTRUF!

Treffpunkt der eleganten Herren- und Damenwelt!

Täglich der beliebte 5 Uhr-Tee

Nürnberger-Straße 6

Auch auf der Kleinkunstbühne »Die Bombe« des Winterfeld-Kasinos traten zur selben Zeit Künstler wie Georg Alexander unter der Leitung des Kabarettisten W. Adam Traut auf.
In der Bülowstraße, dem Zentrum schwuler Subkultur des Westens, reihte sich eine renommierte Bar an die nächste, unterbrochen von Tanzpalästen, die gleichfalls den Homosexuellen die Tore, zumindest zeitweise, öffneten; in Nummer 37 der Natio-nalhof, Nr. 2 der Continental-Club, Nr. 41 das Bülow-Kasino, Nr. 47 das Conti-Casino, Nr. 57 Dorian Gray, Nr. 69 Hollandaise, Nr. 91 DéDé, Nr. 101 die Hohenzollern-Diele und Nr. 105 die Pan-Diele. Einige Bars für männliche und weibliche Homosexuelle setzten spezielle Elitetage fest, an denen nur Damen oder nur Herren erscheinen durften. Eine allabendliche Tanzveranstaltung mit Salonkapelle ab 8 Uhr scheint sich auch im feinen Westen gelohnt zu haben.

Das Hollandaise, das 1922 das Haus Regina ersetzt hatte und sich in dem Gebäude der Bülowstraße, durch das die Hochbahn fuhr, befand, behielt diese Einrichtung bis Anfang der 30er Jahre bei. Das damalige Kleist-Casino[78] in der Kleiststraße besaß Restaurant und Café. Schwule Bars fand man auch in den Seitenstraßen des Tauentzien und des Kurfürstendamms, sogar in der Wilmersdorfer Straße den Verona-Palast, am Nicolsburger Platz das Del Monico und in der Nähe des Viktoria-Luise-Platzes das Café Regensburg. Eine typische Bar des Westens war die Flottwell-Klause.

»Ein Schritt über die Schwelle und man befindet sich in einem Vorraum der komfortabel genug eingerichtet ist. Die Lampen, von bunten Mäntelchen umkleidet, spenden ein farbiges, geheimnisvolles Licht, an den Wänden, die in diskreten, geschmackvollen Farben gehalten sind, Bilder. Bilder, ohne Frauen darzustellen. Auch hier sitzt einer am Klavier, aber neben ihm steht noch ein Geiger. Die Luft ist rein. Die Gäste lieben das Rauchen nicht, ebensowenig geben sie sich dem Genuß alkoholischer Getränke hin. Das alles ist männlich: das Rauchen wie das Trinken. Die aber hier weilen, wünschen nicht daran erinnert zu werden, daß sie genötigt sind, im Leben draußen als Männer zu erscheinen. Sie lieben Limonade, lieben Gefrorenes, lieben alles, was sonst in Konditoreien von Damen genossen wird ...«[79]

In den Bars des Westens zelebrierte man das Ideal des Androgynen. Bedeutete dies für die Frauen insbesondere die Vermännlichung der Kleidung und Accessoires bis hin zum Tragen von Hosen, so beschränkte sich die Feminisierung der Männer auf das Schminken, Pudern und Pomadisieren. Nach dem Vorbild der Stummfilmstars, wie dem »schönsten Manne« Valentino[80], verstießen insbesondere die Schwulen gegen die Normen des Männlichen.

»Je eleganter das Lokal, um so effeminierter ist der eine Teil der Männer. Im vornehmeren Westen vollzieht man die Angleichung ans andere Geschlecht mit Puderquaste und Lippenstift. Man ist etwas verschwenderisch mit Parfüm und kokettiert mit seidener Wäsche in süßen Farben. Man ist pomadisiert und geschniegelt, onduliert und epiliert. Man trägt die weiche Tolle. Man blickt aus Belladonnaaugen schmachtend und träumerisch. Man lebt hier ein wenig nach

der Literatur. Oscar Wilde und sein Dorian Gray sind die Schutzgeister und Hausgötter, denen man Weihrauch streut. Echtheit und Imitation der Inversion mischen sich hier so seltsam, daß man davon verwirrt wird und geneigt ist, das ganze für eine Komödie zu halten.«[81]

Hatte das öffentliche Interesse, angestachelt durch Zeitungsberichte, schon immer dem Auftreten von Männern in Frauenkleidung gegolten, sei es bei den Urningsbällen oder als Damenimitatoren in heterosexuellen Etablissements, so weckten seit der Mitte der 20er Jahre die öffentliche Diskussion der Homosexualität und die Schriften über dieses »Laster der Großstadt« zum ersten Mal das voyeuristische Interesse, ein derartiges Lokal zu besuchen. Als Höhepunkt erschien 1930 Curt Morecks »Führer durch das lasterhafte Berlin«, der seinem Bummel durch die Berliner Vergnügungsstätten, Kaffeehäuser, Kabaretts und Tanzlokale auch die »Stammlokale des mannmännlichen Eros« als Attraktion anfügt sowie einen Abstecher in die Halb- und Unterwelt. Bilder und Zeichnungen, die größtenteils für dies Buch in Auftrag gegeben worden waren, stellen heute wichtige, wenn nicht die einzigen bildlichen Dokumente einer ausgeprägten Subkultur dar. Von den schwulen Bars, die Christian Schad zeichnete, existieren keine weiteren Abbildungen.

»Die Reisegesellschaft Cook führt die Touristen eigens hin wie in ein Raritätenkabinett, denn diese Zustände gehören zu den Sehenswürdigkeiten von Berlin.... [Man hat dann allerdings] ... nur die dem Fremdenverkehr zugänglichen Treffpunkte gesehen, nur die für zahlende Gäste inszenierten Komödien des Lasters und nicht die mehr oder minder heimlichen Lokale, in denen die echten Invertierten einen Unterschlupf und gleichgesinnte Gesellschaft suchen.«[82]

Da die Transvestitenbars sich genau wie heute an ein eher heterosexuelles Publikum wandten, finden sich kaum Werbeanzeigen in den schwulen Zeitschriften. Lediglich das lesbische Blatt *Die Freundin* brachte Berichte für und von Transvestiten. Gerade die Bekanntheit ihrer Lokale wie des Mikado, des Kleist-Kasino, des Bülow-Kasino usw. beeinflußten die öffentliche Meinung über die Homosexualität. Und so wundert es

78 Hinweise auf das heute noch unter diesem Namen existierende Kleist-Kasino, damals allerdings Kleiststr. 15, in: Anzeige im Inseratenblatt der Blätter für Menschenrecht 1923, Nr. 1; eine Abb. »Der Falkner«, Wandschmuck aus dem Kleist-Kasino in Fanfare, 1924 Nr. 30 Titelseite

79 E. Engelmann und L. Heller: Kinder der Nacht, Bilder aus dem Verbrecherleben, Berlin 1925, S. 121/2

80 Nachruf auf den Tod Valentinos, in: Das Freundschaftsblatt 1926, Nr. 36: Der schönste Mann der Welt gestorben!

81 Moreck: Führer durch ..., a. a. O., S. 148

82 Ebd., S. 132

Das »Eldorado« in der Motzstraße, Schöneberg, Aufnahme 1929, Bildarchiv Preußischer Kulturbesitz

nicht, daß der BfM sich 1927 von dem neueröffneten Eldorado sofort distanzierte.

»Die anständigen Homosexuellen protestieren ganz energisch dagegen, daß sie mit solchen Menschen, die in diesen Lokalen verkehren, identifiziert werden. Diese Lokale werden von der sogenannten Crême der Gesellschaft besucht, die sich die entarteten und verkommenen Geschöpfe, die in den meisten Fällen mit Homosexualität nichts zu tun haben, ansehen wollen, die dort in der Kleidung des anderen Geschlechts, also Männer in Weiberkleidung und Weiber in Männerkleidung, umherlaufen und eine ganze Menschenklasse (die anständigen Transvestiten) in Mißkredit bringen.«[83]

In der Martin-Luther-Straße gegenüber der Skala gelegen, hatten verschiedene Berliner Tageszeitungen über das neue Lokal berichtet.

»Einen Abend im Eldorado zu verbringen, das ist die letzte Mode der Berliner ›Gesellschaft‹. Dort sitzt ein bekannter Großbankdirektor, da ist ein Großer aus der Industrie, viel Theater und Film. Ein paar junge Filmschauspieler, schöne regelmäßige Gesichter, denen sich hier freilich bald ein böser Zug einprägen wird. Auch ein paar Schauspielerinnen, die nur im Telephonbuch als

Schauspielerinnen stehen … Man hält es nicht lange aus in diesem Eldorado. Echte Leidenschaften ließen sich auch in der Verirrung ertragen – der hier industriell aufgezogene Betrieb aber weckt tiefstes Ekel.«[84]

Das Eldorado mit seinen Transvestiten, Schwulen und Lesben wurde trotz Verurteilung des BfM nicht nur ein interessanter homosexueller Treffpunkt, sondern auch wichtiger Bestandteil des Nachtlebens der Schickeria, der Künstler und Literaten, so daß einige Jahre später ein zweites Eldorado Ecke Motz-/Kalckreuthstraße eröffnete und beide nebeneinander bestehen konnten.

»Es ist, besonders in literarischen und halbliterarischen Kreisen, schon beinahe Mode geworden, ›mal einen Bummel durch schwule Lokale‹ zu machen.«[85]

Maler wie Otto Dix und Ernst Fritsch verewigten in Gemälden und Aquarellen das Lokal. Klaus Mann erwähnt es in seinen Erinnerungen. Über kein anderes Lokal gibt es so viele Quellen und Bilddokumente wie über das Eldorado.

»Dieses tolerante Draußen ist es, das gern und oft in die Rendezvousplätze der Inversion einbricht, um das wunderliche Schauspiel zu genießen. Dann wird solch ein Lokal ganz plötzlich große Mode, und es

83 Freundschaftsblatt 1927 Nr. 10, Titelseite
84 Ebd., zitiert nach Berliner Volkszeitung
85 Siemsen: Verbotene Liebe, a. a. O., S. 60

gehört zum guten Ton, dort zu verkehren.
Man muß einfach dagewesen sein, und man
spricht davon in der Gesellschaft. ... So
erging es dem als › Montparnasse in Berlin ‹
deklarierten Johnny's Night-Club in der
Kalckreuthstraße, der auch ohne die aus-
drückliche Berufung auf Paris einladend und
ein behaglicher Aufenthalt war. Der elegante Westen hat es sehr bald entdeckt,
okkupiert und nun blockieren in den späten
Nachtstunden die rassigen Autos der
Monde die Anfahrt. An der Garderobe drängen sich tiefe Dekolletés, weiße Schultern,
blonde Bubiköpfe neben den ernsteren
Smokings. Die ursprünglichen Stammgäste
sehen sich auf ein paar hohe Stühle an der
Bar beschränkt und haben mit Mühe ein
paar Winkel behauptet.«[86]

Als Reichskanzler v. Papen, der bereits in
seiner Regierungserklärung den Schutz von
Familie und Sittlichkeit besonders betont
hatte, am 20. 7. 1932 die Regierung aus SPD,
Zentrum und DDP entließ, wurden auch die
Spitzen der Berliner Polizei ausgewechselt.

86 Moreck: Führer durch ..., a. a. O.,
S. 149

Der neue Polizeipräsident Dr. Melcher ordnete sofort »eine umfassende Kampagne gegen Berlins lasterhaftes Nachtleben« an.[87] Die *Blätter für Menschenrecht* berichteten über seine Verfügung vom Oktober 1932, wonach Tanzlustbarkeiten homosexueller Art zu unterbleiben hätten.[88] Der Aufforderung einer sozialistischen Zeitschrift angesichts dieses Tanzverbotes: »die Homosexuellen mögen aus ihren Tanzveranstaltungen übergehen zu Kampfveranstaltungen; denn die Befreiung einer Klasse kann nur das Werk der Klasse selbst sein«[89], gedachte der BfM noch im Dezember nachkommen zu können. »Als Vorsitzender des Bundes für Menschenrecht, e.V., darf ich hierzu feststellen, daß ... wir gerüstet ... stehen und nicht gewillt sind, sang- und klanglos zu verschwinden.«[90] Doch schon zum Jahreswechsel mußte man feststellen, daß durch die »massive polizeiliche Registrierung« von Lokalen und Veranstaltungen sich viele Mitglieder zurückzogen.[91] Kurz darauf verfügte der Polizeipräsident die Schließung fast sämtlicher Berliner »Freundschaftslo-

kale« und die Verkürzung der Polizeistunde für die Verbliebenen auf zehn Uhr abends, die diese so gut wie ruinierten.

Auf diese einschneidenden staatlichen Maßnahmen und nicht ahnend, was diese ersten Schritte der Verfolgung nachsichziehen würden, solidarisierte sich der BfM nicht etwa mit der Gesamtheit der dem Verbot ausgesetzten Lokale der Subkultur, sondern distanzierte sich wiederum von den allzu auffälligen, von den Transvestiten und Effeminierten, und bedauerte lediglich, »daß durch die generell erfolgte Schließung auch diejenigen Wirte betroffen worden sind, die sich wirklich alle Mühe gegeben haben, ihre Unternehmen einwandfrei zu führen ... Wir treten auch jetzt wieder dafür ein, daß einige gut geleitete Gaststätten, speziell hier in Berlin, geöffnet werden, weil sie eine Notwendigkeit sind.«[92] Vorher noch hatte das so exponierte Eldorado den kläglichen Versuch unternommen, sich durch das Aushängen von Hakenkreuzfahnen zu schützen.

87 Hsi-hoey Liang: Die Berliner Polizei in der Weimarer Republik, Berlin 1977, S. 181

88 Blätter für Menschenrecht Okt. 1932, Nr. 11/12

89 »Die Rote Spur« Nov. 1932, Zeitschrift der freien soz. Jugend

90 Freundschaftsblatt 1. 12. 1932

91 Blätter für Menschenrecht 1932/33, Nr. 12/1

92 »Zur Schließung der Berliner Freundschaftslokale«, entnommen dem Mitteilungsblatt des BfM Berlin, abgedruckt in: Freundschafts-Banner, Schweiz ca. Mai 1933

Andreas Sternweiler

Kunst und schwuler Alltag

Geht es um die Beziehungen zwischen Kunst und schwulem Alltag, so muß man die Rezeption einzelner Kunstwerke durch Homosexuelle unterscheiden von der Darstellung schwulen Lebens in der Kunst. Kunstwerke, die sich in den Wohnungen der Homosexuellen befinden und die aus der Fülle des Materials auf Grund von Projektionen schwuler Wünsche oder eines einschlägigen Kontextes ausgewählt werden, zeigen Möglichkeiten, sich in der Unterdrückung einzurichten.

Die Darstellungsweisen gleichgeschlechtlicher Liebe, angefangen mit den keuschen Umarmungen männlicher Personen, bis hin zu den »erotischen« Blättern der 20er Jahre, auf denen sich allerdings nur Knaben sexuell befriedigen durften, machen die damalige Tabuisierung homosexueller Liebe auch in der Kunst deutlich. Porträts Homosexueller und Bilder ihrer Bars wurden zum ersten Mal in den 20er Jahren Gegenstand einer künstlerischen Auseinandersetzung.

Auch wegen der geringen kunsthistorischen Vorarbeiten ist hier nicht der Platz, eine Liste der homosexuellen Künstler aufzustellen. Vielmehr sollte dieser Abriß als Anstoß verstanden werden, den Lebensumständen und den sich daraus ergebenden Wechselbeziehungen zwischen Werk und Leben homosexueller Künstler nachzugehen, wie es bei heterosexuellen Künstlern durchaus üblich ist.[1]

Abbildungen von Kunstwerken und Anzeigen für den Erwerb von Reproduktionen spezieller Gemälde, Zeichnungen, Fotografien und Plastiken in den homosexuellen Zeitschriften *Der Eigene, Freiheit und Freundschaft, Der Hellasbote, Die Insel, Neue Freundschaft, Eros* usw. liefern Hinweise auf Vorlieben und Sehgewohnheiten der Schwulen und auf den emanzipatorischen Wert dieser reproduzierten Kunst. In seinem Standardwerk *Die Homosexualität des Mannes und des Weibes* geht Hirschfeld nur vereinzelt auf das Verhältnis Homosexueller zu Kunst ein. Seine Liste der berühmten Homosexuellen nennt lediglich Künst-

ler vergangener Jahrhunderte wie Michelangelo, Benvenuto Cellini, Leonardo da Vinci, Jerôme Duquesnoy und die Malerin Rosa Bonheur. Als einzigen Neueren fügt er Christian Wilhelm Allers hinzu.

Ausgehend von dem starken erotischen Eindruck, den Personen auslösen, betrachtet Hirschfeld auch künstlerische Nachbildungen unter demselben Gesichtspunkt.

»Dieser (Eindruck) geht nicht nur von der lebenden Person aus, sondern überträgt sich bis zu einem gewissen Grade auch auf künstliche, und zwar nicht etwa nur künstlerische Nachbildungen und Darstellungen des menschlichen Körpers, oft so, daß die Betreffenden lange Zeit für ein rein ästhetisches Interesse halten, was in Wirklichkeit bereits ein erotisches ist.«[2]

Derartige Überschneidungen ästhetischer und erotischer Interessen bei der Suche nach Schönheit lassen sich angefangen bei Winckelmanns Ausführungen in der *Geschichte der Kunst des Altertums* bis hin zu Artikeln in der *Schönheit* nach 1900 feststellen. So waren die Lobpreisungen der Schönheit antiker Statuen, wie die des Apoll von Belvedere, geprägt von den homoerotischen Wünschen Winckelmanns. »Ein ewiger Frühling, wie in dem glücklichen Elysien, bekleidet die reizende Männlichkeit vollkommener Jahre mit gefälliger Jugend und spielt mit sanften Zärtlichkeiten auf dem stolzen Gebäude seiner Glieder.«[3]

Die Propagierung der nackten Schönheit in der Freikörperkulturbewegung um 1900 ging Hand in Hand mit der Befreiung unterdrückter erotischer Bedürfnisse. Während der beginnenden Industrialisierung veränderten sich gesellschaftliche Normen nicht nur in Hinsicht auf den Begriff und die Intensität von Freundschaft, sondern auch bezüglich einer verstärkten Verdrängung der Sexualität, die gefürchtet wurde, »weil sie den Körper erschöpft und ihn der Kontrolle der Vernunft«[4] bzw. der Arbeit entzieht. Diese tabuisierten sexuellen Bedürfnisse schufen sich Ventile in den tausenden von Darstellungen, Bildern, Postkarten und

1 Z. B. Otto v. Simson: Rubens: Das Liebesfest, im Kat.: Bilder vom irdischen Glück, Berlin 1983
»Vorsichtige« Ansätze finden sich in der Dissertation über den Maler Rudolf Levy von Susanne Thesing: Rudolf Levy, München 1979, S. 23: »Bei seiner Heirat war Levy 44 Jahre, seine Frau Genia 25 Jahre alt. Trotz Levys homoerotischen Neigungen war diese Ehe glücklich, und Genia ließ ihrem Mann, der im Grunde ein unabhängiges Bohèmienleben führte, den erforderlichen Freiheitsraum.«
2 Magnus Hirschfeld: Die Homosexualität des Mannes und des Weibes, Berlin 1914, S. 65
3 Johann Joachim Winckelmann: Geschichte der Kunst des Altertums, Dresden 1764
4 Margaret Walters: Der männliche Akt, Berlin 1979, S. 189

Statuetten nackter Frauen und Jünglinge in exotischer Umgebung des Südens. Der teils erhofften und teils wirklich gegebenen Sinnlichkeit in südlichen Ländern stand gerade im 19. Jahrhundert die Prüderie des Nordens kraß entgegen. Wasserträgerinnen von Neapel mit entblößter Brust waren ein beliebtes Postkartenmotiv, das dem Käufer ein eher ethnologisches oder künstlerisches Interesse an der Darstellung suggerierte. Über ein gleichartiges Phänomen läßt Krafft-Ebing in seiner *Psychopathia Sexualis* 1891 einen »mit conträrer Sexualempfindung behafteten Arzt« berichten. »Nur selten hatte ich Gelegenheit zur Befriedigung meiner sexuellen Neigungen. Dafür schwelgte ich im Anblick von Bildern und Statuen männlicher Körper und konnte mich nicht enthalten, geliebte Statuen abzuküssen. Ein Hauptärgernis waren mir die Feigenblätter auf deren Genitalien.«[5] Und an Hirschfeld schrieb ein urnischer Kammerdiener. »In einem Palais, wo ich diente, streichelte ich oft ungesehen über die Schamgegend am belvederischen Apoll.«[6] Angesichts der erotischen Ausstrahlung antiker Statuen verbot die Glyptothek in München noch 1901 Personen unter 18 Jahren den Zutritt.[7] Zusammen mit den Kopien derartiger Figuren verwiesen die plastischen Männerakte des ausgehenden 19. Jahrhunderts, im Stil der Zeit als Sieger, Athlet oder Bogenschütze heroisiert, sowie die Aktaufnahmen Wilhelm v. Gloedens auf die erotischen Wünsche der Homosexuellen und fanden sich oft in ihren Wohnungen. Nach außen wurde so der Eindruck eines Kunstliebhabers vermittelt, hinter dem sich die wahren Gefühle des Männerliebhabers verbergen sollten.[8]

Nicht nur die allgemeine Verdrängung von Sexualität, sondern gerade die gesellschaftliche Verfemung und Bestrafung der gleichgeschlechtlichen Liebe begründeten das Verlangen der Homosexuellen, sich wenigstens im privaten Bereich eine eigene Männerwelt zu schaffen. Figuren und Bilder schöner Jünglinge und starker Männer liessen so die Wohnung zum Refugium werden, in dem sich der Besitzer wie in einem Traum, insbesondere von den legendären Zuständen der Antike, bewegte. Vergleichbar ist dieses Konstruieren einer reinen Männerwelt im Privaten mit den unzähligen Kurzgeschichten in den einschlägigen

Ikarus, Bronze im Besitz Magnus Hirschfelds, Photo aus: Der Eigene, 12. Jg., H. 5, S. 151

Zeitschriften, die sich in den wundervollsten Schilderungen von Liebesgeschichten unter schönen Jünglingen und idealen Männern ergehen. Diese Traumwelten entbehren nicht eines gewissen emanzipatorischen Wertes, da sie den Homosexuellen im Prozeß der Selbstfindung in seinen Gefühlen bestärkten und ihm das Leben in Unterdrückung erleichterten. Männliche Plastiken und Bilder, die diese private Traumwelt idealer Zustände greifbarer werden ließen, finden sich auf Abbildungen, Beilagen und in Anzeigen des *Eigenen, ein Blatt für männliche Kultur,* herausgegeben von Adolf Brand, sowie in den *Freundschafts-Blättern* der 20er Jahre. Aus der Fülle rezipierter Skulpturen sei hier Max Kruses *Sieger von Marathon,* entstanden 1881 in Berlin, erwähnt. Eine Abbildung findet sich nicht nur auf dem Titelblatt der *Freundschaft* vom 10. 6. 1922 und bei Otto Kiefer (s.u.), sondern auch die Titelvignette des »Hellasboten« zeigt eine Zeichnung des Siegers »nach Kruse«.

Die Schrift *Der schöne Jüngling in der bildenden Kunst aller Zeiten* von Otto Kiefer, erschienen 1922 im Verlag des *Eigenen* von Adolf Brand, Berlin-Wilhelmshagen, liefert Hinweise auf Vorlieben und Sehgewohnheiten der Homosexuellen. Der Verfasser bearbeitet die Darstellung des männlichen

5 R. v. Krafft-Ebing: Psychopathia Sexualis, Stuttgart 1891, S. 147
6 M. Hirschfeld: Homosexualität, S. 65
7 Elisar v. Kupffer: Aus einem wahrhaften Leben, Locarno 1943, S. 263/4
8 »Frau Regine kannte den Raum bereits mit den prächtigen Nachbildungen des Adoranten, des Diskuswerfers und des Dornausziehers. Überraschend war ihr beim ersten Besuch dieses Arbeitszimmers erschienen, daß hier nur die vollendetsten Nachbildungen von Jünglingsfiguren waren, während so manches Herrenzimmer ganz andere Darstellungen bevorzugte.«, aus: Homunkulus (Kurt Weill), Zwischen den Geschlechtern, Leipzig o. J., S. 76

Der Siegesbote von Marathon, Nachbildung von Max Kruse (1854–1942) aus dem Jahre 1881, Berlin Tiergarten (H 195 cm). Hiervon existierten zahlreiche verkleinerte Nachgüsse (H 32 cm), Photo: Landesbildstelle Berlin

Aktes in den verschiedenen Jahrhunderten, seine Verdrängung und die Zeiten seiner Blüte. Kiefer fordert die zeitgenössischen Künstler auf, an diesen anzuknüpfen und lobt in diesem Zusammenhang die Männerbilder von Max Klinger, Ludwig v. Hoffmann und Fidus, die jedoch nicht das zentrale Thema ihres Schaffens darstellen. Über Klinger schreibt er:

»Wenn man Blätter geschaffen hat wie *Und doch,* auf dem ein herrlicher nackter Jüngling unter lichtem Himmel über die dunkle Erde dahinschreitet, der kommenden Sonne entgegen, und *An die Schönheit,* auf dem ein nackter Jüngling anbetend vor der grandiosen Natur auf die Knie gefallen ist, . . . so steht man dem Problem der Jünglingsschönheit nicht als sinnenblinder Germane, sondern als freier Hellene gegenüber, der das Schöne in allen seinen Formen anbetet.«

Der Titel *Und doch* verstärkte die Identifikation gerade mit diesem Blatt. Es schien dazu aufzufordern, trotz gesellschaftlicher Unterdrückung seine Homosexualität zu leben. In diesem Zusammenhang gehört auch das »Lichtgebet« von Fidus. Über ihn schreibt Kiefer:

»Sein ganzes Schaffen ist nichts Anderes als ein ewiger Jubelhymnus auf den schönen Menschen, in erster Linie auf den schönen Jüngling und Knaben!«

Das »Lichtgebet«, zeitweise auch als »Betender Knabe« bezeichnet, erschien zur Feier der Jugendbewegung auf dem Hohen Meißner 1913 als farbiger Lichtdruck in verschiedenen Formaten und fand ungeheuren Anklang bei der bewegten Jugend und in allen Volksschichten.[9] Als Illustrator der alternativen Bewegungen um 1900 lieferte Fidus auch dem *Eigenen* einige Abbildungen. Bei der Beschlagnahme der Zeitschrift 1903 wurden diese Zeichnungen zusammen mit Schillers Gedicht »Freundschaft« beanstandet, wobei allein die Tatsache genügte, daß sie in einer homosexuellen Zeitschrift gedruckt worden waren. Das eigentliche Ziel dieser Maßnahme lag in der Behinderung und dem Versuch der Unterbindung der Aufklärungsarbeit Adolf Brands.

Zu den neueren Malern, deren Männerbilder Kiefer hervorhebt, muß auch Hans v. Marées gezählt werden. Mit seinen Bildern nackter Männergruppen hätten sich schon damals die Homosexuellen identifiziert, wenn sie bekannter gewesen wären. In diesen Werken schafft Marées eine Welt von Männern, die sich unbefangen in ihrer Nacktheit bewegen, ohne eine für die Zeit typische heroische Gebärde.

Magnus Hirschfeld, der genau wie Elisar v. Kupffer eine Sammlung von Statuetten und Bildern nackter Jünglinge und Männer besaß, schreibt über die Wohnungseinrichtungen:

»Abgesehen davon, daß Zimmereinrichtung und Wandschmuck besonders bei femininen Urningen oft das Zarte, Weichliche, bisweilen auch das Exzentrische ihrer Persönlichkeit verraten, sind es die gleichen sich häufig wiederholenden Kunstwerke, denen wir in den Wohnungen von Homosexuellen vielfach begegnen. Zu solchen bevorzugten Kunstwerken gehören von Bildern u. a.: der ›Heilige Sebastian‹ in den verschiedensten Darstellungen ·der italienischen Blütezeit, der ›Blue Boy‹ von Gainsborough, Van Dycks Knabengestalten, der Karton ›Badende Soldaten‹ von Michelangelo, ›Tiroler Burschen‹ von Defregger und die zur Schwemme reitenden Offiziere eines schwedischen Malers; von Sculpturen: der ›Dornauszieher‹, der ›Adorant‹, der ›Hermes‹ des Praxiteles, Michelangelos Jünglings- und Männergestalten, wie seine ›Sklaven‹, der ›Speerwerfer‹ des Polyklet,

9 Vgl. Janos Frecot: Fidus, München 1972, S. 165 und S. 288 ff.

links:
Max Klinger (1857–1920), Und doch,
aus dem Zyklus »Vom Tode zweiter
Teil«, 1885–1909, Radierung,
41,3 x 32,1 cm, Photo: Jörg P. Anders

rechts:
Fidus (Hugo Höppener, 1868–1948),
Lichtgebet, Öl auf Leinwand 1924,
100 x 150 cm, Privatbesitz Berta von
Schöning, Bad Harzburg, Photo:
Presse Bilderdienst Herbert Ahrens,
Bad Harzburg

Hans von Marées (1837–1887), Männer am Meer, Öl auf Leinwand,
77 x 101 cm, 1864/65, Wuppertal, Von
der Heydt Museum, Photo: Studio
Santvoort, Wuppertal

von neueren Meunier und Rodins Arbeiter-
typen und manche andere.«[10]
Das erotische Interesse an der Darstellung
nackter Jünglinge und Männer schwingt
auch bei der Wahl dieser bevorzugten
Kunstwerke mit. Es wird jedoch durch weitergehende, und zwar emanzipatorische
Beweggründe und Auswahlkriterien unterstützt. Das Berufen auf antike Traditionen
seit den frühen Schriften Ulrichs förderte
das Entstehen des schwulen Mythos von
den legendären Zuständen der Antike, in

10 M. Hirschfeld: Homosexualität...,
a. a. O., S. 66

Karl Konrad Poths (geb. 1884), Frühling, Zeichnung, 1905, für den Eigenen, Photo: Bartsch

der die griechische Knaben- und Freundesliebe nicht nur geduldet war, sondern einen gesellschaftlich anerkannten Bestandteil in der Erziehung darstellte. Diese spezielle Antikensehnsucht der Homosexuellen war angesichts gesellschaftlicher Diskriminierung eingebettet in die verschiedensten Versuche, zu den Zuständen Arkadiens zurückzukehren. Übereinstimmend mit den neoklassizistischen Tendenzen in der Kunst vor dem 1. Weltkrieg zeigt die Aufmachung des *Eigenen* nach Entwürfen und mit Zeichnungen von Karl Konrad Poths und Ernst Jaeger-Corvus diese schwule Vorliebe.

Zu den Personen aus Geschichte und Mythologie wie Achill, Patroklos, Alexander d. Gr. usw., deren Freundesliebe, sprich homosexuelle Beziehungen, antike Quellen überliefern, gehören auch Ganymed und Antinous, ersterer Geliebter des Zeus, letzterer als Geliebter des römischen Kaisers Hadrian. Dazu bemerkte der Direktor der Berliner Antikensammlung Karl Levezow 1808:

»Und für wahr in der Geschichte möchte sich schwerlich ein Beispiel von einer weiter getriebenen Zuneigung eines Fürsten zu seinem Lieblinge, von einer höheren, fast an

Raserei grenzenden Verehrung desselben finden, als sie es uns in der Verbindung mit der bildenden Kunst in der Liebe Hadrians zum Antinous aufgestellt hat. Was in der Fabelgeschichte der Griechen, freilich sich auf eine Nationalleidenschaft stützend, nur als ein poetisches Mittel angewandt scheinen könnte, um der eifersüchtigen Juno eine Veranlassung mehr zur gerechten Unzufriedenheit mit ihrem olympischen Gemahl zu geben, nämlich des allzuvertraulichen Verhältnisses des schönen Knaben Ganymedes zum Vater der Götter, das sehen wir in dem engsten Verhältnis des Antinous zum Hadrian wirklich auf eine fast unbegrenzte Weise in Erfüllung gebracht. Was einst der macedonische Alexander durch Übermaß reineren, menschlichen Gefühls für seinen verlorenen Freund und Liebling Hephästion berauscht, durch dessen Vergötterung zu bewirken strebte, das gelang dem römischen Hadrian, entzündet von einer Liebe, die aus einer sehr unlautern Quelle entsprungen war, für seinen Liebling Antinous in weit höherem Grade.«[11]

Hadrian erhob seinen Liebling nach dessen Tod im Nil zum Gott und ließ überall im römischen Reich Statuen des Vergötterten aufstellen. Eine große Anzahl dieser Figuren hat sich bis heute erhalten.

Zur Zeit Friedrichs des Großen hielt man den heute sogenannten »Betenden Knaben« laut Oesterreich (1774) ebenfalls für einen Antinous, der sich »einem zur Genesung Kaiser Hadrians getanen Gelübte zufolge in den Nilfluß stürzen will«. 1747 hatte Friedrich II. diese berühmte Antike, die schon der Prinz Eugen, den Hirschfeld in der Reihe bedeutender Homosexueller erwähnt, besessen hatte, nach langen Bemühungen erwerben können. In Sanssouci wurde sie auf der Terrasse des Schlosses so aufgestellt, daß der König den vermeintlichen Antinous jederzeit von seinem Arbeitsplatz in der Bibliothek betrachten konnte. Denn »in der ausdrucksvollen Gestik des Knaben, seiner jugendlichen Schönheit, muß das Werk sein künstlerisches Empfinden besonders angesprochen haben – und vielleicht auch sein menschliches«.[12]

In Levezows Buch von 1808 taucht der »Betende Knabe« nicht auf, da man in ihm bereits nicht mehr Antinous sah. Er wurde jetzt als Ganymedes (noch bis 1826) be-

11 Karl Levezow: Über den Antinous, dargestellt an den Kunstwerken des Altertums, Berlin 1808, S. 5

12 Margarete Kühn: Zum Antikenverständnis am Berliner Hof von Kurfürst Joachim II. bis zu König Friedrich dem Großen, in: Katalogbd., Berlin und die Antike, Berlin 1979, S. 38

zeichnet, wobei die Figur, wegen ihrer Schönheit und der empfangsbereit nach oben gestreckten Arme, mit Ganymed identifiziert, wiederum mit einer homosexuellen Überlieferung in Verbindung gebracht wurde: der Liebe des Göttervaters zu Ganymed. Auch nachdem die Skulptur in der Kunstgeschichte schlicht als »Betender Knabe« oder »Adorant« bezeichnet worden war, lebte der Mythos, der sich um die Figur rankt, für die Homosexuellen fort. Nach Hirschfeld gehörte gerade der »Adorant« zu den beliebten Kunstwerken, die sich in den Wohnungen der Homosexuellen fanden. Und so taucht er sowohl in der oben zitierten Beschreibung des Arbeitszimmers (vgl. Anm. 8) als auch in den Häusern des Kunsthistorikers Friedrich Eggers und des Politikers Walter Rathenau auf.[13] In den »Reden gehalten bei der Gedächtnisfeier für Friedrich Eggers in Berlin am 27.11.1872« wird seiner Beschreibung seines eigenen Zimmers gedacht, »mit der Figur des Betenden Knaben, die wie ein heller Lichtstrahl sich vom Dunst der Bücher abhebt mit allen jenen kleinen Erinnerungen an künstlerische Feste und an schöne Tage, die ... ein unendlich liebes Gesamtbild eines von Güte und Freundschaft erfülltes Dasein geben.«[14] Heinz Stratzs im *Uranos* 1921/22 abgedrucktes Gedicht »Dem Betenden Knaben von Sanssouci« zeugt vom Fortbestehen des schwulen Mythos noch in den 20er Jahren. Zahlreiche literarische Texte des späten 19. Jahrhunderts behandelten das Schicksal des Kaisers Hadrian und Antinous, da es eine der wenigen allgemein bekannten historischen Überlieferungen einer homosexuellen Liebe darstellte.

Die Liebesgeschichte zwischen Zeus und Ganymed, auch oder gerade wegen ihrer künstlerischen Umsetzungen in allen Zeiten bekannt und beliebt, wurde in frühen emanzipatorischen Schriften Gegenstand der Auseinandersetzung. Otto Kiefer behandelte 1906 im *Eigenen* den »Ganymedesmythos und die bildende Kunst der Antike«, wobei er seinem Text zwei Abbildungen von Thorvaldsens Ganymedstatuen beifügte. Zu den Darstellungen dieses schwulen Mythos gehören sowohl die enterotisierten Einzelfiguren, einschließlich der Tränkung des Adlers wie bei Thorvaldsen, als auch die Darstellung des Raubes, die es gestattet, den Knaben sich liebevoll an den

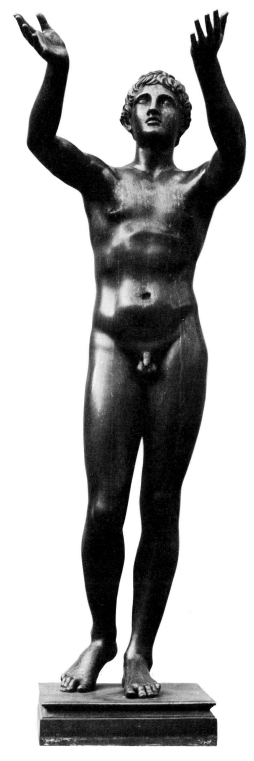

Der betende Knabe, Kopie in Bronzeguß, H 135 cm. Das Original (Antikenslg. Staatl. Museen, Berlin (Ost), 1 Jh. v. Chr.) erwarb Friedrich der Große 1747 und stellte es auf der Terrasse von Schloß Sanssouci auf. Die Kopie im Besitz der Skulpturengalerie, SMPK, Photo: Jörg P. Anders, Berlin

Adler anschmiegend im Bewußtsein, was ihn erwartet, zu zeigen. Hans v. Marées' Gemälde »Raub des Ganymed« und die dazugehörenden Zeichnungen nehmen das eher erotische Darstellungsschema auf, das schon Rubens und Correggio benutzten. Es scheint, als ob Julius Meier-Graefe in seiner

13 Zu Friedrich Eggers siehe Adolf Wilbrandts »Erinnerungen«, 1905, S. 94; zu Walter Rathenau siehe Harry Wilde: W. Rathenau, rowohlts Monographien 180, Hamburg 1971

14 Reden gehalten bei der Gedächtnisfeier für Friedrich Eggers in Berlin am 27.11.1872, Berlin 1872

Otto Greiner (1869–1916), Ganymed, Radierung, 71,3 x 13,5 cm, Galerie Werner Kunze, Berlin, Photo: Bartsch

Monografie über Marées, die 1909/10 in der Zeit einer durch den Eulenburgskandal noch verstärkten Feindseligkeit allem Homosexuellen gegenüber erschien, den homoerotischen Hintergrund des Bildes abschwächen wollte, wenn er es mit dem karikierenden Gemälde von Rembrandt in Verbindung bringt. Seinen Tod ahnend, soll Marées den christlichen Auferstehungsmythos antikisch bearbeitet haben.[15] Für eine intensive Auseinandersetzung Marées' mit der schwulen Geschichte des Ganymed sprechen auch die gleichzeitig entstandenen Vorzeichnungen für eine Skulptur seines Schülers Arthur Volkmann. Diese Figur stellt Ganymed mit einem Gefäß in der Hand als Mundschenken der Götter dar.

Eine weitergehende Darstellung lieferte Otto Greiner durch eine für ihn typische inhaltliche Aufladung des Themas zu einer Konfrontation der Geschlechter. Seine sehr schmale, hochrechteckige Radierung von 1898 zeigt den nach oben strebenden Ganymed, den eine weibliche Person zurückzuhalten sucht, während Zeus ihm vom Olymp erwartungsvoll entgegenblickt. Als berühmte Darstellung erwähnt Otto Kiefer die Figur des Bildhauers Jérôme Dusquesnoy, der im 17. Jahrhundert wegen seiner Homosexualität den Feuertod in Gent sterben mußte.[16]

Neben die Themen der Kunstgeschichte, die eine Identifikation auf Grund der Überlieferung einer homosexuellen Liebesgeschichte ermöglichten, tritt die Darstellung des Heiligen Sebastians. Die Gemälde des Heiligen aus Renaissance und Barock weckten wegen ihrer Verherrlichung des nackten männlichen Körpers und der lustvollen Zurschaustellung insbesondere das Interesse der Homosexuellen. Es wundert daher nicht, wenn die Auseinandersetzung mit dem Heiligen eine zentrale Stellung im Werk des Malers Elisar v. Kupffer (s. u.) einnimmt. Er beabsichtigte darüber eine kunsthistorische Arbeit zu verfassen, die leider bei seinem Tode nur als riesige Materialsammlung vorlag. »Seiner Theorie zufolge war der hl. Sebastian eine Symbiose aus einem antiken Kuroi und dem Heiligen, der als einziger in der vollen Schönheit seines nackten Körpers dargestellt werden durfte, ohne daß die Kirche etwas dagegen gehabt hätte.«[17] Kupffers Identifizierung ging so-

15 Julius Meier-Graefe: Hans v. Marées, München 1909, Bd. I, S. 496 ff.
16 Otto Kiefer: Der schöne Jüngling in der bildenden Kunst aller Zeiten, Berlin 1922, S. 48
17 Antje v. Graevenitz: Hütten und Tempel, im Kat.: Monte Verità, Milano 1980, S. 94

weit, daß er sich mehrmals als hl. Sebastian malte und fotografieren ließ.

Als Reaktion auf die Stigmatisierung durch die Gesellschaft wurde immer besonderer Wert auf die Propagierung der berühmten Homosexuellen gelegt. Diese Autoritäten wurden in der Auseinandersetzung mit der Umwelt und bei der Selbstfindung des einzelnen gebraucht. Artikel im Jahrbuch für sexuelle Zwischenstufen beschäftigen sich mit anerkannten Größen der Kunstgeschichte wie Michelangelo, Leonardo da Vinci, il Sodoma und Jerôme Dusquesnoy und untersuchen die historischen Quellen auf die Homosexualität der Betreffenden. Zu den zeitgenössischen Künstlern, von denen in den »wissenden Kreisen« bekannt war, daß sie auch »so seien«, gehörten Christian Wilhelm Allers, Wilhelm v. Gloeden, Sascha Schneider und Elisar v. Kupffer. Geheimhaltung ihres »Andersseins« vor der Öffentlichkeit, aus berechtigter Angst vor drohenden Strafen, Bedrohung durch Erpresser, Flucht vor Bestrafung und Exil in Italien waren die Charakteristika ihrer Lebensgeschichten. Bei Bekanntwerden eines homosexuellen »Vergehens« drohten den Künstlern zusätzlich Ablehnung ihrer Kunstwerke, Beschlagnahme und Zensur sowie Ignoranz und Verschleierung von Tatsachen durch die offizielle Kunstgeschichte aus moralischen Skrupeln angesichts öffentlicher Verurteilung, die auch heute noch die Bearbeitung homosexueller Aspekte in der Kunstgeschichte so ungemein erschwert!

Als einziger neuerer deutscher Künstler ist Christian Wilhelm Allers 1857–1915 bei Hirschfeld in die Liste berühmter Homosexueller aufgenommen worden. »Allers, bekannter Zeichner. Verfolgung wegen eines homosexuellen Vergehens auf Capri, der er sich durch die Flucht entzog, ca. 1902. Seitdem spurlos verschollen.«[18] Im Kaiserreich erlangte Allers mit typischen Milieuzeichnungen allgemeine Beliebtheit. Seine vaterländischen Bilderserien »Klub Eintracht«, »Unsere Marine«, »Unser Bismarck« und »Bismarck in Friedrichsruh« erschienen in hohen Auflagen. Seine Berlin-Eindrücke verarbeitete er 1889 in der noch heute bekannten Mappe »Spree-Athener«. Seit 1893 lebte er auf der Insel Capri, einem beliebten Anlaufziel mehr oder weniger reicher Homosexueller wie Alfred Krupp, Oscar Wilde, Alfred Douglas usw. Eine jähe

Elisar von Kupffer, Selbstdarstellung als Hl. Sebastian, Öl auf Leinwand, Elisarion, Minusio, CH, Photo: Elisarion, Minusio

Unterbrechung fand die Capreser Idylle mit dem Artikel im *Avanti* über den Kanonenkönig, der auch im *Vorwärts* erschien. Krupp pflegte seine italienischen Schützlinge im Berliner Luxushotel Bristol unterzubringen.[19] Allers wurde wegen seiner päderastischen Abenteuer in Neapel zu vier Jahren und acht Monaten Zuchthaus verurteilt. Er verließ Capri und galt seitdem in Deutschland als verschollen. Die Flucht vor der Justiz führte ihn in die Südsee, nach Australien und Neuseeland, geradezu in sein Paradies. Schon 1900 hatte er auf einer seiner ausgedehnten Reisen die Südsee besucht und unzählige Zeichnungen seiner geliebten

18 M. Hirschfeld: Homosexualität . . ., a. a. O., S. 658

19 Hans v. Tresckow: Von Fürsten und anderen Sterblichen, Berlin 1922, S. 127

Chr. W. Allers, *Jüngling aus der Südsee*, Zeichnung 1900, Besitz unbekannt, Photo: Archivverlag rosa Winkel, Berlin

Jünglinge mitgebracht. Als Deutscher mußte er Neuseeland zu Beginn des 1. Weltkrieges verlassen und kehrte nach Karlsruhe zurück, wo er im Alter von 58 Jahren starb.

Wilhelm v. Gloeden 1856–1931 lieferte den Homosexuellen die eindeutigsten bildlichen Darstellungen ihrer Phantasien und Wunschvorstellungen. Fotos aus einer Welt auferstandener antiker Freizügigkeit, Fotos von Modellen, die den Zeitgeschmack und die Vorliebe für südliche Schönheiten genau treffen, wurden in nicht dagewesener Menge in der ganzen Welt vertrieben, insbesondere unter den Schwulen, die auch den größten Anteil an Gloedens Besuchern in Taormina ausmachten. Die noch bis vor einigen Jahren auf dem Berliner Flohmarkt und im Trödel zu findenden originalen Abzüge seiner Fotos sprechen für seine Beliebtheit auch in Berlin, wo er am 18. November 1898 als auswärtiges Mitglied in die »Freie Photographische Vereinigung« aufgenommen wurde. Im selben Jahr besuchte er Berlin, um dort seine neuesten Arbeiten vorzustellen. Gloeden nahm in einer Fotografie das Motiv eines auf einem Felsen hockenden Jünglings auf. Als Vorbild diente das Gemälde »Jüngling am Meer« von Hippolyte Flandrin, eines der beliebtesten Bilder der Schwulen, das eine Anzeige im *Eige-*

nen 1906 als Reproduktion anbot. Dieses Foto von Gloeden erschien in einer druckgrafischen Umsetzung, um die besondere Nachfrage zu befriedigen. Auch in der Berliner Zeitschrift der Freikörperkulturbewegung *Die Schönheit,* die in Fotografien den weiblichen wie den männlichen Körper verherrlichte, erschienen die Aufnahmen Gloedens.

Die Fotografien, die im *Eigenen* abgebildet sind, zeigen eine starke Anlehnung an W. v. Gloeden. Er wird neben Sascha Schneider, Elisar v. Kupffer, Fidus, Ernst Jaeger-Corvus und Franz Metzner in einer Broschüre der *Gemeinschaft der Eigenen* von 1925 als Mitarbeiter der Zeitschrift genannt.

Einzig auf den Maler Sascha Schneider (1870–1927) finden sich Nachrufe in den Berliner schwulen Blättern. *Die Freundschaft* bezeichnet ihn als »Eigenwilligen, der die Tiefe seiner Gedanken mit einer klaren Sprache des in Licht und Luft ideal gestalteten Männerkörpers verband. Er war ein Maler des Mannes.« Und der Artikel in der *Neuen Freundschaft* endet mit der Bemerkung, »in den wissenden Kreisen wird er als Homosexueller eingeschätzt«.[20] Dies Wissen um seine Homosexualität unter den Schwulen Berlins scheint mir wichtig genug, trotz geringer Berührungspunkte mit der Reichshauptstadt, ausführlicher auf Schneiders Lebensgeschichte einzugehen. Er äußerte sich zu seiner männlichen Kunst folgendermaßen:

»Die Freude am rein Physischen überwog, je mehr ich in die Geheimnisse des menschlichen Körpers eindrang, und jetzt denke ich nicht mehr daran, etwas anderes geben zu wollen, als was direkt zum Auge spricht. Mich interessiert *ausschließlich* der männliche Körper, d. h. die Kraft, die ich aber auch schon im Knaben liebe. Kraft ist für mich Schönheit, und ich denke da so radikal, daß ich eine höchst entwickelte Muskulatur für absolut schön halte. Des Mannes Schönheit ist seine Kraft. Der schöne Mann ist mir der stärkste.«[21]

Sascha Schneider beabsichtigte ein »Kraft-Kunst-Institut«, gleichsam eine Body Buildingschule zu gründen, um wohlgebaute Modelle für die Künstler auszubilden. Ausgeführt wurden von dieser Idee lediglich Zeichnungen gymnastischer Übungen, die

20 Die Freundschaft, 1927, S. 283
Neue Freundschaft 1928, Nr. 2, S. 5
21 Felix Zimmermann: Sascha Schneider, Dresden 1923, S. 27

Wilhelm von Gloeden (1856–1931), Nackter Jüngling auf Felsen, Radierung 36,5 x 47 cm, um 1900, Variation eines Gemäldes von Flandrin um 1830/40 Slg. Peter Nottebaum, Berlin, Photo: Bartsch

Wilhelm von Gloeden (1856–1931), Nackter Jüngling auf Felsen, Radierung 36,5 x 47 cm, um 1900, Variation eines Gemäldes von Flandrin um 1830/40 Slg. Peter Nottebaum, Berlin, Photo: Bartsch

1923 als Mappe »Kallisthenie« im Verlag der *Schönheit* erschienen.

Eine enge Freundschaft verband Sascha Schneider mit Karl May, für dessen Gesamtausgabe er seit 1903 Titelblätter entwarf. Doch schon während der Arbeit an einzelnen Blättern gab es Einwände Karl Mays, und auch der Verlag machte sich Gedanken, ob diese Ausgabe mit ihren vielen Darstellungen nackter Männer überhaupt zum Verkauf geeignet sei. Auf dem Blatt »Um eine Seele« für den Band »Silberlöwe III« bean-

SOLITUDE ☙ VON HIPPOLYTE FLAUDRIN

Folio-Gravüre Bildgröße 25 × 20 cm
einfarbig 3 Mark — koloriert 8 Mark
Spesen für Packung und Porto 30 Pfennig

R. WAGNERS VERLAG :: MÜNCHEN :: Maximiliansplatz 19

Anzeige im Eigenen 1906

Sascha Schneider (1870–1927) in sei-
nem Weimarer Atelier um 1906, aus:
Hansotto Halzig: Karl May und Sascha
Schneider, Bamberg 1967, Abb. 40/41

22 Hansotto Hatzig: Karl May und
Sascha Schneider, Bamberg 1967,
S. 65/6
23 H. Hatzig: K. May . . ., a. a. O., S. 60

standete Karl May die Nacktheit des Engels. Schneider antwortete, »wenn Sie fest darauf bestehen, daß ich diesen harmlosen Jungen verhüllen soll (denn anders geht das nicht: nackt ist nackt), so will ich es meinetwegen tun«; und weiter: »auf Ihren lieben Brief hin will ich den kleinen Engel geschlechtslos machen, es ist aber eine Lächerlichkeit und nimmt mir sehr die Lust.«[22] Diese Ausgabe der Werke Karl Mays stellt heute eine Rarität dar, denn nach der ersten Auflage wurden neue Titelzeichnungen in Auftrag gegeben. Schneiders Bilder als zu künstlerisch und unverständlich beanstandet, erschienen als Sonderausgabe für Liebhaber in einer Mappe. Aus dem Briefwechsel mit Karl May geht hervor, daß dieser schon seit 1904 über Schneiders »androphile« Veranlagung Bescheid wußte. Diese Briefe Sascha Schnei-

ders belegen sein homosexuelles Selbstbewußtsein.

»Mein Standpunkt ist außerhalb des Normalen. Diese meine mir angeborene Naturanlage ist nicht zu bekämpfen und zu unterdrücken. Wozu auch?! Sünde gibt es nicht für mich in diesem Sinn. Und bin ich dadurch bislang verhindert worden an Großes und Edles zu denken? Nicht Erlösung aus dieser Welt, sondern Freiheit in dieser Welt ist mein heißester Wunsch.«[23] Mehrfache Erpressungen seines ehemaligen Freundes zwangen Schneider 1908 nach Italien ins Exil zu gehen. Diese Affäre scheint soweit in die Öffentlichkeit gedrungen zu sein, daß der Ankauf der Figur »Badende Knaben« (1909) für das Albertinum in Dresden 1912 einhellig abgelehnt wurde und zwar mit der Begründung, die Skulptur sei eine »Aufrei-

IM·REICHE·DES·SILBERNEN·LOEWEN·
·KARL·MAY··
III   III

Sascha Schneider, Um eine Seele,
Titelzeichnung für Karl Mays »Silber-
löw III«, aus: Hansotto Halzig: Karl
May und Sascha Schneider, Bamberg,
1967, Abb. 26

E. v. Kupffer, Ephebe und Falter (Der Opfertrank), Ölgemälde, 1915, Elisarion, Minusio, CH, Photo: Sternweiler

dung als Zimmerschmuck ermöglichte. 1924 erschien auf der Titelseite der »Fanfare« (Nr. 24) eine Abbildung nach Schneiders Knabenkopf von 1910.

Elisar v. Kupffer 1872–1942 gehörte mit seinen frühen Schriften zu den Mitarbeitern Adolf Brands und des *Eigenen*.

Die Jahre, die Elisar mit seinem lebenslangen Freund und Mitstreiter Eduard v. Mayer in Berlin verbrachte, waren überschattet von Krankheit und dem Gefühl, in seiner Arbeit nicht anerkannt zu werden. Nur die Liebe zu Adolf, genannt Fino, dem Sohn der Vermieterin, hielt Elisar in Berlin.[25] Das erste Geschenk des Knaben, ein Tagpfauenauge, wurde auf den Gemälden zum Symbol aufkeimender Liebe. Über Adolfino schreibt Elisar, »es wäre ja unnatürlich gewesen, wenn dieses Sichbegegnen zweier verwandt gestimmet Herzen ohne herzliche Wirkung geblieben wäre. Tief empfänglich war ich stets für Liebe und Anmut; und hier trat mir beides in so ungehemmter, unmittelbarer Art, mit zarter Sinneswärme entgegen, daß es wie eine höhere Fügung war.«[26] Als sie sich 1902 entschlossen Berlin wegen Elisars Krankheit zu verlassen, zerschlug sich die Aussicht, Fino nach Italien mitzunehmen, und so klang diese Freundschaft langsam aus. Nachdem sich Elisar und Eduard 1915 im Tessin angesiedelt hatten, gingen sie an die Verwirklichung ihrer Idee des »Klarismus«.[27] Artikel von Eduard v. Mayer über Elisars Gedankenwelt und Kunst erschienen 1921/22 im *Eigenen* und 1922/23 im *Uranos*. Genau zu dieser Zeit hielten die beiden Vorträge in Berlin. Im August 1922 sprach Elisar im Ernst-Haeckel-Saal des »Instituts für Sexualwissenschaft«, über »Gott Eros und das monisthische Mysterium«. Am folgenden Tag hielt E. v. Mayer im Lessing-Museum einen Vortrag über »Die Wiedergeburt des Abendlandes«, und Elisar trug eigene Gedichte vor.

Angesichts des »Unverständnisses der Berliner Homosexuellen« und der Vorwürfe eines Oberstudienrates gegen das Tempelprojekt[28] in Eisenach, »es handle sich um eine Kunst für Homosexuelle«[29], sah sich Elisar gezwungen, sich von dem Begriff »homosexuell« zu distanzieren. In einem Brief an Brand vom 25. 12. 1925 schrieb er, »überhaupt das Wort »homosexuell« ist mir zuwider, und ich möchte selbst nie in dem

24 H. Hatzig: K. May . . ., a. a. O., S. 188/ 189

25 Unveröffentlichte Briefe in der Nord-Ost-Bibliothek, Lüneburg

26 E. v. Kupffer: Aus einem wahrhaften Leben, Locarno 1943, S. 230

27 Vgl. Ekkehard Hieronimus: Elisar v. Kupffer, Kat. Basel 1979

28 Der Plan eines Tempelbaus für Elisars Rundgemälde entsprechend seiner theosophischen Gedankenwelt war 1926 in Eisenach schon weit gediehen, als er sich nach der Ausstellung der Bilder auf Grund einiger Zeitungsartikel zerschlug.

29 E. Hieronimus: Elisar . . ., a. a. O., S. 17, Anm. 48

zung zur widernatürlichen Unzucht«.[24] Leipzig weist den »Gürtelbinder« als zu »erotisch« zurück. Diese Figur wurde 1914 in einer Monumentalausführung im Berliner Stadion aufgestellt. Im selben Jahr kehrte Schneider endgültig nach Deutschland zurück, um seinen ständigen Wohnsitz in Dresden zu nehmen. Abbildungen seiner Werke und die Nachrufe in den einschlägigen Blättern Berlins machen die Identifizierung der Homosexuellen mit Arbeiten der Künstler, die ein gleichartiges Schicksal erleben, deutlich. *Der Eigene* publizierte bereits im Heft 1 des Jahres 1905 eine Reproduktion der Zeichnung »Morgendämmerung« in Form einer losen Beilage, die eine Verwen-

Zusammenhang genannt werden. Und ich bitte Sie darum, das Wort homosexuell niemals im Zusammenhang mit mir und meinem Schaffen zu nennen. Man sollte es überhaupt den ›Tanten‹ und der Gefolgschaft des homosexuellen Komitées überlassen«, und in einem Brief vom 7.6.1926 nach Eisenach: »die sogenannten Homosexuellen haben gerade das wenigste Verständnis für mein Schaffen, ja wenn irgendwo eine Intrige gegen mich gesponnen wird, so geht sie vom deutschen ›Tanten‹gelichter der Homosexuellen aus ... Ich bin keineswegs homosexuell, überhaupt nicht sexuell«. Dem Selbstverständnis Elisars scheint eine Bezeichnung weitaus näher gekommen zu sein, wie sie Kiefer in einem Brief an ihn benutzte: »ich bin ein aus der Vorzeit in unsere verständnislose Zeit verschlagener Hellene mit lebendigem Schönheitsdrang und glühender Leidenschaft für ›Hellenenliebe‹«.

Von dem Vorstoß, auch Berlin den Erwerb des »Sanctuarium Artis Elisarion« anzubieten, gibt ein Brief des Magistrats vom 23.6.1930 Auskunft, der die Aufforderung enthält, sich an den zuständigen Minister für Wissenschaft, Kunst und Volksbildung zu wenden. In Zusammenhang mit diesen Bemühungen stand auch der Lichtbildervortrag von Prof. Karl Matter aus der Schweiz vom 2.3.1931 über »Elisarions Kunst und Lebenswerk der Befreiung«, diesmal im »Forschungsinstitut für Okkultismus« am Bayrischen Platz. Weitere Verhandlungen im März und April 1933 mit der »Akademie der Lebenserneuerer« in Berlin Halensee über einen Vortrag und eine Ausstellung von Werken Elisarions zerschlugen sich.

»Nun können Sie sich offenbar aus der Ferne kein rechtes Bild von der gegenwärtigen hier herrschenden Atmosphäre machen. Den Grundton bildet die Betonung wehrhafter Männlichkeit. Das ist natürlich eine ganz andere Linie als der künstlerische Ausgleich der Geschlechter, mag er sich auch in apollinischer Schönheit äußern.« 1938 wurde dann der Rundbau für das Gemälde »Die Klarwelt« an das schon bestehende Gebäude in Minusio angebaut, da Elisar »einen Beitrag für ›Arbeitsbeschaffung‹ von der Regierung des Kantons Tessin und vom Bunde erhielt«.[30]

Durch die Nacktkörperkulturbewegung gefördert, wurden seit 1900 Aktfotografien

Aus der Slg. Deutsche Rasse, Aktstudie von Adolf Brand, aus: Der Eigene, 1924, Heft 7

einem breiten Publikum in Zeitschriften leichter zugänglich. Im *Eigenen* erschienen 1903 die ersten männlichen Aktfotos. Eine Anzeige[31] bot »Aktstudien für Künstler und Kunstfreunde, malerisch schöne Porträt- und Aktstudien von Knaben, Jünglingen und Männern in künstlerisch vollendeter Ausführung« an. »Jede Mappe enthält 12 Blatt à 1 Mark, Vergrößerungen der Originale und passende schmale Holzrahmen in einfachen Farben ganz nach Belieben sind stets vorrätig.« Zu den Kaufbedingungen gehörte, genau wie beim Erwerb des *Eigenen*, das Unterzeichnen einer Erklärung, daß der Käufer an »unverhüllten Darstellungen des menschlichen Körpers – welche vielleicht geeignet sind, das Schamgefühl sogenannter normaler Menschen zu verletzen – grundsätzlich keinen Anstoß nehme«. Adolf Brands Fotosammlung »Deutsche Rasse« wurde auf Grund der Denunziation eines Polizeispitzels, der gleichfalls die Klauseln des Bestellscheins unterschrieben hatte, im Februar 1916 beschlagnahmt. Bei der Hausdurchsuchung und vor Gericht wurden allein die Platten und Bilder beanstandet, die den männlichen Körper von vorne zeigen, denn nur diese seien unzüchtig. Die Begründung, Brand sei »der Vertreter der Homosexuellen«, wie es wörtlich in dem Beschluß heißt, oder, wie man später angibt, um dadurch ein neues Belastungsmoment zu schaffen, »weil er selbst homosexuell wäre!«, zeigt, daß die Konfiskation

30 E. v. Kupffer: Aus einem wahrhaften Leben, a. a. O., S. 321
31 Der Eigene, 1906

Marcus Behmer (1879–1958), Titelvignette zu: Verlaine – Hombres
(Hommes), 11,5 x 8 cm, Potsdam
1920, Kupferstich, Photo: Bartsch

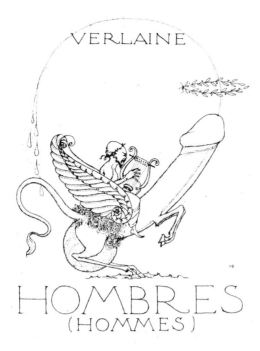

VERLAINE

HOMBRES
(HOMMES)

der Fotos eigentlich nur ein Vorwand war, ihn in seinen Bestrebungen einer Wiedergeburt der Freundesliebe zu behindern. Für diese Ansicht spricht weiterhin, daß die Platten bei der Verhandlung vom 20. November 1916 auf den Antrag des Staatsanwaltes hin, der »den künstlerischen Wert und den vaterländischen Geist des Aktwerkes ausdrücklich anerkennt«[32], sofort freigegeben wurden. In der Urteilsbegründung heißt es: »Wenn auch auf allen diesen Bildern der Geschlechtsteil der abgebildeten Person, namentlich der frei herabhängende männliche Penis, deutlich zu sehen ist, so hat das Gericht doch die Abbildungen nicht als unzüchtig erachtet, denn offensichtlich verfolgt der Angeklagte mit allen diesen Bildern, die Aktstudien in schöner landschaftlicher Umgebung und in anmutiger Haltung darzustellen – entsprechend seinen obigen Darlegungen in dem das Werk ‚Deutsche Rasse' betreffenden Prospekt –, lediglich künstlerische, wissenschaftliche und rassenhygienische Zwecke, nicht aber homosexuelle Zwecke. Die ganze Darstellung und Aufmachung ist eine derartige, daß dadurch nach der glaubhaften oder doch wenigstens nicht widerlegten Absicht des Angeklagten nicht die geschlechtliche Lüsternheit, sondern das ästhetische Wohlgefallen befriedigt werden soll«.

Diese Trennung einer Befriedigung »des ästhetischen Wohlgefallens« von einer zu

verdammenden Befriedigung »geschlechtlicher Lüsternheit«, die nicht nachvollziehbar ist, ging auf das taktische Verhalten Brands zurück. In der erneuten Beschlagnahme vom November 1920 sah Brand den Versuch, »der verschweinigelten und verpafften Staatsmoral von ehedem wieder zum Sieg zu verhelfen, die das dumme Volk veranlaßte, sich seiner Sinnlichkeit zu schämen, natürliche Freuden anders als natürlich und nackte Schönheit anders als schön zu sehen«[33].

Auf Grund des Urteils von 1916 mußte die Sammlung »Deutsche Rasse« erneut freigegeben werden. In den 20er Jahren erreichte sie in erweiterter Form verschiedene Neuauflagen. Obwohl die Fotos dem Kunstverständnis der Nationalsozialisten nahestanden, wurden sie gleich 1933 wiederum als homosexuelle Bilder beschlagnahmt und diesmal endgültig zerstört.

Trotz der beständigen Moralzensur verstärkte sich die Vermarktung der Aktfotografie in der zweiten Hälfte der 20er Jahre. Die schwulen Zeitschriftenverlage druckten Beilagen und eine Vielzahl Sammelwerke, die ausschließlich männliche Aktfotos enthielten. »Rasse und Schönheit« nannte sich die Bildbeilage des Eigenen, die ab 1926 erschien. Der Verlag der Freundschaft gab seit 1928 die Phoebus-Bilderschau heraus, deren Bilder sämtlichst auch als Originalabzüge geliefert wurden, z. B. Bilder des bekannten Sportfotografen Gerhard Riebicke. Anders als die Zeitschriften konnten diese Bilderhefte nicht am Kiosk gekauft, sondern nur an Personen geliefert werden, die den Subskriptionsschein unterschrieben hatten. Auch der Radszuweit-Verlag brachte in der Insel Aktaufnahmen, die Mappenwerke wie »Männliche Körperschönheit«, »Der männliche Akt«, »Rolf« oder »Ideale Nacktheit« zusammenfaßten. Die Beteuerungen eines rein ästhetischen Interesses an den Fotos nackter Männer, die aus taktischen Überlegungen vor der allzeit drohenden Zensur entwickelt wurden, konnten nicht über ein sinnliches Verlangen in den Köpfen der Betrachter hinwegtäuschen. So erfüllten in der Schönheitssuche die Objekte ein ästhetisches wie erotisches Bedürfnis: Reproduktionen nach Gemälden und Zeichnungen, lebensnahe Darstellungen der Aktfotografie und Skulpturen, mit

links:
*Ludwig Kainer (geb. 1885), Illustration
zu Granand: Das erotische Komödiengärtlein, Berlin 1920, Photo:
Staatsbibliothek, Berlin*

rechts:
*Rudolf Pütz (geb. 1896), Illustration zu
Granand: Das erotische Komödien-
gärtlein, Berlin 1919/20, kolorierte
Zeichnung, Photo: Bartsch*

dem Vorteil, daß man sie in die Hand nehmen und betasten kann.

Der Suche der Homosexuellen nach Darstellungen des schönen Jünglings scheinen in den 20er Jahren die Figuren von Renée Sintenis und Ernesto de Fiori entgegengekommen zu sein. Kurt Hiller berichtet in seinen Memoiren von seiner Verehrung für zwei Sportlerstatuetten der Sintenis.

»Die Modelle standen in meinem Schlafzimmer, als einzige Gegenstände auf dem niedrigen Bort eines altmodischen Trumeaus und spiegelten sich, so daß der Betrachter beide Seiten der Skulpturen zugleich sah.«[34]

Renée Sintenis' Radierungen jugendlicher Freunde in zärtlicher Zuwendung für Hans Siemsens Jungengeschichten »Tigerschiff« entsprachen dem Geschmack einer wohl überwiegend homosexuellen Leserschaft. René Crevel, den Klaus Mann mit dem Werk von Renée Sintenis bekannt gemacht hatte, verfaßte 1930 in Berlin die erste zusammenfassende Darstellung über die Künstlerin. So wie die Figürchen, insbesondere die Tierchen, einer breiten Masse leicht verständlich, erst in den 50er Jahren berühmt und als vermarktetes Idol berüchtigt wurden, so fand sich ihre Rezeption durch die Schwulen erst im *Kreis*.[35] Analog zum Tigerschiff erschienen in den 20er Jahren verstärkt illustrierte Bücher mit schwulem Inhalt. Zu

erwähnen sind »Hombres« (Hommes) von Paul Verlaine, Potsdam 1920, mit einem phallischen Frontispiz von Marcus Behmer; »Das erotische Komödiengärtlein« von Granand im Almanach-Verlag, Berlin 1920, mit Zeichnungen von Ludwig Kainer und ebenfalls 1920 als Privatdruck mit Zeichnungen von Rudolf Pütz; die Platenausgabe »Der verfemte Eros«, bei F. Gurlitt 1921 verlegt, mit Lithografien von Otto Schoff; »Die braune Blume«, Berlin 1929, mit Illustrationen von Margit Gaal und schließlich das nicht ausgeführte Projekt der Illustrationen zum Satyrikon des Petronius durch Marcus Behmer für Harry Graf Kessler in den Jahren 1927–30. Über seine Modellsuche berichtete er ihm in verschiedenen Briefen.

»Ich hoffe aber – und glaube! – ja selbst im wahrhaft paradiesischen ›Luftbad Steglitz-Südende-Berlin‹ die Studien für Giton, Ascylt, Encolp, – auch für Quartilla, Trimalchio usw. machen könnte. (Gerade auch die ›diversen Töchterchen‹ und ›Schwesterchen‹ … auch diese stehen in jenem gloriosen Luftbad zweifellos zur Verfügung, und zwar in zahlreichen und – dank der neuen ›Nacktkultur‹ – durchaus natürlich-nackten, keineswegs ent-kleideten oder ausgezogenen Exemplaren. (Ja selbst von ›Situationen‹ könnte ich (als durchaus wirksamer – genießender, väterlicher Freund der ›Freunde‹) Studien machen, die im Petron zwar ausführlich geschildert, leider aber in den

34 Kurt Hiller: Leben gegen die Zeit, Hamburg 1969, S. 229
35 »Der Kreis« ist die wichtigste schwule Zeitschrift der Nachkriegszeit, erscheint in der Schweiz für ganz Europa.

oben:
Marcus Behmer, Probedruck »aut dormi«, Illustration zu Petronius Satyricon, 6 x 6 cm, 1927–31, Klingspor Museum, Offenbach, Photo: Bartsch

rechts:
Otto Dix (1891–1969), Eldorado, Aquarell 1927, Berlinische Galerie, Berlin, Photo: Bartsch

36 H. A. Halbey, R. v. Sichowsky: Marcus Behmer in seinen Briefen, als Buchgestalter, Illustrator und Schriftzeichner, Hamburg 1974, S. 58 und S. 72

Illustrationen nicht dargestellt werden dürfen!)«[36]
In der letzten Fassung des Satyrikons wurden die beiden noch verbliebenen erotischen Darstellungen, die Holzschnitte »Vorprobe aut dormi« und das Initial »T«, auf Veranlassung Graf Kesslers verworfen. »Es mögen dem weithin angesehenen Weltmann und Ästheten Graf Kessler wohl schon von Anbeginn an Besorgnisse in Hinsicht etwa der im Petron satirisch behandelten Knabenliebe gekommen sein, vor allem wenn er an Behmers nie verleugnete Eigenart dachte.«[36] Das Scheitern des Projektes zeigt die Schwierigkeiten, die sich noch Ende der 20er Jahre bei der Herausgabe einer homoerotischen, antiken Vorlage mit Illustrationen versehen, stellten. Die Bücher

links:
Otto Schoff, Knabenliebe, 10 Radierungen, Titelblatt, 35 x 30 cm, um 1922, Hamburg Privatbesitz, Photo: R. Kleinhempel, Hamburg

rechts:
Erich Godal (Goldmann) (geb. 1899), erotische Darstellung aus einer Mappe mit 6 Radierungen, um 1923, Hamburg Privatbesitz, Photo: R. Kleinhempel, Hamburg

»Hombres« Paul Verlaine, »Das erotische Komödiengärtlein« und die »Braune Blume« verfielen sofort nach Erscheinen der emsigen Zensur.

Schwules Leben in der Kunst der 20er Jahre

Die Situation im Berlin der 20er Jahre war geprägt von einer größeren Freizügigkeit, einer öffentlichen Diskussion von Sexualität, dem Erscheinen der unterschiedlichsten Aufklärungswerke und Sittengeschichten und dem allgemeinen Interesse für die »Laster« der Großstadt. All dies trug zu einer Atmosphäre bei, in der die homosexuelle Welt das Interesse einer größeren Öffentlichkeit erregte. »Es ist, besonders in literarischen und halbliterarischen Kreisen, schon beinahe Mode geworden, »mal einen Bummel durch schwule Lokale« zu machen.«[37] Seit der Eröffnung 1927 war das »Eldorado« die große Attraktion. »Es wurde nicht nur von Pervertierten besucht, sondern von allen Nachtlokalfans, es gehörte zum ›guten Ton‹, dagewesen zu sein.«[38] Erstmals wurde die Darstellung schwulen und lesbischen Lebens, besonders das der Bars, zu einem Thema gerade für nicht-homosexuelle Künstler. Otto Dix verarbeitete seine Eindrücke in den Großstadtbildern und in dem Aquarell »Eldorado«, das drei Transvestiten dieser Tanzbar zeigt. Christian Schad erhielt den Auftrag, für Curt Morecks Berlinführer[39], Illustrationen der »Stätten des männlichen Eros« zu schaffen. Schads Lithografien gehören heute zu den wichtigsten bildlichen Dokumenten der ausgeprägten Subkultur der 20er Jahre. Das Treiben in den schwulen Bars und die Männerbälle reizten auch die Zeichner Otto Schoff und Paul Kamm. Zeichnungen und Kollagen von Kamm erschienen gleichfalls im »Lasterhaften Berlin«. Schoff, über dessen Liebe zu »rührend reizend kindlich unschuldigen« Mädchen Hans Siemsen berichtet, zeichnete die Jungen auf seinen homoerotischen Blättern genauso rührend kindlich, auch wenn sie gerade ihrer Sexualität frönen. Auf all diesen homoerotischen Blättern versuchten die Künstler die Darstellung von Zärtlichkeiten und homosexuellen Handlungen zu entschärfen, indem lediglich Knaben und Jungen diese »Kindereien« begehen. Marcus Behmer übertrug seine Fantasien auf männliche Fabelwesen.

Nicht nur die Berliner Subkultur, auch Pariser Lokale inspirierten die Künstler. George Grosz zeichnete in der ihm eigenen Bissigkeit Pariser Transvestitenlokale, und von Jeanne Mammen stammt ein Aquarell des bekannten Homosexuellentreffs »La Mere Gibert«. Abgesehen von den Barbildern existieren Porträts von Schad und Dix, deren Entstehung allein auf das Interesse der Künstler an der Homosexualität der Dargestellten zurückzuführen ist. Schads Porträt des Grafen D'Anneaucourt von 1927 zeigt

37 Siehe das Nachwort in: Hans Siemsen, Verbotene Liebe, Berlin 1927
38 Ottomar Starke: Was mein Leben anlangt, Berlin 1956, S. 162
39 Curt Moreck: Führer durch das lasterhafte Berlin, Berlin 1930

das Bild eines eher angepaßten Homosexuellen, zwischen seiner »Alibi-Frau«, mit der er sich in der Öffentlichkeit zu zeigen pflegte, und einem Transvestiten aus dem Berliner »Eldorado«, der seine wahren Neigungen verkörpert.[40] Otto Dix porträtierte 1923 einen effeminierten Homosexuellen, dem er »richtige Frauenbrüste unter das Jakkett« malte. »Die Spannung erwächst hier aus dem Nebeneinander von männlichen und weiblichen Indizien«[41] innerhalb einer Person. Der dargestellte Juwelier Karl Krall, ein emanzipierter Schwuler, war so angetan von seinem Abbild, daß er es der Berliner Nationalgalerie zum Geschenk machte.[42]

Von einer weiteren Darstellung auf dem heute verschollenen Gemälde von Elisabeth W. Kallen »Gent und Ringer« berichtet E. O. Püttmann in einem Artikel über die juryfreie Kunstschau 1922 in der *Freund-*

schaft[43]: »Ein nackter prachtvoller Athlet mit wissendem Augenausdruck wird darauf von einem eleganten Modeherrchen, einem Tauentziengent par excellence bewundert, das so recht den Typus des modernen effeminierten Weltstadthomoeroten darstellt.« Erst das öffentliche Interesse an den verruchten und doch so bestaunten Lastern der Großstadt in den 20er Jahren erlaubte es erstmals, schwules Leben und Lieben ohne den Umweg über antiken oder anderen Mythos darzustellen und diese Bilder, die durch den Blick von Außen meist noch karikieren, einem breiteren Publikum zugänglich zu machen.

40 Andrea Heesemann-Wilson: Christian Schad, Diss. Göttingen 1978, S. 117 ff.
41 E. Keuerleber: Otto Dix, Menschenbilder, Stuttgart 1981, S. 19
42 Nach 1933 wurde das Gemälde aus der Nationalgalerie Berlin als »entartet« entfernt. Das Von der Heydt-Museum Wuppertal konnte es 1955 aus dem Kunsthandel erwerben.
43 Die Freundschaft 1922, Nr. 42

Manfred Herzer

Berlin und die schwule Belletristik im 19. Jahrhundert

»Verrätselung der eigenen Triebrichtung« nennt Benno von Wiese das Verfahren, das der wohl bedeutendste schwule Berliner Dichter Heinrich von Kleist – brave Germanisten sprechen von seinen »starken homophilen Neigungen« – in seinen Werken anwendete. Das Käthchen von Heilbronn, die Marquise von O., Penthesilea, sie alle leiden in einer Weise an ihrer Liebe zu einem Mann, daß man in ihnen heimliche Selbstporträts des Dichters erraten kann.

Außer dieser Verrätselung, die nicht nur bei Kleist in Form eines poetischen Geschlechtertauschs vor sich ging, wählten schwule Dichter vor allem im 19. Jahrhundert noch einen anderen Weg, um von ihrem Thema schreiben zu können und dennoch vom allgemeinen Lesepublikum und der Zensur akzeptiert zu werden: die gleichgeschlechtliche Liebe wurde zur sozusagen sauberen Männerfreundschaft umgewandelt, die zwar eines sinnlichen Moments nicht zu entbehren brauchte, die aber letztlich doch keusch blieb. Vielleicht stammt ein frühes Vorbild für diese Methode von einem vermutlich heterosexuellen Dichter; Ludwig Tieck verwendete sie in seiner 1829 entstandenen Shakespeare-Novelle »Der Dichter und sein Freund«. Die Sonette Shakespeares, die dessen gleichgeschlechtliche Verliebtheit ausdrücken, sind für Tieck der Vorwurf zu einer Geschichte, in der Shakespeare und sein Freund Southampton die gleiche Frau lieben, woran ihre Freundschaft zerbricht; die schwulen Liebenden werden zu heterosexuellen Rivalen umgedichtet.

Der seinerzeit sehr populäre, lange in Berlin lebende und nach den überzeugenden biographischen Untersuchungen im »Jahrbuch für sexuelle Zwischenstufen« homosexuelle Schriftsteller Alexander von Sternberg[1] hat mit dieser Methode in vielen seiner zahlreichen Romane das ihn selbst betreffende Thema gestaltet, ohne daß dies als zu unschicklich empfunden wurde. Der Kuß auf den Mund war immerhin erlaubt: „Das schönste ist aber, daß ich Dich liebe'. Er umarmte den Freund, drückte einen langen Kuß auf dessen Lippen und ging rasch fort" (Jena und Sedan, Berlin 1844).

Immer wieder taucht in den Romanen und Novellen, die eine erotisch gefärbte Männerfreundschaft darstellen, eine Bezeichnung auf, die als beschwichtigende Verschlüsselung der Homosexualität, oder wie es mindestens bis 1869 hieß, der griechischen oder sokratischen Liebe verwendet wurde: der Sonderling. »So bist Du ein Sonderling« heißt es in »Jena und Sedan« von einem, der von sich selbst sagt: »Ich bin zwanzig Jahre alt geworden, und nie ist Weiberliebe mir nah gekommen. Gott öffnete meinen Busen nur der Freundschaft.«

In einem der wohl wichtigsten einschlägigen Werke, wichtig, weil die spätere Schwulenbewegung um Hirschfeld darin eine poetische Vorwegnahme ihrer Theorien erblickte, in Adolf Wilbrandts Roman »Fridolins heimliche Ehe« (Wien, 1876), sagt bei einem Abendspaziergang im Tiergarten der Student Rudolf zu seinem Professor, der ihn liebt und ihm gestanden hat, seine Bestimmung sei »wie Sokrates in schönen Jünglingen die schöne Seele zu suchen und zu bilden«: »Zum Trost sage ich dir, Fridolin, daß du wenigstens ein Original, ein Unikum unter den Menschen bist.« Fridolin antwortet: »Ein Unikum? Glaube mir, es gibt ungezählte Existenzen, ähnlich wie ich. So viele Junggesellen beiderlei Geschlechts – so viele sogenannte Originale und »Käuze« – so viele Eheleute sogar, die sich in der Ehe ausnehmen wie der Fisch im Sande – sind ähnliche, nur etwas ungleichere Mischungen als ich.«

Auch hier ist es das Äußerste an körperlichen Liebesbeweisen, daß Fridolin seinen Lieblingsstudenten zur Begrüßung umarmt und »ihn auf den Mund« küßt.

In der »Romanze vom Sonderling«[2] des Österreichers Emerich von Stadion wird die Sinnlichkeit nur scheinbar gröber: Percy und Silvio liebten sich, Percy fühlte »mit schwär-

1 Vgl. F. Karsch: A. v. Sternberg, der Romanschreiber, in: Jahrbuch für sexuelle Zwischenstufen, Jg. 4, 1902, S. 458 ff.; dort auch die Zitate aus »Jena und Leipzig«, S. 488 ff.
2 Emerich von Stadion: Schatten im Licht, Wien 1882; darin S. 59 ff. »Die Romanze vom Sonderling«

merischem Entzücken, daß Silvio in seinen Armen lag, daß dessen Lippen auf seinen Lippen brannten, sich daran festsogen und mit durstigen Zügen all sein Lebensblut auszutrinken schienen, daß er glücklich, überglücklich sei«. Wie harmlos jedoch dieses Sichfestsaugen und Überglücklichsein gewesen sein muß, wird am Ende deutlich, als Silvio, nachdem er mehrere Monate hindurch von seinem Percy geliebt worden war, diesem sein wahres Geschlecht gesteht. Er ist eine als Jüngling verkleidete Frau, die hoffte, den Sonderling auf diese Weise zur Frauenliebe zu bekehren.

Neu war an dieser »Romanze vom Sonderling« vielleicht der Überschwang und die sinnliche Intensität in der Schilderung der Liebe zwischen zwei vermeintlichen Männern. Nur durch die Pointe, daß es hier doch um grotesk verhüllte Heterosexualität und nicht um widernatürliche Unzucht ging, wurde der Text fürs normale Gemüt ertragbar.

Als Elisar von Kupffer seine Sammlung gleichgeschlechtlicher Dichtung herausgab – sie war im Jahre 1900 eine Art poetischen Gegenstücks zu Hirschfelds Jahrbüchern für sexuelle Zwischenstufen – enthielt diese auch Auszüge aus der »Romanze vom Sonderling« und aus Wilbrandts »Fridolin«.[3]

In Hirschfelds Buch »Geschlechtsübergänge« (Leipzig, 1906) findet sich im Kapitel »Homosexualität« die Fotografie der beiden fast lebenslang befreundeten und zum Teil auch gemeinsam dichtenden Schriftsteller Emerich von Stadion und Emil Mario Vacano. Beide waren nicht nur dadurch mit Berlin verbunden, daß einige ihrer »gewagteren« Bücher in Berlin verlegt wurden, beide waren auch, ein ruheloses Vagabundenleben führend, mehrmals in der Stadt. Hier erschien 1861, als Vacano 21 Jahre alt war, sein erster, aus Selbsterlebtem und nach dem Vorbild der »Gothic Novel« des ebenfalls homosexuellen Mathew Lewis gearbeiteter Roman »Mysterien des Welt- und Bühnenlebens«. Für den Helden in diesem ersten Roman Vacanos ist jedoch das Mönchskloster mit seiner Atmosphäre aus Verbrechen, Gewalttätigkeit und inbrünstiger Religiosität nur eine Station seines abenteuerlichen Lebens. Als Kunstreiterin in einem Zirkus in Madrid erobert er die Herzen und Sinne aller stolzen Spanier, als männliche Kameliendame ist er in Paris der Liebhaber reicher Frauen, und in der österreichischen Armee sucht der trotz allem vom Leben Enttäuschte am Ende den Soldatentod. »Mit Ekel und Abscheu haben wir dies Buch durchgelesen. Es ist eine Schmach, daß solche skandalösen Schriften noch in deutscher Sprache von deutschen Schriftstellern geschrieben und von deutschen Buchhändlern verlegt werden können ... ein Buch, das jedem Gefühle der Sittlichkeit und des Anstandes, das jedem Begriffe von Menschenwürde ins Gesicht schlägt und Hohn spricht«, heißt es in einer zeitgenössischen Rezension in den damals sehr angesehenen Leipziger »Blättern für literarische Unterhaltung«.

1879 erschien von Carl Egells unter dem Pseudonym »Aurelius« in Berlin die Novelle »Rubi«, die in der deutschen Literatur des 19. Jahrhunderts eine ziemlich einzigartige Ausnahme bildet. Egells, von dessen Leben nichts bekannt ist, außer daß er 1843 in Berlin geboren wurde und hier 1904 starb, mit Karl Heinrich Ulrichs befreundet war und später Mitglied in Hirschfelds Wissenschaftlich-humanitärem Komitee wurde[4], schildert in »Rubi« ein Schwulenidyll auf einem Dorf an der Ostsee, das nach einigen Verwirrungen der Gefühle in einer Hochzeitsnacht des schönen Jünglings Rubi mit dem nicht minder schönen Landarzt Heinrich zum Happyend kommt: »Wieder halten sie sich, und Herz klopft an Herz. Vom Bette, wo sie auf dem Pfosten huckten, flattern fröhlich herbei die Weinelfchen. Ganz nahe umkreisen sie mit leichtem Flügelschlage die beiden seeligen Menschen; mit ihren Fingerchen haken sie sich an ihr Gewand, nesteln, knöpfen und zerren daran herum, bis die klopfenden Herzen nur noch ein dünner Linnenstreif trennt; dann ziehen sie sie hin zur offenen Balkontür zum großen Polsterstuhl. Dort ruhen Heinrich und Rubi; Hand hält Hand, und Lippe berührt Lippe. Es küssen sich ihre Seelen. Mit einem Male springt Rubi auf; mit leuchtenden Augen schaut er auf zum Monde; wieder breitet er sehnsüchtig die Arme aus, wieder senkt es sich um seine schönen Füße, wie schaumgekrönte Wellen. Da liegt Heinrich plötzlich zu seinen Füßen, mit zitternden Armen umfängt er den lebenswarmen Marmor und anbetend drückt er sein brennendes Antlitz in den weichen Schoß.

Heinrich weint bitterlich.

3 Elisar von Kupffer: Lieblingsminne und Freundesliebe in der Weltliteratur, Berlin-Neurahnsdorf 1900
4 Vgl. Hirschfelds kurzen Nachruf, in: Jahrbuch für sexuelle Zwischenstufen, Jg. 7, 1905, Bd. 2, S. 1067

Rubi beugt des Knienden braunlockiges Haupt zurück, und lachenden Mundes küßt er die thränenden Augen trocken; lachend hebt er ihn zu sich empor und zieht ihn mit sich fort zum weißen Lager, lachend sinkt er hin auf den weichen Pfühl – hell lachend, wie eine Lerche, wenn sie des Morgens zum Himmel emporjubelt. –
Heinrich rafft nochmal vom Lager den Geliebten auf, küßt seine Augen, den Mund und die weiche Brust, läßt ihn wieder los, und wieder schließt er die Arme um den geliebten Leib, so langsam, als ob er die silbergoldene Fluth des Mondes vor sich hertriebe; langsam und fest schließt er die Arme, und seelig-trunken stammelt der Mund: ›Mit Gold und Silber umschleuß' ich den Rubin!‹ –«
Von einem Briefwechsel zwischen Karl Heinrich Ulrichs und dem späteren Literaturnobelpreisträger Paul Heyse aus dem Jahre 1879, dem Erscheinungsjahr des »Rubi«, sind zwei Briefe erhalten, in denen Ulrichs die gleichgeschlechtliche Thematik des Romans anspricht. Er weist zwar Heyses Einschätzung zurück, daß es im »Rubi« nur um »widernatürlichste Verwilderung« und »Laster« gehe, im übrigen stimmt Ulrichs aber dem Urteil Heyses zu: »Mehrere Stellen des ›Rubi‹ haben meine förmliche Entrüstung erregt... Vollkommen gebe ich Ihnen Recht, zu reden von einer ›über alles Maß hinausgehenden, schwülen Sinnlichkeit‹. Und ferner: mein Exemplar des ›Rubi‹ habe ich mit Randglossen versehen, kurz ehe ich den Inhalt Ihres Briefes kennen lernte, in diesen Glossen habe ich mich wiederholt der Worte bedient: affectirt, Effecthascherei und manierirt. Das Wort ›manierirt‹ finde ich ja auch in Ihrem Briefe.«[5]
Wohl sind die sprachlichen Schwächen des »Rubi« offenbar, dennoch ist hier versucht worden, was sonst kein Autor jener Zeit wagte. Entweder wichen sie, wie von Stadion und Vacano, seit 1897 auch Paul Scheerbarth[6], ins Groteske aus, oder man hat wie Wilbrandt (auch Heyse in seiner Tragödie »Hadrian«, Berlin 1864) alle Homosexualität in homosoziale Freundschafts- und Sympathie-Empfindungen umgedichtet. Im »Rubi« geht es um die Liebe und um das homosexuelle Verlangen, das sich trotz aller Widrigkeiten glücklich verwirklichen kann, als eine Liebe, die zwar »namenlos« bleibt, wie John Henry Mackay später schreiben

wird, die aber dennoch eine Liebe ist »wie jede andere auch«.
Ein nur scheinbar dem heterosexuellen Bereich entlehntes Muster fand natürlich auch im 19. Jahrhundert seine Anwender: der Liebestod à la Romeo und Julia oder in der damals modernsten Variante Tristan und Isolde. Die dichterische Gestaltung der Männerliebe konnte hier auf einen Fundus an Legenden zurückgreifen, auf David und Jonathan, Hadrian und Antinous, Jesus und Johannes, Achilles und Patroklos usw. Doch hat der schwule Liebestod oder die Trauer eines Schwulen um den toten Geliebten immer in weit höherem Maß als bei seinen heterosexuellen Entsprechungen die allzu deutliche Nebenfunktion, die verbotene Liebe, das Unerlaubte durch den Tod zu verklären und letztlich zu rechtfertigen. Sicher ist der Höhepunkt dieses Typs von homosexueller Dichtung in Thomas Manns »Tod in Venedig« (Berlin 1913) erreicht worden. Eine Fülle von Vorläufern, David-und-Jonathan-Dramen, Antinous-Poemen oder einfach nur Darstellungen des Todes als jähes Ende des kaum begonnenen Liebesglücks oder der schmachtenden Liebessehnsucht brachte das 19. Jahrhundert als mehr oder weniger verkappte gleichgeschlechtliche Dichtung hervor. Kertbenys während seiner Berliner Jahre veröffentlichte kleine Erzählung »Im Walde« sei hier angeführt, in der das junge Glück dadurch endet, daß einer der beiden Liebenden im Gewitter vom Blitz erschlagen wird.[7]
Der wohl bedeutendste Gestalter schwulen Leidens und schwuler Erfüllung, der im 19. Jahrhundert in deutscher Sprache dichtete, August von Platen, hatte in keiner Weise irgend etwas mit Berlin zu tun, wenn man nicht die in Hegels »Jahrbüchern für wissenschaftliche Kritik« enthaltene Schmähung seiner Gedichte (»widerlich... das glühende Körperlob der Jünglinge... unmännliche Weibheit im Gefühle der Freundschaft«[8]) als einen Bezugspunkt ansehen will. Es war aber gegen Ende dieses Jahrhunderts ein anderer Dichter, der durchaus auch in der Nachfolge Platens, mehr aber noch in der der schwulen Poeten des französischen Symbolismus stand und in Berlin seine Laufbahn begann: Stefan George. 1889 lernte der 21jährige Student George in einer romanistischen Vorlesung an der Berliner Universität den Kommilitonen Carl

5 Mitteilungen der Magnus-Hirschfeld-Gesellschaft, Nr. 2, 1983, S. 20 ff.
6 Scheerbarths Romane aus dem Jahre 1897, besonders: »Ich liebe dich, ein Eisenbahnroman«, »Tarub, Bagdads berühmte Köchin«, »Der Tod der Barmekiden«.
7 Karl Maria Kertbeny: Spiegelbilder der Erinnerung, Bd. 1, Leipzig 1868; darin S. 57 ff. »Im Walde«
8 Zitiert nach: Max Kaufmann: Heinrich Heine contra Graf August von Platen und die Homo-Erotik, Leipzig 1907, S. 25; die Rezension findet sich im Jahrgang 1829 der »Jahrbücher für wiss. Kritik«, S. 601, und wurde von Ludwig Robert verfaßt.

August Klein kennen, mit dem er ab 1892 gemeinsam im Berliner Selbstverlag seine Zeitschrift »Blätter für die Kunst« herausgab. Der junge Georg Lukacs war einer der ersten, der 1908 an Georges Dichtung lobte, daß das unerhört Neue an ihr in der völligen Abwesenheit aller Bezüge auf konkretes Liebesleid, im sozusagen reinen Ausdruck des Verlassenseins und des Unglücks bestehe, das Objekt des Verlangens im Unterschied zu aller früheren Liebeslyrik verborgen bleibe, an seine Stelle eine magische Leere trete. Klein, der sich 1934 in seinen Erinnerungen, die bei dem schwulen Verleger V. O. Stomps erschienen, an die frühen Berliner Jahre mit George erinnert, hält dann auch folgerichtig die Beteuerung für angebracht: »Kein niederes Laster hat je des Dichters Antlitz entstellt«.[9] Und dem Naturalismus, den zu überwinden George sich vorgenommen hatte, kann Klein nur vorwerfen, »die grauenhaften Verirrungen des sexuellen Triebs in der Literatur zu öffentlichem Ausdruck gebracht zu haben«.[10] Die gleichgeschlechtliche Liebe dieses Schönheitssuchers mußte »namenlos« bleiben, die narzistische Starre der Georgeschen Oberpriesterpose traf aber so genau den Geist seiner Zeit, daß er in Ruhm und Popularität kaum von dem jüngeren Rilke übertroffen wurde.

In seinem Gedicht »Nietzsche« aus dem »Siebenten Ring« hat er sein asketisches Ideal, von dem wir nicht wissen, ob es immer mit seinem wirklichen Leben übereinstimmt, auszudrücken versucht: »Du hast das nächste in dir selbst getötet/ Um neu begehrend dann ihm nachzuzittern/Und aufzuschrein im schmerz der einsamkeit.«

9 Carl August Klein: Die Sendung Stefan Georges. Erinnerungen, Berlin 1934, S. 20
10 Ebenda, S. 46

Manfred Herzer

Dichtung und Wahrheit der Berliner Schwulen im ersten Jahrhundertdrittel

»Das ist das Glück. Das ist alles, was das Leben mir schenken kann! Morgen ist es vorbei. Einsamkeit; Leere. Und einmal wieder Wärme, Nähe, ein Duft von Leben, der mich umfängt; man muß zufrieden sein . . .« Dieser innere Monolog des schwulen Russen Sascha, der als Emigrant im Berlin der 20er Jahre lebt und gerade eine Liebesnacht mit dem wunderschönen, aber leider mehr den Frauen als den Männern zugetanen Boxer Tommy verbracht hat, steht am Ende von Otto Zareks 1930 erschienenem *Roman einer Weltstadtjugend »Begierde«.* Saschas Liebesglück und sein reichlich vorhandenes Leiden an der Liebe ist hier kaum noch von dem der vielen heterosexuellen Heldinnen und Helden des• Romans zu unterscheiden. Dagegen sind etwa die Berliner Schwulen in den – im sprachlichen Niveau mit Zareks Werk durchaus vergleichbaren – Romanen Klaus Manns allemal in extremer Weise leidend und zu kurz gekommen. Ihre zahlreichen Selbstmorde dienen dem Autor von *Treffpunkt im Unendlichen, Alexander* und *Der fromme Tanz* oft genug als Kontrastmittel, um die Schönheit und Berechtigung der normalen Heterosexualität hervorzuheben. Klaus Manns Überzeugung, daß die Schwulen vom »Schicksal« eine »tödliche Wunde« davontrugen – so sein Kommentar zu einem seiner einschlägigen Romanhelden, Peter Tschaikowsky – verbot ihm auch, Sätze zu schreiben wie die, die in Otto Zareks *Begierde* der heterosexuelle Stefan zu seinem schwulen Freund Sascha spricht: »Sie sind unglücklich, Sascha – aber Sie haben nicht das Recht, es zu sein. Sie laden sich die Vorurteile der Gesellschaft auf und stöhnen unter der Last. Werfen Sie sie ab – bekennen Sie sich zu der Liebe, die Sie fühlen. Ihr Gesetz ist in Ihnen – die Menschen haben Gesetze nicht für die Seele gemacht, nur für Seelenlose.« Es waren wohl nicht nur stilistisch-ästhetische Erwägungen, die Klaus Mann davon abhielten, solche fast schon wie Schwulenbewegungspropaganda klingende Passagen in seine Romane aufzunehmen. Vielmehr repräsentiert seine Literatur jene in der Zeit nach dem ersten Weltkrieg allmählich veraltende, konservative Sicht auf die Schwulen, die sich selbst und ihresgleichen nur als Todgeweihte ertragen und darstellen konnte, als »Tragiker der Schöpfung«, wie der Germanist Hans Wolffheim den vielleicht wichtigsten Vertreter dieser fast schon lustvoll auf Selbstverurteilung orientierten Literaturströmung, Hans Henny Jahnn, genannt hat.[1] Es war womöglich Klaus Manns bedeutendste Leistung auf dem Gebiet der schwulen Belletristik, daß er in seinem bekanntesten Buch, dem unter Berliner Nazigrößen spielenden satirischen Roman *Mephisto* vermied, die Homosexualität zur Charakterisierung der Abscheulichkeit nazistischer Führer und Emporkömmlinge zu benutzen. Dieses beliebte Verfahren der antinazistischen Agitationskunst am Anfang der 30er Jahre, den allgemeinen Homosexuellenhaß für den Kampf gegen die Nazis auszunutzen, war Klaus Mann von dessen Freund Hermann Kesten vorgeschlagen worden, der auch die Anregung für den Mephisto gegeben hatte.[2] Das Vorbild für den »Mephisto«-Helden Höfgen war niemand anderes als Klaus Manns ehemaliger Freund, der schwule Film- und Bühnenstar Gustaf Gründgens, der von den Nazis zum Intendanten des Staatlichen Schauspielhauses in Berlin ernannt worden war.

Immerhin gibt es, wie an den Beispielen Klaus Mann und Hans Henny Jahnn gezeigt werden kann, auch bei diesem Typ von Schwulenliteratur eine für die Zeit nach dem ersten Weltkrieg charakteristische neue Deutlichkeit in der Darstellung der Gleichgeschlechtlichkeit. Als Bertolt Brecht und Arnolt Bronnen 1923 in Berlin Jahnns Drama *Pastor Ephraim Magnus* (Berlin 1919) aufführten, ist wahrscheinlich auch jene Szene gestrichen worden, die gleichgeschlechtliche Sexualität, wenn auch in sehr spezialisierter Form, auf die Bühne bringen wollte: die beiden »Knaben« Ernst und Wal-

1 Hans Wolffheim: Hans Henny Jahnn, der Tragiker der Schöpfung, Frankfurt 1969; vgl. auch Friedhelm Krey: Hans Henny Jahnn und die Matrosen, in: Hamburg von hinten, Berlin 1982, S. 93 ff.
2 »Um es kurz zu machen, meine ich, Sie sollten den Roman eines homosexuellen Karrieristen im dritten Reich schreiben, und zwar schwebte mir die Figur des (. . .) Herrn Staatstheaterintendanten Gründgens vor«, schrieb Hermann Kesten am 15. 11. 1935 an Klaus Mann. K. Mann: Briefe und Antworten, Bd. 1, München 1975, S. 238

ter treffen sich in der Bibliothek des Pastors: »Ernst (entsetzt): Was machst du! (Er stürzt sich auf jenen, reißt ihn zu Boden; doch überwältigt ihn der, zwingt ihm den Mund auf, pißt hinein, lacht noch mehr.)
Walter: Du wirst es hinunterschlucken, oder ich verprügele dich. So! (Er läßt von ihm; beide stehen auf. Ernst weint.) Du mußt nicht weinen. Pie mich auch naß! Ich halte still. Ich will trinken, wie ich dich zwang. Du mußt nicht denken, daß es ekel sei. Die Männer tuen sich mit den Frauen auch an jener Stelle zusammen. (Er kniet vor dem Kameraden, öffnet ihm die Hose, nimmt seinen Mund, trinkt. Jeder lächelt, streichelt seinen Kopf.)
Ernst: Es ist angenehm, wie du saugst.
Walter: Darf ich auch beißen?
Ernst: Ein wenig; aber nicht so sehr, daß es blutet.
Walter: (Wirft sich die Knie zurück.) Dieses war schön, wir wollen es häufiger so machen« (Jahnn, Dramen Bd. 1, Frankfurt 1963, S. 208).
Zu nennen wäre hier auch Granands Sammlung homosexueller Erzählungen *Das Erotische Komödiengärtlein* (Berlin 1920), die ebenfalls zur Überwindung der bis dahin gängigen, von Sentimentalität und Selbstmitleid sowie besorgter Rücksicht auf Empfindlichkeiten der Normalen überfrachteten Schwulenliteratur beitrug. Sicher ist damals üblichen Thematiken wie der unglücklichen Liebe mit Todesfolgen, der schmachtenden Entsagung oder der keuschen Freundesliebe nicht ohne weiteres der Realitätsgehalt abzusprechen. Jedoch verdarb allzu oft die Absicht, vor allem Mitleid und „Verständnis« oder Trost für die »Enterbten des Liebesglücks« zu erzielen, den Kunstcharakter wie auch die Wahrhaftigkeit der einschlägigen Schöpfungen. Die Texte des »Erotischen Komödiengärtleins« beginnen jenseits aller Rechtfertigungsbedürfnisse und schildern unumwunden gleichgeschlechtliche Liebe und Sexualität. Zwar wird in »Kadetten«, der vorletzten der Erzählungen, eine schwule Dreiecksgeschichte in einer Lichterfelder Militärschule beschrieben, die für einen der beteiligten Jünglinge tödlich endet, das Hauptgewicht liegt aber dem Titel entsprechend bei den Komödien, und das Gelächter, das entsteht, ist nicht aggressiv gegen die Schwulen gerichtet.

Aus der kaum zu überschauenden, gegen Ende der Weimarer Republik beschleunigt gewachsenen Menge schwuler Dichtung sei noch auf einen Text hingewiesen, der wegen seiner ausführlichen, zum Teil reportagehaften Schilderung des Berliner Prostituiertenmilieus von Interesse ist: John Henry Mackays unter dem Pseudonym Sagitta veröffentlichter Roman *Der Puppenjunge. Die Geschichte einer namenlosen Liebe aus der Friedrichstraße* (Berlin 1926). Während andere Autoren dieses Thema verwenden, um entweder nur die soziale Ungerechtigkeit anzuklagen, die arme Proletarierjungen auf den Strich treibt (Peter Martin Lampel, *Jungen in Not*, 1928; Bruno Vogel, *Ein Goulasch*, 1928; Walter Schönstedt, *Motiv unbekannt*, 1933) oder wie das *Erotische Komödiengärtlein* in der Erzählung *Die Nemesis* nur den eher heiteren, unbeschwerten Aspekt hervorheben, schildert Mackay umfassender und differenzierter die »namenlose Liebe«, die vor allem in der Passage Friedrichstraße Ecke Unter den Linden, in der Tauentzienstraße und auf manchen Wegen des Tiergartens ihren Markt hatte.
Die Deutlichkeit, die die Homosexuellen-Prosa der Weimarer Republik weitgehend auszeichnet, war nur insofern neu, als sie in bis dahin nicht erreichter Breite und Häufigkeit vorkam. In der Wilhelminischen Ära gab es bemerkenswerte Vorläufer. Einer der wegen seiner relativ großen Verbreitung wichtigsten dürfte der Roman *Prinz Kuckuk* (3 Bände München 1907–08) des Münchner Autors Otto Julius Bierbaum sein. Berlin wird hier bis auf satirische Parallelen zur Beziehung zwischen Wilhelm II. und Bismarck ausgespart. Mit Witz und Selbstverständlichkeit wird die Geschichte einer spannungsreichen Freundschaft zwischen einem schwulen Schriftsteller und einem etwas einfältigen aber sehr wohlhabenden Heterosexuellen mit umfangreichem Sexualleben erzählt. Am Schluß stellt sich jedoch heraus, daß der vermeintliche Frauenheld zumindest auf der Insel Capri gegenüber männlicher Schönheit nicht gleichgültig bleibt. Er erregt Eifersucht und Neid seines schwulen Freundes, als er diesem berichtet, was er mit Tiberio, dem hübschesten Strichjungen der Insel, einem »wahren Halbgott und Teufel« in einer Grotte, nicht der Blauen, sondern einer verborgenen mit einer war-

men Quelle erlebte: »Eine Wollustgrotte. Man muß die Kleider vom Leibe ziehen und sich in das feuchtwarme Moos legen ... Ich weiß keine Einzelheiten mehr. Habe ich diese unerhörten, mir ganz fremden Dinge überhaupt erlebt? Habe ich das alles nicht bloß geträumt? Ist es nicht die wollüstige warme Dämmerung dieser Grotte des Taumels gewesen, die mich so unbeschreiblich wonnevoll umtastet hat? Ich weiß nur: Ich fiel zurück ... Und über mich her fiel eine brennende Hitze wahnsinniger Küsse und Umarmungen.«

Vorherrschend unter den schwulen Romanen und Erzählungen vor dem ersten Weltkrieg waren ansonsten der namenlose Schmerz, der die namenlose Liebe in einer Welt des Paragraphen 175, der Erpressungen und gesellschaftlichen Ächtung entstellte. In dem anonymen Tagebuchroman *Eine männliche Braut. Aufzeichnungen eines Homosexuellen* (Berlin um 1905) wird der Erzähler zwar in Berlin ein gefeierter Damenimitator, bleibt aber bis zu seinem Selbstmord jungfräulich und schmachtet immer nur von Ferne nach der Liebe eines Mannes.

Typisch für die durchaus nicht seltenen Schwulenromane jener Zeit dürfte etwa der unter Berliner Schwulen spielende *Die Infamen* des pseudonymen Fritz Geron Pernhaum sein (Leipzig 1906), oder Bill Forsters *Anders als die Andern* (Berlin 1904), die Vorlage für den gleichnamigen Spielfilm von 1919.

Für den ganzen hier zu betrachtenden Zeitabschnitt gilt jedoch, daß, abgesehen von umfangreicheren Dichtungen wie Romanen und Theaterstücken, das Gros der Schwulenliteratur in den einschlägigen Zeitschriften gedruckt wurde, die alle, von zwei kurzlebigen Ausnahmen abgesehen (*Der Seelenforscher,* München 1901-03; *Die Sonne,* Hamburg 1921), in Berlin erschienen. Die älteste dieser Zeitschriften, *Der Eigene,* von Adolf Brand herausgegeben, brachte seit 1896, durch Geldmangel und Zensur zu oft mehrjährigen Unterbrechungen gezwungen, neben ideologischen und tagespolitischen Abhandlungen vor allem schwule Dichtung. Als nach 1918 neben dem *Eigenen* mehrere andere Schwulenzeitschriften entstanden, füllten auch sie ihre Spalten hauptsächlich mit mehr oder weniger genialer Dilettantendichtung aus

dem Leserkreis. Zwar wurden vereinzelt auch Texte von kleineren Meistern der Sprachkunst gedruckt, im *Eigenen* etwa Peter Hille, Erich Mühsam, Erich Ebermayer und einmal auch Klaus Mann, allzu epigonales Nachahmen und sehr schlichtes Drauflosdichten waren jedoch eher die Regel, so daß von diesen Zeitschriften keine Impulse für die literarische Gestaltung des Themas Homosexualität ausgingen.

Schwer einzuschätzen ist, welche Wirkung die vor dem ersten Weltkrieg sich häufenden, privat gedruckten und teils verdeutschten Ausgaben von Klassikern der Pornographie auf die Auflösung überkommener Tabuschranken ausübten, ebenso auf die Entwicklung einer realistischeren Schwulenliteratur. 1904 gab Iwan Bloch in Berlin erstmals de Sades *Les 120 journées de Sodome ou l'école du libertinage* heraus, 1909 erschien in Leipzig die deutsche Ausgabe von Rochesters *Sodom,* ein Jahr zuvor Panormitas *Hermaphroditus* und Pallavicinis *Alcibiades als Schüler.* Vielleicht waren aber diese radikalen Texte, die die landläufigen Ansichten über die Beschreibbarkeit und Druckbarkeit der sexuellen Wirklichkeit in Frage stellten, nur symptomatisch für die Überwindung vormoderner Moraldoktrinen.

Im Jahre 1914 erscheint im *Jahrbuch für sexuelle Zwischenstufen* ein Aufsatz mit dem Titel *Wo bleibt der homoerotische Roman?,* der äußerst treffend den Zustand der Schwulenliteratur beurteilt. Sein Autor Kurt Hiller war nicht nur neben Hirschfeld einer der politisch aktivsten Schwulen im Wissenschaftlich-humanitären Komitee, zugleich war er auch vielfältig mit der Berliner expressionistischen Literaturszene verbunden und publizierte eigene Gedichte (*Unnennbar Brudertum,* Wollgast 1918). Hiller vergleicht die deutsche Situation mit dem Ausland, wo es immerhin Oscar Wildes *Dorian Gray,* Hermann Bangs *Michael* und den Roman *Flügel* des russischen symbolistischen Dichters Michail Kusmin gebe.

Diese drei würden jedoch »nur zaghaft, in symbolischer Verschleierung« mit dem Eros Uranios umgehen. In Deutschland hingegen gebe es »ein paar Körbe voll sentimental-homosexueller Belletristik ... vagen Gefühlsquarks, deren Abstand von dem, was sonst literarisches Niveau ist, sich keineswegs nur dem verwöhnten Geschmäckler offenbart«. Am kurz zuvor erschienenen *Tod in Venedig* bemängelt Hiller die bei aller technischen Meisterschaft störende »moralische Enge«, die Thomas Mann dazu verleitet habe, die Liebe eines Alternden zu einem Knaben als Verfallssymptom fast wie die Cholera zu schildern.[3]

Nur eingeschränkt konnte in den Jahren zwischen 1914 und 1933 Hillers Forderung, daß ein »unsymbolischer, unzweideutiger, aufrichtiger Homosexualroman« geschrieben werde, dessen Geistigkeit auch »rücksichtslose Offenlegung der grobsinnlichen Komponenten« einschließt, von den schwulen Autoren erfüllt werden. Tendenzen in diese Richtung waren, wie gezeigt wurde, offenbar vorhanden. Doch scheinen erst die kulturellen Rahmenbedingungen im Frankreich der 40er Jahre für den »homoerotischen Roman« geeignet gewesen zu sein; Jean Genets zwischen 1942 und 1953 entstandene Romane setzten die neuen Maßstäbe, die vielleicht erst in den 60er Jahren wenigstens für Westdeutschland durch den Hamburger Autor Hubert Fichte erreicht wurden. Berlin hatte mit dem Jahr 1933 seine Rolle als ein Zentrum avancierter Schwulenliteratur ausgespielt.

Theater

Bis 1918 gab es für die Theater eine Vorzensur, die nur durch Aufführungen in Privatklubs wie etwa dem Volksbühnenverein umgangen werden konnte. Soweit heute bekannt, kam aus diesem Grund kein homosexueller Charakter auf die Bühne. Die Uraufführung von Wedekinds *Frühlings Erwachen* 1906 durch Max Reinhardt in den Berliner Kammerspielen wurde nur nach erheblichen Streichungen gestattet, denen auch die zart homoerotische Szene zwischen zwei Schülern im Weinberg zum Opfer fiel. Schließlich wurde ebenfalls von Max Reinhardt 1912 Fritz von Unruhs Drama *Offiziere* inszeniert, in dem Hirschfeld mit sehr viel interpretatorischer Phantasie die Darstellung einer »Freundschaft, die stark urnisch gefärbt ist«, entdeckte (Hirschfeld, *Die Homosexualität des Mannes und des Weibes*, S. 1019). Von den recht zahlreichen Stücken, die vor 1918 gedruckt vorlagen, ohne jemals aufgeführt zu werden, sei hier das in Berlin spielende fünfaktige Drama *Jas-*

minblüte eines Autors namens Ludwig Dilsner (Berlin 1900) und Herbert Hirschbergs dramatische Studie in drei Aufzügen *Fehler* (Leipzig 1906) erwähnt.

Die Abschaffung der Vorzensur für Theateraufführungen nach dem Krieg ermöglichte es, daß eine kaum zu überblickende Zahl von Stücken auf den Berliner Bühnen gezeigt wurde, die mindestens am Rande, oft sogar als Hauptgegenstand, die Homosexualität darstellten.

In der Bearbeitung von Lion Feuchtwanger und Bertolt Brecht kam nach der Münchner Uraufführung 1924 Marlows *Leben Eduards des Zweiten* in Berlin auf die Bühne; die Ermordung des schwulen Königs wird hier aber vor allem durch seinen unköniglichen, nämlich schwulen Lebenswandel letztlich gerechtfertigt. Weniger traditionsverhaftet war dagegen beispielsweise Carl Sternheims Stück *Oscar Wilde. Sein Drama* (Potsdam 1925), und in Ferdinand Bruckners *Die Verbrecher* (Berlin 1929) sagt die arme Köchin Ernestine zwar »Wir sind alle Verbrecher«, aber der schwule Gymnasiast Frank, der erste Erfahrungen mit den Auswirkungen des § 175 machen muß, kommt zu der Erkenntnis: »Dieser Paragraph selbst ist ein Verbrecher«.

Stücke wie Peter Martin Lampels *Pennäler* (Berlin 1929), Fritz Ernst Bettauers *Kamarilla* (Berlin 1932) oder Wolf Ulrich Hasses *Tragödie unter Schülern »Die Hoffnung des Wolfgang Binder«* (Berlin 1932) erreichten eine selbstverständliche Unbefangenheit in der Gestaltung ihres Themas, wie sie zuvor schon längst in der erzählenden Dichtung üblich war.

Leider nur als Kuriosität am Rande des Berliner Theaterlebens sei erwähnt, daß es in den Jahren 1921–24 eine Homosexuellengruppe gab, die unter dem Namen »Theater des Eros« mehrere, zumeist selbstgeschriebene homoerotische Tragödien in verschiedenen Sälen der Stadt aufführte. Spuren von der Tätigkeit dieser schwulen Theatergruppe finden sich fast ausschließlich in der damaligen Schwulenpresse, und aus diesen Kritiken ist zu schließen, daß es sich beim »Theater des Eros« um eine extrem amateurhafte Unternehmung gehandelt haben muß, der vor allem wegen ihrer Tapferkeit auf dem Neuland eines Schwulentheaters Lob zuteil wurde.

3 Kurt Hiller: Wo bleibt der homoerotische Roman?, in: Jahrbuch für sexuelle Zwischenstufen, Bd. 14, 1914, S. 338 ff.

Ausländische Dichter in Berlin

Die Unvollständigkeit, mit der hier das Thema Berlin und die Schwulenliteratur erörtert wird, wäre zu groß, würde nicht zumindest auch auf einige besuchsweise in Berlin und vor allem in der Schwulenwelt dieser Stadt weilende Dichter fremder Sprache hingewiesen.

Am bekanntesten dürfte sicher der Engländer Christopher Isherwood sein, dessen Romane *The Last Of Mr. Norris* (1935) und *Goodbye to Berlin* (1939) seine Erlebnisse als schwuler Ausländer im Berlin der Jahre 1929–33, wenn auch sehr dezent und verschlüsselt, reflektieren. Rücksichtnahme auf die weitgehend ungehemmte Zensur im England jener Zeit scheinen hier Verhüllungen und für heterosexuelle Leser kaum merkbare Doppeldeutigkeiten veranlaßt zu haben, die Isherwood in seiner offensichtlich unter dem Eindruck der US-amerikanischen Gay Liberation Movement geschriebenen Autobiographie *Christopher and His Kind* (1976) überwand.

Bei vielen andern ausländischen Gästen, die das schwule Leben Berlins mehr oder weniger genossen, finden sich kaum Spuren in ihren Werken, jedenfalls keine, die den Umfang von Isherwoods Berlin-Romanen erreichen. Am ehesten könnte hier noch Jean Genet genannt werden, der seine während der ersten Jahre der Naziherrschaft gewonnenen Berlin-Eindrücke in seinem Roman *Pompe funèbre* (1947) verarbeitete. Seltsam schwärmerisch fällt seine Berlinerinnerung aus, die er in einem Interview der Zeitung der Staatlichen Schauspielbühnen Berlin (Nr. 14, April 1983) äußerte: »Ich habe 1935 in Berlin gelebt. Die Erinnerungen sind entzückend. Ich war im Tiergarten um Mitternacht, plötzlich habe ich jemanden hinter mir gehört. Ich hatte ein bißchen Angst. Es war ein Typ hinter mir, und ich habe mich umgedreht, mit ihm gesprochen ... Es war unheimlich lustig ...«

André Gide, der in vielen seiner Werke seinen Horror vor effeminierten Schwulen, seine Begeisterung für virile Jünglinge ausdrückte, hat während seiner Berlin-Aufenthalte in den letzten Jahren der Weimarer Republik zunächst alle Kontakte mit der hiesigen Schwulenbewegung vermieden.[4] Schließlich besuchte er aber doch das Institut für Sexualwissenschaft; seine dort erworbenen Kenntnisse Hirschfeldscher Ansichten findet in einem kleinen Zusatz zur deutschen Ausgabe seines schwulen Agitationstraktats *Corydon* (Stuttgart und Berlin 1932) einen Niederschlag: »Die Theorie der Mann-Frau, der ›sexuellen Mittelstufen‹, die in Deutschland schon ziemlich lange vor dem Kriege Dr. Hirschfeld aufbrachte und der sich Marcel Proust anzuschließen scheint, braucht durchaus nicht falsch zu sein; doch erklärt und trifft sie nur gewisse Fälle von Homosexualität, und zwar gerade diejenigen, mit denen ich mich in diesem Buche nicht beschäftige, den Fall der Inversion, den des Feminismus, den der Sodomie. Heute sehe ich allerdings, daß es einer der großen Fehler meines Buches ist, mich nicht mit ihnen zu befassen, da sie sich als viel häufiger herausstellen, als ich gedacht hatte.«

Gides Freund und Gastgeber in Berlin, Harry Graf Kessler, stellt Gide jedoch in seinen Tagebüchern (Frankfurt 1961) als gleichsam asexuellen nur an höherer Kultur und europäischer Einheit interessierten Berlin-Touristen dar.

Über Aufenthalte des dänischen Dichters Hermann Bang, während seiner Berliner Zeit in den Schwulenkneipen der Stadt wissen wir nur durch eine Bemerkung Hirschfelds, der ihm als Fremdenführer diente: »In den Jahren, in denen ich mit Frank Wedekind ... die Berliner Sammelstätten Homosexueller durchstreifte, auch mit manchem ausländischen ›Forschungsreisenden‹, wie ... Hermann Bang, dem sensitiven Dichter des *Michael* und der *Vaterlandslosen,* ließ sich eine solche Tour gut in ein bis zwei Abenden erledigen« (Die Freundschaft, Nr. 11, 1922).

Während seines Berliner Aufenthaltes in den Jahren 1907–09 verfaßte Bang eine Art Bekenntnisschrift, in der er seine eigene Homosexualität beschrieb. Nach seinem Tode gab es jahrelange Auseinandersetzungen mit seinem Verleger und Erben, bis dieser Text endlich 1923 in der Zeitschrift für Sexualwissenschaft veröffentlicht werden konnte.[5]

4 Vgl. etwa G. Hillard: Herren und Narren der Welt, München 1954, S. 317, wo beschrieben wird, wie Gide sich mit Ausflüchten weigert, im Wissenschaftlich-humanitären Komitee einen Vortrag zu halten.

5 Hermann Bang: Das Problem der Sexualität, in: Zeitschrift für Sexualwissenschaft, Heft 6, 1923, S. 161 ff.

Wolfgang Theis

Verdrängung und Travestie
Das vage Bild der Homosexualität im deutschen Film (1917–1957)

Die deutsche Filmgeschichte zeichnet sich, trotz des »Ruhms«, mit *Anders als die Andern* den ersten »Schwulenfilm« der Welt hervorgebracht zu haben, keineswegs durch eine besonders freizügige Darstellung der Homosexualität aus. Ohne die aus der Not des Krieges hervorgegangene revolutionäre Situation, die zum Sturz des Kaiserreiches führte und erstmals die Zensur radikal abschaffte, wäre Oswalds Schwulenmelodram nicht vorstellbar. Der Sturm der publizistischen Entrüstung, der nach der Aufführung des Films losbrach, ruhte jedoch nicht eher, bis die Zensur für Filme wieder eingeführt wurde. Veröffentlichte Meinung und Zensur ließen die Produktion eines eindeutig prohomosexuellen Films für lange Zeit undenkbar werden. Filme, die dennoch Homosexualität darzustellen versuchten, mußten diese so dezent umschreiben, daß sie kaum noch kenntlich war. Dies trug keineswegs dazu bei, dem Kinopublikum ein realistisches Bild des Homosexuellen und seiner Situation zu vermitteln. Während gerade in den 20er Jahren die anderen Künste Homosexualität unverholener darstellten, blieb das Medium Film, nicht zuletzt wegen seiner andersgearteten ökonomischen Struktur, merkwürdig prüde. Den Verantwortlichen der Filmindustrie war dieses Thema zu risikoreich. Daher erklärt sich, daß unter den Filmen der 20er Jahre nur einige wenige Homosexualität als Homoerotik thematisieren, oder auch ganz verdrängen, hin und wieder aber als komiksteigerndes Mittel in Travestiekomödien einsetzen. Im folgenden soll versucht werden, einen möglichst vollständigen Überblick der Filme zu geben, die in der damaligen Filmmetropole Berlin entstanden und sich in der einen oder anderen Form mit Homosexualität befassen.

Die heterozentristische Ausrichtung der Filmindustrie ließ, selbst wenn sie sich mit eindeutigeren Vorlagen der Literatur beschäftigte, nur vage Andeutungen zu. Um Neugier beim potentiellen Betrachter zu wecken, genügte es, Stoffe aufzugreifen, die das kollektive Wissen über Homosexuellen-Skandale reaktivierten. Der Skandal selbst mußte nicht unbedingt thematisiert werden, meist genügte ein kleiner ikonographischer Verweis, um den ganzen unausgesprochenen, geheimnisvoll abstoßend anziehenden Kosmos von Sodom zu illuminieren. Richard Oswalds 1917 produzierte Verfilmung des Romans von Oscar Wilde *Das Bildnis des Dorian Gray* mußte nicht auf Wildes Verurteilung wegen homosexueller Handlungen verweisen, der Skandal von 1895 haftete noch nachdrücklich in den Köpfen der Zeitgenossen. Es genügte durch entsprechende Werbung (siehe Abbildung) das Interesse der Zuschauer auf diesen Aspekt zu lenken.

Auch die erste Aufklärungswelle, die während der kurzen zensurfreien Zeit (November 1919 – Mai 1920) das Kino der jungen Republik majorisierte, hatte trotz ihres immensen Ausmaßes[1] den Homosexuellen außer *Anders als die Andern* nur noch das merkwürdige Schicksal *Aus eines Mannes Mädchenjahre* (1919) zu bieten. Der gleichnamige Roman war schon 1907 unter dem Pseudonym N. O. Body[2] erschienen und wurde 1919 von Carl Grune verfilmt. Der erfolgreiche Film[3] mit Erika Glässner als hermaphroditischem Wesen wurde in Anlehnung an Oswalds »Sozialhygienische Filmwerke« unter der ähnlich lautenden Rubrik »Sexuell – ethische Filme«[4] angeboten und ist leider verschollen.

Unter Berücksichtigung dieses minimalen Angebots ist es verständlich, wenn sich die Betroffenen für jeden Film interessierten, der auch nur im entferntesten das Thema Homosexualität berührte oder aber der sonst verpönten Schaulust am männlichen Körper Vorschub leistete.
1925 kam mit Wilhelm Pragers *Wege zu Kraft und Schönheit* ein Film in die Kinos, der

1 Etwa 150 Filme sind allein aufgrund ihres einschlägigen Titels einwandfrei der Aufklärungswelle zuzurechnen.
2 N. O. Body: Aus eines Mannes Mädchenjahren, Nachwort von Magnus Hirschfeld, Berlin 1907
3 S. Werbeanzeige, in: Der Kinematograph, Düsseldorf, Jg. 14, 1919, Nr. 672
4 S. Werbeanzeige, in: Der Kinematograph, Düsseldorf, Jg. 14, 1919, Nr. 645

den nicht gerade verwöhnten Bewunderern männlicher Schönheit endlich Gelegenheit bot, mehr als nur markant maskuline Profile zu betrachten.

Der Film, eine Lobeshymne auf Körper- und Nacktkultur in teils antiker, teils moderner Szenerie, sanierte die Kulturfilmabteilung der Ufa und wurde auch im Ausland ein rauschender Publikumserfolg, der sicherlich nicht nur aus der »sauberen Haltung« gegenüber menschlicher Nacktheit resultierte. Moreck, der Verfasser mehrerer Sittengeschichten, stützt, wenn auch unfreiwillig, diese Vermutung:
»Es duldet keinen Zweifel, daß ein großer Teil des Publikums nur durch die Aussicht angelockt wurde, in diesem Film halbnackte Körper ungestört betrachten zu können, und zwar mehr aus erotischem als ästhetischem Interesse.«[5]

Von mehr ästhetischem Interesse war *Michael* (1924), den der dänische Regisseur Carl Theodor Dreyer für die Ufa in Berlin drehte. Hermann Bangs esoterischer Künstlerroman eignete sich nicht zuletzt wegen seines »Hauchs von Homosexualität«[6] als Vorlage eines filmischen Melodrams, dem die Drehbuchautorin Thea von Harbou kräftigere Nuancen beigab, die diesen »Hauch« zumindest zur Ahnung steigerten. Trotz dieser »radikaleren« Umsetzung konnte Dreyers *Michael* immer noch von einem heterosexuellen Publikum goutiert werden, das, wenig geschult, die dezente

Berührung der Hände, das schon gewagtere Streicheln der Haare, das noch gewagtere der Schultern und die gefühlvollen Blicke nicht als Ausdruck mann-männlicher Erotik begreifen mußte. Für die Homosexuellen gab es in kaum einem öffentlichen Medium positive Vorbilder. Aus diesem Mangel heraus entwickelte sich ein kollektiver homosexueller Blick – eine Schärfung der Wahrnehmung für vorbewußte Zwischentöne – der das expressive Spiel der Schauspieler, ihre Blicke, ihre Gesten auf unbewußte Fehlleistungen hin überprüft und oft fündig wird, sei es, weil bekannt ist, daß der berühmte Schauspieler X »auch einer von uns« ist, oder aber die Konstellation auf der Leinwand auch andere Lesarten als die heterosexuelle zuläßt. Dieser kollektive homosexuelle Blick findet sich in einer Kritik zur Aufführung von *Michael*:
»So entsteht ein Kunstwerk, das wohl manchem stumpfen Blick unklar bleiben muß, aber mit um so größerem Genuß kann der Wissende die Schicksalsfügungen erkennen und miterleben.«[7]
Der Film *Michael* erzählt die Leidensgeschichte eines Künstlers, der berühmt aber alt geworden, von seinem geliebten Adoptivsohn mit einer geldgierigen russischen Fürstin hintergangen und betrogen wird. Die eigentliche schwule Hauptfigur ist nicht der ungetreue Michael (Walter Slezak), auch nicht der »Meister« (Benjamin Christensen), sondern dessen engster Freund, der Journalist Swiff (Robert Garisson), der anders als

links:
Schmale Taille, betont breite Hüften und Orchideen als Symbol weiblicher Sinnlichkeit evozieren »Schwules«, das so im Film nicht thematisiert wird. Plakatentwurf Ludwig Kainer 1917, Photo: Stiftung Deutsche Kinemathek, Berlin
rechts:
Liebevolle »Rekonstruktion« eines griechischen Gymnasiums. Wege zu Kraft und Schönheit (1924/25), Photo: Film-Foto-Archiv Serkis, Berlin

5 Curt Moreck: Sittengeschichte des Kinos, Dresden 1926, S. 153
6 S. Siegfried Kracauer, Von Caligari zu Hitler – eine psychologische Geschichte des deutschen Films, Frankfurt 1979, S. 28
7 A. Hübner: »Michael« ein neuer Film homoerotischen Inhalts, in: Die Freundschaft, 7. Jg., 1925, Nr. 1, S. 13

Der Fall des Generalstabs-Oberst Redl *(1931), Der schöne Ulanenleutnant (Paul Hartmann) will Oberst Redl (Theodor Loos) verlassen, Photo: Ullstein Bilderdienst*

der »Frauenheld« der Romanvorlage im Film nur Augen für den »Meister« hat. Er ist ihm ganz ergeben, kennt nur dessen Wohl und leidet heroisch an der Zuneigung des Meisters zu dem hübschen, aber charakterlosen Michael. Er ist es auch, der dem Meister in seiner letzten Stunde beisteht und ihm die Augen für immer schließt.

Wie populär der Künstlerroman *Michael* war, zeigt die acht Jahre zuvor entstandene schwedische Version *Vingarne* (1916) von Mauritz Stiller.
Leider ist von dieser frühen Version keine Kopie erhalten geblieben. Sehr wahrscheinlich stand trotz der vermuteten Homosexualität des Regisseurs[8] die Liebesgeschichte zwischen Michael und der russischen Gräfin im Vordergrund.[9]

Die Verschiebung der Akzente, die Eindeutiges mehrdeutig macht, die sowohl mit dem öffentlichen Bekanntheitsgrad als auch mit dessen Verschweigen operiert, findet sich in den Oberst-Redl-Filmen, die den Skandal zwar aufgreifen, ihn aber durch die neue Zentralfigur einer russischen Spionin auf den Nebenschauplatz abdrängen und damit entschärfen. Seit Kischs 1924 erschienener Enthüllungsreportage[10] beschäftigte der Fall des Oberst Redl, der angeblich vom

8 Alexander Walker: Greta Garbo, München 1981, S. 49
9 Vgl. Werbung für IKARUS, in: Der Film, Berlin 1916, o. Jg., Nr. 43, S. 36 und Nr. 49, S. 34
10 Egon Erwin Kisch: Der Fall des Generalstabschef Redl, Reihe Außenseiter der Gesellschaft bzw. Die Verbrechen der Gegenwart, Berlin 1924
11 Zeitschrift für Sexualwissenschaft, Bd. XII, Jan. 1926, 10. Heft, S. 21–22
12 Ebd., S. 21
13 Z. B. Karl Plättner: Eros im Zuchthaus, Berlin 1929

russischen Geheimdienst wegen seiner Homosexualität erpreßt und zum Verrat des gesamten Aufmarschplans Österreichs gegen Rußland gezwungen worden sei, sowohl die öffentliche Phantasie als auch die Angst der Geheimdienste vor homosexuellen Geheimnisträgern. Oberst Redl beging auf Anweisung des k. und k. Generalstabs Selbstmord. Die Affäre wurde vertuscht. Redls oft bestrittene Neigung zu jungen Ulanenoffizieren und gemeinen Soldaten ist aktenkundig. Sein letzter Liebhaber, Leutnant Zeno von Baumgarten, wurde nach der Aufdeckung der Spionagetätigkeit Redls diskret wegen »widernatürlicher Unzucht« zu drei Jahren schweren Kerkers verurteilt.[11] Die einzige Frau, die im Leben Redls eine größere Rolle spielte, war eine Prager Lebedame, die gegen Geld die Wahrung seines guten Rufes übernommen hatte.[12]

Hans Otto Löwenstein, ein ehemaliger Hauptmann der k. und k. Armee, unternahm 1924 mit seinem Film *Oberst Redl – der Totengräber der Monarchie* den Versuch einer »Ehrenrettung«, indem er Redl in den Fängen der »schönen Sonja« zeigt, die homosexuelle Komponente also ganz verschweigt. Karl Antons 1931 entstandener Tonfilm *Der Fall des Generalstabs-Oberst Redl* verschweigt wenigstens nicht Redls Motiv für seinen Verrat. Bei Anton ist Redl (Theodor Loos) ein in die Enge getriebener Homosexueller, von dessen anrüchigem Treiben die reizende Lil Dagover als russische Geheimagentin ablenken soll. Einerseits liefert Redls Homosexualität das Motiv für seinen Verrat, andererseits wird dieses Motiv aber so dezent dargestellt, daß nur Eingeweihte wissen, um was es geht. Dieser Eiertanz der Dramaturgie erhellt die Tabuierung der Homosexualität im Film. Wenn selbst bei der Verfilmung von Skandalen die ursächliche Homosexualität verschwiegen oder nur verschämt gestreift wird, verwundert es nicht weiter, daß eindeutig Homosexuelles auf der Leinwand nicht vorkommt.

Zu den Filmen der zweiten Aufklärungswelle gehört Wilhelm Dieterles *Geschlecht in Fesseln* (1929) mit dem Untertitel: *Ein Film von der Sexualnot der Gefangenen,* der auf die damals viel diskutierte Reform des Strafvollzugs einging.[13] Dieterles Film ist eine flammende Anklage – allerdings nicht frei von melodramatischen Überspitzungen – gegen die unmenschlichen Bedingungen des Strafvollzugs, die nicht nur die Sexualität der Gefangenen, sondern auch die ihrer Angehörigen in Mitleidenschaft zieht. Kracauer[14] sieht in diesem Film nur ein Sicherheitsventil für die bestehenden Verhältnisse und registriert, daß die Verbindung mit sexuellen Problemen eine »Stimmung aus Abscheu und Lüsternheit« beim Publikum erzeugt hätte. Besonders eindrucksvoll gestaltete Dieterle das langsame Hingezogenwerden seines Helden zu einem Mithäftling. Der Zensurentscheid der Film-Oberprüfstelle Berlin[15] verwirft den Antrag der Bayerischen Regierung auf Streichung der Kirchenszene, in der dieses »Abgleiten« dargestellt wird:

»Wenn, was von dem Gewährsmann der antragstellenden Landeszentralbehörde ebenfalls gerügt wird, der Freund Sommers den Gottesdienst dazu benutzt, seinen und seines Mitgefangenen Namen in das Gesangbuch zu schreiben und mit einem Kreis zu umschließen, so findet das seine Erklärung in der schwülen Atmosphäre dieses Gefängnisses und bedeutet in keiner Weise eine Störung des Gottesdienstes.«[16]

Die symbolische Umsetzung der homosexuellen Wünsche bewahrte diese Szene vor der Streichung. Die eindeutigere Darstellung »homosexueller Betätigung« mußte dagegen in ihrer ganzen Länge von 38,6 m entfernt werden[17]: Ein Mitgefangener »klettert« in sexueller Absicht über den »Bettrand« und liebkost seinen Mitgefangenen, begehrt ihn als »Weibersatz« (siehe Abbildung). Die Zensur ging also nicht gegen jede Darstellung von Homosexualität vor. In bestimmten Zusammenhängen verwahrte sie sich sogar wie hier gegen das Ansinnen der Streichung, allerdings nur, wenn diese Darstellung überhöht, dem Allzudrastischen enthoben war. Die geringe Thematisierung der Homosexualität im Film kann also keineswegs nur der strengen Zensur angelastet werden. Sicher war die Ausrichtung am vermeintlichen Publikumsgeschmack weitaus ausschlaggebender.

Die Geschichte der Verdrängung homosexueller Thematik im deutschen Film soll hier an zwei Beispielen des biographisch-historischen Ausstattungsfilms demonstriert werden. Bei den »Großen« der deutschen Ge-

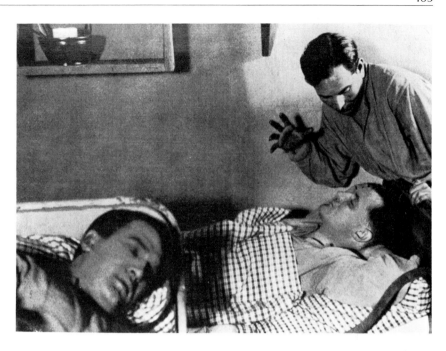

Geschlecht in Fesseln (1929), Diese Szene fiel der Zensur zum Opfer, aus: Hirschfeld: Geschlechtskunde, Bd. IV, S. 728

schichte bieten sich fast zwangsläufig zwei Potentaten an, deren homoerotische Neigungen nicht ganz unbekannt sein dürften, zumal sie teils durch Selbstäußerungen, teils durch mehr oder weniger spöttische Schilderungen von Zeitgenossen oder aber durch Zuschreibung der jungen Sexualwissenschaft »belegt« sind. Erinnern wir uns an die Traumsequenz aus Anders als die Andern. Deutlich erkennbar marschieren da unter dem Damoklesschwert des § 175, eingereiht im Zug der »Opfer«, der alte Fritz und Ludwig II. von Bayern.

Nun war ja der legendenumrankte »alte Fritz«, das seit den Befreiungskriegen liebste Wunschbild einer stets rückwärtsgewandten Weltsicht, gefeit gegen solche »Anwürfe«, auch wenn sie sich in seiner Biographie leicht nachweisen lassen. Nicht erst Hans Steinhoffs Film Der alte und der junge König (1935) mogelt sich um das »heikle« Thema Katte herum. Auch die früheren Filme, deren erster Höhepunkt auf die Jahre 1922/23 zu datieren ist, lassen Friedrich II. höchstens als »frauenfeindlichen« Sonderling erscheinen, der sein Leben ganz einem starken Preußen widmete. Am 11. 5. 1922 erschien in der »Schlesischen Zeitung« aus Anlaß der umstrittenen Uraufführung des Fridericus-Rex-Zyklus von Arzen von Cserépy ein Spottgedicht, das die nationalistische Verherrlichung dieser Filme gegen den »Sexualschund« Hirschfelds ausspielt:

14 Vgl. Kracauer, Caligari ..., a. a. O., S. 154
15 Film-Oberprüfstelle Berlin, Zensurentscheid Nr. 15 vom 16. Jan. 1930
16 Ebd., S. 2
17 Ebd., S. 6

Ludwig II (1957) Regie: Helmut Käutner, Graf Dürckheim (Rudolf Fernau) nimmt Abschied von seinem König (O. W. Fischer), Photo: Aura/Schurchtfilm

Kientopp
Die Rote Fahne kollert mächtig,
Sie warnt vor einem Giftgewächs,
Ein Film erscheint ihr hoch verdächtig,
Es ist der Film Fridericus rex.
Kommt mal ein Kientopp patriotisch,
Schreit der Genosse Mord und Brand,
Doch Filme, die pervers-erotisch,
Die werden ruhig anerkannt.
Das ist indes ein Punkt worüber
Sich kaum mehr ernsthaft streiten läßt,
Fridericus Magnus ist mir lieber,
Als Magnus Hirschfeld, das steht fest!
                                        Theodor
Dieses Gedicht, das unfreiwillig komisch die homophile Rechtfertigungsfigur Friedrich II. gegen den schwulen Sexualforscher Magnus Hirschfeld ausspielt, blieb nicht unerwidert:
Dawider läßt sich wenig sagen:
Wem »Fridericus« lieber ist
Und wem der Hirschfeld liegt im Magen,
Daß dem sein Kino über ist.
Doch merkt er erst und macht sich klar,
Daß Potsdams Fridericus Rex
Auch »Anders als die Andern« war,
Dann wird er etwas schon perplex!
Durchschaut im Film als umgelogen
Des Königs Art zum Sittenzopf,
Und wirft den »Magnus«-Film betrogen,
Mit Magnus' Film in einen Topf![18]

18 Zitiert nach: Die Freundschaft, 4. Jg. 1922, Nr. 22 (o. Seitenangabe)

Was auf die Fridericus-Rex-Filme zutrifft, gilt selbstverständlich auch für die vielen Ludwig-II.-Filme. Obwohl Ludwig II. mehr für das Verfeinerte, Kultivierte stand, ist er, vielleicht gerade wegen seiner Unzeitmäßigkeit, ein fast ebenso populärer Volkskönig geworden, dessen Sexualität auch heute noch wie ein Staatsgeheimnis gehütet wird. Die lange Reihe der Ludwig-Verfilmungen bleibt bis in die 60er Jahre hinein frei von jeglicher »schwulen Vereinnahmung«. Das reicht von Ferdinand Bonns früher Version Ludwig II. von Bayern (1913) über die Rolf Raffé-Produktion Das Schweigen am Starnberger See – Schicksalstage Ludwig II., König von Bayern (1919) bis zu Wilhelm Dieterles Ludwig der Zweite, König von Bayern (1929). Auch Helmut Käutners Nachkriegsfilm Ludwig II. (1954) unterwirft sich der allgemeinen Schicklichkeit. Aufgebrochen wird diese Mauer des Verschweigens erst 1972 durch Syberbergs verfremdete Schauoper Ludwig, Requiem für einen jungfräulichen König, die dann gleich noch einen fetten, lasziven Röhm präsentiert, der den Führer zum Rumbatanzen animiert. Beim Publikum hatte dieser esoterische Film trotz seines Witzes keine Chance. Viscontis Ludwig II. (1972) galt als weitaus massenwirksamer und daher subversiver. Alle »eindeutigen« Szenen wurden vom deutschen Verleih hemmungslos geschnitten. Dabei fielen dann auch alle »zu künstlerischen Szenen« der Schere zum Opfer. Erst 1979 kam eine von Visconti autorisierte Fassung in die deutschen Kinos. Ein Film, der das Triebschicksal Friedrich II. thematisiert, steht noch aus, das zeigt deutlich den Unterschied zwischen beiden Potentaten, von denen der alte Fritz zumindest im Film als Nationalheiligtum nicht »geschändet« werden darf.

Homosexualität ist im öffentlichen Bewußtsein immer noch ein Makel, wenn auch einer, der zunehmend als interessant gilt. Hier findet langsam eine Verschiebung zum Selbstverständlicheren statt, die es so, trotz Einsatz der Sexualwissenschaft und der vielfältigen Emanzipationsbewegungen, weder im Kaiserreich noch in der Weimarer Republik gegeben hat. Ein Mann wie Murnau konnte zwar im Privatbereich seinen homosexuellen Neigungen nachgehen, sie aber in seinen Filmen offen zu thematisieren, wie es heute einem Fassbinder, Praunheim oder auch Schroeter ganz selbstverständlich ist, wäre für Murnau unvorstellbar gewesen. Murnaus wohl überwiegend finanzielles Engagement für den moderateren Teil der Schwulenbewegung um Brand ist durch einen Nachruf in deren Vereinszeitung[19] belegt. Seine Homosexualität dürfte den Zeitgenossen bekannt gewesen sein – ausgesprochen wurden sie nicht. Auch noch einige Zeit später genügte es vollkommen, sich in Andeutungen, wie: er habe die »Erotik zwischen Mann und Frau nicht fühlbar wiedergeben können«[20], zu ergehen. Noch in den 50er Jahren wirft der französische Filmpapst George Sadoul Murnau »lüsterne Sexualität« vor, die sich in »angeekelten und anekelnden Parodien« gefalle und unfähig sei, »eine normale Leidenschaft zu schildern«.[21] Angelastet wird ihm auch Gösta Ekmanns »effeminierter Faust«, der keineswegs aus der üblichen effeminierten Körpersprache der Stummfilmstars herausfällt. Hier scheint Sadouls sonst so kritischer Blick von der eigenen und allgemeinen Homophobie merklich getrübt zu sein. Nur Lotte Eisner, die große alte Dame der Filmgeschichtsschreibung und -forschung, sah mit schöner Klarheit und Offenheit in Murnaus Homosexualität[22] die Erklärung für seinen uneinheitlichen, ja sprunghaften Stil, der sich ohne den Rekurs auf das »Privateste« nicht aufhellen läßt. Seine Filme erweisen oberflächlich betrachtet der heterosexuellen Omnipotenz in der Schilderung der Welt ihre Reverenz. Die von einigen Kritikern bemerkten »Sprünge« in der sonst durchaus üblichen Dramaturgie seiner Filme verweisen auf seine unterdrückte homosexuelle Existenz, die sich immer wieder in kleinen Anzüglichkeiten, Ironien und Spielereien mit Accessoires (z. B. die Perükken, die er allen seinen Schauspielerinnen verpaßte!) Ausdruck verschafft. Eine diesem Fakt gegenüber vorurteilslose oder gar parteiische Rezeption seiner Filme könnte interessante Perspektiven eröffnen. Versuchen wir es an der Inhaltsbeschreibung seines ersten, leider verschollenen Films *Der Knabe in Blau* (1919). Der Film kreist um Gainsboroughs gleichnamiges Bild, das damals in schwulen Kreisen (siehe Sternweiler) gerne zur Ausschmückung der Wohnung benutzt wurde, und nach dessen Originaltitel »Blue Boy« sich heute noch manche schwule Kneipe nennt. Ein weiterer Bezug

Murnau mit Georg O'Brien am Strand von Santa Monica (1926), Photo: Deutsches Institut für Filmkunde, Wiesbaden

eröffnet sich, wenn man Murnau die naheliegende Variation und Parodie der Wildeschen Narzißmusstudie »Das Bildnis des Dorian Gray« unterschiebt. Hier also der gegen den Strich gebürstete Inhalt: Thomas, der letzte Sproß einer alten Adelsfamilie, fühlt sich zu einem Porträt hingezogen, das einen leicht veränderten »Knaben in Blau« zeigt und von dem er glaubt, daß es ihm gleicht. Der Knabe trägt als »Kainsmal« einen Todessmaragd, der seinem Besitzer nur Unglück brachte und deshalb versteckt werden mußte. Im Traum erscheint ihm der Knabe, der ihn zum Versteck des Steines führt. Trotz der Warnung seines alten Dieners steckt sich Thomas den Stein an. Mit nicht allzu großer Anstrengung ließe sich dieser unheilbringende Stein als homosexuelles Triebschicksal deuten, das von dem gebräuchlichen Symbol für exotische Leidenschaft (Zigeunerin) entfacht wird. Die »Schrecken« einer hemmungslosen Homosexualität werden, mit dem bösen Ende, das Thomas und sein Besitztum nimmt, ironisch kommentiert. Thomas, aller Habe (gesellschaftliche Anerkennung) beraubt, siecht dahin und wird erst durch die selbstlose Liebe einer schönen Schauspielerin (das allein seligmachende heterosexuelle Prinzip) der Genesung und einem »friedlichen Glück« zugeführt.[23] Sicher, ein Melodram der üblichsten Sorte, bei dem vorstellbar ist, daß Murnau mit Bezügen jonglierte, die weder von seinen Mitarbeitern noch von

19 S. Extrapost, Anzeigenbeilage des Eigenen, Nr. 1, 1931 (o. Seitenangabe)
20 Vgl. Lotte H. Eisner: Murnau, Frankfurt 1979, S. 288
21 Georges Sadoul: Geschichte der Filmkunst, Frankfurt 1982, S. 161
22 Lotte H. Eisner: Die dämonische Leinwand, Frankfurt 1975, S. 97
23 S. Inhaltsangabe des Films, in: Eisner, 1979, a. a. O., S. 361

»Erst in seinem letzten Film Tabu hat er ein wenig Frieden, ein wenig Glück finden können inmitten einer schwellend reifen Natur, die europäische Moral- und Schuldgefühle nicht aufkommen läßt.« (Lotte E. Eisner), Photo: Deutsches Institut für Filmkunde, Wiesbaden

den Zuschauern als ironische Paraphrasierung des eigenen schwulen Schicksals begriffen wurden. Freimütig sei vermerkt, daß außer den angeführten »Indizien« keinerlei weitere Hinweise existieren.

Murnaus letzter Film *Tabu* (1929–31) wird durch Lotte Eisners Vorarbeit als derjenige seiner Filme beachtet, in dem ihm eine Annäherung an sein erotisches Ideal gelungen ist. Das Schwelgen der Kamera in heiteren Kaskaden halbnackter Männerleiber zaubert ein Paradies, fernab vom vorurteilsvollen Europa. Die schon in Zerstörung befindliche Inselwelt der Südsee scheint vielen begüterten Homosexuellen als Ersatz für das verloren gegangene Griechenland gedient zu haben.[24]

Murnaus Unfalltod, der durch den sträflichen Leichtsinn seines Liebhabers, eines jungen Filipinos, herbeigeführt wurde[25], ließ allerhand Legenden aufblühen. Seine Erben haben alles getan, den großen Namen von »schmutzigen Unterstellungen« rein zu halten. Wie wenig ihnen das gelingen konnte, zeigen die Erinnerungen seines Bruders Robert[26], die das Bild einer homosexuellen Existenz enthüllen, wie es sich in den Augen von nicht eingeweihten Familienangehörigen spiegelt. Friedrich Wilhelm Murnau, die potenteste Persönlichkeit des deutschen Stummfilms, hätte unter anderen gesellschaftlichen Bedingungen sicher ein weitaus einheitlicheres Werk mit weniger vagen

Andeutungen hinterlassen. So gehört er zu den Künstlern, die die eigentlichen Beweggründe ihres Lebens nie öffentlich benennen konnten, denen eine rigide Moral unverschlüsselte autobiographische Züge im Werk verwehrte und die für die Nachwelt als großes »Rätsel« in die jeweilige Kunstgeschichte eingepaßt und noch als Tote ihrer vielleicht gehaßten aber dennoch gelebten Sexualität beraubt werden.

Männer in Frauenkleidern waren schon immer ein todsicherer Lacherfolg. Die deutsche Filmkomödie scheint ohne die Komik der Travestie kaum auskommen zu können. Allerdings bezieht der größere Teil dieser Filme seine »humorige« Wirkung aus der »Hosenrolle«. Zwerchfellerschütternd wird es erst, wenn sich der »Herr der Schöpfung« im Fummel zeigt. Um komisch zu wirken, muß die zeitweilige Vertauschung der Geschlechtsidentität durch eine logisch ableitbare Erklärung legitimiert werden. Nicht die Lust an der Verkleidung, sondern die Flucht in die Rolle des anderen Geschlechts bedingt die Dramaturgie des Genres: Man(n) versucht einer unangenehmen Situation auszuweichen, indem man(n) sich in die »schwache« Rolle der Frau begibt, die den Bedroher zum Anbeter macht, oder indem man(n) vorgibt, eine Frau zu sein und so Zugang zu sonst verschlossenen Orten (Mädchenpensionat, Damenkapelle etc.) findet. Die Komik, die sich aus diesen Situationen ergibt, ist der Angstlust der Zuschauer vor ihren eigenen verdrängten regressiven Weiblichkeits- und homosexuellen Wünschen geschuldet, die hier karikiert und vermittels Lachen abreagiert werden können. Für diese Ventilthese spricht die lang anhaltende Beliebtheit des Genres, die erst durch die zunehmende Thematisierung der Homosexualität im Film der 70er Jahre an Bedeutung verliert.

Seit Eugen Skladanowskys[27] Darstellung eines »weiblichen Küchendragoners« hat sich kaum ein Filmstar die Gelegenheit entgehen lassen, in der Rolle des anderen Geschlechts zu brillieren. Der Berliner Komiker Wilhelm Bendow kultivierte den Typ der begriffsstutzigen Töle, die das Zweideutige umgangssprachlicher Floskeln durch naives Nachfragen auf einen eindeutigen Nenner bringt. Damit griff Bendow das weitverbreitete Bild des enervierend weibischen Homosexuellen auf und hatte damit komi-

24 Auch Murnaus Jugendfreund aus Berliner Tagen hatte sich hier niedergelassen. Vgl. Hans Rodius, Schönheit und Reichtum des Lebens – Walter Spies – Maler und Musiker auf Bali 1895–1942, Den Haag ohne Jahresangabe
25 S. Eisner: Murnau, a. a. O., S. 361
26 Ebd., S. 13–48
27 Bruder von Max und Emil Skladanowsky, den deutschen Pionieren der Kinematographie.

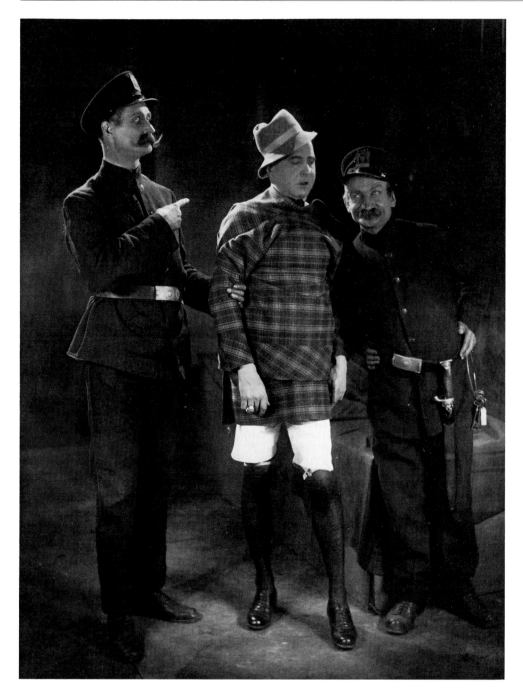

Liebeskäfig (1925), Wilhelm Bendow
(Mitte) in einer für ihn typischen
Kostümierung, Links: Karl Harbacher,
Rechts: Hermann Picha, Photo: Film-
Foto-Archiv Serkis, Berlin

scherweise sowohl in der heterosexuellen als auch in der homosexuellen Öffentlichkeit großen Erfolg. »Lieschen« Bendow, wie er liebevoll genannt wurde, trat schon im frühen Film[28] vorwiegend im Fummel auf und tollte noch 1937 in *Die göttliche Jette*[29] als »weise Frau vom Berg« durch die Ufa-Kulissen. Seine kleinen komisch »tuntigen« Einlagen waren in der Unterhaltungsbranche des Dritten Reichs wohlgelitten, verhaftet wurde er 1944 wegen einer politischen Anzüglichkeit.

Durch die sexualwissenschaftliche Literatur geistert ein Chevalier d'Eon[30], der in weiblicher Kleidung viele Jahre unerkannt als Agentin am russischen Hofe und später als Gesandter Frankreichs am britischen Hofe tätig gewesen sein soll. Im Alter trat er als Hofdame Marie Antoinettes auf. Außerdem war er im Verlauf seines bewegten Lebens Doktor der Jurisprudenz, Dragonerhauptmann, Stiftsdame und Insassin eines Klosters. Aufgrund dieses Lebenslaufs ist es nicht weiter verwunderlich, daß sich der

28 Z.B. in: Emil Albes Eine Nacht im Mädchenpensionat (1913)
29 Regie: Erich Waschnek, mit Grete Weiser in der Hauptrolle. In einer Nebenrolle taucht ein ungemein tuntiger Theaterfriseur auf, der zum Schluß Gretes Schwester heiraten muß.
30 Vgl. Georg Buck: Sexuelle Verwirrung des Menschen und der Natur, Berlin 1910, S. 693

Julius von Szöreghy, Curt Bois, Ältere Herren sind in diesem Genre stets die Leidtragenden, Photo: Stiftung Deutsche Kinemathek, Berlin

kleidern eine Frau in Männerkleidern. Der d'Eon-Stoff ist, anders als die Travestiekomödien, ein andauernder Verstoß gegen die klare Einteilung der Geschlechter. Deshalb versuchen beide Verfilmungen das Hauptaugenmerk auf das eingängigere Travestieelement zu richten; die ursprüngliche Divergenz der d'Eonschen Geschlechtszugehörigkeit wird nicht thematisiert, da sie die Grenzen des Genres sprengen und allzudeutlich auf den fließenden Übergang zwischen den Geschlechtern verweisen und damit letztendlich das Primat der heterosexuellen Zweiteilung in Frage stellen würde.

Dagegen entspricht die Richard Eichberg Komödie *Der Fürst von Pappenheim* (1927) ganz den Gesetzen des Genres. Curt Bois schlüpft hier sehr elegant, auf der Flucht vor einem schnaubend eifersüchtigen dicken Nebenbuhler (Julius von Szöreghy), ins paillettenglitzernde Abendkleid, worauf der Verfolger in wilder Leidenschaft für die geheimnisvolle »Schöne« entbrennt und diesen Schritt vom Wege bitter büßen muß. Auf seiner Jagd nach der vermeintlich sexuellen Versprechung trifft er auf die schöne Prinzessin (Mona Maris), die im Frack ihr Inkognito wahren will, und die gerade von ihrem ebenfalls befrackten Verehrer geküßt wird, was ihm die komische Bemerkung entlockt: »Sie sollten genauer hinsehen, wen sie küssen!« Überhaupt sollte man bei dieser flott inszenierten Komödie genau hinsehen: läuft da nicht im letzten turbulenten Drittel ein echter Transvestit durchs Gewühle?

Bois plante die Verfilmung des leider unsterblichen Schwanks *Charley's Tante*. Die Realisierung dieser Paraderolle, die er auch schon erfolgreich im Theater gespielt hatte, scheiterte an den neuen Machtverhältnissen. Bois ging ins Exil. Obwohl es mit der Machtübernahme der Nazis keineswegs einen bemerkenswerten Einbruch auf dem Gebiet der Travestie gab, wurde die Boissche Darstellung im *Fürsten von Pappenheim* dazu benutzt, das Genre als »judenverseucht« und »dekadent« zu diffamieren. So geschehen in dem infamen Propagandamachwerk *Der ewige Jude* (1940), den der Reichsfilmintendant Fritz Hippler zu verantworten hat. Ungeschadet dieser ideologischen Verachtung konnte das Travestiegenre bis in die späten 30er Jahre hin-

Film für diesen Stoff interessierte. Der Chevalier d'Eon des Films *Excellenz Unterrock* (1920) stieg allerdings nicht aus Neigung in die Röcke, sondern weil er sich Zugang zum Hofe verschaffen wollte. Daß dabei das Auge des Königs wohlgefällig an ihm hängen blieb, brachte zwar den König in eine »peinliche« Situation, den Chevalier aber samt seiner Röcke in die Verbannung nach Rußland. Diese ursprüngliche filmische Version scheint 1928 zu anspielungsreich gewesen zu sein, denn in Karl Grunes Remake *Marquis d'Eon – der Spion der Pompadour* wird kurzerhand aus dem Mann in Frauen-

ein existieren und feierte mit Reinhold Schünzels Filmoperette *Viktor und Viktoria* (1933) und R. A. Stemmles *Charley's Tante* (1934) wahrhafte Triumphe. Für die Rolle des Damenimitators in *Viktor und Viktoria* war ursprünglich der Schauspieler jüdischer Herkunft Max Hansen vorgesehen, der dann trotz anfänglicher Bewilligung durch Hermann Thimig ersetzt werden mußte. »Unentbehrliche Juden« wurden weiterbeschäftigt, die neuen Richtlinien kamen höchst unterschiedlich zur Anwendung. Für den »Halbjuden« Schünzel gab es zu diesem Zeitpunkt keinerlei Einschränkungen.[31] Schünzel emigrierte 1938 in die USA.

In *Viktor und Viktoria* wird der traditionelle Verkleidungsspaß mit transvestitischem Rollenspiel, das keine Anzüglichkeit ausläßt, vergnüglich auf die Spitze getrieben. Schünzel versteht es meisterhaft, die Zweideutigkeit der Rollen herauszustreichen: wenn Renate Müller sich in der Herrengarderobe zum Mann schminkt, um dann auf der Bühne als Frauenimitator aufzutreten, wenn das »merkwürdige« Künstlerpaar Thimig/Müller Arm in Arm geht, wenn Renate Müller im Frack sowohl die verliebten Blicke der Damen als auch die von Adolf Wohlbrück auf sich zieht, dann geraten die sonst so

unumstößlichen heterosexuellen Deutungsmuster ins Rutschen.

Der überzeugte Nazi Karl Ritter gilt neben Hans Steinhoff, dessen *Hitlerjunge Quex* er 1933 produzierte, als der »extremste Vertreter des ›gut gemachten‹ Hetz- und Propagandafilms im Dritten Reich«.[32] Derselbe Karl Ritter inszenierte 1938 mit *Capriccio* den turbulentesten Film des Travestiegenres, in dem Lilian Harvey in einer Hosenrolle durch sämtliche Anzüglichkeiten wirbelt und der dem »Führer« den Ausspruch »Mist in höchster Potenz«[33] entlockte.

Um die folgenden »heroischen Zeiten« besser zu überstehen, kam eine Flut von Unterhaltungsfilmen in die Kinos, die das komische Element der Travestie sträflich vernachlässigten. Allerdings besaß der deutsche Film in der schwedischen Sängerin Zarah Leander, deren Kontra-Alt oft als »hermaphroditisch« bezeichnet wurde, einen Glamourstar, der den Verlust Marlene Dietrichs weniger schmerzhaft machte, und der wie kaum ein anderer nach ihr das heroisch-tragische der Vampexistenz grandios zur Geltung brachte.

Zarah, der Travestiestar par excellence, hat aus ihrer Vorliebe für Schwule nie einen Hehl gemacht[34], nicht zuletzt deshalb

links:
Hermann Thiemig als Viktoria, Photo: Film-Foto-Archiv Serkis, Berlin

rechts:
Viktor (Renate Müller) wird von Robert (Adolf Wohlbrück) einigen Mannbarkeitsriten unterworfen, Photo: Stiftung Deutsche Kinemathek, Berlin

31 Vgl. Helga Belach: Wir tanzen um die Welt – Deutsche Revuefilme 1933–1945, München 1979, S. 141/42
32 rororo Filmlexikon, Bd. 6, Reinbeck bei Hamburg 1978, S. 1306
33 Kraft Wetzel, Peter Hagemann: Zensur – Verbotene deutsche Filme 1933–1945, Berlin 1978, S. 50/51
34 Zarah Leander: Es war so wunderbar! Mein Leben, Frankfurt–Berlin–Wien 1983, S. 140

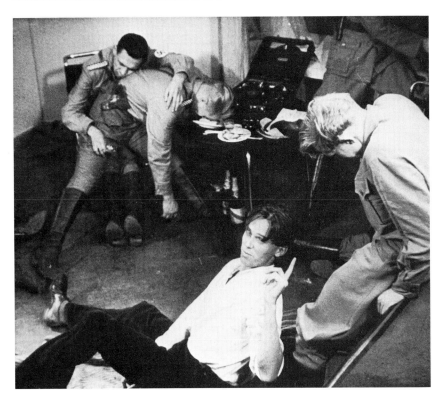

Gustav von Wangenheims Kämpfer *(1936) zeigt die Faschisten als haltlose, auch dem »Laster« der Männerliebe verfallene Barbaren, Photo: Berlin Museum*

wurde sie von einem größeren Teil der deutschen Tunten verehrt. Als »Durchhaltestar des Dritten Reiches« geschmäht, gelang ihr 1949 der Beginn einer Konzertkarriere. Schon früh bemerkte die Presse, »die große Schar von jungen Männern«, die Zarahs bizarrer Stimme ganz hingebungsvoll lauschten. Die Schwulen blieben denn auch trotz Wiederentdeckung von Marlene Dietrich ihr treuestes Publikum. Ihnen diente sie als Identifikationsfigur und Übermutter, die der neubelebten Tradition der Tuntenbälle in den 70er Jahren das nötige Stargepräge gab.

Bis in die Nachkriegsjahre hinein existierte im deutschen Film die Diffamierung der Homosexualität nur in den Varianten, Lächerlichkeit, Andeutung oder der bequemeren des Verschweigens. Auch die Filme des Dritten Reichs bilden keine Ausnahme. Der einzige Beleg für einen wenn auch nicht klar benannten wohl aber umschriebenen Versuch der Denunziation findet sich in dem schon erwähnten Hipplerschen Machwerk *Der ewige Jude* (1940). Explizit geht es dabei auch gar nicht gegen die Schwulen, Hippler benutzt Umschreibungen wie »das orientalische Laster«, dessen Verbreitung unter arischen Männern dem jüdischen Sexualforscher Hirschfeld angelastet wird, um die »minderwertige Rasse der Juden« in ihrer

ganzen »Verkommenheit« zu brandmarken. Die kurze Szene mit Hirschfeld[35] und diejenige mit Bois im Fummel dienen dazu, die behauptete »Dekadenz der Systemzeit« zu belegen. Das »Übel Homosexualität«, gegen das die Nazis nicht ganz so systematisch vorgingen wie sie die Judenvernichtung betrieben, war von einer »Unaussprechlichkeit«, die dazu diente, die Faszination des »Übels« zu bannen. Wie übermächtig die Angst vor den eigenen homosexuellen Anteilen gewesen sein muß, offenbaren die gegenseitigen Unterstellungen, die vom Gegner behaupten, daß er das Laster erfunden habe. In den Fridericus-Rex-Filmen werden grundsätzlich die Feinde Preußens, seien es nun Österreicher oder Franzosen, als überkultivierte feminine Gestalten vorgeführt, deren auch moralische Unterlegenheit sich aus dem unterschwelligen Vorwurf ihrer verweiblichenden homosexuellen Neigungen herleitet. Diese geschickte Unterstellung, die dem Zuschauer Homoerotik suggeriert, ohne sie beim Namen nennen zu müssen, erzeugt beim Publikum eine Antipathie gegen die so gezeichneten Figuren und überantwortet sie aus einer Art Abwehrhaltung heraus der Lächerlichkeit.

Ein Meister dieser Suggestivität war Fritz Lang. Schon 1932 ließ er Rudolf Schündler in *Das Testament des Dr. Mabuse* einen homosexuellen neurotischen Killer spielen, »einen genauso kaltblütigen wie feigen Salongangster, der sich zum Schluß selbst den Gnadenschuß gibt«[36]. Auch in dem in der Emigration entstandenem Film *Hangmen also die* (1942) ist eine der Nebenfiguren, der Nazispion, deutlich erkennbar schwul.

Die Gleichsetzung von Faschismus und Homosexualität, in der Exilliteratur weitaus ausgeprägter, wurde in typisch schwulem Selbsthaß hauptsächlich von selbst betroffenen Schriftstellern immer wieder neu belebt. Um die ganze Verkommenheit der »braunen Horden« bloßzustellen, benutzte auch Gustav von Wangenheim dieses beliebte Mittel antifaschistischer Kampfliteratur. Sein 1936 in der UdSSR entstandener Film *Kämpfer* – nach dem Nichtangriffspakt zwischen Hitler und Stalin von Moskau auf Eis gelegt – läßt die Geschichte des Reichstagsbrandes nur wenig modifiziert in einer sächsischen Industriestadt spielen.

35 Die dem Film Anders als die Andern entnommen ist.
36 Thomas Hornickel: Vom Warten auf den jüngsten Tag, in: Jahrbuch Film 83/84, Hrsg. Hans Günther Pflaum, München 1983, S. 87

Ohne je den Vorwurf der Homosexualität auszusprechen, suggeriert Wangenheim in einer Saufszene mit einfachsten visuellen Mitteln den Verdacht, daß alle Nazis, nicht nur Röhm, schwul seien. Deutlich sichtbar sitzt ein als Faschist kenntlich gemachter korpulenter Mann seinem Saufkumpan mit breitem Arsch unzweideutig auf dem Schoß, die anderen wälzen sich besoffen am Boden. Dem gegenüber stehen die heroisch proletarischen Lichtgestalten, deren »saubere« männerbündlerische Erotik in der KZ-Szene in klassenkämpferische Agitation mündet. Wangenheims demagogischer Kunstgriff, der unzweifelhaft einem guten Zweck diente, ging in der Realität des Dritten Reiches ganz auf Kosten der Schwulen, die zur gleichen Zeit von den sauberkeitsfanatischen Kleinbürgern in Uniform in Arbeits- und Umerziehungslager gesteckt wurden.

Die ideologische Unterstellung von der homosexuellen Anfälligkeit der Faschisten oder der faschistischen Anfälligkeit der Schwulen endete keineswegs mit der Niederlage des deutschen Faschismus. Noch heute treibt sie nicht nur im Film manche bizarre Blüte. Gerade wegen der künstlerischen Wertschätzung Rossellinis muß an dieser Stelle seine Nachkriegsproduktion *Germannia anno Zero* (1948) erwähnt werden, die er im zertrümmerten Berlin realisierte. Rossellini entwirft hier das Horrorbild eines Päderasten, der einem Knaben die nazistische Unwerttheorie kranken Lebens einredet, sich aber, nachdem der Junge seinen kranken Vater vergiftet hat, panisch vor der Verantwortung drückt.

Mit aus Veit Harlans Vergangenheit sicherlich gerechtfertigten Unterstellungen wurde der einzige Film, der in den 50er Jahren offen Homosexualität darzustellen versuchte, ins Abseits gerückt: *Anders als du und ich* (1957). Die Homophobie der Adenauerära unterstellte Harlan zu unrecht, jetzt Homosexuelle zu jagen, wie seinerseits Juden. Bei genauerem Hinsehen erweist sich die aufgeregte Empörung gegen Harlans Homosexuellen-Film als Abwehr der Homosexualität, als Versuch, der beginnenden Enttabuierung Einhalt zu gebieten. Die häufig scheinheilige Verdammung Harlans fand ihre Entsprechung in den schika-

Veit Harlans Anders als du und ich *(§ 175) (1957), Friedrich Joloff spielt den dämonischen Kunsthändler, der den schwulen Gymnasiast (Günther Theil) mißbraucht..., Photo: Berlin Museum*

nösen Auflagen der »FSK«[37], die sogar das Einfügen einer neuen Szene verlangte und das ihr zu positiv Erscheinende einfach eliminierte. Nicht Harlans Film ist skandalös, obwohl sich gegen einige seiner Bildmetaphern erhebliche Einwände vorbringen ließen, sondern die Zensur der »FSK«, die mit ihren Schnittauflagen einen Film verfälschte, der erstmals seit Oswalds *Anders als die Andern* (1919) Homosexualität offen benannte; daß Harlans Film trotz der wissenschaftlichen Beratung Hans Gieses hinter Hirschfelds aufrecht melodramatisches Filmpamphlet zurückfällt, ist der extremen Schwulenfeindlichkeit der Aufbaujahre anzulasten, die einen wirklich vorurteilslosen Film erst recht nie toleriert hätte. Harlans Film ist trotz seines zweiten Teils, der die heterosexuelle Rettung des in die Homosexualität abgleitenden Jungen durch das couragierte Eingreifen der Mutter thematisiert, der einzige Versuch der deutschen Nachkriegsfilmgeschichte[38], Homosexualität darzustellen, und das einzige Beispiel dafür, daß trotz des heterosexuellen Terrors in allen gesellschaftlichen Bereichen, eine homosexuelle Subkultur möglich ist. Diese subversive Seite verschenkt Harlan aber durch seinen Hang zur billigen Dämonisierung des schwulen Milieus.

Zusammenfassend bleibt zu sagen, daß nicht das einzelne diffamierende Bild die Unterdrückung der Homosexualität fortschreibt. In ihm offenbart sich nur das kleinere Übel. Das wirkliche Übel, das die Tabuierung am Leben hält, ist die gerade im Kino permanente Propagierung des »Normalen«, des heterosexuellen Blicks auf die Welt, der die Existenz des Schwulen nur als Marginalie zuläßt.

37 »Freiwillige Selbstkontrolle« (FSK) von der Filmindustrie eingesetzte Kommission. Vgl. Prüfverfahren 14 959 vom 22. August 1957, zitiert nach: ICSE-Press, Stiftung Internationales Komitee für sexuelle Gleichberechtigung, Nr. 1, 15. Februar 1958
38 Jedenfalls bis Anfang der 60er Jahre.

Mecki Pieper

Die Frauenbewegung und ihre Bedeutung für lesbische Frauen (1850–1920)

»Sind wir Frauen der Emanzipation homosexual – nun dann lasse man uns doch!«
Johanna Elberskirchen

Lida Gustava Heymann (1868–1943), links, und Anita Augspurg (1857–1943), rechts – Pazifistinnen und Lebensgefährtinnen. Sie begegneten sich auf dem Internationalen Frauenkongreß in Berlin 1896. Photo 1904, Ullstein Bilderdienst, Berlin

1 Anna Rüling: »Welches Interesse hat die Frauenbewegung an der Lösung des homosexuellen Problems?« Rede auf der Jahresversammlung des Wissenschaftlich-humanitären Komitees, Berlin, 8.10.1904, in: Jahrbuch für sexuelle Zwischenstufen, Vol. VII, Leipzig 1905, S. 130–151; repr.: Jonathan Katz (Hrsg.): Lesbianism and feminism in Germany 1895–1910, Arno Press New York 1975 und Ilse Kokula: Weibliche Homosexualität um 1900, München 1981, S. 191–211
2 Ebd., S. 145
3 Ebd., S. 146
4 Vgl. Gudrun Schwarz: »Mannweiber« in Männertheorien, in: Karin Hausen (Hrsgin.): Frauen suchen ihre Geschichte. Historische Studien zum 19. und 20. Jahrhundert, München 1983, S. 62–80.
5 Zit. in Juliette Hasenclever: »Nationalliberale zur Frauenfrage«, in: Minna Cauer (Hrsgin.): Die Frauenbewegung, Publikationsorgan der fortschrittlichen Frauenbewegung, 20. Jg., Nr. 8, Berlin 15.4.1914
6 Ebd., S. 58
7 Ebd.
8 Margot Pottlitzer-Strauß: Lina Hilger. Ein Lebensbild; Lina-Hilger-Bund, Verband der ehemaligen Schülerinnen und Freunde der Lina-Hilger-Schule, Bad Kreuznach 1961

Sicherlich bot die erste deutsche Frauenbewegung, deren Anfänge in der Mitte des 19. Jahrhunderts zu finden sind, lesbischen Frauen ein weites Arbeitsfeld. War diese Bewegung in ihrem Kampf für gleiche Rechte aller Frauen auch eine Interessenvertretung frauenliebender Frauen? Verbesserten sich deren Lebensbedingungen durch Erfolge der Frauenbewegung?

Es gibt (noch) keine zusammenhängende Geschichte lesbischen Lebens in Berlin. Unter den spärlichen Selbstzeugnissen lesbischer Frauen finden wir nur einige Stimmen zum Thema Frauenbewegung und weibliche Homosexualität. So bildet Anna Rülings Rede »Welches Interesse hat die Frauenbewegung an der Lösung des homosexuellen Problems?« (1904) eine Ausnahme.[1]

Es nimmt nicht wunder, daß so wenige Frauen sich zu diesem Thema äußerten – in einer Zeit, in der nicht nur die Frauenbewegung insgesamt, sondern auch lesbische Frauen gesellschaftlich geächtet waren und diskriminiert wurden. Rüling betont, daß »zum nicht geringen Teil homogene Frauen«[2] führende Vertreterinnen der Frauenbewegung seien. Den Grund für die Zurückhaltung, die »homosexuelle Frage« öffentlich zu diskutieren und den Anteil lesbischer Frauen an der Bewegung anzuerkennen, sieht sie »... in der Furcht, die Bewegung könne sich durch Anschneiden der homosexuellen Frage, durch energische Vertretung des Menschenrechts der Uranier in den Augen der noch blinden und unwissenden Menge schaden. Ich gebe gern zu, daß diese Furcht in den Kindertagen der Bewegung, in der sie sorgfältig vermeiden mußte, gewonnene Freunde wieder zu verlieren, berechtigt und eine durchaus einwandfreie Entschuldigung für die einstweilige völlige Ignorierung der homosexuellen Frage war. Heute aber ... muß ich das völlige Beiseitelassen einer zweifellos recht

wichtigen Frage doch als ein Unrecht bezeichnen ..., das die Frauenbewegung nicht zum geringen Teile sich selber zufügt.«[3]

Zehn Jahre später hatte sich – trotz der fortschreitenden Etablierung der Frauenbewegung und zahlreicher Erfolge im Kampf um gleiche Rechte (z. B. Zulassung zum Hochschulstudium und zu politischen Vereinen und Parteien) – wenig geändert. Als Waffe gegen die Frauenbewegung benutzte eine Flut antifeministischer Publikationen das Begriffsinstrumentarium medizinisch-anthropologischer »Wissenschaft«.[4] Als Beispiel sei Dr. de Jonge, Mitglied der Nationalliberalen Partei und des »Bundes gegen die Frauenemanzipation« zitiert:
»Die Bestrebungen der modernen Frauenrechtlerinnen, auf öffentlich rechtlichem Gebiete volle Gleichberechtigung mit den Männern zu erlangen, sind pervers, ein Symptom krankhaften Mannweibtums.«[5]

Mit diesem Ausspruch, der den Standpunkt eines großen Teils der Nationalliberalen repräsentierte, setzte sich Juliette Hasenclever in einem Leitartikel der Zeitschrift *Die Frauenbewegung* kurz vor Beginn des Ersten Weltkriegs auseinander. Sie wies die Einschätzung de Jonges als »Beleidigungen und Ungezogenheiten«[6] zurück, ohne jedoch das Konzept »perversen, krankhaften Mannweibtums« in Frage zu stellen. Vielmehr trat sie eine rhetorische Flucht nach vorn an: »Will er etwa ... (u. a.; M. P.) Frau Elsbeth Krukenberg als pervers bezeichnen?«[7]

Elsbeth Krukenberg (Mitglied des Bundes deutscher Frauenvereine; gemäßigter Flügel der bürgerlichen Frauenbewegung) lebte in 42(!)jähriger Gemeinschaft mit der Lehrerin und Lyzeumsdirektorin Lina Hilger. Ein lesbisches Paar? – Wir wissen es nicht. Ein Gedicht, das Lina Hilger kurz vor ihrem Tod an ihre Freundin richtete, interpretiert eine Hilger-Biographin[8] als Ausdruck der

Handschriftlicher Vermerk auf der
Rückseite des Originalphotos (um
1900): »Helene Lange. Hier mit anderen prominenten Führerinnen der
deutschen Frauenliga. (Eine von ihnen
wurde vor diesem Treffen wegen ihres
‚Reformkostüms‘ auf der Straße verhaftet, da sie zu ‚männlich‘ aussah.)«
V. l. n. r.: Frau Weber, Frau Hoffmann,
Frau Bieber-Böhm, Frau Salomon,
2. v. r.: Helene Lange, Photo: Ullstein
Bilderdienst, Berlin

Käthe Schirmacher und Klara Schleker,
1917

*Welche Bedeutung hatte die begin-
nende Frauenbewegung für lesbische
Zeitgenossinnen? Wie wirkte z. B. folgender Brief von »Friederike aus Preus-
sen« auf eine lesbische Leserin der
»Frauenzeitung«?*
*»Jedes lebende, vernünftige Wesen
ringt nach Unabhängigkeit, sollte dies
den Frauen allein versagt sein? – sollen
wir uns noch ferner wie eine furcht-
same Mimose vor jeder äußern Annäherung verschließen? – nicht frei und
selbständig auftreten? – nein! – möge
endlich dieses System aufhören, nach
dem die Frau nicht wagt, allein aus-
zugehen, zu reisen, zu sprechen,
wenigstens nicht über ganz ernste
Dinge, wo alles unweiblich, unanstän-
dig ist, woraus endlich die größten
Lächerlichkeiten entstehen, denn: die
Einschüchterung geht so weit, daß sogar ein unverheiratetes Mädchen noch
an ihrem 40sten Geburtstage nicht
wagt, schutzlos in Gesellschaft zu
gehen.«*
Frauenzeitung Nr. 24, 15. Januar 1850

engen Beziehung zwischen den beiden
Frauen.

In ähnlichen langen Lebens- und Arbeitsge-
meinschaften lebten z. B. Lida Gustava Heymann und Anita Augspurg (Aktivistinnen
des radikalen Flügels der bürgerlichen
Frauenbewegung), Helene Lange und Gertrud Bäumer (gemäßigter Flügel der bürgerlichen Frauenbewegung), Franziska Tiburtius
und Emilie Lehmus, die beiden ersten Berliner Ärztinnen. Wir können über die Art der
Beziehungen zwischen diesen Frauen jedoch nur spekulieren. Als einziges bekanntes Lesbenpaar der ersten deutschen
Frauenbewegung gelten Käthe Schirmacher
und Klara Schleker.[9]

Wir sind in der Spurensicherung lesbischer
Geschichte bislang weitgehend auf Fragmente angewiesen, die sich aus moralisie-
renden, pathologisierenden, fast ausnahmslos entstellenden Publikationen männlicher
Zeitzeugen herauskristallisieren lassen.
Solche Fragmente von Auflehnung, Protest
und von Freiräumen, die frauenliebende
Frauen sich geschaffen haben, lassen allerdings eine wichtige Dimension, den »Raum
zwischen diesen Frauen, die feurige Leidenschaft zwischen ihnen – so bar jeder gesellschaftlichen Anerkennung«[10], im Dunkeln.

Was geschah mit dieser verschütteten
Dimension von Frauenliebe? Wurde sie
»verwandelt in schöpferische Kraft oder
sogar feministisches Bewußtsein? Wer
wird es erfahren können? Diese Erfahrungen sind nicht zum historischen Ereignis geworden.[11]

Wieviel Energie, Arbeitskraft und Engagement von lesbischen Frauen in der ersten
deutschen Frauenbewegung zum Tragen
kam, können wir nicht sagen. Aber wir können feststellen, welche Erfolge die Frauenbewegung mit ihren unterschiedlichen
Strömungen im Kampf um gleiche Rechte
und verbesserte Lebensbedingungen für
alle Frauen – und damit auch für Lesbierinnen – hatte. Und wir können fragen, welche
Unterstützung die Frauenbewegung lesbischen Frauen bot, als weibliche Homosexualität strafrechtlich verfolgt werden sollte.

Die Frauenbewegung – eine Bewegung?

Als Markstein für die beginnende Frauenbewegung in Deutschland wird häufig die
Frauenzeitung genannt, die Luise Otto nach
der Revolution von 1848 unter dem Motto
»Dem Reich der Freiheit werb ich Bürgerin-
nen« herausgab. Die Zeitschrift erschien
wöchentlich von 1849 bis zu ihrem Verbot

9 Ilse Kokula: Weibliche Homosexualität um 1900, München 1981, S. 31;
Kokula bezieht sich auf Amy Hackett:
The Politics of Feminism, in: Wilhelmine Germany 1890–1918, unveröf-
fentl. Diss., Columbia University USA
1976
10 Marie-Jo Bonnet: »Abschied von
der Geschichte.«, in: Lesbenpresse
Nr. 11, Berlin, Okt. 1982, S. 42 (Übersetzung aus dem Französischen: Miche-
line Poli)
11 Ebd., S. 42

*»Die Frauenbewegung« (1895–1919)
gilt als erste radikalfeministische
deutschsprachige Zeitschrift, Photos:
Berlin Museum*

erreichen wollten. Durch Sozialarbeit im weitesten Sinne sollten die Frauen sich als würdig erweisen, gleiche Rechte zu erhalten. Ihrem Selbstverständnis lag ein Frauenbild zugrunde, das durch Mutterschaft definiert war – die leibliche und/oder die »geistige«, die sich so schön in den »Dienst an der Gesellschaft« kanalisieren ließ. Der Erste Weltkrieg schien ihnen eine Chance, sich durch Wohlfahrtspflege und umfangreiche kriegsdienliche Frauenarbeit als würdige Staatsbürgerinnen zu beweisen. Die meisten Radikalen lehnten gemäß ihren internationalistischen Zielen jegliche Kriegsarbeit von Frauen ab und versuchten, mit internationalen Frauenfriedenskongressen und Petitionen an die kriegführenden Regierungen den Krieg zu beenden. Sie sahen im Frauenstimmrecht nicht die »Belohnung« für pflichtbewußte staatsbürgerliche Arbeit, sondern die Voraussetzung, um die postulierten gleichen Rechte für Frauen mittels Einflußnahme auf die Gesetzgebung durchzusetzen.

Die unterschiedlichen politischen Positionen wurden auch darin deutlich, welchen Parteien sich die Frauenrechtlerinnen anschlossen. (Der Bund deutscher Frauenvereine, BdF, hatte sich gegen die Organisation einer Frauenpartei entschieden.) In den Wahlen zur Nationalversammlung im Januar 1919 kamen die meisten Kandidatinnen bürgerlicher Parteien (DVP, DDP, DNVP, Zentrum) aus der gemäßigten Frauenbewegung. Allerdings zog auch die prominente Stimmrechtsgegnerin Paula Müller-Otfried als Abgeordnete der konservativen DNVP in die Weimarer Nationalversammlung ein. Lida Gustava Heymann kandidierte als Parteiunabhängige für die USPD in München. Sie setzte sich jedoch später aufgrund der Erfahrung, daß Frauen in den Männerparteien mangels potenter Unterstützung durch Interessenverbände schlechter abschnitten, für spezielle Frauenlisten ein.

Ein wesentliches Hindernis für die politische Organisation und Artikulation von Frauen bestand in der restriktiven Versammlungs- und Vereinsgesetzgebung im Deutschen Reich, die bis zum Reichsvereinsgesetz von 1908 galt:

»In den meisten Bundesstaaten war die Mitgliedschaft von Frauen in politischen Vereinen verboten und ihre Teilnahme an

im Jahre 1853 und läßt die bewußtseinsbildende Wirkung der frühen Frauenbewegung erkennen.

Unterschiedliche Richtungen innerhalb der Frauenbewegung setzten sich erst gegen Ende des 19. Jahrhunderts deutlich voneinander ab: zu erkennen sind eine bürgerliche Frauenbewegung – mit einer gemäßigten Mehrheit und einem kleineren radikalen Flügel – und eine proletarische Frauenbewegung.

Der gemäßigte Flügel der bürgerlichen Frauenbewegung (H. Lange, G. Bäumer, M. Weber) unterschied sich vom radikalen Flügel (A. Augspurg, L. G. Heymann, H. Stöker, M. Cauer, M. Stritt) v. a. durch die vorsichtig-taktische Vorgehensweise, mit der ihre Vertreterinnen emanzipatorische Ziele

politischen Versammlungen beschränkt. Es gab z. B. in einigen Staaten die Regelung, daß die Frauen in einem Teil des Saales als ‚Segment' stumme Zuhörerinnen politischer Versammlungen sein durften. Die frauendiskriminierendste Fassung enthielt das preußische Vereinsgesetz. Darin hieß es:

‚Vereine, welche bezwecken, politische Gegenstände in Versammlungen zu erörtern, dürfen keine Frauenspersonen, Schüler oder Lehrlinge als Mitglieder aufnehmen.'«

Versammlungen von Frauenvereinen waren grundsätzlich wie alle Versammlungen genehmigungspflichtig und wurden polizeilich überwacht. So bekam z. B. die Vorsitzende des Vereins Frauenwohl, Minna Cauer, eine Anzeige, weil der Verein sich während einer Versammlung mit öffentlichen Angelegenheiten befaßt hatte, nämlich mit der Arbeiterinnenfrage ... Das neue Reichsvereinsgesetz wurde von der gesamten Frauenbewegung als staatliche Anerkennung ihrer politischen Mündigkeit begrüßt.«[12]

Die Anfänge der proletarischen Frauenbewegung (C. Zetkin, L. Zietz, O. Baader) bildeten gewerkschaftliche Organisationsversuche von Arbeiterinnen gemeinsam mit ihren männlichen Kollegen. Einen zweiten Strang konstituierten die zwischen 1869 und 1890 entstandenen Arbeiterinnenvereine, die häufig von bürgerlichen Frauen initiiert wurden. So gründete Gertrud Guillaume-Schack 1885 in Berlin den »Verein zur Wahrung der Interessen der Arbeiterinnen«, da sie in der Bekämpfung der ökonomischen Ursachen die Voraussetzung für den Kampf gegen die Reglementierung der Prostitution sah.

Nach der Aufhebung der Sozialistengesetze 1890 erlebte die proletarische Frauenbewegung einen Aufschwung. Durch die Einrichtung von Frauenagitationskomitees und durch das System der Vertrauenspersonen konnte die SPD die frauenfeindliche Versammlungs- und Vereinsgesetzgebung erfolgreich umgehen, denn die Mitgliedschaft von Frauen in Parteien war zwar bis 1908 verboten, nicht aber die politische Tätigkeit einzelner Frauen.

Clara Zetkin, die Theoretikerin der proletarischen Frauenbewegung, erklärte in ihrer

sozialdemokratischen Frauenemanzipationstheorie die Frauenfrage zum Nebenwiderspruch der Klassenfrage und grenzte sich somit gegen die bürgerliche Frauenbewegung ab. Dadurch war um 1890 die Spaltung in eine bürgerliche und eine proletarische Frauenbewegung vollzogen.

Wie wenig das erkämpfte Frauenstimmrecht allein die Situation der Frauen änderte, zeigt schon der ständige Rückgang der Anzahl weiblicher Reichstagsabgeordneter: mit 9,6 % lag er 1920 am höchsten.

oben:
Die weiblichen Abgeordneten der demokratischen Partei, Nationalversammlung Weimar, 1919, v. l. n. r.: Elisabeth Brönner, Dr. Marie Baum, Dr. Gertrud Bäumer, Katharina Klose, Elise Ekke, Photo: Ullstein Bilderdienst

Mitte:
Saal und Galerie, Karikatur (1848), aus: A. Kind: Die Weiberherrschaft, Bd. 2, S. 388, Photo: Bildarchiv Preußischer Kulturbesitz

unten:
Zeitschrift der proletarischen Frauenbewegung 1891–1923, Photo: Berlin Museum

12 Karin Liedtke: Der Einfluß der ersten deutschen Frauenbewegung auf die soziale Lage der Schauspielerinnen, unveröffentlichte Magisterarbeit, FU Berlin 1977, S. 39 f.

*Alice Salomon (1872, Berlin – 1948, New York), Aktivistin in der deutschen und internationalen Frauenbewegung, Gründerin und Leiterin der »Sozialen Frauenschule« in Berlin, aus:
A. Schmidt-Beil: Die Kultur der Frau, Berlin 1931, vor S. 309, Photo: Rieß*

13 Daniela Weiland: Geschichte der Frauenemanzipation in Deutschland und Österreich, Düsseldorf 1983, S. 89
14 Zit. nach Else Wex: Staatsbürgerliche Arbeit deutscher Frauen 1865–1928, Berlin 1929, S. 11
15 Vgl. Hans Muthesius (Hrsg.): Alice Salomon. Die Begründerin des sozialen Frauenberufs in Deutschland, Köln/Berlin 1958
16 Antisemitische Tendenzen innerhalb der Frauenbewegung vermutete Marlies Dürkopp in einem Vortrag über A. Salomon (Jüdische Gemeinde, Berlin, 19. 10. 1983). Ebenso Dora Peyser für die Weimarer Zeit: »Beginnender Antisemitismus unter den Frauen vereitelte die Erfüllung persönlicher Ziele innerhalb der Frauenbewegung; aber so schmerzlich diese Enttäuschung für ihren Ehrgeiz gewesen sein mögen, sie erschütterten in keiner Weise ihr Ansehen als eine der führenden Frauen Deutschlands.« – Dora Peyser: Alice Salomon. Ein Lebensbild, in Muthesius: a. a. O., S. 112, A. Salomon emigrierte 1937 in die USA.

Materielle Lebensbedingungen: Frauenarbeit und Mädchenbildung

Frauenerwerbstätigkeit ist bekanntlich keine neue Errungenschaft der industriellen Entwicklung im 19. Jahrhundert – wohl aber die Festschreibung des Mannes als Alleinernährer der Familie im bürgerlich-kapitalistischen Gesellschaftssystem. Daß diese bürgerliche Familienideologie in der Praxis nur bedingt realisierbar war, zeigt ein Blick auf die Statistik: 1900 waren von insgesamt 16,9 Mill. erwachsenen Frauen im Deutschen Reich nur 8,8 Mill. verheiratet.[13]

In der Regel dürfte die Motivation weiblicher Berufstätigkeit in der blanken ökonomischen Notwendigkeit gelegen haben – für bürgerliche wie für proletarische Frauen.

Ökonomische Unabhängigkeit vom Vater, aber vor allem von einem Ehemann, hatte für lesbische Frauen zudem eine weitere Funktion; das Nicht-Angewiesen-Sein auf eine Ehe als Versorgungsinstitution war die fundamentale Voraussetzung für ein Leben ohne Zwangsprostitution.

Wir wissen sehr wenig darüber, wie lesbische Frauen im 19. und zu Beginn des 20. Jahrhunderts ihren Lebensunterhalt bestritten, in einer Zeit, in der die weibliche Erwerbstätigkeit auf so wenige Berufe beschränkt war: arbeiteten sie als unqualifizierte, schlecht entlohnte Fabrikarbeiterin, Armenpflegerin, Lehrerin, Dienstbotin, Prostituierte?

Da wirtschaftliche Eigenständigkeit (nicht nur) für lesbische Frauen der einzige wirksame Schutz vor Zwangsprostitution in einer ungewollten Versorgungsehe war, dürfte das Programm des Allgemeinen Deutschen Frauenvereins, gegründet von Luise Otto, Auguste Schmidt und Henriette Goldschmidt 1865 in Leipzig, in ihrem Interesse gewesen sein:

»§ 1. Wir erklären, nach dem Beschluß der ersten deutschen Frauenkonferenz: Die *Arbeit,* welche die Grundlage der ganzen neuen Gesellschaft sein soll, für eine *Pflicht* und *Ehre* des weiblichen Geschlechts, nehmen dagegen das *Recht der Arbeit* in Anspruch und halten es für notwendig, daß alle der weiblichen Arbeit im Wege stehenden Hindernisse entfernt werden.«[14]

Voraussetzung für die Öffnung neuer beruflicher Arbeitsfelder für Frauen war die Reform des Mädchenschulwesens.

Diese Reform bis hin zur Zulassung von Frauen zum Hochschulstudium (1908) ist als ein wesentlicher Erfolg der bürgerlichen Frauenbewegung und des unermüdlichen Einsatzes vieler unbezahlter weiblicher Lehrkräfte zu sehen.

Unbezahlte Frauenarbeit und großes persönliches – auch finanzielles – Engagement spielten eine zentrale Rolle im Kampf um bessere Bildungs-, Ausbildungs- und Erwerbsmöglichkeiten für Frauen. Hier sei Alice Salomon genannt, die »Begründerin des sozialen Frauenberufs in Deutschland«.[15] Alice Salomon (* 1872 Berlin, † 1948 New York), Tochter eines wohlhabenden jüdischen Kaufmanns, gründete 1908 die »Soziale Frauenschule«, in der bürgerliche Mädchen für ehrenamtliche wie für berufliche soziale Hilfsarbeit ausgebildet wurden.

Für Alice Salomon bestand ein enger Zusammenhang zwischen Frauenbewegung und Sozialarbeit, den sie durch ihre Doppeltätigkeit als langjährige Leiterin der »Sozialen Frauenschule« und Vorstandsmitglied des »Bundes deutscher Frauenvereine« und des »Internationalen Frauenbundes« auch persönlich verkörperte.[16]

Ein verändertes Frauenbild war das Resultat der erkämpften besseren Ausbildungs- und Berufsmöglichkeiten. In Literatur, Film und Kunst der 20er Jahre finden wir daher neue, unabhängige Frauentypen. Elisabeth Busse stellt in einem Sammelband »Die Kultur der Frau« 1931 rückblickend fest:

»... daß im weiblichen Geschlecht in den letzten 20 Jahren ein ganz neuer Mädchentypus entstanden ist, für den die Leistungen und Entbehrungen seiner Generation nicht nur tragbar, sondern dem sie Anlaß zur Produktivität geworden ist. Dieser Typus ist eigentümlich untergeschlechtlich und bleibt es auch, wenn er in die Frauenjahre tritt. Es wäre aber falsch, seine Vertreterinnen deswegen als amazontisch anzusprechen. Ebensowenig kann hier von Verkrampfungen oder Verdrängungen der Lebenswünsche die Rede sein ... Denn das andere Geschlecht ist für sie so wenig notwendig, daß sie nicht einmal Abneigung dagegen haben. Und da ... die Gelegenheit zur männlichen Gesellschaft fehlt, leben sie frauenbündlerisch. Aber dennoch wäre es ganz verfehlt, hier Invertierte oder gar Homosexuelle zu vermuten. In der Berufsarbeit leisten die Vertreter dieses Typus Außergewöhnliches und Übergeschlechtliches. Sie sind die unerkannten Heroen der Arbeit, die verborgenen Träger des Gemeinde- und Staatslebens der ganzen bürgerlichen Gesellschaft.«[17]

Wie »unter«- oder »übergeschlechtlich« auch immer diese »frauenbündlerisch« lebenden Frauen wahrgenommen wurden – Berufsarbeit war ihr Lebensinhalt. Die doppelte Versicherung der Autorin, es sei völlig abwegig, hier lesbische Frauen zu vermuten, aber auch ihre diffuse Begrifflichkeit (»untergeschlechtlich«, »amazontisch«, »Invertierte« und als Steigerung: »gar Homosexuelle«) werfen ein Schlaglicht auf die distanzierte Haltung der Frauenbewegung zum Thema weibliche Homosexualität.

Strafrechtliche Sanktionierung lesbischer Liebe: § 175♀

Neben den dargestellten materiellen Lebensbedingungen von Frauen prägte die rechtliche Situation lesbischer Frauen ihren Alltag. Im folgenden sollen daher die entsprechenden rechtlichen Bestimmungen und die Diskussion in der Frauenbewegung über die strafrechtliche Verfolgung homosexueller Frauen (und Männer) skizziert werden.

In Preußen gab es bis 1747 die Todesstrafe für weibliche Homosexualität, das »Allgemeine Preußische Landrecht« (1794) legte Freiheitsstrafen für »Tribadie« (homosexuelle Beziehungen zwischen Frauen) fest. Wie schon das preußische Strafgesetzbuch von 1851, erwähnt das Reichsstrafgesetzbuch von 1871 nur männliche Homosexuelle:

»§ 175. Die widernatürliche Unzucht, die zwischen Personen männlichen Geschlechts oder von Menschen mit Tieren begangen wird, ist mit Gefängnis zu bestrafen; auch kann auf Verlust der bürgerlichen Ehrenrechte erkannt werden.«[18]

Was war geschehen, daß frauenliebende Frauen das Gesetz nicht mehr zu fürchten hatten?

Frauen waren »privatisiert« worden. Wichtige Voraussetzung für die Entwicklung der bürgerlichen Gesellschaft war eine Familienideologie, die auf der strikten Dichoto-

mie von Männersphäre und Frauensphäre, Produktion und Reproduktion basierte. Weibliche Sexualität – falls der Frau überhaupt eine zugestanden wurde – gehörte in die hinterletzte Ecke von Heim und Herd, war so gut wie nicht existent und dem Primat von Kinder-Küche-Kirche untergeordnet.

Wie sehr die Entkriminalisierung der »Tribadie« mit einer Degradierung und Bagatellisierung weiblicher (Homo)-Sexualität gekoppelt war, zeigt die Argumentation des bayerischen Juristen Johann Jacob Cella, der sich schon 1787 für die Straffreiheit homosexueller Beziehungen zwischen Frauen aussprach:

»Das natürlichste wäre wohl anzunehmen, daß Weib mit Weib keine eigentliche sodomiam sexus begehen könne: indem alles, es mag mit oder ohne künstliche Werkzeuge bewerkstelligt werden, bloß auf unzüchtige Spielereien hinausläuft, an denen die Imagination mehr Anteil als die Realität hat.«[19]

Die phallokratische Fixiertheit[20] der bürgerlich-patriarchalen Gesellschaft drückt sich eben auch in der strafrechtlichen Sanktionierung bestimmter Formen von Sexualität aus: als »Unzucht zwischen Personen männlichen Geschlechts« galt lediglich der Analverkehr.

Mit der Entkriminalisierung begann jedoch gleichzeitig ein Pathologisierungsprozeß: nicht mehr die Herren Juristen, sondern die Herren Mediziner und die neue Zunft der Herren Psychiater fühlten sich berufen, über homosexuelle Frauen – und Männer – zu urteilen. Hatten vorher Religion und Justiz Machtwörter gesprochen, so war es nun die medizinisch-anthropologische »Wissenschaft«.

War die weibliche Homosexualität also jahrzehntelang kein Thema der Juristerei, so unternahm der »Vorentwurf zu einem Deutschen Strafgesetzbuch« (1909) wieder einen ersten Versuch, den § 175 auf lesbische Frauen auszudehnen. Vorbereitet und begleitet wurde dieser Versuch durch medizinisch-anthropologische Publikationen im Stile des »Dr. Philos«.[21]

Die geringere Beachtung der weiblichen gegenüber der männlichen Homosexualität sah Dr. Philos einerseits in der Straflosigkeit im Deutschen Reich, andererseits in der »Nachsicht dem weiblichen Geschlecht gegenüber«[22] begründet; jedoch beginne die

1869:
»Verein zur Förderung der Erwerbsfähigkeit des weiblichen Geschlechts« (»Lette-Verein«) bietet Kurse in Krankenpflege, Buchhaltung, (Kunst)handwerk; Wilhelm A. Lette ist allerdings Gegner der politischen Gleichberechtigung der Frau.
1889:
Die Berliner Lehrerin Helene Lange gründet Realkurse für Frauen. Die Kurse werden von Frauenvereinen finanziert, die Lehrerinnen arbeiten ehrenamtlich.
1890:
Der »Allgemeine deutsche Lehrerinnenverein« fordert eine fundierte Lehrerinnenausbildung: die schlechte Bezahlung und Einschränkung der Lehrerinnen auf den Unterricht der Unterstufe wurde mit der mangelnden Qualifikation begründet. Konkurrenzangst der männlichen Kollegen.
1893:
Die Realkurse werden in dreiklassige Gymnasialkurse umgewandelt.
1896:
Die ersten Schülerinnen machen ihr externes Abitur. Zulassung von »Gasthörerinnen« an einigen Universitäten.
1901:
Erste regulär immatrikulierte Studentinnen an den Universitäten Freiburg und Heidelberg.
1903:
Einführung des Staatsexamens für Oberlehrerinnen.
1908:
Neuregelung des höheren Mädchenschulwesens: dreizehnklassige Mädchengymnasien. Zulassung der Frauen zum Hochschulstudium.

17 Elisabeth Busse: Das moralische Dilemma in der modernen Mädchenerziehung, in: Ada Schmidt-Beil (Hrsgin.): Die Kultur der Frau, Berlin 1931, S. 594
18 Zit. nach Magnus Hirschfeld: Geschlechtskunde Bel. III, Stuttgart 1930, S. 632
19 Zit. nach Kokula: Weibliche Homosexualität…, a. a. O., S. 12
20 Vgl. im Beitrag von Christiane v. Lengerke den Kriminalfall Catharina Link.
21 Dr. Philos: »Die lesbische Liebe.«, in: Zur Psychologie unserer Zeit, Heft 9, Berlin/Leipzig 1907. »Dr. Philos« war ein Pseudonym von Franz Scheda. Der Text wurde mit geringen Änderungen wiederaufgelegt: Franz Scheda: Abarten des Geschlechtslebens, Berlin 1931
22 Ebd., S. 7

rechte Seite:
*»Die Neue Generation« (1908–1919)
vertrat als Publikationsorgan des
»Bundes für Mutterschutz und Sexualreform« das – auch innerhalb der
Frauenbewegung umstrittene – Konzept einer »Neuen Ethik« (Sexualauf-
klärung, Kritik der Institution Ehe),
Photo: Berlin Museum*

interessierte Öffentlichkeit, »den weniger harmlosen Untergrund gar vieler Mädchen- und Frauenfreundschaften zu entdecken«[23]. Dr. Philos wies nachhaltig auf die Gefahr hin, die seiner Ansicht nach v. a. »pervertierte«[24] lesbische Frauen darstellen; im Zusammenhang mit der Frauenbewegung konstatierte er die Existenz durch Berufstätigkeit und »Überanstrengung des weiblichen Hirns ... halb-maskulin gewordene(r) Weiber« mit dem »Bestreben, normale Geschlechtsgenossinnen in ihren Bann zu ziehen, sowohl zur Befriedigung bewußter Sexualbedürfnisse als auch aus instinktiven Rachegelüsten gegen den Mann, um diesem möglichst viele Geschlechtslustobjekte zu entziehen.«[25]

Warum nun sollte lesbische Liebe um 1910 wieder strafrechtlich verfolgt werden? Mehrere Faktoren trugen zu diesem Versuch der Kriminalisierung lesbischer Frauen bei. Den Hintergrund bildeten wachsende Konkurrenzängste der Männer, und zwar nicht nur auf beruflichem, sondern, von Schreiberlingen wie Scheda geradezu geschürt, auch auf sexuellem Gebiet. Die rasch anwachsende Frauenbewegung bedrohte die »alten Zöpfe«, indem sie gleiche politische Rechte forderte und in bis dato von Männern monopolisierte Bereiche penetrant eindrang. Das Gesetz – wäre es verabschiedet worden – hätte Möglichkeiten eröffnen können, die in der Frauenbewegung aktiven lesbischen Frauen – und damit eine Anzahl der führenden Vertreterinnen – zu treffen und eventuell auch ihre heterosexuellen Kampfgefährtinnen (männer)gesellschaftlich unschädlich zu machen: durch Verleumdung (s. u.). Es hätte benutzt werden können, um die Frauenbewegung in »saubere« heterosexuelle und »krankhaftperverse« lesbische Frauen zu spalten – Spaltung war schon immer ein probates Mittel, unliebsame Bewegungen in den Griff zu bekommen.

Wenn auch erst wenige lesbische Frauen öffentlich und namentlich bekannt waren, so hätte das Gesetz zumindest die rechtliche Grundlage für ihre Verfolgung geschaffen und Aufforderungscharakter zu verschärfter Bespitzelung der Frauenbewegung gehabt.

Im übrigen hatte die spektakuläre »Eulenburg-Affäre« das Thema Homosexualität in den Brennpunkt öffentlichen Interesses gerückt und die Diskussion um die Strafbarkeit homosexueller Handlungen neu entfacht.

Etwa zehn Jahre zuvor hatte der Reichstag erstmals eine mit 900 Unterschriften gezeichnete, von August Bebel eingebrachte und vom Wissenschaftlich-Humanitären Komitee (WhK) initiierte Petition für die Abschaffung des § 175 beraten – allerdings ergebnislos. Auch einige Frauen, die in der Frauenbewegung aktiv waren oder mit ihr sympathisierten, hatten die Petition unterschrieben (u. a. Helene Stöcker, Adele Schreiber, Rosa Mayreder, Grete Meisel-Hess, Lou Andreas Salomé, Käthe Kollwitz).

Die geplante Ausdehnung des § 175 wurde in den Jahren 1910/11 auch in Frauenvereinen und -zeitschriften diskutiert.

Die Berliner Lehrerin Helene Stöcker, als einzige führende Frau der Frauenbewegung Vorstandsmitglied des WhK, meldete sich immer wieder zu Wort gegen den »unselige(n) § 175«[26] und faßte in einem Artikel der von ihr herausgegebenen Zeitschrift *Die Neue Generation* den Stand der Diskussion um die Ausdehnung des Paragraphen zusammen. Die Argumentation gegen die Ausdehnung des Paragraphen auf Frauen war vorsichtig-defensiv; als wichtiges Argument gegen die Bestrafung weiblicher Homosexualität wurde die Gefahr der Verleumdung heterosexueller Frauen angeführt:

»Denn darüber gebe man sich keinen Täuschungen hin: die Last dieses Paragraphen, der auch die Frauen unter das Stigma der Strafbarkeit stellen will, trifft nicht nur solche, bei denen tatsächlich Freundschaft sich zu sexuellen Handlungen verdichtet, sondern ebenso solche, bei denen das *nicht* der Fall ist ... so wären wenige davor sicher, gleichviel ob mit Recht oder Unrecht, von Neidischen oder Böswilligen, – und deren gibt es überall, nicht unerlaubter Handlungen geziehen zu werden.«[27]

Nicht zu übersehen waren die Meinungsverschiedenheiten und unterschiedlichen Positionen innerhalb der Frauenbewegung zum Thema Homosexualität.

Während Käthe Schirmacher (radikaler Flügel der bürgerlichen Frauenbewegung) homosexuelle Beziehungen zwischen Frauen anders gewertet sehen wollte als bei Männern, empfand Anna Pappritz (gemäßigte

23 Ebd., S. 8
24 »Pervertiert« bedeutete nach Krafft-Ebings Theorie nicht aufgrund von Veranlagung, sondern durch Erwerb homosexuell.
25 Dr. Philos: Die lesbische Liebe, a. a. O., S. 39
26 Helene Stöcker: »Die beabsichtigte Ausdehnung des § 175 auf die Frau.«, in: Die neue Generation Jg. 7, Nr. 3, vom 14. 3. 1911, S. 110–122; repr.: Ilse Kokula: Weibliche Homosexualität ..., S. 267–278
27 Ebd., S. 111 f.

Vertreterin des radikalen Flügels) das »Laster« der weiblichen Homosexualität als »genauso verwerflich, widerlich und ekelhaft, als wenn es von Männern begangen wird«.[28] Dennoch war sie gegen die Ausdehnung des Paragraphen auf Frauen; sie rettete sich mit der formalistischen Argumentation, der Paragraph bestrafe Männer für einen Tatbestand, der bei Frauen aus physiologischen Gründen nicht stattfinden kann (sprich Analverkehr).

Elsbeth Krukenberg hielt sich in der Bewertung von Homosexualität zurück: »Mann und Frau mögen bei solchen Vergehen, resp. Perversitäten gleich schuldig sein.«[29] Sie sprach sich gegen die Bestrafung weiblicher Homosexualität aus, weil ein solches Gesetz die Frau härter treffen würde als den Mann, denn es käme einem Verbot der Zärtlichkeit zwischen Frauen gleich. Weiter heißt es:

»Auch das Zusammenwohnen von Frauen, wie es seit alter Zeit als selbstverständlich und recht gilt, würde Verdacht erregen können. Niemals werden zwei Männer sich dauernd untereinander das Leben so behaglich machen können, nie so füreinander sorgen können, wie zwei Frauen es tun. Ganz selbstverständlich war es dabei, daß Freundinnen auch das Schlafgemach teilten.«[30]

E. Krukenberg spricht hier sicherlich auch ihre eigenen Befürchtungen aus – sie lebte mit ihrer Freundin Lina Hilger jahrzehntelang zusammen.

Männliche Homosexualität schätzte Krukenberg als widernatürlich ein – ob angeboren oder erworben. Dennoch kritisierte sie die moralische Entrüstung in der Öffentlichkeit über den »Soldatenstrich« anläßlich der Harden-Moltke-Eulenburg-Prozesse und verglich ihn mit der weiblichen Prostitution:

»Jenen, die – von Natur anormal beanlagt oder durch voraufgegangenes zügelloses Leben geschädigt – sich zu widernatürlichem Laster verstehen, droht ein Zuchthausparagraph, über dessen Berechtigung von Juristen und Medizinern viel hin und her gestritten wird. Die anderen aber erklärt man ohne weiteres für ,normal' in ihrem Empfinden, nur weil es Frauen sind, die sie mißbrauchen, und weil die Tradition diese Art von ekelerregendem Leben als gutes Recht des Mannes erklärt.«[31]

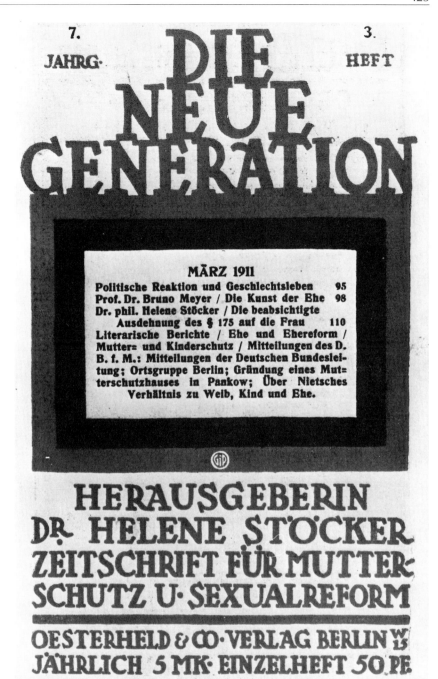

Diesen Ausführungen fügte Marie Stritt eine Nachschrift hinzu, in der es heißt:

»Ein konträres Geschlechtsempfinden bedeutet dagegen an sich schon *eine Krankheit,* vor der ein gesunder Instinkt Grauen empfinden muß.«[32]

Stritt wies auf die Frauenfeindlichkeit homosexueller Männer hin als Argument für deren strafrechtliche Verfolgung:

»Welche Auffassung diese fanatischen Frauenhasser vom weiblichen Geschlecht haben, ist sattsam bekannt und ging auch

28 Zit. nach Kokula: Weibliche Homosexualität…, a. a. O., S. 32
29 Elsbeth Krukenberg: »§ 175«, in: Monatsschrift für Kriminalpsychologie und Strafrechtsreform, 7. Jg., Heidelberg 1911; zit. nach Kokula: Weibliche Homosexualität…, a. a. O., S. 256
30 Ebd.
31 Elsbeth Krukenberg: Normales Empfinden, in: Marie Stritt (Hrsgin.), Centralblatt des Bundes deutscher Frauenvereine, IX. Jg., Nr. 16, 15. 11. 1907, S. 123
32 Ebd.

»Hasset die Männer und die Ehe!... Führt den heiligen Kampf gegen die männliche Welt... Wisset, daß die Ehelosigkeit aus bewußten und allgemein gültigen Gründen das vornehmste Zeichen für die geniale weibliche Verfassung ist, ja, daß sie das Genie der Frau selbst bedeutet... Da ihr allein sein sollt, so fordert die Teilung nach den Geschlechtern und die Konzentrierung der gesamten weiblichen Tätigkeit auf die eigene Stadthälfte, die selbstredend auch besondere Todesstätten für das Geschlecht enthalten soll.«
Helene von Druskowitz, zit. nach Dr. Philos: Die lesbische Liebe, a. a. O., S. 19 f.

33 Ebd.
34 Ebd.
35 Vgl. Kokula: Weibliche Homosexualität..., a. a. O., S. 30 ff.

aus den Verhandlungen des Hardenprozesses deutlich genug hervor.«[33]
Marie Stritt meinte daher, daß männliche Homosexuelle »als Schädlinge der Gesellschaft von einem gesunden Volksempfinden unter allen Umständen gebrandmarkt werden müssen«.[34]
Weibliche und männliche Homosexuelle fühlten sich nicht unbedingt zu *einer* diskriminierten Minderheitengruppe zugehörig. Männerhaß bis ins Grab im Stile von Helene von Druskowitz auf der einen Seite, Frauenverachtung, wie sie *Der Eigene* zum Ausdruck brachte, auf der anderen Seite, ließen sich schwer in Einklang bringen. Auch heute noch bildet die Zusammenarbeit zwischen Lesben und Schwulen eher die Ausnahme. Die Argumente gegen die Bestrafung weiblicher Homosexualität, die in Zeitschriften und Treffen verschiedener Frauenvereine[35] diskutiert wurden, wiederholten sich in einem Gutachten des Reichsjustizamtes 1911 (Autor: Magnus Hirschfeld): die strafrechtliche Verfolgung lesbischer Frauen führe zu Denunzianten- und Erpressertum, das Vergehen sei wenig bekannt, es bestehe in bloßer Masturbation, die auch bei Männern straffrei sei. Damit war dieser Gesetzesentwurf, nicht zuletzt aufgrund von Initiativen vor allem des radikalen Flügels der bürgerlichen Frauenbewegung und des WhK vorläufig gescheitert.
Insgesamt kann der Versuch der Ausdehnung des § 175 auf Frauen als ein Angriff auf die Frauenbewegung gesehen werden, die zu dieser Zeit ein unübersehbarer Faktor war und sich durch zahlreiche Aktivitäten, Einrichtungen und Publikationen bemerkbar machte.
Gerade weil der Anteil lesbischer Frauen in der Frauenbewegung, aber auch in der gesamten weiblichen Bevölkerung nicht bekannt, nicht (er)faßbar war, mag noch eine weitere Motivation dieser beabsichtigten Strafrechtsreform zugrundegelegen haben: die Befürchtung, eine beträchtliche Zahl von Frauen könne die Mutterschaft – und damit die Produktion von Kanonenfutter – verweigern. Dies konnte sich ein imperialistisches Land wie das Deutsche Reich nicht leisten. Eine explizite Argumentation in diese Richtung findet sich dann auch während eines späteren Versuchs der Kriminalisierung lesbischer Frauen bis hin zu ihrer Verfolgung und Eliminierung als »Volksschädlinge« im Nationalsozialismus.

Christiane von Lengerke

»Homosexuelle Frauen«
Tribaden, Freundinnen, Urninden

Zuneigung, Freundschaft, Leidenschaft, Liebe, Erotik und Sexualität zwischen Frauen. Der Titel der Ausstellung »Homosexuelle Frauen und Männer in Berlin 1850 bis 1950« suggeriert, daß Liebe, die Frauen Frauen entgegenbringen, die in vielgestaltigen Beziehungen miteinander leben, in ihrer Eigenart den Gefühlen und Lebenszusammenhängen zwischen Männern gleichzusetzen sei.

»Homosexuell«, abgeleitet nicht von lateinisch »homo« – Mensch/Mann, sondern griechisch »homos« – dasselbe, dient heutzutage in der medizinischen Literatur der Bezeichnung »gleichgeschlechtlichen Sexualempfindens«[1] bei Frauen und Männern. In der Umgangssprache meint »homosexuell« gewöhnlich nur Männer.

Frauen ist jahrhundertelang ein spezifisches Sexualempfinden überhaupt abgesprochen worden, ihr »natürliches Frausein« erfüllte sich in Ehe und Mutterschaft oder blieb bei sogenannten »alten Jungfern« unerfüllt. Frauen, die Frauen liebten, wurden totgeschwiegen, ihre Gefühle bagatellisiert, pathologisiert, zuweilen kriminalisiert, in jedem Falle unter männlicher Begrifflichkeit subsumiert.

Eben erst beginnen Frauen Lesbengeschichte als Teil der Frauengeschichte zu erforschen. Die Unterschiedlichkeiten, insbesondere hinsichtlich Ehe, Mutterschaft, Berufstätigkeit und ökonomischer Unabhängigkeit zwischen heterosexuellen Frauen und Frauen, die in Frauenzusammenhängen ihre Selbstverwirklichung fanden, werden langsam sichtbar.

Frauen, die auf ihrer Autonomie, insbesondere ihrer sexuellen Autonomie bestehen, sind – egal ob sie im Verborgenen bleiben oder öffentlich ihrer Frauenliebe Ausdruck geben – eine potentielle und direkte Bedrohung für patriarchalische Vorrechte, die Männer z. B. in den Institutionen Ehe und Familie hüten. Lesbische Frauen entziehen

Jeanne Mammen, Am Morgen, Bleistiftzeichnung, 50 x 39 cm, Berlin, Privatbesitz. Vorzeichnung zum gleichnahmigen Blatt des Bilitis-Zyklus, Photo: Friedrich, Berlin

sich den Männern nicht nur als »Sexualobjekte«. Sie stellen heterosexuelle Erotik und Sexualität in Frage. Ihre auf Frauen gerichteten erotischen und sexuellen Wünsche und deren Verwirklichung sind eine Herausforderung an die Männerwelt. Das wird deutlich an der allgegenwärtigen pornographischen Ideologie.[2] Sie spricht Frauen autonome sexuelle Identitäten ab und schreibt mit ihrem Begriff von Erotik den Frauen im phallokratischen Normengefüge Objektstatus zu.

In einer Gesellschaft, in der Homosexualität weitgehend tabuisiert ist, ist die Erforschung der Geschichte »homosexueller« Frauen besonders dadurch belastet, daß neue Identitätsbestimmungen zu finden sind, die solche aus der männerdominierten Wissenschaftstradition ablösen. Frauen also müssen Identitätsvorbilder als solche neu erkennen und verarbeiten.

Der Prozeß des Sichtbarmachens von Frauen, die Frauen liebten, beinhaltet für die forschende Frau selbst im doppelten Sinn Sichtbarwerden.

Einen Überblick über den Forschungsstand (Bibliographie) und aktuelle Fragestellungen, bezogen auf die »ongoing debate within the lesbian-feminist community« in den USA, gibt Jonathan Katz in Gay/Lesbian Almanac. Harper & Row 1983, S. 657 ff.
1 Der Duden, Bd. 8, Synonymwörterbuch, 1964, S. 362
2 Laura Lederer (ed.): »Take Back the Night«, Women on Pornography (Aufsatzsammlung). W. Morrow, N. Y. 1980

Anita Augspurg (links), Ms. Sheetabauls (mitte) und Lida Gustava Heymann (rechts), 1919, aus: Hermes Handlexikon, 1983, S.41

Geschichtliche Existenzen von frauenliebenden Frauen und ihre Zusammenhänge untereinander werden ihr erkennbar.

Sie selbst wird für sich – und andere – in ihrer Tradition sichtbar. Schmerzhaft wird der Prozeß, wenn Frauen, die »privat« über ihr Leben mit Frauen erzählen, mit dem Argument »Frauenliebe lebt man, man stellt sie nicht aus«, die von uns in sie gesetzte Hoffnung auf ein solidarisches gemeinsames Öffentlichwerden enttäuschen.

Zu den durch das Erkenntnisinteresse bedingten Schwierigkeiten kommen andere.

Viele Dokumente, in denen Frauen ihrer Liebe zu Frauen Ausdruck gaben, besonders Tagebücher, Briefe, Gedichte, Romane, sind nicht mehr aufzufinden. Sei es, daß Frauen sie selbst vernichteten, sei es, daß sie im Krieg vernichtet wurden (z. B. das Frauendokumentearchiv, das Anita Augsburg und Lyda Heymann in 10jähriger Arbeit zusammengetragen hatten, durch die Nazis) oder daß männliche Sachverwalter Materialien der Nachwelt vorenthalten zu dürfen glaubten (vgl. Rahels Briefe an Pauline Wiesel, durch Varnhagen unterdrückt; Lewin Schückings Umgang mit Droste Hülshoffs Werk).

Waren Veröffentlichungsmöglichkeiten für Frauen per se beschränkt, so tat die Thematik ein übriges dazu, daß Stillschweigen gewahrt wurde. Viele Zeugnisse wurden als »trivial« gebrandmarkt und sind verschollen (vgl. Suchliste literarischer Werke im Lesbenarchiv Berlin).

Frauenliebe blieb und bleibt also weitgehend unsichtbar. Es sei denn, sie erregt das voyeuristische Interesse der zahlungsfähigen Männerwelt und wird pornographisch verwertet.

Heutzutage werden in der öffentlichen Meinung »homosexuelle« oder »lesbische« Frauen, wenn sie überhaupt der Erwähnung wert gefunden werden, mit Unverständnis, Mitleid oder Empörung bedacht. Die meist plumpe Diffamierung oder gar Kriminalisierung der Gefühle der sexuellen Befriedigung und der Lebenszusammenhänge, die Frauen miteinander finden und unter Ausschluß von Männern entwickeln, tun in immer wieder auftauchenden Zeitungsserien oder Magazinstories ihre stete Wirkung

zur Vernebelung von Realitäten. So zum Beispiel ein neuerer Report in der »Bild-Zeitung« 1982. Die Serie »Ich bin lesbisch« macht die »Normalität« lesbischer Frauen an ihrem Wunsch nach Heirat und Kindern – und seien es Retortenbabies – fest.

Einer subtileren Denunziation bedient sich die Zeitschrift »Sexualmedizin«.[3] Sie behandelt »Liebe unter Frauen« – so der Titel – als Liebe mit »tragischem Anstrich« und warnt vor »unausbleiblicher Frustration«.

Weil sie bedrohlich wirkt, wird lesbische Liebe kriminalisiert oder sie ruft wissenschaftliche Experten in Sachen Psychopathologie auf den Plan.

Scheinbar liberal wird sie auf heterosexuelle Normen verpflichtet, die patriarchalen Verhältnissen dienen. Als besonderer Kitzel erotisiert sie die frauenverachtenden Pornographen.

Selbst Frauen scheuen sich oft, über lesbische Liebe zu sprechen. Seit Beginn der Lesbenbewegung – 1973 – haben lesbische Frauen öffentlich den ursprünglich stigmatisierend gebrauchten Begriff »lesbisch« kämpferisch und selbstbewußt gebraucht. Sie bezeichnen sich als lesbische Frauen, als »Lesben«.

»Lesbe« bleibt für viele Frauen ein Reizwort. Sie scheinen die allgemeine Ablehnung zu internalisieren und mit dem Begriff ihre Unsicherheit und Zurückhaltung gegenüber eigenen auf Frauen gerichtete erotische und sexuelle Neigungen und Bedürfnisse zu tabuisieren.

Ist überhaupt eine Bezeichnung wie lesbisch oder frauenliebend geeignet, Frauenbeziehungen gerecht zu werden, in ihren historisch bedingten Erscheinungsformen und Kausalitäten?

Gibt es Begriffe, die geeignet sind, Frauenlebensläufe und deren Qualitäten in der Vergangenheit zu beschreiben? Begriffe, um Bezüge von Frauen untereinander und ihre Wirkungen auf andere Individuen und Gruppierungen zu verstehen und sichtbar zu machen?

Kategorisierungen dienen doch vielmehr dazu, Frauen ein- und auszugrenzen, Frauenexistenzen zu verleugnen, Frauen zu diffamieren, sie auseinanderzudividieren.[4]

Innerhalb der Frauenforschung werden unterschiedlich gerichtete Interessenschwerpunkte deutlich an der Weise, wie Forscherinnen die erotischen und sexuellen

3 H.-J. Schumann: »Liebe unter Frauen«, in: Sexualmedizin, 11. Jg., Jan. 1982, S. 4–9
4 Gudrun Schwarz: »Mannweiber« in Männertheorien, in: Frauen suchen ihre Geschichte (Karin Hausen, Hrsgin), München 1982, S. 74

Bedürfnisse im Rahmen von Frauenfreund-
schaften/Frauenbeziehungen einschätzen.
Sind diese Bedürfnisse überhaupt nur selten
und schwer nachweisbar, sehen einige Forscherinnen ihr Erkenntnisinteresse vor
allem darin, Erotik und Sexualität, die Frauen
besonders in Beziehungen mit Frauen aber-
kannt oder entwertet wurden, zurückzufor-
dern und Frauenliebe im weiteren Sinn bewußt zu machen. Andere legen mehr Gewicht auf die Wiederentdeckung, Beschreibung und Neueinschätzung von Frauenfreundschaften, weisen die Wichtigkeit von
unterstützenden Frauenzirkeln und Frauenzusammenhängen nach, in denen auch
sinnliche und erotische Elemente eine Rolle
spielten.
Unter dem Begriff »homosexuell«, der vor
allem durch die Mediziner des ausgehenden 19. Jahrhunderts eingebürgert wurde,
läßt sich nicht subsumieren, was Frauen an
zärtlichen und leidenschaftlichen Gefühlen
füreinander empfanden, was sie über lange
Jahre in emotionaler Zugewandtheit, Liebe
und Unterstützung miteinander lebten.
Frauen haben zu allen Zeiten ihren Anspruch auf autonome Sexualität und Erotik
im Verborgenen, halböffentlich oder
öffentlich entfaltet und haben Freundschaften und Liebesbeziehungen mehr oder
weniger im Widerspruch zu gesellschaftlichen Erwartungen und männlichen Kategorisierungen gelebt. Einzelne Frauen wurden als »Fälle« an das Licht der Öffentlichkeit
gezerrt, z. B. Catharina Linck, die hingerichtet wurde, die Freundinnen, die A. Döblin
Stoff zu seiner Erzählung »Die Freundinnen
und ihr Giftmord« gaben, Helen Doolittle,
die als »H. D.« Sigmund Freuds »Fall« in den
Schriften zur »Neurosenlehre«[5] war. Eine
einzelne Frau, Anna Rühling, bezeichnete
sich selbst (1905) öffentlich als Lesbierin.
Die Frage hinsichtlich der Identitätsfindung,
Stigmatisierung und Selbststigmatisierung,
präskriptiven Kategorisierungen und Rol-
lenfestschreibungen ist:
»Homosexuelle« Frauen, wer sind sie?
Welche Frauenexistenzen verbergen sich
hinter den Bezeichnungen: Tribaden, Fricatrices, Saphistinnen, Lesbierinnen, Mannweiber? Wer waren die Frauen, die der lesbischen Liebe geziehen wurden, des Sapphis-
mus, abwegiger Liebe, widernatürlicher
Unzucht zwischen Personen weiblichen
Geschlechts, der Inversion, conträrer

Sexualempfindung, abnormer Triebrichtung, weiblicher sexueller Präferenz, Perversion und Pervertierung?
Wer sind die Frauen, die sich schließlich
selbst Krafft-Ebingen, Repräsentantinnen
des dritten Geschlechts nannten?
Wer waren und wie lebten die Freundinnen,
Frauenpaare, die dreißig oder vierzig Jahre
ihr Leben teilten, sich »liebes Herz«, »meine
theure Geliebte« nannten und die Bezeichnung homosexuell oder lesbisch verständnislos oder als Beleidigung aufgefaßt hätten?

*Jeanne Mammen, »Im Damenclub«,
Aquarell, Besitz unbekannt, aus:
Adele Meyer (Hrsgin.): Lila Nächte,
Köln 1981, S. 148*

5 Sigmund Freud: Schriften zur Neurosenlehre, Bd. 5, 1922

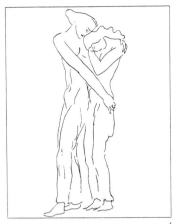

Renée Sintenis, Illustration zu
»Sappho«, übertragen von Hans Rupé,
Berlin o. J., Photo: Bartsch, Berlin

6 Lillian Fadermann: Surpassing the
Love of Men, Junction Books, Lo., o. J.,
(ca. 1983), S. 389/90
7 Eine Diskussion dazu in: Rundbrief
des Lesbenarchivs Berlin, Nr. 3, 1983,
S. 4 f.
8 Gisela Breitling: Der verborgene
Eros. Zur Kunst von Frauen, in: Feministische Studien, 2. Jg., Nr. 1, Mai 1983,
S. 86–92
9 Jutta Brauckmann: »Geschlechtsrollen und Antihomosexualität«, (damals)
unveröffentlichte philosophische
Hausarbeit, Münster 1978, S. 145. Vgl.
J. B.: Weiblichkeit, Männlichkeit und
Antihomosexualität, Berlin 1981. Zitat
u. Anm. dazu nach handschriftlichem
Exzerpt von I. Kokula.
10 Leila Rupp: Imagine My Surprise, in:
Frontiers, Vol. V, No. 3, 1981, S. 67
11 Ebd.
12 Gisela Bock: Historische Frauenforschung: Fragestellungen und Perspektiven, in: Frauen suchen ihre Geschichte (Karin Hausen, Hrsgin.), München 1982, S. 48

Wie sind Begriffe wie Muttis und Vatis,
Lesbosmädchen, Garçonne zu verste-
hen, mit denen sich die Frauen selbst bezeichneten?
Trifft für sie alle als minimale Gemeinsam-
keit zu, was eine prominente Forscherin lesbischer Geschichte, Lillian Fadermann, als
gleichermaßen gültig für Frauen des 18. und
19. Jahrhunderts wie für die lesbisch wer-
dende Frau in Verena Stefans Buch »Häutun-
gen« (1975) bezeichnet hat?

Lesbische Liebe sei, sagt Lillian Fadermann,
»an emotional and sensual attachment to a
kindred spirit, with a potential of getting
back as much as given.«[6]
Entscheidend dürfte nicht die Frage des »klitoralen Kontaktes«[7] sein, sondern die weiblicher Identitäten. Dabei geht es darum, Erotik, wie sie von Frauen erlebt und noch selten beschrieben oder dargestellt wird, zu
unterscheiden von der Erotik, wie sie von
Männern in Bezug auf Frauen gesehen,
veröffentlicht und von uns internalisiert
wird.[8]
Die Frage der Identität(en) wirft Schwierigkeiten auf. 1978, zur Zeit der aktiven Lesbenbewegung in der BRD, hat z. B. die Femi-
nistin Jutta Brauckmann als lesbisch (oder
homosexuell) die Frau bezeichnet, »die sich
in ihren sozialen, emotionalen, erotischen
und auch sexuellen Interessen und Bedürfnissen auf Frauen bezieht, d. h. ihnen eine
primäre Stellung in ihrem Leben einräumt
und die sich selbst als lesbisch versteht, hiermit also alle Formen der Diskriminierung
gegenüber homosexuellen Frauen auf sich
nimmt.«[9]
Nicht nur, daß ihr »auch sexuell« sogleich
korrigiert wurde, da es entsexualisiert wirke
(Stenmans 1979). Die Definition läßt z. B.
auch ältere Frauen (ab 40) aus, die sich
sexuell zu Frauen hingezogen fühlen und
Sexualität mit ihnen erleben, sozial aber zu
Männern tendieren. Sie bevorzugen zur Gesellschaft und für gesellige Gelegenheiten
Männer. Das unterscheidet sie gravierend
von jüngeren (insbesondere Lesbenbewe-
gungsfrauen) (Lena Furgeri 1976/77).

Das Kriterium, »die sich selbst als lesbische
Frau versteht«, ist ein ungeeignetes Merkmal, weil es leidenschaftliche Liebe zwischen Frauen wohl immer gegeben hat,
aber – so argumentiert Leila Rupp – »it has
not always been named.«[10]

Das bezieht sich vor allem auf das 19. Jahrhundert. Auf das 20. Jahrhundert bezogen
sagt sie:
»Since it has been named in the twentieth
century, we need to distinguish between
women who identify as lesbians and/or
who are part of a lesbian culture, where one
committed-women who would not identify as lesbians but whose primary committ-
as lesbians but whose primary committ-
ment in emotional and practical terms, was
to other women.«[11]
In der Tat müssen wir auch heute unterscheiden zwischen lesbischen Feministinnen und mehr oder weniger »versteckt«
lebenden Freundinnen, die ihr Leben mit
Frauen teilen, es aber ablehnen, sich als lesbisch oder irgendwie anders bezeichnen zu
lassen.
Grundsätzlich und jenseits begrifflicher
Unterscheidungs- und Definitionsbemü-
hungen gilt:
»So führte die historische Forschung über
lesbische Frauen und ihre Lebensformen zu
einer gewandelten Sicht von Familie, Verwandtschaft, Sexualität im 19. Jahrhundert.
Sie machte auf eine relativ eigenständige
‚Frauenkultur‘ aufmerksam und rückte den
Bereich ‚Kultur‘ im Sinne von nicht-mate-
riellen Symbolen und Ausdrucksformen in
den Vordergrund von Geschlechterstudien.
Derart ausgewählte Gruppen innerhalb
eines Geschlechts müssen auch in bezug
auf das ‚andere Geschlecht‘ bzw. dessen
vergleichbare Gruppen betrachtet werden:
so dürfte etwa ein historischer Vergleich
zwischen männlichen Homosexuellen und
lesbischen Frauen mehr Unterschiede als
Gemeinsamkeiten zutage fördern.«[12]

Sünde wider die Natur

Im öffentlichen Bewußtsein ist das, was
über »homosexuelle Frauen« bekannt ist, in
aller Regel von der zweieinhalbtausendjäh-
rigen jüdisch-christlichen, grundsätzlich
misogynen Tradition geprägt. Sie erkannte
der Frau erst spät überhaupt eine Seele zu,
machte in Eva die Frau zur Ursache der
Sünde, ließ in Maria Aufopferung und »Mütterlichkeit« verehren. Sie verdammte Sexualität überhaupt und versuchte durch Zöli-
batsregeln und durch Moralgesetze zur Ehe
der »Unzucht« Herr zu werden. Ganz im
Sinne von Paulus, der schrieb:
»Es ist besser für den Mann, sich mit dem

Weibe nicht einzulassen. Doch wegen der Gefahr der Unzucht soll jeder sein Weib und jedes Weib ihren Mann haben.«[13]

Die Bibel erwähnt nur an einer – umstrittenen – Stelle das »sodomitische Laster« (Genesis 19, 4–11). »Frauenliebe«, d. h. weibliche »Sünde wider die Natur« wird im Lauf der sich von Jahrhundert zu Jahrhundert verschärfenden Haltung der Kirche gegen Homosexualität (besonders in ihren eigenen Reihen) nur selten berücksichtigt. Es ist bekannt, daß Nonnen, die sogenannte Dildos verwendeten, besonders hart bestraft wurden. Erst einige Jahrhunderte, nachdem eine Benediktinerordensregel (534 n. Chr.) Mönchen verbot, zu zweit in einem Bett zu schlafen, wurde eine ähnliche Regel für Nonnen verfügt.

Die Tradition, die weibliche Lustgefühle zwar geringschätzte, weibliche Sexualität aber dämonisierte, wie z. B. die Hexenverfolgungen zeigen, wirkte durch Sündenregister und Beichtrituale der katholischen Kirche auf das Sündenbewußtsein und wurde je nachdem als aktualisierbarer Moralkodex festgeschrieben. Zeugnisse einer weiblichen Sexualität, Lust und Liebe von Frauen eher zulassenden Kultur und Tradition suchte die Kirche schon früh zu löschen.

»...aus Furcht vor dem Wiederaufleben heidnischer Kulte, die Gleichgeschlechtliches duldeten, wurden im 4. nachchristlichen Jahrhundert die Gedichte der Sappho von Lesbos zum ersten Mal verbrannt.«[14]

Sapphismus:
Tribaden, Fricatrices, Lesbierinnen

Sapphische Liebe, Lesbos als Fluchtpunkt für Lesbierinnen, Sappho als Identitätsfigur durfte es nicht geben. Ihre Schriften wurden verbrannt, wenige »sapphische« Oden und an die 200 Fragmente sind überliefert. Erst 1897 wurden Fragmente bei Ausgrabungsarbeiten entdeckt (sie waren gepreßt zur Herstellung von Sarkophagen verarbeitet worden).

Für die meisten Zeitgenossen reichen die bruchstückhaften Kenntnisse über diese Sappho, die im 3. vorchristlichen Jahrhundert mit ihren Freundinnen auf der griechischen Insel Lesbos lebte, neben den christlich tradierten Vor-Urteilen aus, Einstellungen gegenüber lesbischen Frauen zu formen und Werturteile über sie zu fällen.

Bildnis der Sappho, Wandgemälde aus Pompeji, Neapel, Museo Nazionale, aus: Verena..., Women in Greece and Rome, New York, 1973, S. 93

Auch wenn verschwommene Vorstellungen über eine größere Freisinnigkeit bezüglich männlicher Homosexualität im klassischen Altertum Teil der Allgemeinbildung sind und hier und da der griechische Begriff »Tribaden« nicht ganz unbekannt gewesen zu sein scheint, erschien es jahrhundertelang nötig, daß (männliche) Forscher mit daran wirkten, Sapphos Liebe zu Frauen in Besitz zu nehmen. So machten sie ihre Freundinnen zu Schülerinnen, ordneten ihr einen Liebhaber zu, und führten immer wieder den Beweis in ihren Übersetzungen und Vorlesungen, daß Sappho keine gute Dichterin gewesen sei – oder wenn schon – dann aber gewiß nicht eine, die Frauen liebte. Zumindest aber eine Frau, die aufgrund ihrer Häßlichkeit bei Männern keine Chance hatte. Kurz: lesbische Liebe als Ersatz.

Ein Blick auf die »Rezeption« einer sapphischen Ode diene als Veranschaulichung des Spannungsverhältnisses zwischen der Darstellung weiblicher Gefühle und der Rezeption durch Männer. Zwei Fassungen der berühmten Verse und ihre Interpretation:

13 Paulus im 1. Korintherbrief (7, 1–2)
14 Der Spiegel, 2. 9. 197, S. 62

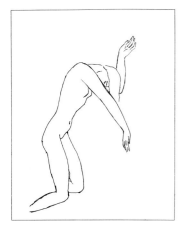

Renée Sintenis, Illustration zu
»Sappho«, übertragen von Hans Rupé,
Berlin o. J., Photo: Bartsch

15 Joachim Schickel: Sappho Stro-
phen und Verse, Frankfurt a. M., 1980,
2. Aufl., XII, S. 17
16 Ebd., J. Schickel: »Sappho, ein lyrisches, lesbisches Spektakel«, S. 86
17 Josephine Balmer: Sappho out at
Last, in: Spare Rib 6, London 1982,
S. 36 ff. Die englische Gedichtüberset-
zung, die in dem Artikel besprochen
wird, stammt von Mary Lefkowitz (in:
Heroines & Hysteries, London 1981,
S. 59 ff.), mit deren Sapphointerpreta-
tion sich J. Balmer in Spare Rib aus-
einandersetzt. Die Übersetzung ins
Deutsche von C. v. L.

XII

Scheinen will mir, er komme gleich den
Göttern, jener Mann, der dir gegenüber
niedersitzen darf und nahe den süßen
Stimmenzauber vernehmen

und des Lachens lockenden Reiz. Das läßt
mein Herz im Innern mutlos
zusammenkauern. Blick ich dich ganz
flüchtig nur an, die Stimme stirbt, eh sie
laut ward,

ja, die Zunge liegt wie gelähmt, auf
einmal läuft mir Fieber unter der Haut
entlang, und meine Augen weigern die
Sicht, es überrauscht meine Ohren,

mir bricht der Schweiß aus, rinnt mir
herab, es beben alle Glieder, fahler als
trockene Gräser bin ich, einer Toten
beinahe gleicht mein Aussehn …

Aber alles trägt sich noch, da …[15]

Dazu die Interpretation des Übersetzers,
der sich Sapphos »Liebhaber« nennt:

»Die berühmten Verse – in dem von Sappho
bevorzugten, daher nach ihr Sapphische
Strophe benannten Metrum geschrieben –
preisen zu Anfang den Mann, der ein Mädchen als Frau heimführt; konventionelles
Motiv für ein Hochzeitslied.

Scheinen will mir, er komme gleich den
Göttern, jener Mann, der dir gegenüber
niedersitzen darf und nahe den süßen
Stimmenzauber vernehmen

und des Lachens lockenden Reiz.

Göttlichkeit des Mannes, da er das Schönste
gewonnen, Liebreiz der Braut, woran er sich
verloren – nur ist das Mädchen nicht irgend-
eines. Der Bräutigam nimmt es nicht der
Familie fort, so daß der übliche Jammer von
Vater und Mutter, Bruder und Schwester
folgte, er reißt es aus Sapphos Kreis. Selig-
preisung schlägt in beklagte Verdammnis
um; erfüllte Liebe zwischen Mann und Mädchen mag himmlisch sein, doch enttäuschte
zwischen Frau und Mädchen ist höllisch.

… Das läßt mein Herz im Innern mutlos
zusammenkauern.

Mit dieser Zeile setzt Neugier auf sich selber
ein, Selbstbeobachtung und Selbstanalyse,
die so mutig ist, bedenkt man die frühe Zeit,
und, bedenkt man die Frau, so männlich –:
daß sie nicht mehr sprechen noch sehen
noch hören kann; eine Kranke, ja eine Ster-

bende; ohnmächtig in ihrem Wollen, trotzdem des Wortes mächtig.

Aber alles trägt sich noch, da …«[16]

Und so weiter Joachim Schickel in seinem
Kapitel »Sappho – ein lyrisches, lesbisches
Spektakel«.
Demgegenüber eine neue, englische Über-
setzung des Gedichtes und die Interpreta-
tion einer Frau:

To a Woman

It seems to me that man is equal to the
gods, that is whoever sits opposite you
and, drawing nearer, savours, as you
speak, the sweetness of your voice

and the thrill of your laugh, which have so
stirred the heart in my own breast that
whenever I catch sight of you, even for a
moment, my voice deserts me

and my tongue is struck silent, a delicate
fire immediately races under my skin, my
eyes see nothing, my ears whistle like the
whirling of a top,

and sweat streams down me, a trembling
creeps over my whole body, I am greener
than grass, I seem at such times to be
hardly more than a step away from death,

but all can be endured, since even a
pauper …[17]

Mary Lefkowitz deutet die erste Zeile: Der
Mann, der Sapphos Geliebter gegenübersitzt, ist »den Göttern gleich«, eine Aus-
drucksweise, die Homer oft für seine männlichen Helden benutzt. Im gleichen Gedicht
sagt Sappho, sie sei »grüner als Gras«, wenn
sie ihre Geliebte sieht, dies ein Anklang an
Homers Bezeichnung »grüne Furcht« für die
Angst seiner Helden vor der Schlacht.
Sappho allerdings beschreibt keine Helden,
keine Schlacht sondern einen Mann, der
einer Frau gegenübersitzt. Und ihr eigenes
Reagieren auf diese Frau. Die Wirkung dieses Kontrastes zwischen der Sprache des
Heldenepos und einer alltäglichen Situation
aus dem Leben einer Frau sei, so meint Mary
Lefkowitz, von Sappho gewählt, um klarzu-
machen, daß das, was im Leben einer Frau
geschehe, ebenso bedeutungsvoll sei wie
das Kriegsgeschehen in der Männerwelt.
Wird üblicherweise das Gedicht als Ode anläßlich der Hochzeit einer von Sapphos
Schülerinnen gedeutet (z. B. U. v. Wilamo-
witz 1913 und J. Schickel 1980) und der

Mann als Bräutigam, Sapphos Gefühle als Trennungsschmerz angesehen oder der Mann als zentrale Figur ausgelegt und Sapphos Gefühle als flammende Eifersucht auf den männlichen Konkurrenten (George Devereux 1970, D. L. Page 1955 und J. Schickel 1980), so meint Mary Lefkowitz, daß die Ode gar nicht Sapphos Eifersucht zum Thema habe. Gedichtmittelpunkt sei nicht der Mann. Es seien vielmehr Sapphos eigene Gefühle. Sie zeigt, wie das Gesicht das unspezifische, trügerische Wesen dieser Gefühle betont. Sappho beschreibe nicht einen bestimmten Mann, eine spezifische Situation; sie wiederholt das »mir scheint« (»I seem«) und überzeichnet ihre Reaktion auf die Frau, um die Wirkung zu verstärken. Das Ergebnis sei eine allgemeingültige, zeitlose, universelle gattungsspezifische Studie über Liebe und Verlangen und ihre Wirkungen auf die Liebende.

Erstaunlich, wieviele Jahrhunderte vergingen, bis eine frauenspezifische Rezeption von Sapphos Gedicht diese andere, mögliche Interpretation vorlegt.

Was verstellt Rezipienten den Blick? Könnten aus der Vielzahl der »männlichen« Versionen von Sapphos Gedichten Naivität oder letztendlich Impotenzängste sprechen, die Männer mit selbstherrlicher Unerschütterlichkeit annehmen läßt, Frauen könnten nicht anders als von ihnen sexuell befriedigt werden?

Die christliche Tradition, die weibliche Sexualität bestenfalls im ehelichen Geschlechtsverkehr und als notwendiges Übel für die Fortpflanzung billigte, war bemüht, die Spuren autonomer weiblicher Erotik und Lust zu verwischen. Sie brandmarkte die »fleischliche Begierde« als Teufelswerk. Sie legitimierte Hexenverbrennungen und sorgte so dafür – wie auch die Strafgesetzgebung –, daß martialisch bestraft wurde, wenn eine Frau die ihr verordnete Rolle und Existenz im patriarchalischen System verweigerte.

1721 wurde z. B. Catharina Linck unter der Anklage ihrer widernatürlichen Beziehung und Ehe zu einer anderen Frau hingerichtet. Sie hatte, als Mann verkleidet, in der hannoveranischen und in anderen Armeen gedient und eine Frau geheiratet.[18]

Nicht die Inanspruchnahme männlicher Privilegien wie Selbständigkeit, Freiheit der Berufswahl und Bewegungsfreiheit schei-

nen bei ihr zur Verhängung der Todesstrafe geführt zu haben. Gewöhnlich wurden nämlich mildere Strafen verhängt. Entscheidendes Beweismittel, das die Schwiegermutter, nicht die »Ehefrau« vorlegte, soll ein künstlicher Penis gewesen sein, der, mit zwei Hodensäcken aus Leder gefertigt, von Catharina Linck getragen wurde.

Ist der neuralgische Punkt die Usurpation des – symbolischen – Prokreationsinstruments?[19]

Die Hinrichtung vieler tausender Frauen als Hexen, in deren Prozessen auch immer diffus sexuelle Grenzüberschreitungen Argumente gegen sie lieferten, und Catharina Lincks Hinrichtung sind ebenso wie die Tatsache, daß im preußischen Landrecht bis 1747 die Todesstrafe auf lesbische Liebe stand, Beweise dafür, wie prekär die Grenzziehung zwischen dem Noch-Erträglichen und dem Un-Erträglichen war.[20]

Neben diesem »Fall« aus der Kriminalgeschichte ist lesbische Liebe im ausgehenden 18. Jahrhundert auch Beschreibungsgegenstand in der Aufklärungsliteratur. Tissot, Arzt und Anatom, schreibt in seinem Werk »Heimlichkeiten der Frauenzimmer« über »Fricatrices, Reibende«:

»Die weibliche Ruthe ... gehet sie der männlichen Ruthe an Empfindlichkeit weit vor, besonders bei denen, welche selten der Wollust fröhnen oder eine Begierde danach haben. Deswegen haben etliche Anatomisten diesem Theil der Weiber oestrum veneris, oder die größte Empfindlichkeit der Voluptät genennet, auch denselben Ort die größte Süßigkeit der Liebe betitelt: (denn man hat deren etliche Weiber gesehen, welche, wenn man diesen Ort chatoulliert, den Samen auf das geschwindeste von sich gelassen.) Denn dieses ist eben derjenige Ort, welcher die unverständigen, und der Geilheit ergebenen Weiber auf eine mehr als viehische Art angereizet untereinander mißbrauchen sollen, indem sie ihn stark reiben, und daher Confrictrices, Reibende, genennet werden, (nicht aber, daß sie diese Ruthe einer der andern in die Wasserlefzen oder auch in die Höhle der Schaam stecken, wie manche davor gehalten haben, denn das Korpus der Wasserlefzen ist dazu gar nicht eingerichtet, und kann auch wegen seiner weichen Substanz durch Reiben oder Anstoß keinen Kützel erwecken.«[21]

18 Lillian Fadermann: Surpassing the Love of Men. Junction Books, o. J. (ca. 1982/3), S. 51 ff.

19 Vgl. zur Geschichte der »olisbos« (gr.), Dildo, s. Reay Tannakill, Kulturgeschichte der Erotik, Berlin 1983, S. 98

20 Vgl. Ilse Kokula: »Vorbemerkung«, in: Weibliche Homosexualität, Frauenoffensive München 1981, S. 9–11

21 Samuel A. Tissot (Pseudonym für Kritzinger): Erzeugung der Menschen und Heimlichkeiten der Frauenzimmer, Teil 1–4, o. O., 1774, Teil III, S. 30/31

»Les Fricatrices«, nach einem Gemälde von Fragonard (?), aus: Bilderlexikon der Erotik, Bd. 1, S. 477, Hamburg 1961 (2.)

»...die weibliche Ruthe (Klitoris): Dieser Theil nun ist von einer sehr durchdringenden Fühlniß, und verursacht beym Venusspiel viel Kützel, derohalben auch in diesem Theile der eigentliche Sitz der größten Liebesvergnügung des Frauenzimmers ist.«[22]

Aus drei Gründen ist die Darstellung interessant. Zunächst sind die anatomisch-physiologischen Bemerkungen mehr als das, was junge Mädchen heute (1984) über ihre Sexualorgane erfahren, wenn sie katholische Aufklärungs- oder Biologiebücher für den Schulgebrauch zur Hand nehmen.[23]

Dann werden bei Tissot weibliche Lustgefühle durchaus betont. Die Beschreibung der Klitoris als Lustzentrum überrascht angesichts der erst 1973 wieder öffentlich entflammten Diskussion in der 2. Frauenbewegung über den klitoralen oder vaginalen Orgasmus.

Sie wurde durch einen Artikel von Anne Koedt ausgelöst[24] und hatte grenzziehende Wirkungen zwischen lesbischen und heterosexuellen Feministinnen.

Wenig überraschen kann in Tissots »Heimlichkeiten« die scharfe Schelte, die von »Geilheit«, »Mißbrauch« und »mehr als viehisch« spricht, weil sie die bekannte christliche Tradition fortsetzt. Fünfzig Jahre später spricht ein anderer Gelehrter in seinem »Eros oder Wörterbuch über die Physiologie und über die Natur und Culturge-

schichte des Menschen in Hinsicht auf seine Sexualität« über »Lesbische Liebe«. Sein Stichwortartikel spricht gar von »Lesbischem Laster«, die Frauen sind »Ungeziefer« und was sie tun »Bestialitäten« aus den »Schmutzwinkeln großer Städte«. Wieder wird hier das Bild vom »viehisch – entarteten Weib« gezeichnet, zur Abschreckung und um das Gegenbild, das »Ideal der menschlichen Sittlichkeit und Tugend« um so strahlender erscheinen zu lassen.

»So gebührt wohl unstreitig dem sogenannten Lesbischen Laster der Platz noch *unter* der Paederastie! Denn wenn schon ein viehisch-entarteter Mann das scheußlichste Bild der Schöpfung ist, welches Wort bezeichnet das viehisch-entartete Weib? Was soll man sagen, wenn man das Weib, das Ideal der menschlichen Sittlichkeit und Tugend, aufgelöst in thierisch-roher Begier sich zum – *Weibe* neigen, und in *weiblicher* Umarmung das Geschlechtsfeuer ihrer Nerven löschen sieht?! Gewiß, *hier* findet die tiefste Erniedrigung des Menschen ihre Grenze!«[25]

Die Hierarchie ist deutlich. Noch unter dem »viehisch-entarteten Mann« wird der Frau, die ihre »thierisch-rohe Begier« einer Frau zuwendet, der Platz an der Grenze des überhaupt noch als mit der Würde des Menschen (= des Mannes) zu Vereinbarenden angewiesen. Von hier ist es nicht weit bis zu Otto Weiningers Ausführungen, der als Vertreter des Antifeminismus dem Stimme gab, was in der frauenfeindlichen Tradition eines Nietzsche, Möbius der Theorie des Penisneids und vermehrt in antifeministischen Schriften um die Jahrhundertwende zum 20. Jahrhundert zur Wahrung der Verfügungsgewalt über die Frauen verbreitet wurde. Otto Weininger sprach Frauen den Besitz einer Seele ab und sagt:

»Der tiefststehende Mann ... steht noch unendlich hoch über dem höchststehenden Weibe, so hoch, daß Vergleich und Rangordnung hier kaum statthaft scheinen.«[26]

Der Autor des 1823 erschienenen »Wörterbuchs« ist genauso parteiisch wie schon Tissot bei der Darstellung weiblicher Lust. Für ihn allerdings waren die »Tribaden« oder »Fricatrices« des alten Rom so verwerflich, weil sie sich Selbstgenüsse »ohne männlichen Zutritt« verschafften »mit Hülfe eines künstlichen Priaps *oder* (!) einer Clitoris«.

22 Ebd., Teil I, S. 81/82
23 Es finden sich z.B. nur schematische Abbildungen ohne Funktionserklärung in: Biologie 3, 1977, S. 113, Bayerischer Schulbuchverlag München; Biologie des Menschen, 1983, S. 173; oder Erläuterungen wie z.B. »äußerlich sichtbar sind nur die Schamlippen und der Kitzler (Klitoris), die sehr berührungsempfindlich sind und bei sexueller Erregung anschwellen«, in: Sauerländer: Einführung in die Biologie, Frankfurt a. M. 1979, S. 29
24 Anne Koedt: Der Mythos vom vaginalen Orgasmus, in: 1. Frauendruck vom Frauenzentrum Berlin, 1975, S. 169 f.
25 Eros oder Wörterbuch über die Physiologie und über die Natur und Culturgeschichte der Menschen in Hinsicht auf seine Sexualität, Bde. 1 und 2, Berlin: Rücker 1823, s. Stichwort »Lesbische Liebe«, S. 336/7
26 Otto Weiniger: Geschlecht und Charakter, Wien 1920, zitiert nach: Daniela Weiland; Geschichte der Frauenemanzipation, Hermes Handlexikon, Düsseldorf 1983, S. 26

»Das alte Rom, das in seinen *Messalinen* und *Julien* die ewigen Ideale weiblicher Verworfenheit aufzuweisen hat, sah auch das lesbische Laster in seinen Mauern sehr verbreitet, und die Römer nannten Weiber, die ein schändliches Vergnügen daran fanden, mit Hülfe eines künstlichen Priaps oder einer Clitoris, die unendliche Wollust sehr vergrößert hatte, oder auf anderem Wege sich einander ohne männlichen Zutritt Selbstgenüsse zu verschaffen, *Tribaden* oder *Fricatrices*. Neuere Zeiten und unser gemäßigtes europäisches Klima haben Gottlob! dieses ekelhafte Laster fast ganz verschwinden gesehen.«[27]

100 Jahre nach der Hinrichtung von Catharina Linck glaubt der Verfasser des Artikels das »ekelhafte Laster«, das hier wie da besonders wegen des Gebrauchs eines künstlichen Phallus verurteilt wird, gebannt.

Entgegen seiner zu früh geäußerten Erleichterung sollten die »Tribaden« und »Fricatrices« – trotz des »gemäßigten europäischen Klimas« – dem phallokratischen Herrschaftsanspruch noch einiges Kopfzerbrechen machen (vgl. die Antifeministen und Mediziner des ausgehenden 19. Jahrhunderts und beginnenden 20. Jahrhunderts).

Frauenfreundschaften – abwegige Liebe? Freundinnen, Geliebte

Innige Frauenfreundschaften waren weitverbreitet. Soviel ist sicher. Sie scheinen bis zum Ende des 19. Jahrhunderts unauffällig und unanstößig gewesen zu sein. Das Terrain war klar abgesteckt durch christliche Moralvorstellungen vor allem. Frauenliebe, insbesondere weibliche Sexualität und/oder Erotik war – sofern sie sich überhaupt außerhalb von Ehe oder mütterlicher Produktivkraft sichtbar machte – mit Hinweisen auf Unnatur und Sittenlosigkeit denunziert und verfolgt worden.

Es gab kein Recht der Frau(en), sich selber zu leben außerhalb von auf Männern bezogenen Zusammenhängen. Als Energieversorgungszentren waren Frauen als Ehefrauen, Mütter, Töchter oder Prostituierte Produktivkräfte. Etwaige Ansprüche von sich emanzipierenden Frauen auf Gefühle, Lustempfindungen, die sich nicht auf Männer bezogen, sind versteckt in Briefen, Tagebüchern und Zeugnissen über die sogenannten »romantischen Freundschaften«.

In den Vereinigten Staaten ist die Frauenforschung in ihrer Kenntnis über »Frauenfreundschaften« des 19. Jahrhunderts schon beneidenswert weiter. Sie hat genaue Anhaltspunkte für Kommunikationsnetze unter Frauen, zumindest bürgerlichen und ökonomisch unabhängigen, und eine erste Einschätzung der Wichtigkeit und Auswirkung auf andere Zusammenhänge gefunden.

In Deutschland fängt die Lesbenbewegung eben erst an, die Briefe zwischen Rahel Varnhagen und Pauline Wiesel, soweit sie nicht von Rahels Ehemann unterdrückt (oder vernichtet?) wurden, zu untersuchen. Was ist z. B. zu halten von Äußerungen wie diesen, die Rahel – von Pauline als »liebes Herzens-Rallchen«, »liebe, beste, einzige Goldtaube« bezeichnet – in ähnlich inniger, sehnsüchtiger Weise über 20 Jahre hinweg machte:

»12. 3. 1810:
... Theure geliebte Freundin, und Freund! Weh! – mein wundes Herz *weint* dieses Weh! – Weh! daß unser Leben wegrinnt, ohne daß wir zusammen leben. Sie sind allein, getrennt von mir, und ich bin allein, entfernt von Ihnen. Nur einmal konnte die Natur zwei solche zugleich leben lassen ...

28. 3. 1818:
Theure Pauline!
... Alle Menschen haben ihr Unangenehmes, aber nur Sie sind so wahrhaft als ich. Nur Sie haben den Verstand es zu vermögen, den Sinn es zu wollen. Nur dies vermag ich zu *lieben*. Nun kommt noch hinzu: Ihre Laune. Ihre Sinne. Die Dinge zu hören, zu sehen, zu fühlen, *wie ich*. Ihr Leben, *unser* Leben, Für mich giebts nur Eine Pauline. Und wenn ich glücklich bin, leb' ich mit ihr. *Das* aber müssen Sie für die Ewigkeit wissen. So wie ich weiß, daß es nur Eine Rahel für Sie giebt, und Sie nie eine zweite finden können. Mein ganzes armseliges Trachten ist, wie ich mit Ihnen zusammenkomme; ...«
und Pauline antwortet ähnlich eindeutig:

»10. 7. 1822:
Da leb ich: *Ihre* Pauline, die alle Tage, jede Stunde, jede Minute an Sie denkt ...

5. 5. 1826:
Gott, könnte ich Sie doch noch einmal sprechen: haben Sie keine Sehnsucht mehr nach mir?«

Rahel Varnhagen von Ense, 1771–1833, Stahlstich von Carl Eduard Weber, 1817, 19,8 x 13,9 cm, Berlin Museum, Photo: Bartsch

Pauline Wiesel, aus: Paul Fechter: Die Berlinerin, Stuttgart 1931, S. 160

27 Eros oder Wörterbuch, ebd., S. 337

Karoline von Günderode, 1780–1806, Schriftstellerin, Holzstich, 1880, Photo: Bildarchiv Preußischer Kulturbesitz

28 Pauline Wiesel – Rahel Varnhagen: Briefwechsel 1808–1832, Berlin 1982, o. Hrsg.
Die Briefe in der zitierten Reihenfolge:
R. an P.: 12. 3. 1810, S. 12;
R. an P.: 28. 3. 1818, S. 36;
P. an R.: 10. 7. 1822, S. 66;
P. an R.: 5. 5. 1826, S. 71;
R. an P.: 8. 6. 1826, S. 76.
29 Rahel Varnhagen: Gesammelte Werke (Konrad Feilschenfeldt, Uwe Schweikert und Rahel. E. Steiner, Hrsg.), München 1983, Bd. X, S. 819 (Editionsbericht)
30 1. Bettina v. Arnim an Caroline von Günderode, o. O., o. J.
2. Caroline an Bettina von Arnim, o. O., o. J., in: Die Günderode, Briefe aus den Jahren 1804–1806; in: Bettinas (v. Arnim) sämtliche Schriften, Bd. II, III, Berlin 1854 im Eigenverlag; in: der Ausgabe: Bettina von Arnim, Die Günderode (Elisabeth Bronfen, Hrsgin.), München 1982, s.: 1. S. 186 und 187, 2. S. 192
31 Annette von Droste Hülshoff: Spiegelbild und Doppellicht, Prosa, Briefe, Gedichte (Helma Scheer Hrsgin.), Neuwied, S. 121; vgl. ebd., Vorwort der Hrsgin., S. 16
32 Renate Deuber: Betty Gleim – Marie Mindermann. Beruf und Öffentlichkeit in der Lebensgeschichte zweier Frauen (Schriftl. Hausarbeit für die 1. Staatsprüfung an öffentlichen Schulen, Bremen 1979)
33 Virginia Woolf: Ein Zimmer für sich allein, Berlin 1978, S. 74
34 Vgl. J. H. Gagnon und W. Simon, in: »Sexual Deviance«, N. Y. 1967/Mary Rieger Laner in: »Personal Advertissements of Lesbian Women«, Journal of Homosexuality, Fall 1978, Vol. 4, No. 1, zitiert bei Fadermann: Surpassing the Love of Men, S. 419, Anm. 16

Worauf Rahel schreibt:
»*Einzige* Pauline: immer und ewig! Diese Worte allein waren genug und ein Brief für Sie...«
und schließt mit:
Wir wollen uns doch noch sehn! Ewig wie Sie mich kannten! Die größte Liebe zu Ihnen!«[28]
Die beiden haben nicht über lange Zeit zusammengelebt, sich – vor allem weil sie ökonomisch von Männern abhängig waren – nur vorübergehend treffen können. Genauere Kenntnisse über ihre Beziehung wird hoffentlich die circa 270 Briefe umfassende Korrespondenz Rahels mit Pauline hergeben, die auch von der neuesten (1983) Ausgabe der »Gesammelten Werke« nicht berücksichtigt wurde.[29]
Die in Briefen deutliche Leidenschaft zwischen Bettina von Arnim und Caroline von Günderode ist besser bekannt, wenn auch in diesem Fall noch immer ein einseitiges Bild von der Günderode, die von Herrn Creutzer verschmäht, Selbstmord begeht, über unvollständige Erkenntnisse hinwegtäuscht.
Bettina schreibt an Caroline:
»... Drum lebe mit mir, ich hab jeden Tag an Dich zu fordern. Ach! – woo sollt ich hin, wenn Du nicht mehr wärst? – Ja dann, gewißt vom Glück wollt ich die Spur nimmer suchen. Hingeben wollt ich mich lassen, ohne zu fragen nach mir, denn nur um Deinetwillen frag ich nach mir, und ich will alles tun, was Du willst. – Nur um Deinetwillen leb ich – hörst Du's? ... Eine Ruhestätte Dir auf Erden, das sei Dir meine Brust. –«
Und Caroline antwortet:
»Hab Geduld mit mir, da Du mich kennst, und denke, daß es nicht eine einzelne Stimme ist, der ich zu widersprechen habe, aber eine allgemeine, die wie die lernäische Schlange immer neue Köpfe zeugt. Was Du sagst und treibst und schreibst, geht mir aus der Seele oder in die Seele; ich fühle zu nichts Neigung, was die Welt behauptet; und mustere ich gelassen ihre Forderungen, ihre Gesetze und Zwecke, so kommen sie allesamt mir so verkehrt vor wie Dir, – aber Deine absurdesten Demonstrationen, wie sie Deinen Gegner nennen, habe ich noch nie in Zweifel gezogen, ich hab Dich verstanden wie meinen eigenen Glauben, ich hab Dich geahnt und begriffen zugleich ...«[30]

Innige Beziehungen zwischen Freundinnen im 19. Jahrhundert, z. B. zwischen Annette von Droste Hülshoff und ihrer im Gedicht »Der Traum«[31] apostrophierten Freundin Amalie Hassenpflug, die neben ihr auf dem Meersburger Friedhof begraben liegt, oder zwischen Betty Gleim und Marie Lasius[32], Bertha Glöckner und Anna Vorwerck, die 50 Jahre lang in Wolffenbüttel u. a. eine Mädchenschule aufbauten, werden, sind sie erst erforscht, Lebensweisen und Lebenszusammenhänge frauenliebender Frauen zeigen, die die gängigen Vorstellungen von »homosexuellen Frauen« gründlich verändern. Denn eben erst verändert sich ja die Situation, die schon Virginia Woolf zu denken gab; nämlich daß all die großen Frauen (in der Literatur) »... nicht nur ausschließlich mit den augen des andern geschlechts gesehen wurden, sondern auch ausschließlich in ihrer beziehung zum anderen geschlecht. Und ein wie kleiner teil im leben einer frau ist das; ...«[33]
Inwieweit sexuelle Bedürfnisse in diesen Frauenfreundschaften überhaupt eine Rolle spielten, bleibt zunächst fraglich.

Allerdings haben Forschungen neuerer Zeit für Frauen, die sich selbst als Lesbierinnen bezeichnen, sogar in unserer Zeit festgestellt, daß sie sich weniger für Sex mit anderen Frauen interessieren, als für langfristige, sichere Beziehungen mit anderen Frauen.[34]

Conträre Sexualempfindung, weib-weibliche sexuelle Präferenz Urningin, Urninde

Zu Beginn der 60er Jahre des 19. Jahrhunderts gab es eine Situation, die drei einflußreiche Gelehrte auf den Plan rief, um neue Theorien und neue Begrifflichkeiten zu entwickeln, mit denen bezeichnet werden konnte, was als weibliche Existenzen unerwünscht war. Bezeichnungen wie weibweibliche sexuelle Präferenz gaben weiblichen Identitäten, Frauen, die Autonomie forderten, in »wissenschaftlich« definiertem Rahmen nur ein gewisses Existenzrecht.

Es war die Zeit, als Frauen bei der 1848er Revolution an der Seite ihrer Ehemänner oder Freunde – z. T. in Hosen – in Kämpfe geritten waren und auf Barrikaden gekämpft hatten (z. B. Mathilde Franziska Anneke, Amalie Struve, Emma Herwegh, Elise Blenker);

– die Zeit, als sich z. B. Louise Otto, Fanny Lewald, Louise Aston mit Veröffentlichungen für Frauen stark gemacht hatten,

– als Frauen öffentlich die Lysistrata-Taktik, d. h. die »Liebes- und Heiratsverweigerung« (Mai 1849) zur Befriedigung aller Parteien forderten,

– als die »Frauen-Zeitung« (zwischen 1849 und 1852) bis zu ihrem Verbot das wichtigste Publikationsorgan für die 1. Frauenbewegung war,

– als die erste deutsche »Frauenhochschule« in Hamburg gegründet wurde und Malvida von Meysenburg dort für die ökonomische Unabhängigkeit der Frauen gewirkt hatte (1.1.1850–1852),

– als (1850) 50 % aller Frauen zwischen 15 und 50 nicht verheiratet waren, ihren Brüdern, Vätern oder Verwandten auf der Tasche lagen, als sogenannte »alte Jungfern« verkamen oder in sogenannten »Konvenienzehen« versorgt wurden,

– als Louise Dittmar für/wider die sogenannten »alten Jungfern« schrieb:

»Ja, es ist Zeit, daß sich auch das Weib erhebt, für die Liebe und für das Weib kämpft; es ist Zeit, daß wir den Schleier vom Bild der Wahrheit reißen und die Verzweiflung des Herzens in seiner ganzen Nacktheit enthüllen! Krämerseelen, Schacherer, Wucherer, Seelenverkäufer, ihr, die ihr die Liebe verdammt...«[35]

Ca. 20 Jahre später benutzte 1869 der Arzt Kertbeny (= Karl Maria Benkert) den Begriff »homosexuell«. 1869 sprach auch der Arzt Westphal von »conträrer Sexualempfindung«. Und Ulrichs, der Forscher, erfand ein Konstruktionsgebäude namens »Uranismus« und für die erst nachträglich entdeckte »frauenliebende Frau« den Begriff »Urningin«, später üblicher »Urninde«.[36]
Die Geschichte solcher Begriffsprägungen interessiert, weil Formen weiblicher Sexualität sprachlich und bewußtseinsmäßig vereinnahmt wurden.

Zum Beispiel: Mannweiber

Am Beispiel des Begriffs »Mannweib« weist Gudrun Schwarz Methoden und Prozesse nach, mit denen männliche Wissenschaftler bedrohliche weibliche Autonomiebestre-

FÜR DAMEN

FÜR HERREN

Karl Arnold: Lotte am Scheideweg, aus: Simplicissimus Nr. 5, 1925, S. 79, Photo: Bartsch, Berlin

bungen auch im Bereich der Sexualität handhaben. Die Kategorisierung der Wissenschaftler (u. a. Westphal, Krafft-Ebing, Hammer, Forel, Hirschfeld) führte zu der Differenzierung:

»Die Frauen, die er (Krafft-Ebing d.V.) zur Kategorie der originären Conträrsexualität zählt, ordnet er der Kategorie ‚Perversion‘ zu, diejenigen, die er in die Gruppe der Nichtoriginären einordnet, bezeichnet er als der ‚Perversität‘ zugehörig. Perversion wird in der Folge als ‚Krankheit‘, Perversität als ‚Laster‘ aufgefaßt.«[37]

Der alte, aus der Bibel wohltradierte Begriff Laster wird nun ergänzt durch den medizinischen Begriff »Krankheit«. Ein neues Instrumentarium (der Clitorektomie) ist erfunden. Machen Frauen Ansprüche geltend, die bisher nur Männer für sich in Anspruch nahmen, müssen Privilegien gesichert werden. Die neue Bezeichnung, mit der das geschieht, ist »Mannweib«, eine Konstruktion der Männer.

»Beschrieben die psychiatrischen Schriften das ‚Mannweib‘ als Verführerin, so erscheint sie in pornographischen Schriften der gleichen Epoche als Vergewaltigerin von Frauen. Auch dies entspricht durchaus männlicher Logik, die hier auf die ‚Mann-

35 Louise Dittmar: Das Wesen der Ehe, 1849, zitiert nach Daniela Weiland: Geschichte der Frauenemanzipation, Hermes Handlexikon, Düsseldorf 1983, S. 139
36 Magnus Hirschfeld: Die Homosexualität des Mannes und des Weibes, Berlin o. J., S. 15 f.
37 Siehe Gudrun Schwarz: »Mannweiber« in Männertheorien, in: Frauen suchen ihre Geschichte (Karin Hausen, Hrsgin.), München 1983, S. 74

Helene Stöcker, Frauenrechtlerin, 1869–1943, Photo: Ullstein Bilderdienst

Leonore Kühn, Schriftstellerin, aus: Kalender »Frauenschaffen« 1930, Photo: Berlin Museum

38 Ebd., S. 74
39 Ebd., S. 74
40 Helene Stöcker: Die beabsichtigte Ausdehnung des § 175 auf die Frau, in: Die Neue Generation, 7, 1911, S. 121
41 Ebd., S. 119
42 Ebd., S. 111
43 Dr. Leonore Kühn: An eine Freundin, statt einer Vorrede, in: Wir Frauen, Langensalza 1923, S. 7

weiber' übertragen wird. Das ‚Mannweib' verführt/vergewaltigt Nicht-‚Mannweiber' und macht sie zu ‚Pseudo-Homosexuellen'. ‚Mannweiber' werden zu Nicht-Frauen gestempelt und als besondere Spezies – als Monster – aus dem weiblichen Geschlecht ausgegrenzt. Frauenliebende Frauen werden darüberhinaus in echte, die ‚Mannweiber', und unechte, die ‚Pseudo-Homosexuellen', auseinanderdividiert.«[38]

Gudrun Schwarz sieht die Wirkung dieses »Versuchs«:

»...Frauen durch Ein- und Ausgrenzung voneinander zu trennen. Innerhalb der Grenzen, die um Frauenliebe gezogen werden, läßt dieses Modell den Frauen nur noch wenig Raum jenseits von Heterosexualität. Dieser wissenschaftliche Zugriff modelliert zudem alle Freundschaften unter Frauen nach dem standardisierten Machtverhältnis männlich/weiblich, aktiv/passiv, aggressiv/unterwürfig, Verführer/Verführte, das sich seit dem 18. Jahrhundert durchgesetzt hat.«[39]

Es bleibt fraglich, ob ein Bewußtsein über autonome weibliche Lust im Gefolge der Diskussion um weibliche Sexualität und die Kategorisierungen in »Mannweiber« oder »Pseudohomosexuelle« bei einer breiteren Öffentlichkeit eher bestärkt oder beschwichtigt wurde. Vermutlich gegen die Intention der männlichen Fachverwalter der Medizin und Juristerei wurde die Diskussion aufgegriffen und öffentlicher denn je zuvor geführt.

Perversion? Pervertierung!
»Wir Frauen«

Frauen der Frauenbewegung meldeten sich zu Wort. Die Diskussion nahm eine Wende, die den Bedürfnissen der Frauen nach Enttabuisierung und uneingeschränktem Austausch ihrer Empfindungen, Leidenschaften, Überlegungen und Einstellungen entsprach.

Im Zusammenhang mit der öffentlichen Auseinandersetzung um Ehe und Prostitution, Zölibat und »alte Jungfernschaft« meldete sich z. B. Helene Stöcker, Vorsitzende des »Bundes für Mutterschutz«, in der Zeitschrift »Die Neue Generation« (1911) zur beabsichtigten Ausdehnung des § 175 auf Frauen: »Wir können daher von einem freiheitlichen Staatswesen, von einem Kultur-

staate nicht eher sprechen, bis wir neben der legalen und sozialen Religionsfreiheit auch die Freiheit der Persönlichkeit in ihrem privatesten Privatleben, im Liebesleben, errungen haben. Wenn schon Religion Privatsache ist, so ist es die Liebe nicht minder! Wir müssen dahin kommen, daß wir nicht mehr über von unserer Art verschiedene Arten der Liebe uns glauben entrüsten, sie voll Abscheu als ‚pervers' bezeichnen zu dürfen, sondern daß wir die Einmischung Dritter oder des Staates in das Privatleben als ‚pervers', als ‚verkehrt' empfinden.«[40]

Ihre Forderung ist eindeutig und hier klingt an, was im Titel des Films von Rosa von Praunheim 1970 noch einmal zum Leitthema einer öffentlichen Diskussion wurde: »Nicht der Homosexuelle ist pervers sondern die Situation, in der er lebt«.

Im übrigen ist Helene Stöckers Argumentation eher apologetisch. Sie tritt für die Angegriffenen in der Frauenbewegung ein aus der Position einer Frau, die »selber glücklicher, d. h. normaler, veranlagt ist«[41] und eingangs versichert hat:

»Es ist selbstverständlich und braucht von dieser Stelle aus kaum betont zu werden, daß uns die normale Liebe, die Liebe zwischen Mann und Frau, und die Elternschaft als das Höchste und Erstrebenswerteste erscheint...

...die Last dieses Paragraphen, der auch die Frauen unter das Stigma der Strafbarkeit stellen will, trifft nicht nur solche, bei denen tatsächlich Freundschaft sich zu sexuellen Handlungen verdichtet, sondern ebenso solche, bei denen das *nicht* der Fall ist.«[42]

Aus anderer Sicht schildert Dr. Leonore Kühn, Philosophin, in ihrer Essaysammlung »Wir Frauen«, 1923, rückblickend die verwirrende Situation der Frauen, die ihre Identität zu Beginn des 20. Jahrhunderts finden mußten:

»Wir haben es bis zum Ekel satt, immer wieder ‚konstruiert' zu werden, sei es von Mannes Seiten oder von gebieterischer Frauenrechtlerethik, oder gar von billig harmonisierenden ‚schönen Seelen'. Wir lassen uns weder umfälschen noch vereinfachen.«[43]

Für sie sind Frauenautonomie und Frauenfreundschaft untrennbar. Die zeitgenössische Frau schildert sie so:

»Sie muß sich alles erst neu erobern, bestätigen, erringen; *dazu kann aber nur die Frau als*

Freundin helfen, die von Natur Gleichgestimmte, vielleicht auch die Erfahrene, die sich selbst schon einen Weg durch das Gestrüpp bahnte ... So wird die Freundin in vielem der Gegenstand der Gefühle, die sonst den Mann umrankten – alles was an Bedürfnis nach Liebe, Zärtlichkeit, Verstehen in der Frau lebt, an Hingabe, an geistigem Nachgehen, das stürzt sich nun auf die Freundin. Wir sind jetzt Zeugen ergreifender Frauenfreundschaften, Freundschaften bis in den Tod, Freundschaften, die den Sinn eines ganzen Lebens in sich tragen, die die ganze Intensität des Zusammenlebens zeigen, deren die Frau fähig ist, wo sie nicht in ihrer Entfaltung behindert, nicht vom Heterogenen, Gebieterischen zurückgestoßen wird in sich und nicht von einem starren Ideal vergewaltigt ist ...

Die Frau ist autonom geworden, bewußt autonom, das ist das A und das O ihres neuen Glückes wie ihrer neuen Leiden.«[44] Für Leonore Kühn waren ergreifende Frauenfreundschaften wie z. B. die zwischen Bettina von Arnim und Caroline von Günderode vielleicht nicht sichtbar, aber für diese beiden Freundinnen traf ebenso wie z. B. für Rahel Varnhagen und Annette von Droste Hülshoff zu, daß zwar der Wille zur Autonomie, aber nicht die Durchsetzungsmöglichkeit gegeben waren, so daß sie noch nicht zu den Glücklichen gehörten, die »nicht in ihrer Entfaltung behindert, nicht vom Heterogenen, Gebieterischen zurückgestoßen« wurden. Sie mußten sich allerdings auch noch nicht dagegen verwahren, ihre Freundschaft als a-normal, abnormal, pervers oder pervertiert und sich selbst als Urninden, Mannweiber oder mit conträrer Sexualempfindung behaftet zum medizinischen Untersuchungsgegenstand gemacht zu sehen.

Da es nun, zu Anfang unseres Jahrhunderts, an Frauenliebe Erkrankte, Verführte und von angeborenen Trieben ins gesellschaftliche Abseits, oft in die Prostitution, manchmal ins Gefängnis oder auch ins Irrenhaus Getriebene gab, mußte die Umwelt auch auf sie reagieren. Dr. med. Anna Fischer-Dückelmann schreibt in »Beiträgen zur sexuellen Moral« im Kapitel »Lesbische Liebe« von den »verborgenen Abgründen im Menschenleben!« und bewegt ihre Leser/-innen mit der Beichte einer Verführten, die sie mit Verständnis (?) und Mitleid

und gutem Rat wieder auf den Weg der weiblichen Erfüllung bringt:

»Hätten Sie den Mut gehabt, entgegen Ihrer Erziehung, natürlich zu leben und *einem* Manne ohne Rücksicht auf äußere Verhältnisse alles zu geben, so wären Sie jetzt wahrscheinlich ein gesunder, glücklicher Mensch und eine gefeierte Künstlerin.«

»Also fürchten Sie meinerseits keine Verurteilung. Ich habe nur großes Mitleid für alle jene Frauen, auf deren Lebensweg immer nur die Devise steht: Entbehre!«[46]

Was dieser Zwiespalt zwischen der Etikettierung »homosexuell« = Sünde und erfahrener Liebe zu Frauen für einen individuellen Frauenlebenslauf bedeuten konnte, wird an der Dokumentation über die gelittene Wirklichkeit der Anna Philipps deutlich, die sechs Jahre lang vergeblich gegen das Provinzial-Schulkollegium Hannover und das Ministerium für Wissenschaft, Kunst und Volksbildung kämpfte »Um Ehre und Recht« (o. J., ca. 1930). Sie erreichte ihre Rehabilitation nicht. Ihr minutiös dargelegter Bericht über ihre Identitätssuche und ihr Weg durch Befragungen, Anhörungen, Suspendierung, Klinikeinweisung, Begutachtung (u. a. durch Magnus Hirschfeld), Vorladung und gerichtliche Prozeduren mündete schließlich für sie – als mit »Querulantenwahnsinn« behaftete Stigmatisierte – in »Homosexuellenhaß.«

»Wie sag' ich's meinem Kinde – Du bist nun in dem Alter, Paula, wo man mit den Männern – – – Laß das Mutter – ich bin pervers.« Karl Arnold, Karikatur aus dem Simplicissimus Nr. 27, 1924, S. 364, Photo: Bartsch, Berlin

44 Ebd., S. 147
45 Anna Fischer-Dückelmann: Lesbische Liebe, in: Beiträge zur sexuellen Moral, Leipzig o. J., (1906?), 2. Aufl. (1. Aufl. unter dem Titel: »Aus dem Sprechzimmer einer Aerztin«), zitiert nach: Ilse Kokula: a. a. O., S. 235.
46 Ebd., S. 237

Maria Baum, Aufnahme 1952, Photo: Ullstein Bilderdienst, Berlin

Wohl typisch für viele Frauen in der damaligen Situation war eine vollständige Verwirrung der Gefühle, eine unauflösbare Diskrepanz zwischen Leidenschaften, die sich entwickelten, und den öffentlich vertretenen Schranken, die sie zurückhalten sollten oder unterdrückten.

Anna Philipps sagte:
»...daß ich gar keine Ahnung hatte, was homosexuell eigentlich war«
und:
»Nun hatte ich im Sommer 1921 angefangen, mit einer Kollegin, Frl. Hardrat, zu verkehren, trotzdem eine andere Kollegin, Frl. Gärtner, mich warnte, mit den Worten: ‚Frl. H. sei seltsam in ihrer Freundschaft.‘ Ich konnte mir nichts dabei denken und beachtete das Wort nicht. Ich hatte in der Zeit einen Film von Magnus Hirschfeld gesehen: ‚Anders als die Andern‘. Er hatte mich interessiert, ich hatte mir das Buch von Hirschfeld über Homosexualität kommen lassen und studierte den Fragebogen, um durch gewissenhafte Beantwortung der Fragen klar zu werden, ob ich etwa homosexuell sei. Dann las ich noch das Kapitel über die historischen Persönlichkeiten, die homosexuell gewesen sein sollten. Ich sprach über diese interessante Sache auch mit Frl. Hardrat. Sie sagte mir unumwunden, daß ich homosexuell sei, sie selbst sei es auch. Da ich sie für sehr erfahren hielt, hörte ich ihre Angaben zunächst gläubig an. Ihr Verhalten mir gegenüber stieß mich aber sehr bald ab.«[47]

Aus dem Bericht der Oberschulrätin liest sich die anbahnende Tragödie so:
»Die Anschuldigungen wurden von Fräulein Sickermann, z. T. von Fräulein Hardrat und Fricke in größter Erregung, sogar unter Tränen vorgebracht. Über tatsächliche Vornahmen homosexueller Handlungen vermochten sie jedoch nichts auszusagen. Die zwischen Ph. und Fräulein Sültrup zum Schluß gewechselten Briefe (7–11) beziehen sich nach der übereinstimmenden Aussage beider Beteiligten darauf, daß Fräulein Ph. Anfang April ihre Befürchtung Fräulein S. mitgeteilt hat in folgender Form: ‚Weißt du, was homosexuell ist?‘ Und auf die Verneinung des Fräulein S., die bisher nichts darüber gehört hatte: ‚Das ist, wenn zwei Frauen sich liebhaben, wie wir beide, und das ist eine Sünde.‘«[48]

Für Anna Philipps hatte die gesellschaftliche Diskriminierung von Liebesgefühlen einer Frau gegenüber einer anderen, trotz eines sechsjährigen unverzagten Kampfes gegen die Behörden, die Konsequenz, daß man sie für »vermindert zurechnungsfähig« erklärte. Sie wurde zwangspensioniert.

Das dritte Geschlecht, Krafft-Ebingen

In Zürich, wo als erste Medizinerinnen die später in Berlin niedergelassenen Ärztinnen Emilie Lehmus und Franziska Tiburtius studierten und sich die »emanzipierten« Studentinnen Europas ein Stelldichein gaben, wurde über Liebe, Ehe und Frauenliebe weit anders diskutiert – und sehr anders gelebt. Die Schauspielerin Clara Ziegler wurde auf der Bühne als »Sappho« von Studentinnen angebetet. Das beschreibt beredt Ella Mensch in ihrem Roman »Auf Vorposten«.[49]

Aimée Duc, eine weitere Frau, die vermutlich eigene Züricher Erfahrungen zum Ende des 19. Jahrhunderts unter einem Pseudonym beschreibt, läßt in ihrem Roman über das dritte Geschlecht: »Sind es Frauen« (1901) ihre »Krafft-Ebingschen« keck auftreten:
»Der ältere der Fremden lachte spöttisch. ‚Gott sei Dank‘, meinte er geärgert, ‚dass wir Ihre Anschauungen nicht verstehen! Aber apropos: Krafft-Ebing! Ist das nicht der, der für die perversen Menschen eintritt?‘
Stolz sah er die Tafelrunde an.
‚Gewiss‘, sagte Minotschka, ‚das ist derselbe, der Verfasser des Werkes ‚Psychopathia sexualis‘, auf das die meisten Laien und Unberufenen sich in Gier und Lüsternheit stürzen!‘
Die Gefährtinnen lachten verstohlen, die Fremden erwiderten nichts. Dann tuschelten sie zusammen, zahlten dem gerade vorüber gehenden Kellner und standen auf. ‚Guten Abend!‘ sagten sie höflich aber kühl zu der Tafelrunde, als hätten sie nie ein Wort mit ihnen gewechselt. Alles lachte.
‚Die haben wir heimgetrieben!‘ jubelte Berta Cohn. ‚Schade‘, meinte Minotschka, ‚ich hätte sie so gerne noch weiter eingeweiht! Ich wollte ihnen noch sagen, daß wir auch zu diesen ‚Krafft-Ebingschen‘ gehören! Ich glaube, da wären sie in Ohnmacht gefallen!‘«[50]

Zerrissenheit war bei Anna Philipps Grundstimmung, für Minotschka, die Heldin des

47 Anna Philipps: Um Ehre und Recht, Berlin o. J. (ca. 1930?), S. 4
48 Ebd., S. 69
49 Ella Mensch: Auf Vorposten, Roman aus meiner Züricher Studentenzeit, Zürich 1903
50 Aimée Duc: Sind es Frauen? o. O. 1901; Neuauflage 1976 im Amazonen Frauenverlag, Braunschweig, S. 54

Romans, die nach langer Irrfahrt ihre Freundin am Schluß wiederfindet, geht der Ausweg aus dem Dilemma einher mit elitärem Anspruch einerseits, Selbststigmatisierung andererseits.

»Soll ich gegen meine Überzeugung Wesen, gleich mir und Euch geartet, dem Manne in die Arme treiben, bloss, weil die Welt das Althergebrachte will, weil die Ehe, der Geschlechtsverkehr zwischen Mann und Weib die Grundlage des medizinischen Erwerbs bilden? Könnt und wollt Ihr das? Sind die Ärzte nicht unsere ärgsten Feinde, weil sie die Wahrheit nicht öffentlich im Lichte der Wissenschaft enthüllen? Könnten sie nicht durch die wahren, wissenschaftlichen Thatsachen die Frauenfrage in andere Bahnen lenken, die keine Frauenfrage, sondern eine Frage des dritten Geschlechts ist! Und Ihr, die Ihr gleich mir empfindet, Ihr, die Ihr berufen seid, Euch zu stemmen gegen die Willkür und das Althergebrachte, Ihr habt den traurigen Mut zu schweigen? (S. 16) ...

Gewiss es steht fest, daß wir alle hier perverse Frauen sind, und dass es solche zu Hunderten und Tausenden giebt. Aber sind wir vielleicht nicht Ausnahmen, die nicht eigene Gesetze beanspruchen dürfen, sind wir nicht vielleicht nur starke Intelligenzen, deren Geschlecht durch den Verstand eingelullt und vielleicht auch ertötet ist, ...«[51]

In diesem Roman nennen sich die Frauen selbstbewußt »das dritte Geschlecht« (ein Begriff, den Hirschfeld prägte) und »Krafft-Ebingen«. Sie übernehmen dabei die Nomenklatur der männlich dominierten Wissenschaft. Ihren Anspruch auf Selbstverwirklichung machen sie im Bekenntnis zu Leistung und Arbeit – jenseits selbstdefinierter autonomer Entscheidung – geltend. Ihre Liebe zu Frauen gerinnt zu einem freiwillig als Stigma angenommenen, stolz und letztendlich doch männeridentifiziert – ohnmächtig vor sich hergetragenen Außenseiterinnenbewußtsein.

Viele der Züricher Studentinnen, die sich an der Schweizer Universität Fachkompetenz und Voraussetzung zur Berufstätigkeit – auch in Deutschland – erwarben, wurden damit ökonomisch unabhängig von Vätern, Brüdern oder (potentiellen) Ehemännern. Sie erkämpften sich ihre Rechte auf eine autonome Lebensgestaltung gemeinsam. Viele Frauenfreundschaften zeugen davon.

Freundschaft, Pantherkätzchen

Als *Freundinnen* lebten und arbeiteten viele prominente Frauen im Kreis und Umkreis der Frauenbewegung über lange Zeiträume hinweg zusammen. Welcher Natur die in diesen Frauenfreundschaften ausgetauschten Gefühle im einzelnen waren und inwieweit Erotik und Sexualität dabei eine Rolle spielten, ist kaum belegbar. Ohne sich selbst zu etikettieren oder etikettieren zu lassen, lebten diese Freundinnen als frauenliebende Frauen, d. h. sie teilten Arbeit und Freiheit mit Frauen und widmeten ihr Leben der Förderung der Gleichberechtigung der Frauen auf allen Gebieten. Auch ihre schriftstellerische Arbeit widmeten sie dem Bewahren der Lebenszusammenhänge der Freundin/-nen.

Helene Lange, 1848–1930, Begründerin der deutschen Frauenbewegung, Photo: Bartsch, Berlin

So schreibt z. B. Marie Baum, die mit Ricarda Huch in Zürich zwei Jahre lang unzertrennlich lebte (1895/96) in ihrer Biographie »Leuchtende Spur«:

»Mit Scheu und doch mit Zuversicht unternehme ich es, Ricarda Huchs Leben darzustellen. Mehr als ein halbes Jahrhundert lang war ich mit ihr verbunden, so nahe, wie es selbst unter Geschwistern nicht häufig ist. Ich habe sie wachsen sehen, wie ein Baum in gutem Erdreich unter Gottes Himmel sich entfaltet, ausdehnt, mit der Krone nach oben strebt. Wir sind Spiel- und Wandergenossen gewesen und waren dann wieder in den ewigen Fragen eines Sinnes. In den Augenblicken größter Freude und größter Not bedurfte sie meiner. Wir haben das herrliche, schöne, nie wiederkehrende Leben miteinander geteilt, so verschieden auch die Wege waren, auf denen wir geführt worden sind. Das gibt mir Zuversicht, so vertraut von ihr zu sprechen, wie kein anderer es vermöchte.«[52]

Und weiter

»Man mußte Ricarda schon sehr nahe stehen, um durch die Hülle von Anmut, Geist und Güte in den Kern ihres Wesens zu schauen. In dieser Nähe, in den Strahlen ihrer Liebe, habe ich gelebt.«[53]

Spielten Dauer und Altersunterschiede in diesen Freundschaften eine wesentliche Rolle? Ricarda Huch war 10 Jahre älter als Marie Baum. Gertrud Bäumer, die 34 Jahre lang – bis zu deren Tod – Helene Langes Leben teilte (1896–1930), war 25 Jahre jünger als die Freundin.

51 Ebd., S. 16
52 Marie Baum: Leuchtende Spur, Das Leben Ricarda Huchs, Tübingen 1950, S. 9
53 Ebd., S. 62

Lene Schneider-Kainer (geb. 1891), ohne Titel, Kaltnadelradierung, 1919, II. Zustand, sign. u. r., 44 x 34,6 cm (Pg), Privatbesitz, Photo: Bartsch, Berlin

Helene Lange wollte über »Persönliches« nichts bekannt geben. Warum, läßt Gertrud Bäumer sie in ihrer biographischen Skizze in »Frauenbildnis« (in »Gestalt und Wandel«, 1939) sagen:
»Persönliche Erlebnisse, sofern sie überhaupt darstellbar seien, wären nur als ‚Wahrheit und Dichtung' wiederzugeben. Das stehe nur dem Künstler zu. Der andere solle der Öffentlichkeit geben, was sein öffentliches Wirken betrifft. Sei dies Wirken geistiger Art, so gehöre dazu Grundlage der Weltanschauung, aus der es erwuchs. Aber

nicht mehr. Darum sieht sie ihr persönliches Leben als ‚unerheblich' an; . . .«[54]

Ein krasserer Gegensatz zwischen dieser totalen Verleumdung alles »Persönlichen« bei Helene Lange, der langjährigen Führerin des sogenannten »rechten« Flügels der Frauenbewegung und dem Leitsatz der neuen Frauenbewegung »das Persönliche ist politisch« läßt sich wohl kaum denken.

Gertrud Bäumer half zur Beschwichtigung damaliger und heutiger Neugier mit einer Anekdote nach; sie spricht für sich:

54 Gertrud Bäumer: Helene Lange, in: Gestalt und Wandel. Frauenbildnisse, Berlin 1939, S. 356

»Viele Leser der Lebenserinnerungen (Helene Langes; d.V.) haben gegen diesen Vorbehalt Einspruch erhoben. Sie hätten gern ‚das Persönliche‘ gewußt. Helene Lange hat ihnen manchmal lächelnd die Geschichte vom oldenburgischen Dienstmädchen erzählt, das einen Brief bei der Post abgab: ‚an meinen lieben Schatz‘. ‚Der Name müsse aber dazu‘. ‚Ja, das möchtet Ihr wohl gerne wissen, das sag ich aber nicht.‘
Sie hat grundsätzlich nie einen Brief aufbewahrt...«[55]

Unsere Kenntnisse über Frauenfreundschaften werden also durch vielfältige Gründe eingeschränkt; sei es, daß die Beziehungen von unterschiedlicher Intensität oder Dauer waren, sei es, daß unterschiedliche Bedürfnisse, darüber eine Öffentlichkeit herzustellen, bestanden oder sei es wiederum, daß in der Tradition des Musters Meister-Jünger, Beziehungen zwischen Frauen als Lehrerin-Schülerin-Verhältnis betrachtet wurden.

Nach außen hin konnte diese Deutungsmöglichkeit Legitimierung und Schutz bedeuten. Ob aus einer derartigen Trennung des »Privaten« und »Öffentlichen« emotionale Verkrüppelungen folgten und/oder ob eine durch gesellschaftliche Zwänge verursachte Verdrängung aus möglichen Frauenliebesbeziehungen »nur« Frauenfreundschaften machte, muß offen bleiben.

Ähnlich stumm in der Frage nach Liebesbeziehungen wie die biographischen Zeugnisse der genannten Freundinnen bleiben die Autobiographien der Frauenrechtlerin und Pazifistin Lida Gustava Heymann und ihrer Freundin und Lebensgefährtin für rund 40 Jahre, Anita Augspurg: »Erlebtes – Erschautes« (1941)[56] und die Lebenserinnerungen einer anderen, lange in Berlin Tätigen: Dr. med. Franziska Tiburtius (1923).
Deutlicher sprechen briefliche Mitteilungen, von denen leider erst wenige ausgewertet sind. Käthe Schirrmacher war, wie alle Genannten (außer L. G. Heymann), Züricher Studentin der ersten Stunde und Gründerin des Bundes fortschrittlicher Frauenvereine. Sie schreibt in einem Brief an Klara Schleker, ihre Freundin in der Stimmrechtsbewegung, durchaus weniger zurückhaltend, und beendet ihren Brief: »Dein Pantherkätzchen, Kanterpätzchen, Katzenpanterchen, Pankätzerchen.«[57]

55 Ebd., S. 357
56 L. G. Heymann/A. Augspurg: Erlebtes-Erschautes, Deutsche Frauen kämpfen für Freiheit, Recht und Frieden (M. Twellmann, Hrsg.) Meisenheim 1972
57 Zitiert nach Amy Hacket: The Politics of Feminism in Wilhelmine Germany 1890–1918, unveröffentlichte Diss., Columbia University, 1976, S. 290

Für die Vermutung, daß im Beziehungsgeflecht der frauenbewegten Frauen kein Hehl aus Liebesbeziehungen gemacht wurde, gibt es wenige Anhaltspunkte. In einem Brief an Anna Pappritz, eine Kämpferin gegen die frauenfeindliche Sexualethik, spielt Helene Stöcker z. B. auf die Homosexualität Agnes Hackers an, die Anita Augspurgs Hausgenossin war.[58]

Alles in allem wenige beispielhafte Zeugnisse über eine noch nicht absehbare Anzahl von Frauenfreundschaften und Freundinnen, die, hätten sie mehr »Persönliches« veröffentlicht, sicher einiges von ihrer neugewonnenen Autonomie eingebüßt hätten.

Uranier – in meiner Familie kann so etwas nicht vorkommen!

Für die Gründe der außerordentlichen Zurückhaltung der Freundinnen, sich über ihre Beziehungen zu Frauen zu äußern, gab schon Anna Rüling in ihrer Rede auf der Jahreshauptversammlung des Wissenschaftlich-humanitären Komitees im Hotel Prinz Albrecht am 8. Oktober 1904 *eine mögliche Deutung:*
»Ich kann und will keine Namen nennen, denn so lange in vielen Kreisen die Homosexualität noch als etwas Verbrecherisches und Naturwidriges, im besten Falle als etwas Krankhaftes gilt, könnten sich Damen, welche ich als homosexuell bezeichnen wollte, beleidigt fühlen.«[59]

Es ist nicht ausgemacht, inwieweit das Gesagte achtzig Jahre später, bei uns im Jahre 1984, noch genauso gilt.

Die gleiche Rede gibt Aufschluß darüber, daß »die urnischen Mitglieder« der Frauenorganisationen nicht nur gegen Etikettierungen von außen kämpfen mußten. Offensichtlich befand sich die Mehrzahl der Frauen der Frauenbewegung in einer double-bind-Situation, die es ihnen schwer machte, die nötige Solidarität zu zeigen: Anna Rüling war sicher eine rühmliche Ausnahme, als es für die Frauen darum ging, ihrem Anspruch auf Autonomie ihres emotionalen und sexuellen Lebens öffentlich zum Recht zu verhelfen:
»Wenn wir alle Verdienste, die sich homosexuelle Frauen seit Jahrzehnten um die Frauenbewegung erworben haben, betrachten, so muß es sehr erstaunen, daß die großen und einflußreichen Organisationen dieser Bewegung bis heute keinen Finger gerührt haben, der nicht geringen Anzahl ihrer urnischen Mitglieder ihr gutes Recht in Staat und Gesellschaft zu verschaffen, daß sie nichts, *aber auch gar nichts* getan haben, um so manche ihrer bekanntesten und verdientesten Vorkämpferinnen vor Spott und Hohn zu schützen, indem sie die breitere Öffentlichkeit über das wahre Wesen des Uranismus aufklärten.«[60]

»Ich kenne den Grund für diese vollständige, – bei der Frauenbewegung, die sonst sogar rein geschlechtliche Dinge mit seltener Freimütigkeit und Sachlichkeit behandelt – doppelt auffallende Zurückhaltung sehr wohl. Er besteht in der Furcht, die Bewegung könne sich durch Anschneiden der homosexuellen Frage, durch energische Vertretung des Menschenrechtes der Uranier in den Augen der noch blinden und unwissenden Menge schaden.«[61]

Seit gut 10 Jahren haben Frauen der Lesbenbewegung sich darum bemüht, dafür zu sorgen, daß heute nicht mehr von einer »blinden und unwissenden Menge« bezüglich weiblicher »Homosexualität« die Rede sein kann. Sicher gibt es aber noch einige Ewig-Gestrige, die aktuell betroffen sein könnten von Anna Rülings Beispiel:

»Kein Vater und keine Mutter, also keiner von Ihnen, verehrte Anwesende, der Kinder hat, ist von vornherein sicher, daß sich unter seinen Sprößlingen kein urnisches Kind befindet. In bürgerlichen Kreisen nimmt man merkwürdigerweise an, daß in ihnen die Homosexualität keine Stätte habe und aus diesen Kreisen rekrutieren sich auch die ärgsten Feinde der Bewegung für die Befreiung der urnischen Menschen. Ich möchte als Beispiel für diese Behauptung anführen, daß mein Vater, als zufällig einmal die Rede auf Homosexualität kam, mit überzeugter Bestimmtheit erklärte: ,in meiner Familie kann so etwas nicht vorkommen!' Die Tatsachen beweisen das Gegenteil! Ich brauche wohl dem nichts hinzuzufügen!«[62]

Neben Anna Rülings mutigem Selbstbekenntnis, dessen Einfluß wohl gering geblieben ist, geht Johanna von Elberskirchens aufklärende Argumentation aus der gleichen Zeit (1904/05) über das Wesen der

58 Siehe Hacket: a. a. O.; H. Stöcker: Brief an Pappritz, 30. 10. 1903, Hacket Dis., S. 291
59 Anna Rüling: Welches Interesse hat die Frauenbewegung an der Lösung des homosexuellen Problems? in: Ilse Kokula: Dokumente, a. a. O., S. 205
60 Ebd., S. 205
61 Ebd., S. 206
62 Ebd., S. 199

Jeanne Mammen, im Damen-Spiel-klub, Aquarell, verschollen, aus: Eszterhazy: Das lasterhafte Weib, Wien/Leipzig 1930, S. 225, Photo: Bartsch, Berlin

weiblichen Homosexualität im Anspruch weiter. Unter der Frage »Was hat der Mann aus Weib, Kind und sich gemacht?« will sie zukunftsweisend sein: »Revolution und Erlösung des Weibes« betitelt sie ihre Ausführungen. Sie geht von der Überzeugung aus, daß alle Menschen grundsätzlich bisexuell sind. Sie nimmt damit Argumente der seit 1893/94 immer wieder hier und da aufflakkernden Konzeption der Bisexualität auf[63], die Charlotte Wolff 1981 in ihrem Werk »Bisexualität« aufgrund systematischer Untersuchungen umfassend und grundlegend erforscht und dargestellt hat.[64]

Johanna von Elberskirchen:
»Das weibliche und das männliche Geschlecht ist in jedem menschlichen Individuum, gleichviel, ob Mann oder Weib, enthalten. Jeder Mann besitzt also neben seinen spezifisch männlichen Organen auch die spezifisch weiblichen und umgekehrt,

jede Frau neben ihren spezifisch weiblichen Organen auch die spezifisch männlichen. Jeder Mann bzw. jedes Weib hat also neben seinem Hauptgeschlecht noch ein konträres Nebengeschlecht. Jeder Mann hat etwas vom Weibe – jedes Weib etwas vom Manne! Das ist eine biologische durch keinen Sophismus aus der Welt zu schaffende Tatsache! Diese biologische Tatsache ist die sogenannte bisexuelle Anlage. Sie ist der Untergrund der sogenannten Homosexualität.«[65]

Johanna von Elberskirchen appelliert nicht an Verständnis, Mitleid. Die aus anderen Zeugnissen bekannten Töne der Abwehr, Resignation und Verteidigung des elitären Anspruches klingen auch hier noch an. Die emotionale Grundhaltung jedoch ist die von Frauen, die selbstverständlich auf ihrem Recht zu ihrer Identität bestehen, sei sie

63 H. Pudor: Bisexualität, Gegen Wilhelm Fließ, Das Geschlecht, Heft 1, Berlin-Steglitz 1906, bes. S. 18
64 Charlotte Wolff: Bisexualität, Frankfurt a. M. 1981; Titel der englischen Ausgabe: Bisexuality – A Study. Quartet Books, London 1977
65 Johanna v. Elberskirchen: Was hat der Mann aus Weib, Kind und sich gemacht? Revolution und Erlösung des Weibes. Eine Abrechnung mit dem Mann – Ein Wegweiser in die Zukunft! Magazin Verlag, o. O., o. J. (1904?), zitiert nach: I. Kokula: Dokumente, a. a. O., S. 214

auch eine andere als die verordnet weibliche.

In ihrem Schlußsatz führt sie die Kategorisierung in »normal« und »anormal« ad absurdum:

»Sind wir Frauen der Emanzipation homosexuell – nun dann lasse man uns doch! Dann sind wir es doch mit gutem Recht. Wen geht's an? Doch nur die, die es sind. Die sich mit ihrer Anormalität abzufinden haben, wie die anderen mit ihrer Normalität.«[66]

Künstlerinnen – Kollektive – Lesbosmädchen

In den ersten drei Jahrzehnten unseres Jahrhunderts bildete sich in den europäischen Metropolen, besonders Paris, Berlin und London eine lesbische Kultur und gewann weiten Einfluß. Aus London nach Berlin kamen z. B. Virginia Woolf und Vita Sackville-West. Der langwierige Prozeß um das Verbot von Radclyffe-Halls Roman »The Well of Loneliness« erregte hier wie in London großes Aufsehen. Radclyffe-Halls Freundin Una Troubridge übersetzte als erste Colettes »Claudine« Bücher ins Englische. Colette wiederum gehörte mit ihrer Freundin »Missy« (Marquise de Belbœuf) zum Pariser Kreis der Frauen, die sich in den Salons von Gertrude Stein und ihrer Freundin Alice Toklas und Renée Vivien trafen.

Diese Schriftstellerinnen lebten und arbeiteten z. B. mit ihren Freundinnen/Geliebten zusammen und unterstützten sich gegenseitig in vielverzweigten Kommunikationszusammenhängen. Einige Werke dieses unvergleichlichen kreativen Schaffens sind: G. Steins »Q.E.D.«, Natalie Barney's »Pensée d'une Amazone«, Djuna Barnes »Ladies' Almanack in Paris«, Virginia Woolfs »Orlando«, Dorothy Bussy's »Olivia«, H. D.'s Gedichte »Sea Garden«.[67]

Die produktiven Zusammenhänge wurden durch Nazis und Krieg zerstört. Einzelne Künstlerinnen wurden bis nach Frankreich und Italien von den Nazis verfolgt, viele mußten aus Deutschland emigrieren.

Haben diese und andere Frauen literarisch Zeugnis abgelegt von ihrer Liebe zu Frauen und Sicherheit in ihrer Identität gefunden, so wird für viele junge Frauen zur gleichen Zeit die Liebe zu einer Frau Episode geblieben sein: sie haben sich »treiben lassen«, keine Zusammenhänge mit Frauen gesucht oder gefunden, in denen sie sich – wie die Frauen der Frauenbewegung oder die Künstlerinnen – in gegenseitiger Unterstützung hätten finden und entwickeln können. Die jungen Mädchen, die darüber klagen, daß sie Stationen passieren »vom Sportgirl bis Gretchen, Studentin Helene bis Lesbosmädchen«, kennen »noch kein ,ich bin'«.

Persönliche Neigungen – Unzucht zwischen Personen weiblichen Geschlechts: Sappho

In Berlin, wo in allen Gesellschaftskreisen, besonders aber auch hier bei den wohlsituierten oder ökonomisch unabhängigen Frauen und bei Künstlerinnen Frauenliebe Lebensrealität im Alltag war und mehr oder weniger unverhohlen nun auch öffentliches Thema oder Gegenstand schöpferischer Gestaltung in der Kunst, trafen sich Freundinnen nicht nur in Bars der Subkultur, sondern suchten sich Freundinnen über Kontaktanzeigen in Zeitungen.

Ein Dr. Perry machte 1927 ein aufschlußreiches Experiment.[68] Unter der Chiffre »Sappho« ließ er eine fingierte Anzeige in »Großstadtblättern« erscheinen:

»Sappho, Bühnenkünstlerin,
Dame von Welt, elegante Erscheinung, würde sich freuen, ein junges, liebes Mädel kennenzulernen, mit dem sich die Nachmittage angenehm verplaudern lassen. Ausführliche Zuschriften mit Angabe der persönlichen und künstlerischen Neigungen unter ,Sappho' an die Expedition.«

Als »Beitrag zur Sittengeschichte von Heute« teilt er 16 Originalantwortschreiben mit. Es meldeten sich auf die Annonce außer einem Vermittler, einem Masochisten und einer »erotisch vollkommen tauben« Karrierejägerin dreizehn Frauen, die in ihren Antworten erkennen ließen, daß sie die versteckten Implikationen – besonders auch die Frage nach den »persönlichen Neigungen« recht gut zu deuten wußten. Das gilt für die »absolut gutklassige« Jurastudentin, die sich ein »bißchen verwöhnen lassen« will, ebenso wie für die »modern denkende«

Jeanne Mammen, Maskenball, Bleistiftzeichnung, aquarelliert, 42 x 30,4 cm, Privatbesitz, Photo: Bartsch, Berlin

Geschiedene, die gewesene Beamtin, die von den Zuwendungen ihres Bruders lebt, jedoch »der Männerwelt mehr als gleichgültig gegenübersteht«; ebenso gilt es für die Italienerin, deren Vater sie »in Bälde zu verheiraten wünscht« und schließlich die Einsame, die »alles wagen« will.

Keine der Frauen ist auf die erotische Bedeutung der Chiffre »Sappho« expressis verbis eingegangen.

Frauen, die der Verfasser von »der anderen Fakultät« nennt, konnten sich also damals halböffentlich, »auf diesem nicht mehr ungewöhnlichen Wege« (s. Titel des Buchs) finden. Der Verfasser zeigt – sei sein Erkenntnisinteresse »wissenschaftlich« oder voyeuristisch – durch die Veröffentlichung dieses Kapitels in seinem Buch jedenfalls eine relativ aufgeschlossene Haltung, vergleicht man sie mit der der nie verstummten Eiferer und durch die Liberalisierung der Sexualität

66 Ebd., S. 216
67 Vgl. Louise Bernikow: Amony Women, Ch. Lovers, Harmony Books, 1980
68 Dr. Leo Perry: »Auf diesem nicht mehr ungewöhnlichen Wege ...«, Der Liebesmarkt des Zeitungs-Inserats, Verlag für Kulturforschung, Wien – Leipzig, o. J. (1927?), S. 179 ff.

Toleranz (Zeichnung von P. Schondorff)

„Sei nicht so streng, Hedy, auch normale Gefühle muß man achten."

P. Schondorff, Toleranz, Karikatur aus dem Simplicissimus Nr. 7, 1925, S. 102, Photo: Bartsch, Berlin

insbesondere der Mütter, als staatstragende Ideologien verkündeten, meldeten sich allerorten wieder die pseudowissenschaftlichen Ideologien mit wohlbekannter Hetze. Zunächst einmal wurde festgestellt: »Die lesbische Liebe findet sich vornehmlich bei Frauen von entweder sehr niedriger Intelligenz und mit sittlichen Defekten, wie bei Prostituierten oder bei solchen, deren Gehirntätigkeit über das für Weiber zulässige Maß in Anspruch genommen wird (studierte Frauen, Schriftstellerinnen, auch Künstlerinnen).«[71]

Dann folgte das Exempel, das noch einmal mit allen Reizwörtern bannt, was es auszurotten gilt, will Mann der emanzipierten Frauen Herr werden. Franz Scheda (1907 noch Dr. Philos) zitiert Fischers Buch »Die Prostitution und ihre Beziehung zum Verbrechen«:

»... die Gesellschaft hat ein Interesse daran, von der unnatürlich sodomitischen Prostitution geschützt zu sein, und insbesondere gebe ich zu bedenken, welches Unheil gerade von der Tribadie der Familie droht, gegen das man schutzlos ist, weil die Tribade im Schafspelz ihre Opfer in der Familie sucht. Eine 45jährige Tribade, der es gelang, eine etwa 25jährige junge Dame aus guter Familie zu umgarnen und zu verführen, führte das Zerwürfnis derselben mit ihrem Verehrer herbei und veranlaßte sie, ihre eigene Mutter zu bestehlen, um mit ihr eine Lustreise unternehmen zu können. Das infame Weib lebt jetzt mit ihrem Opfer in gemeinsamem Haushalt, wozu sie das Geld durch Romanschreiben verdienen. Die beiden Jüngerinnen der lesbischen Dichterin schreiben, o Ironie der Weltgeschichte, die sittsamsten Familienromane und moralistischsten Kindergeschichten; sie wissen, daß unsere Familienblätter von der Gartenlaube, Welt und Haus, Daheim bis zur Kreisblattbeilage hinunter, für sittsame Geschichten immer zu haben sind. Alle Jahre entspringen diesem gemeinsamen Haushalte einige tugendhafte Romane, der blauen Blume der Sentimentalität gleich, die auf dem Düngerhaufen des Lasters erblüht. Der verbrecherische Zuhälter bringt seinem ,Weibchen' oft ein Veilchensträußchen von seinen Raubzügen mit, warum sollen zwei Dirnen, die dem infamsten Laster sich ergeben haben, nicht auch die deutsche Familie mit sentimentaler Lektüre versorgen dürfen,

auf den Plan Gerufenen, die schließlich alle von und für Frauen gewonnenen Freiheiten wieder zunichte machten.

*Andersrum –
Garçonnes –
Muttis und kesse Väter*

Sichtbar prägten im Berlin der Weimarer Zeit Bubikopf, Tituskopf, Schlips und Hosen das Modebild der emanzipierten Frauen. »Andersrum« eben auch das Kostüm der Garçonnes und der K. Vs. Fritzi Massari sang »Andersrum«, Claire Waldoff erzählt u. a. von ihrer Freundin Olly v. Roeder in ihrer Autobiographie im Kapitel »Großstadt mal andersrum«.[69]

Dieser Begriff »andersrum«[70] wurde zum gutmütig gebrauchten Wort für homosexuelle Frauen und Männer. Auch er eine Chiffre der Gesellschaft für das Unaussprechliche.

Dirnen

Schnell war die Zeit vorüber, in der Frauen selbständig, unabhängig von Vätern, Brüdern, Ehemännern oder Geliebten, autonome Lebenszusammenhänge entwickeln konnten; liebten, wen sie wollten. Frauen, wen sie wollten.

Noch bevor Hitler und Mussolini die Aufgaben, Pflichten und Freuden der Frauen,

69 Claire Waldoff: Weeste noch ...?, Stuttgart 1953. Interessant ist in diesem Zusammenhang, daß Lisa Ben (Anagramm für Lesbian) ihre, die 1. amerikanische lesbische Zeitschrift, »America's Gayest Magazine« »Vice Versa« (= umgekehrt/andersrum) nennt. Sie erschien in 12 Ausgaben (1 Original und 5 Schreibmaschinendurchschläge) ab Juni 1947.
70 Ursprünglich abgeleitet vom Analverkehr homosexueller Männer.
71 Franz Scheda: Abarten des Geschlechtslebens, o. O. 1931, S. 46 (Derselbe als Dr. Philos 1907)

Kollektivklage junger Mädchen, aus: Der Uhu, Mai 1931, S. 84, Photo: Staatsbibliothek Berlin (West)

Kollektiv-Klage junger Mädchen

Inhalt von heute / Von Tillrot

Soll ich nur Kinder zeugen, kochen und ein ganzes Leben
Einen Mann lieben?
Hat man mir dazu Lindsay, Anquétil gegeben,
Und mich zum Abitur getrieben?
Soll ich andrerseits nur streben, denken und ein ganzes Leben
Experimente, Studien machen?
Hat man mir dazu ein von Freud beglaubigtes Gefühl gegeben?

Alle verdrängten Gefühle unserer Ahnen
Sind in uns und möchten schrein.
Wir möchten kalt sein, brennen, zerstören, bahnen,
Predigen Kollektivismus und sehnen uns sehr,
Und nachdem wir's verneinen, immer mehr,
Nach Courts-Mahlerschem Glück zu zwein.
Wir passieren Stationen vom Sportgirl bis Gretchen,
Studentin Helene bis Lesbosmädchen.
Und — bei welchem Typ wir bleiben

Ist schwer zu entscheiden — wir lassen uns treiben.
Wir lieben, sporteln, schaffen — weinen dann von Zeit zu Zeit
Über die eigene Unfertigkeit.
Wir wagten einen Sprung und wußten nicht wohin.
Wir kennen ein „ich war" — „ich werde sein" — noch kein „ich bin".

So kommt's, daß wir am Arbeitsorte
An Küsse manchmal denken und an Liebesworte
Und wünschen in des Mannes Arm uns weit
Fort in Arbeit oder Einsamkeit.

bilden sie sich doch ernstlich ein, daß sie dazu berufen sind! …Nur ganz natürlich, läßt sich doch die Prüderie von denjenigen alles bieten, die geheim sündigen und öffentlich Moral predigen…«[72]

Homosexuelle Frauen?

Trotz der seit 1973 aktiven Lesbenbewegung sind die Probleme der Identitätsfindung und des (sprachlichen) Begreifens natürlich nicht gelöst.

Wie Frauen auch heute noch durch Etikettierung und Kategorisierung in ihrer Selbstfindung behindert werden, die auch ihre emotionalen und sexuellen Bedürfnisse einschließt, schildert u. a. Judith Offenbach, Jahrgang 1943, eine »frauen-identifizierte« Frau 1983:

72 Fischer: Die Prostitution und ihre Beziehung zum Verbrechen, zitiert bei: Scheda; Abarten, a. a. O., S. 38

»Problematisch bei meiner Selbstfindung war mir lediglich, daß das (männliche!) Theorieangebot der fünfziger Jahre und sechziger Jahre so gar nicht zu dem paßte, was ich empfand. Lesben waren geile, perverse Mannweiber mit tiefer Stimme und Damenbart. Und ‚so eine' war ich doch nicht, bestimmt nicht. Meine Gefühle waren doch ‚tief', ‚edel', ‚rein', ‚innig', ‚selbstlos' – dem so zum Verwechseln ähnlich, was immer als ‚Liebe' beschrieben wurde. Aber damals gab es Liebe anscheinend nur zwischen Mann und Frau. Inzwischen jedoch wird eingeräumt, daß Homosexuelle nicht nur Sex voneinander haben wollen.«[73]

Der Begriff »Homosexuelle«, auch hier noch geschlechtsundifferenziert gebraucht, wird so doch in seiner Funktion entlarvt und offenbart, was er leistet. Er reduziert, subsumiert, plakatiert. Pars pro toto. Sex voneinander haben wollen. »Nicht *nur Sex* voneinander *haben* wollen?«

Zuneigung, Leidenschaft, erotische Anziehung, sexuelle Befriedigung, Vertrauen und Hingabe zwischen Frauen war und ist für manche Frauen bedrohlich und suspekt. Der Gebrauch bestimmter Begriffe wie »homosexuell«, »lesbisch«, Mannweib, die bestimmte Geschlechtsattribute festschreiben und eine Kategorisierung in Geschlechtsrollen vornehmen, dienen letztendlich der Verleugnung und Vergewaltigung von gelebtem Leben.

In der Vergangenheit wie heute haben sich Frauen, die im Verborgenen, d. h. »privat« und in ihrer Subkultur Frauen lieb(t)en, dem Zugriff einer diffamierenden Öffentlichkeit weitgehend entzogen und darauf verzichtet, ihre Rechte einzufordern.

Andere »nehmen sich ihr Recht«[74], indem sie sich öffentlich als Freundinnen darstellen und/oder sich zum Lesbischsein bekennen.

Für Männer besonders bedrohlich ist dabei einerseits, daß ihre Grundannahme, für Liebe und sexuelle Lust sei auch für Frauen ein Penis nötig, von frauenliebenden Frauen ad absurdum geführt wird, da sie, anstatt sich zu Liebesobjekten machen zu lassen, die Initiative ergreifen und »aktiv« lieben. Andererseits sind durch eigene Berufstätigkeit materiell unabhängige Frauen eine Konkurrenz für Männer, die ihren Partnerinnen mit der institutionalisierten Beziehung »Ehe« Existenzsicherung und Sozialprestige bieten.[75]

Wird die Bedrohlichkeit von Frauenliebe durch mehr Kenntnisse über den Prozeß der Diffamierung von »lesbischen« Frauen vermindert werden können?

Werden Einsichten in die grundsätzlich bisexuelle Anlage *aller* Menschen, Frauen und Männern, die gleichgeschlechtlich lieben, in unserer bisher zwangsheterosexuellen Welt ermöglichen, ihre Wege zur unversperrten, allseitigen Selbstverwirklichung zu finden?

»Homosexualität ist die Erfindung einer heterosexuellen Welt, die mit ihrer eigenen Bisexualität klarzukommen versucht.« (Kate Millet)[76]

Wann können wir – auch – auf den Begriff »Homosexualität« *verzichten?*

73 Judith Offenbach: »Feminismus, Heterosexualität – Homosexualität«, in: Feminismus, Inspektion einer Herrenkultur. Ein Handbuch (L. F. Pusch, Hrsgin.), Frankfurt a. M. 1983, S. 220/21
74 »Und wir nehmen uns unser Recht«, so der Titel des Films der Frauen der HAW (Homosexuellen Aktion Westberlin, später LAZ, Lesbisches Aktionszentrum, Berlin) über sich und ihre Ziele, 1973.
75 Vgl. Lising Pagenstecher: Die Wiederentdeckung der Normalität von Frauenbeziehungen, in: Feministische Studien, 2. Jg., Nr. 1, Mai 1983, S. 82
76 Kate Millet: Flying, zitiert nach: Ch. Wolff: Bisexualität, a. a. O., S. 69.

Ilse Kokula

Lesbisch leben
von Weimar bis zur Nachkriegszeit

Das Selbstbild lesbischer Frauen in der Weimarer Zeit orientierte sich am Ideal der (finanziell) unabhängigen und berufstätigen Frau. Die Frauen empfanden sich als eine Mischung von Angehörigen des »Dritten Geschlechts« und Garçonne. Die Theorie vom 3. Geschlecht war von Karl Heinrich Ulrichs (1825–1895) und Magnus Hirschfeld (1868–1935) entwickelt worden. Sie besagte, daß Homosexualität weder Krankheit noch Sünde, sondern eine Varietät in der Natur sei. In einem weiblichen Körper wohne ein männlicher Geist und bei homosexuellen Männern ein weiblicher Geist in einem männlichen Körper. Aus heutiger Sicht läßt sich diese Theorie als eine Abwehr der diskriminierenden Annahmen, Homosexualität sei Sünde, Laster, Psychopathie oder Kriminalität interpretieren. Die Betroffenen brauchten weder Vergebung noch Heilung noch Strafe, da die Natur sie so geschaffen habe. Der Garçonne-Typ (der sich mit vielen Bildern noch heute gut belegen läßt) ist vermutlich eine Reaktion auf den erfolgreichen Roman »La Garçonne« von Victor Margueritte, bzw. prägte sich nach dessen Vorbild. Der Nachkriegsroman (1924 ins Deutsche übersetzt) beschreibt eine »jener Emanzipierten, wie sie durch den Krieg in allen Länder emporwucherten«. Am Rande sei hier erwähnt, daß der Verfasser des Romans 1923 der Ehrenlegion verlustig erklärt wurde, da sein Roman die französische Frau verleumde. Die deutsche Ausgabe wurde konfisziert.

Die »eherne Wahrheit der Not, das Chaos der Zeitgeschichte« wurde auch in der pseudowissenschaftlichen deutschen Literatur als Ursache für weibliche Homosexualität betrachtet. Die »Fortschritte der Gynaekologie«, die »Annäherung an die männliche Psyche« und das Zurückdrängen des »Mutterschaftsgefühles« in dieser Zeit liessen einen Autor schlußfolgern:

»Deswegen werden die modernen Frauen mehr und mehr emanzipieren: aus Sexualpartnerinnen werden Kameraden der Arbeit. Die erbarmungslose Zeit schmiedet die Frauenseelen zu harten, sachlich-nüchternen Verstands-Psychen. Das hysterische Aufschreien der ‚unzeitgemäßen‘ Frauen, die von der Zeit zerbrochen werden, läßt die ‚Eigenen‘, wie sie sich nennen, noch mehr vermännlichen bis zur Garçonne, bis zum Mannweib.«[1]

»Garçonne« war damals Mode. *Garçonne* ist auch der Titel einer über mehrere Jahre hinweg erschienenen Zeitschrift für lesbische Frauen, und 1931 wurde von Susi Wannowsky das Lokal »Garçonne« in der Kalckreuthstraße 11 eröffnet.

Während die Frauen der Mittel- und Oberschicht sich am Garçonne-Stil, also an der Androgynität, orientierten, fand in der Unterschicht eher eine Anlehnung an die »Frau-Mann-Polarität« statt, d. h. eine Frau verkörperte in der Partnerschaft eher die männlichen, die andere die weiblichen Aspekte. Diese Rollenzuteilung wurde in der Regel durch Kleidung, Frisur und Art der Mitarbeit im gemeinsamen Haushalt ausgedrückt.

In Verbänden, die sowohl Frauen als auch Männer als Mitglieder hatten, waren Frauen in der »Damenabteilung« häufig in verschiedenen Unter- und Aktivitätsgruppen organisiert und lasen »ihre« jeweilige Zeitschrift. So war z. B. der Damenclub »Monbijou« (des Ostens) Mitglied des »Deutschen Freundschaftsverbandes (DFV), hier wurde die *Garçonne* gelesen. Der Damenclub »Violetta« mit mehr als 400 Mitgliedern war dem »Bund für Menschenrecht« (BfM) angeschlossen, hier war *Die Freundin* das Verbandsblatt.

Die politische Organisierung (politisch bedeutet hier die öffentliche Thematisierung weiblicher Homosexualität) lesbischer Frauen war damals – im Gegensatz zu heute – stark mit den organisatorischen Bemühungen der homosexuellen Männer verknüpft.

Im »Wissenschaftlich-humanitären Komitee« (WhK) waren auch Frauen organisiert;

1 Dr. Th. von Rheine: Die lesbische Liebe – Zur Psychologie des Mannweibes, Berlin-Charlottenburg 1933, S. 38

Homosexuelles Paar, aus: Hirschfeld, Magnus: Geschlechtskunde, Bd. 4, S. 621

2 Vgl. Th. Böser: Die homosexuelle Propaganda und ihre Bekämpfung, in: Volkswart – Monatsschrift zur Bekämpfung der öffentlichen Unsittlichkeit, 22. Jg., Nr. 4, April 1929, S. 49–56
3 Brief an die Verfasserin vom 11. 11. 1983
4 Vgl. Ruth Margarete Roellig: Berlins lesbische Frauen, Berlin 1929
5 Vgl. Curt Moreck: Das »lasterhafte« Berlin, Berlin/Leipzig 1930
6 Käthe Kollwitz: Ich will wirken in dieser Zeit. Auswahl aus den Tagebüchern und Briefen, aus: Graphik, Zeichnungen und Plastik. Hrsg. Dr. Hans Kollwitz, Frankfurt/Berlin/Wien 1981, S. 25 Unter »Einschlag M« versteht sie wohl männlichen oder maskulinen Einschlag.

Helene Stöcker, eine bekannte Frauenrechtlerin gehörte auch dem Vorstand an. Die Zahl der im WhK organisierten Frauen war klein. Dafür mag es mehrere Gründe geben: Das WhK war daran interessiert, prominente und beruflich etablierte Persönlichkeiten als Mitarbeiter zu gewinnen – was Frauen quasi ausschloß. Außerdem verhinderten Vereinsgesetze bis etwa 1908 eine größere politische Organisierung der Frauen. Frauen engagierten sich um die Jahrhundertwende zudem wohl eher in den zahllosen Vereinen der Frauenbewegung als in einem von Männern dominierten Projekt.

Ein Erfolg für das WhK bzw. für Magnus Hirschfeld war die Gründung des »Instituts für Sexualwissenschaft« im Jahre 1919, das 1924 als gemeinnützige »Dr. Magnus Hirschfeld Stiftung« anerkannt wurde.

Im August 1920 wurde mit Unterstützung des WhK der »Deutsche Freundschaftsverband« (DFV) gegründet. Beide Organisationen gingen aber schon nach kurzer Zeit getrennte Wege. Vom Vorsitzenden des DFV wurde das WhK eher als politische und der DFV als kulturelle Organisation verstanden. Unter noch nicht geklärten Umständen wurde 1923 unter dem neuen Vorsitzenden, dem Verleger Friedrich Radszuweit der Verband in »Bund für Menschenrecht« (BfM) umbenannt und die Zusammenarbeit mit dem WhK ganz eingestellt.

Der BfM war die größte Massenorganisation von Homosexuellen, die es jemals

gegeben hat. Nach eigenen Angaben hatte er zeitweilig 48.000 Mitglieder. Gelegentlich wird auch von 65.000 Mitgliedern gesprochen; dies dürfte aber eine Übertreibung des Vorsitzenden Friedrich Radszuweit und später der Reaktionäre gewesen sein.[2]

Die Vielfalt der politischen Organisierungsmöglichkeiten und der publizistischen Ausdrucksmöglichkeiten lassen rückblickend auf ein Selbstwertgefühl schließen, das Pathologisierungskonzepte ausschloß und das erst heute wieder erreicht wird. Dieses – gelegentlich auch idealisierte – Selbstwertgefühl wird auch von Zeitzeuginnen bestätigt, so in einem Brief einer heute 76jährigen Frau vom 1. 11. 1983:

»Wir erkannten uns an unserer gegenseitigen Höflichkeit, Rücksicht, an der Eleganz, Liebenswürdigkeit, Schönheit äußerlich oder innerlich. Seele kann man es nennen.«[3]

Neben Paris war Berlin in den 20er Jahren ein Zentrum der lesbischen Welt. Trotz aller Massenarmut pulsierte lesbisches Leben in Bars und auf Bällen. Die Zeitschriften für lesbische Frauen berichteten häufig von Veranstaltungen und Festlichkeiten in den Bars und Clubs, von denen es in Berlin in den 20er Jahren etwa 50 gab. Jede Zeitschrift hatte ihren entsprechenden Anzeigenteil. Aber auch die Romane über lesbische Frauen, die Aufklärungsbücher und Berlin-Führer der damaligen Zeit erwähnen diese Bars.[4] In Berlins lesbische Frauen stellt Ruth Margarete Roellig vierzehn Berliner Bars und Clubs vor. Curt Moreck, der in seinem Führer durch das »lasterhafte« Berlin neun Frauenlokale aufzählt, hat die Beschreibung weitgehend von Roellig übernommen.[5] Die kleine Studie von Roellig zeigt, auf welche Weise die einzelnen Lokale ein jeweils unterschiedliches Publikum ansprachen: im »Café Domino« waren »viele schicke Frauen mit eleganten Allüren … Stammgäste«, während in der »Taverne« »eine fast fühlbare Atmosphäre von Derbheit und Urwüchsigkeit« herrschte. Hier trafen sich Frauen, die über wenig Geld verfügten. In den einzelnen Lokalen trafen sich auch Vereine (zum Beispiel im »Café Prinzess«), wie ein Sparverein, ein Lotterieclub oder ein Skatclub, die nur lesbische Frauen als Mitglieder hatten. Eine besondere Stellung unter den genannten Treffpunkten nahm der schon erwähnte

»Damenclub Violette« ein, der im National-hof in der Bülowstraße (Bülowstr. 37) seine Abende veranstaltete. Später – nach dem Krieg – wurde aus dem Nationalhof »Walter-chens Ballhaus«, mit seinen bekannten Bäl-len für heterosexuelles und homosexuelles Publikum. Vor etwa 15 Jahren wurde es ab-gerissen. Aber auch schon in den »Golde-nen 20er Jahren« wurden die Bars und Clubs für lesbische Frauen auch von einem nicht-lesbischen Publikum besucht.

In den Bars und Clubs traten auch Künstle-rinnen auf, wie die lesbische Kabarettistin Claire Waldoff (1884–1957) oder die Tänze-rin Anita Berber (1900–1928). Für lesbische Künstlerinnen war Berlin ein Eldorado. Die bislang wenig beachteten Cliquen von Künstlerinnen (und Künstlern, die oft dazu-gehörten) sind als ein Teil dieses Kommuni-kationsnetzes zu betrachten. Erst jetzt ist man/frau dabei, sich über lesbisch oder zumindest nicht orthodox-heterosexuell le-bende Künstlerinnen der Weimarer Zeit zu informieren. Frauen, die ich als Sympathi-santinnen bezeichnen möchte, bildeten Kri-stallisationspunkte lesbischer Künstlerin-nen. Käthe Kollwitz (1867–1945) kann als eine solche Sympathisantin verstanden werden. Zu ihrem Bekanntenkreis gehörten Frauen wie Gertrude Sandmann, Charlotte Wolff und Gerda Rotermund. Käthe Koll-witz ist uns bekannt als treusorgende Ehe-frau und Mutter. In der Erinnerung schreibt sie aber von sich selbst:

»Rückblickend auf mein Leben muß ich noch dazufügen, daß – wenn auch die Hin-neigung zum männlichen Geschlecht die vorherrschende war – ich doch wiederholt auch eine Hinneigung zu meinem eigenen Geschlecht empfunden habe, die ich meist erst später richtig zu deuten verstand. Ich glaube auch, daß Bisexualität für künstleri-sches Tun fast notwendige Grundlage ist, daß jedenfalls der Einschlag M. in mir mei-ner Arbeit förderlich war.«[6]

Claire Waldoff schreibt in ihren Memoiren etwas distanziert-verhalten über ihre Be-suche in Damenbars:

»Wir verschwanden auch manchmal dahin, wo sich eine sehr gemischte Gesellschaft zusammenfand. Künstler von der Bühne wie Durrieux, Paul Cassierer, Gertrud Ey-soldt, Paul Graetz etc., die Frauen in der Überzahl, die Männer sehr vereinzelt, be-suchten wir den ‚eingeschriebenen Verein'

mit dem Namen Lotterieverein ‚Die Pyra-mide'. Der Vorstand waren ältliche Däm-chen in der Schwerinstraße, im Westen nahe dem Nollendorfplatz. Man mußte durch die Haupttore gehen, bis man ins verschwiegene Eldorado der Frauen kam,

Emil Orlik, Claire Waldoff, Bleistift-zeichnung, Berlin Museum, Photo: Bartsch, Berlin

Anm. 6 siehe linke Seite.

Männliche Frauentypen in einem Berliner Lokal für lesbische Frauen, aus: Hirschfeld, Magnus: Geschlechtskunde, Bd. 4, Stuttgart 1930, S. 590

Entree 30 Pfennig, vier Musiker mit Blasinstrumenten spielten die verbotenen Vereinslieder. Ein Saal mit Girlanden geschmückt, bevölkert von Malerinnen und Modellen. Von der Seine sah man bekannte Maler; schöne elegante Frauen, die auch mal die Kehrseite von Berlin, das verruchte Berlin kennenlernen wollten; und verliebte kleine Angestellte; und Eifersüchteleien gabs und Tränen am laufenden Band und immer mußten die Pärchen verschwinden, um ihren Ehezwist draußen zu schlichten. – Zum so und so vielten Male ertönte im Laufe des Abends die berühmte ‚Cognac-Polonaise‘, die man auf dem Tanzboden vor sich zelebrierte. Bei dem unparlamentarischen Text sträubt sich meine Feder... Zwischendurch erscheinen mit großem Hallo begrüßt die Koryphäen der damaligen Zeit: die hinreißende Tänzerin Anita Berber und Celly de Reydt und die schöne Susu Wannowsky und ihre Korona. Jeden Montag stieg diese ‚Pyramide‘ in der Schwerinstraße um neun Uhr abends; es war das typische Berliner Nachtleben mit seiner Sünde und seiner Buntheit.«[7]

Von der Jahrhundertwende bis zu Beginn der NS-Zeit wurde ein Zusammenhang von autonomen Frauen, lesbischen Frauen und Frauenbewegung hergestellt. Die auto-

7 Claire Waldoff: Aus meinen Erinnerungen, Düsseldorf/München 1953, S. 54 f.
8 Vgl. Heinz Martenau: Sappho und Lesbos, Leipzig o. J. (ca. 1930) und Dr. Th. von Rheine: Die lesbische Liebe..., a. a. O.
9 Erich Mühsam: Der Bürgergarten – Zeitgedichte, Berlin/Weimar 1982, S. 18

nome und lesbische Frau der gehobenen Stände war im Klischee oft eine Schriftstellerin.[8]

Schon 1904 spottete Erich Mühsam:
»Paar Urnische Männlein,
paar lesbische Weiber,
paar Reimer, paar Zoter, paar Schnüffler, paar Schreiber
Kaffee, Zigaretten, Gefasel, Gegrein –
in summa: ein Literaturverein.«[9]

So hatte z. B. die schwedische Schriftstellerin Karin Boye (1900–1941) in Berlin ihr lesbisches »coming out«. Sie wird in Schweden als die bedeutendste schwedische Schriftstellerin dieser Zeit bezeichnet. Karin Boye lebte 1932 und 1933 in Berlin und war mit der Graphikerin Gerda Rotermund (1902–1982) befreundet.

Das pulsierende Leben erlosch mit der Machtergreifung der Nazis. Die Sanktionen gegenüber lesbischen Frauen begannen aber schon in der Weimarer Zeit.

1926 wurde eine Art Jugendschutzgesetz erlassen, demzufolge Publikationen auf eine Liste für Schund- und Schmutzschriften gesetzt werden konnten. Im März 1928 stellten die Landesjugendämter Wiesbaden und Berlin bei der Prüfstelle für Schund- und Schmutzschriften den Antrag, eine Reihe der Nummern der Zeitschriften *Die Freundin, Blätter für Menschenrecht, Das Freundschaftsblatt* und *Die neue Freundschaft* in die Liste aufzunehmen. Über die Anträge wurde in der Sitzung vom 24. April und 8. Mai verhandelt. Beide Male kam die Berliner Prüfstelle zur Ablehnung der Anträge. Von Seiten des Preußischen Wohlfahrtsministeriums und dem Landesjugendamt Berlin wurde gegen diese Entscheidung bei der Oberprüfstelle Leipzig Einspruch erhoben; die Oberprüfstelle folgte dem Einspruch und sprach ein Aushangverbot der Zeitschriften aus. Unter Anwendung der stärksten »Beschränkungsvorschrift«, die das Gesetz ermöglichte, wurde die Zeitschrift *Die Freundin* für die Dauer von 12 Monaten verboten. 1931 erhielt die »Frauenliebe-Garçonne« ein Aushangverbot.

Deutschtümelei und nationalsozialistische Ideologie mischten sich in den zahllosen Vereinigungen, wie dem »Deutschen Bund für Volksaufartung und Erbkunde e. V.« oder dem »Volkswartbund« (mit seiner Zeitschrift »Volkswart, Monatsschrift zur Bekämpfung der öffentlichen Unsittlichkeit«[10]), die sich die Bekämpfung der Homosexualität zu einem ihrer Ziele gesetzt hatten. Sie bekämpften vor allem auch die organisatorischen Bemühungen homosexueller Frauen und Männer. Bereits 1925 forderte Hans von Hentig die Kriminalisierung lesbischer Frauen; denn »homosexuelle Tendenzen der Frau drängen sich in letzter Zeit mit einer gewissen Aggressivität an die Öffentlichkeit«[11].

In einer umfangreichen Denkschrift an den Deutschen Reichstag forderte 1927 der »Verband zur Bekämpfung der öffentlichen Unsittlichkeit« die Beibehaltung des § 175. Der juristische »Kopflanger« (Brecht) der Nazis in Sachen Homosexualität, Rudolf Klare, sprach 1932 von Homosexualität als einer »Entartung der Rasse«[12] und forderte, »Artfremdes abzustreifen«[13]. Er sprach sich für eine Kriminalisierung lesbischer Frauen aus. Der Druck auf homosexuelle Frauen und Männer nahm gegen Ende der Weimarer Zeit zu. 1931 wurde schon in *Die Freundin* darüber geklagt.[14] Vom Polizeipräsidenten Diels wurden 1932 in Berlin öffentliche Tanzveranstaltungen und Versammlungen verboten.[15] Polizeikontrollen und Razzien hatten schon zuvor Frauen den Besuch von Frauenbars verleidet. Eine Zeitzeugin schreibt in ihren Erinnerungen, »...daß bei solchen Razzien die Damen lastwagenweise zum Alexanderplatz (Polizeipräsidium) zum Verhör gebracht« wurden. Von einem Kriminalkommissar habe sie erfahren, »...daß man Homosexuelle (weibliche und männliche) in sogenannte Umerziehungslager stecken würde«.[16]

Homosexuellen-Organisationen wurden nach der Machtübernahme der Nationalsozialisten verboten. Mit einem Erlaß vom 23.2.1933 wurde jegliche pornographische Literatur verboten und insbesondere dem »Bund für Menschenrecht« jede öffentliche Aktivität untersagt.[17]
Mit dem 11. Jahrgang mußte im Februar/ März 1933 der »Bund für Menschenrecht« das Erscheinen seiner offiziellen Monatsschrift *Blätter für Menschenrecht* einstellen. Das Verlagshaus in Potsdam wurde ebenso wie das von Magnus Hirschfeld 1919 gegründete »Institut für Sexualwissenschaft«

Anita Berber (rechts) mit einer unbekannten Freundin, 1920, Photo: Ullstein Bilderdienst

Claire Waldoff, 1933, Photo: Ullstein Bilderdienst

durch die Nationalsozialisten im Mai 1933 geplündert. Die wissenschaftlichen Bücher und Materialien des »Instituts für Sexualwissenschaft« wurden am 10. Mai 1933 mit denen anderer deutscher Schriftstellerinnen und Schriftsteller verbrannt. Darunter auch Bücher der amerikanischen Frauenrechtlerin Margarete Sanger, die sich als Hebamme in den Gettos der großen amerikanischen Städte für Geburtsregelung eingesetzt hatte. Sie soll in den USA die ersten Homosexuellengruppen initiiert haben.

Die Nazis hatten ihre eigene »wissenschaftliche« Literatur. 1932 hatte schon Klare im Hinblick auf Homosexuelle formuliert:

10 Vgl. »Volkswart«, Monatsschrift zur Bekämpfung der öffentlichen Unsittlichkeit, a. a. O.
11 Vgl. Hans von Hentig: Die Kriminalität der lesbischen Frau, Stuttgart 1958, 1965 [(2)]
12 Rudolf Klare: Homosexualität und Strafrecht, 1932, S. 114
13 Ebd., S. 118
14 »Die Freundin«, 7. Jg., Nr. 23, 10. 6. 1931, S. 2
15 Vgl. R. Diehl: Lucifer ante portas, Stuttgart 1950; »Blätter für Menschenrecht«, Nr. 10, Oktober/November 1932, S. 10
16 Miro Schönberg: Die Garbo für die Seele, die Dietrich für den Bauch, Lesbisch-Sein vor der Frauenbewegung, in: Eine stumme Generation berichtet – Frauen der dreißiger und vierziger Jahre (Gisela Dischner, Hrsgin.), Frankfurt 1982, S. 72
17 Hans Peter Bleuel: Das saubere Reich. Die verheimlichte Wahrheit – Eros und Sexualität im Dritten Reich, Berlin/München 1972, S. 286

»Es kann nur vom heutigen Gesetzgeber nicht verlangt werden, daß er Erkenntnisse, die einer analysierenden Wissenschaft des Liberalismus entsprungen sind, und die keineswegs Merkmal eindeutiger, unumstößlicher, wissenschaftlicher Wahrheit tragen, seinen Entscheidungen zugrunde legt.«[18]

Aus heutiger Sicht scheinen – was die materielle Situation lesbischer Frauen anbelangt (Massenarbeitslosigkeit und Massenwohnungsnot) – zwischen der Weimarer Zeit und der NS-Zeit keine gravierenden Unterschiede bestanden zu haben. Es läßt sich eher noch belegen, daß mit der Einbindung in die Kriegsmaschinerie die Frauen eher Arbeitsplätze – und damit materielle Sicherheit fanden. Gegen Ende des 2. Weltkrieges waren bekanntlich etwa 450000 Frauen bei der Wehrmacht und SS in irgendeiner Form beschäftigt, insgesamt etwa 811000 Frauen im Krieg eingesetzt.[19]

Die Weimarer Zeit dagegen war gekennzeichnet von einer Ausgliederung der Frauen aus dem Erwerbsleben (z. B. Gesetz zur Freimachung von 1919; Gerichtsurteile und Verordnungen und später die sog. Doppelverdienerkampagne von 1933/34). Diesen staatlichen Maßnahmen schlossen sich Wirtschaft und Freie Verbände (wie z. B. das Deutsche Rote Kreuz) an. 1929 überstieg im November die Zahl der Erwerbslosen im Deutschen Reich die 2-Millionen-Grenze. 1931 zählte man dann 4 1/2 Millionen Erwerbslose und im Januar erreichte die Arbeitslosigkeit den Gipfel – und die Republik zerbrach.

Seit der Jahrhundertwende hatte sich ein Frauentyp etabliert, der berufstätig und ökonomisch unabhängig war und für seine Rechte eintrat. Aber schon in diesen »goldenen Zwanzigern« wurden die Emanzipationsbestrebungen der Frauen v. a. von den Nazi-Ideologen denunziert und als entartet und dem deutschen Volk fremd dargestellt. Aus dem Vorwort eines erfolgreichen und grundlegenden Werkes für den Frauenhaß sei hier zitiert:

»... die Emanzipation der Frauenwelt ist ein Merkmal des Volksverfalles, dessen Fortschreiten sie beschleunigt, und sie dient dem Ende jeder wahren Freiheit.«[20]

Ein paar Jahre später erschien von Anton Schücker »Zur Psychopathologie der Frauenbewegung« (Leipzig 1931). Beide Autoren stellen einen Zusammenhang zwischen sexuell »entarteten« Frauen, Lesbianismus und Frauenbewegung her – die Frauenbewegung als Tummelplatz von lesbischen und anderen sexuell abweichenden Frauen. In den Augen der Rückwärtsorientierten wurde die sexuell »unnatürliche« Frau zum Symbol einer sozial und politisch »unnatürlichen« Zeit.[21]

Die faschistoiden Mythen über das Wesen der Frau wurden schon vor der Ära des Dritten Reiches entwickelt. Auch hier zeigen sich zwischen den beiden Zeitabschnitten – was die »offizielle« Literatur betrifft – ebenfalls keine deutlichen Unterschiede. Die Polarität der Geschlechterrollen, Ehe und Aufzucht der Kinder wurden aber von den Nationalsozialisten noch stärker betont als in der Weimarer Zeit, obwohl schon damals von Ideologen (z. B. Böser, von Hentig, Klare) für eine Kriminalisierung und damit für eine Ausmerzung homosexueller Frauen plädiert wurde. Ihrer Auffassung nach befand sich Deutschland im Zustand einer fortschreitenden Degeneration, der Einhalt geboten werden mußte. Strafbestimmungen bildeten ihrer Meinung nach einen wichtigen, hemmenden Faktor für die Manifestierung der homosexuellen Anlage. Mal wurde männliche und weibliche Homosexualität als etwas Gleiches, mal als etwas völlig Verschiedenes behandelt. Autoren, die sich in dieser Zeit für eine Kriminalisierung lesbischer Frauen einsetzten, betonten die Triebhaftigkeit und die Bereitschaft lesbischer Frauen, junge Mädchen zu verführen.

»Bei der geringen Scheu, die selbst das Normalweib vor einer Entblößung in Gegenwart einer Geschlechtsgenossin hat, ist es ja auch schwer, anzunehmen, daß es bei Festen, die doch immerhin den Unterton eines Sexualfestes tragen, nicht zu geschlechtlichen Handlungen kommen sollte. Sind die Teilnehmerinnen wirklich homosexuell, so müssen ja auf sie die weiblichen Reize ebenso wirken wie auf den Mann, und dies umso mehr, als, wie mir eine übrigens ganz normale Teilnehmerin an einem solcher Bälle erzählte, diese Reize bei vielen nahezu unverhüllt zutage treten. Rechnet man dazu, daß gewöhnlich auch mit Sekt nicht gespart wird, so kann man es doch kaum glauben, daß gerade bei den lesbischen Amüsements die Grenzen von An-

18 Rudolf Klare: Homosexualität..., a. a. O., S. 117
19 Angaben nach der Fernseh-Dokumentation »Kriegsgefangene Frauen« vom 14. 9. 1983, NDR, 3. Programm
20 E. F. W. Eberhard: Die Frauenemanzipation und ihre erotischen Grundlagen, 1924, Vorwort
21 Vgl. Caroll Smith-Rosenberg: The New Woman, the Troubled Man, and the Mannish Lesbian, vervielfältigtes Manuskript, Amsterdam 1983

stand und Sitte nicht überschritten werden.«[22]

Die durch die Strafrechtsnovelle vom 28. 6. 1935 verschärfte Neufassung des § 175 war dem Juristen Klare noch nicht scharf genug. Er forderte die Entmannung der männlichen Homosexuellen und deren Aussonderung sowie die Subsumierung lesbischer Frauen unter den § 175.

»... Es besteht kein Zweifel darüber, daß gleichgeschlechtliche Betätigung kein der deutschen Frau eigener Wesenszug ist. (...) Unter dem Gesichtspunkt des Ringens um die Erhaltung der blutmäßigen Werte in unserem Volk erkennen sie (die Männer des deutschen Volkes, I. K.) die Bestrafung der weiblichen Homosexualität grundsätzlich an.«[23]

»... (Es) ist nicht einzusehen, warum der *gleichgeschlechtliche Verkehr unter Frauen,* die Tribadie, von einer strafrechtlichen Verfolgung ausgeschlossen sein soll. Wenn die Homosexualität an sich als rassische Entartung und der *Homosexuelle als Feind der völkischen Gemeinschaft* gewertet wird, dann enfällt jegliche Begründung für eine Straflosigkeit der ‚lesbischen Liebe‘. Daß aber die weiblichen Homosexuellen dieselben Entartungserscheinungen aufweisen wie die männlichen, daß ihre Abneigung gegen Ehe und Familie z. B. genauso tief wurzelt wie beim homosexuellen Mann, ist unbestreitbar.«[24]

Klare begrüßte dann in einem Artikel von 1938, daß »mit der Zerschlagung der Verbände der Frauenbewegung und der anderen Organisationen der Tribaden (...) die Möglichkeit der Einwirkung auf politische Entscheidungen entfallen (ist)«.[25]

Auf die Denunziationen Klares meldeten sich zwei Frauen zu Wort. Auf seine Behauptung, die »Kerntruppe der Frauenbewegung« seien die homosexuellen Frauen gewesen, antwortete Alice Rilke (Leiterin des Frauenamts der Deutschen Arbeitsfront) mit der Unterscheidung zwischen Frauen in der Frauenbewegung, die sich für die »soziale Mutteridee« eingesetzt hätten, und denen, die an der »neuen Ethik« interessiert gewesen wären. Sie bezichtigte Klare, alle Frauen in einen Topf geworfen zu haben. Außerdem bezweifelte sie, ob weibliche Homosexualität genauso stark verbreitet sei wie die männliche; sie sah allerdings auch in der weiblichen Homosexualität eine »sittliche Entartung«.[26]

Die Juristin Gertrud Schubert-Fikentscher referierte 1939 in der früheren Zeitschrift der Frauenbewegung *Die Frau* auf Klares Artikel hin über die juristische Verfolgung der weiblichen Homosexualität in der Geschichte und plädierte für Straflosigkeit. Weibliche Homosexualität komme nicht häufig vor, sie sei schwer zu erkennen, und eine Kriminalisierung öffne Erpressern Tür und Tor – Argumente, die 30 Jahre zuvor zur Verhinderung der Kriminalisierung lesbischer Liebe verwendet wurden.[27]

Die Nazis selbst sahen in der weiblichen Homosexualität eine minderschwere »Entartung« als in der männlichen Homosexualität – für Himmler selbst war sie wohl eher ein ästhetisches Problem. In seinen Reden führte er aus:

»Ich sehe es als Katastrophe an, wenn Frauenorganisationen, Frauengemeinschaften, Frauenbünde sich auf einem Gebiet betätigen, das jeden Reiz, jede weibliche Würde und Anmut zerstört. Ich sehe es als Katastrophe an, wenn – ich spreche insgesamt, denn es geht eigentlich uns direkt nicht an – wir Narren von Männer die Frauen zu einem logischen Denkinstrument machen wollen, sie in allem schulen, was überhaupt nur möglich ist, wenn wir die Frauen so vermännlichen, daß mit der Zeit der Geschlechtsunterschied, die Polarität verschwindet. Dann ist der Weg zur Homosexualität nicht weit.«[28]

Bei der Verschärfung des § 175 kam es den Nationalsozialisten vor allem darauf an, die Fortpflanzungsmoral durch juristische Maßnahmen zu stärken. Nach Ansicht der NS-Ideologen war eine Kriminalisierung der lesbischen Frauen nicht notwendig. Auch die »gesunde Volksanschauung« nahm lesbische Frauen weniger ernst. In einem »Bericht über die Arbeit der amtlichen Strafrechtskommission« (Verfasser: Gleispach) wird hierzu ausgeführt:

»Bei Männern wird Zeugungskraft vergeudet, sie scheiden zumeist aus der Fortpflanzung aus, bei Frauen ist das nicht oder zumindest nicht im gleichen Maß der Fall. Das Laster ist unter Männern stärker verbreitet als unter Frauen (abgesehen von Dirnenkreisen), entzieht sich auch bei Frauen viel mehr der Beobachtung, ist unauffälliger, die Gefahr der Verderbnis durch Beispiel also

22 Heinz Martenau: Sappho und Lesbos, a. a. O., S. 55
23 Rudolf Klare: Homosexualität..., a. a. O., S. 122
24 Ebd., S. 120
25 Rudolf Klare: Zum Problem der weiblichen Homosexualität, in: Deutsches Recht, 8. Jg., H. 23/24, 10. 12. 1938, S. 504
26 Alice Rilke: Die Homosexualität der Frau und die Frauenbewegung, in: Deutsches Recht, 9. Jg., Berlin 1939, S. 65–68
27 Gertrud Schubert-Fikentscher: Zum Problem der weiblichen Homosexualität, in: Die Frau, 46. Jg., H. 7, Berlin 1939, S. 366–375
28 Rede Heinrich Himmler am 18. 2. 1937 in Bad Tölz, zitiert nach: Hans-Georg Stümke/Rudi Finkler: Rosa Winkel, Rosa Listen – Homosexuelle und »Gesundes Volksempfinden« von Auschwitz bis heute, Reinbeck bei Hamburg 1981, S. 437

geringer. Die innigeren Formen freundschaftlichen Verkehrs zwischen Frauen würden die hier zumeist bestehenden Schwierigkeiten der Feststellung des Tatbestandes und die Gefahr unbegründeter Anzeigen und Untersuchungen außerordentlich erhöhen.«[29]

Autoren, die in dieser Zeit einen gemäßigteren Ton anschlugen, betonten die Unterschiede im sozialen Verhalten homosexueller Frauen und Männer. Sie vertraten die Auffassung, daß weibliche Homosexualität weniger anlage- als vielmehr umweltbedingt sei (angeborene Homosexualität vs. Pseudohomosexualität). Hinter ihrer Meinung verbarg sich die Überheblichkeit, daß ein guter deutscher Mann diese Frauen schon auf den rechten Weg bringen könne – eine Auffassung, die heute noch ungebrochen existent ist. Zur Illustration hier eine längere Ausführung von 1940:

»Der lang geführte Streit um die Freigabe des § 175 StGB ist nach der Röhm-Affäre durch eine Verschärfung der Gesetzesbestimmungen entschieden. Das Strafgesetz wendet sich gegen homosexuelle Betätigung des männlichen, nicht des weiblichen Geschlechts. Die gleichgeschlechtliche Liebe der Frau nimmt eine Sonderstellung ein. Auch bei ihr wird die Triebumkehr mehr oder weniger durch eine endokrine Störung verursacht sein, die Auswirkung dieser körperlichen Anlage ist aber weitgehend von äußeren Umständen abhängig. Bei der homosexuellen Entwicklung einer Frau spielen mehr als beim Mann Umweltverhältnisse, Erlebnisse eine besondere Rolle. Die weibliche gleichgeschlechtliche Einstellung ist ihrem Wesen nach von der männlichen verschieden, die obigen Ausführungen (‚Unreife ihrer Liebesbeziehung‘, leichter und bedenkenloser Partnerwechsel, Verführung Jugendlicher, I.K.) über die Besonderheiten der homosexuellen Liebe treffen für das weibliche Geschlecht kaum zu. Wir sehen hier häufiger Liebesbeziehungen unter Gleichaltrigen entstehen, die Bindung ist tiefer und manchmal mit einer echten Freundschaft verbunden. Die geringere Aktivität der Frau setzt die soziale Gefährlichkeit ihrer homosexuellen Neigung sehr herab.«[30]

Es ist interessant zu wissen und gewiß nicht ohne Ironie, daß die gegenwärtige Straflosigkeit lesbischer Liebe dank der gleichen

Argumentation zustande kam. Das Urteil des Bundesverfassungsgerichts vom 10. 5. 1957 beruht auf Gutachten, deren Inhalt sexistisch geprägt ist und einem Frauenbild entspricht, das mit dem der NS-Zeit weitgehend identisch ist. Das Bundesverfassungsgericht kam damals zu dem Schluß: »Die Strafvorschriften gegen männliche Homosexualität (§§ 175 ff. StGB) verstoßen nicht gegen den speziellen Gleichheitsgrundsatz der Abs. 2 und 3 des Art. 3 GG, weil der biologische Geschlechtsunterschied den Sachverhalt hier so entscheidend prägt, daß etwa vergleichbare Elemente daneben vollkommen zurücktreten.« Und: »Eine Prüfung ergibt, daß der Grundsatz der Gleichberechtigung von Mann und Frau für die gesetzgeberische Behandlung der männlichen und weiblichen Homosexualität keinen Maßstab abgibt.«[31]

In der Begründung finden sich dann für die Frau wenig schmeichelhafte Bemerkungen: Die Richter gingen 1957 davon aus, daß weibliche Homosexualität weitaus weniger stark verbreitet sei als männliche. Auch präge die biologische Verschiedenheit von Frau und Mann »das gesamte Sozialbild dieser Form sexueller Betätigung«:

»... Schon die körperliche Bildung der Geschlechtsorgane weist für den Mann auf eine mehr drängende und fordernde, für die Frau mehr hinnehmende und zur Hingabe bereite Funktion auf ... Anders als der Mann wird die Frau unwillkürlich schon durch ihren Körper daran erinnert, daß das Sexualleben mit Lasten verbunden ist. Damit mag zusammenhängen, daß bei der Frau körperliche Begierde (Sexualität) und zärtliche Empfindungsfähigkeit (Erotik) fast immer miteinander verschmolzen sind, während beim Manne, und zwar gerade beim Homosexuellen, beide Komponenten vielfach getrennt bleiben ...«[32]

Die Richter nahmen an, daß die sexuelle Abstinenz lesbischen Frauen leichter falle als homosexuellen Männern, und wiesen zudem auf »die Erfahrung, daß die Lesbierin nicht in dem gleichen Maße ausschließlich gleichgeschlechtlich eingestellt ist«. Hier findet sich also das Argument wieder, daß beim Auftauchen des rechten Mannes die lesbische Frau »bekehrt« werden könne. Die Annahmen, die in das Urteil des Bundesverfassungsgerichts eingingen, finden sich übrigens auch wieder in dem Regie-

29 Ebd., S. 216
30 Rudolf Lemke: Neue Auffassungen zur Pathogenese, Klinik und strafrechtlichen Stellung der männlichen und weiblichen Homosexualität, in: Medizinische Klinik, Bd. 36, H. 2, 1940, S. 1357
31 Urteil des Bundesverfassungsgerichts vom 10. 5. 1957, in: Neue Juristische Wochenschrift, H. 23, 1957, S. 867–869
32 Ebd.

rungsentwurf zum Strafgesetzbuch von 1962: »Die gleichgeschlechtliche Unzucht zwischen Frauen ist eine Erscheinung mit andersartigen und namentlich weniger einschneidenden Folgen für das Zusammenleben in der Gesellschaft.« In der juristischen Argumentation findet sich eine ungebrochene Tradition von der Weimarer Zeit bis weit in die Nachkriegszeit hinein. Lesbische Frauen (und homosexuelle Männer) sind also nicht im Unrecht, wenn sie behaupten, für Homosexuelle habe das Dritte Reich noch nicht aufgehört.

Die Einteilung in triebhafte, angeboren-vernichtenswerte Homosexualität und in keusche, eher erziehbar-therapierbare (Pseudo)Homosexualität findet sich im Handeln der Nationalsozialisten. Bisher ist nicht bekannt, daß lesbische Frauen – wie homosexuelle Männer – systematisch unter dem Erkennungszeichen »Rosa Winkel« in die Konzentrationslager eingeliefert worden sind.
Nach den eher unsystematischen Razzien seit 1932 in den Lokalen und an den Treffpunkten fanden 1936 jedoch in mehreren deutschen Großstädten durchorganisierte »Säuberungsaktionen gegen Volksschädlinge« statt. Nach Ansicht von Stümke und Finkler scheint 1936 der Höhepunkt der intensiven Verfolgung der männlichen Homosexuellen gewesen zu sein. Endpunkt der Verfolgung waren Entmannung und Unterbringung in Arbeitslagern und KZs. Einzelne, von mir interviewte Frauen wissen von der Einlieferung homosexueller Männer aus ihrem Bekanntenkreis zu berichten, nicht aber von lesbischen Frauen. Ich habe Belege dafür, daß manche in eine Art innere Emigration gingen und/oder Berlin verliessen, andere gingen sog. »Sandehen« oder »Josefsehen« ein, d. h. sie heirateten entweder einen homosexuellen Mann oder einen heterosexuellen, wobei letzterer über sie nicht informiert war. Mir sind auch Verwarnungen und vage Drohungen wegen intensiver Mädchenfreundschaften beim »Bund deutscher Mädchen« (BDM) und Versetzungen unbekannten Ortes von wahrscheinlich lesbischen BDM-Führerinnen bekannt. Eine Informantin berichtete, daß die in der Weimarer Zeit so rührige Lotte Hahm 1932/33 von den Nationalsozialisten wegen Verführung Minderjähriger inhaftiert und

nach Verbüßung der Haftstrafe in einem Lager war. Lotte Hahm war die Vorsitzende der Damenclubs »Violetta«, »Monbijou« und »Manuela« und des »Bundes für Menschenrecht e. V.«. Die Verhaftung wegen »Verführung Minderjähriger« dürfte sicher ein Vorwand gewesen sein, um diese, für die gesellschaftliche Anerkennung lesbischer Frauen so aktive Frau, zu inhaftieren. Die Informantin berichtete, daß Lotte Hahm das »Dritte Reich« überlebt habe, 1947 habe sie sie halbgelähmt in Berlin getroffen.

Die Erforschung der Konzentrationslager konzentrierte sich bisher vor allem auf die Mechanismen der Vernichtung jüdischer Menschen. Die wenigen Forscher, die sich bisher mit homosexuellen Männern in den KZs befaßt haben (Lautmann, Grischkat, Schmidt) beachteten nicht die Existenz lesbischer Frauen in den Lagern. Ein kürzlich in der DDR erschienenes Buch[33] schildert detailliert die KZs im allgemeinen und das Frauen-KZ Ravensbrück im besonderen. Die Begriffe Homosexuelle, Homosexualität, homosexuell, lesbisch und Lesbierin werden nicht erwähnt, dies bei sonst ausführlicher Darstellung des inhaftierten Personenkreises. »Berufsverbrecherinnen« und »Asoziale« werden in diesem Buch abfällig behandelt, und es wird verschwiegen, wegen welcher »verbrecherischen« Handlungen oder welchem »asozialem« Verhalten die Frauen in die Lager eingeliefert wurden.

Meine Recherchen lassen die Vermutung zu, daß lesbische Frauen sowohl mit dem »Rosa Winkel« als auch mit dem »Schwarzen Winkel«, dem Erkennungszeichen für »Asoziale«, in die KZs eingeliefert wurden. Hinweise gibt es auch, daß lesbische Frauen wegen »Wehrkraftzersetzung« in den verschiedenen Lagern untergebracht wurden. Das nationalsozialistische Instrument »Wehrkraftzersetzung« wurde bisher m. E. noch nicht auf seine Funktion hinsichtlich der Disziplinierung von Frauen untersucht.
Bisher sind m. E. keine Fälle von Verhaftung, Inhaftierung und Unterbringung in einem Lager lesbischer Frauen als homosexuelle Frauen bekannt. Die lesbische Malerin Gertrude Sandmann, die der Verhaftung durch die Gestapo durch einen vorgetäuschten Selbstmord entging und dann unter Mithilfe

33 Vgl. G. Zörner et al.: Frauen-KZ Ravensbrück, Berlin/DDR 1982

ihrer Freundinnen in Berlin die Zeit des Faschismus überlebte, wurde als Jüdin gesucht und nicht als Lesbierin.[34]

Jenny Schermann, die durch den Euthanasie-Arzt Friedrich Mennecke den Tod fand, war Lesbierin, Jüdin und staatenlos. In der Urteilsbegründung für ihre Inhaftierung heißt es: »Jenny ,Sarah' Schermann, 19. 1. 1912, ledige Verkäuferin in Frankfurt/Main. Triebhaft Lesbierin, verkehrte nur in falschen Lokalen, vermied den Namen Sarah. Staatenlose Jüdin.«[35]

Schon vier Wochen nach der Machtergreifung, am 28. Februar 1933, wurde die »Verordnung zum Schutze von Volk und Staat« erlassen, aufgrund derer die Konzentrationslager eingerichtet wurden. Über das Schicksal lesbischer Frauen in den KZs ist noch weniger bekannt als über das homosexueller Männer. Ich weiß von lesbischen Frauen, die KZs überlebten. Sie aber sprechen weder über die Gründe der Einweisung noch über die Zeit im KZ. Es gibt bisher nur ein Interview mit einer lesbischen Frau, die als 16jährige wegen »Sabotage« und »Arbeitsvertragsbruch« unter dem »Schwarzen Winkel« in ein Lager kam. Sie hatte in einer Rüstungsfabrik mit einer Frau geflirtet und sich aus einem Metallstück einen Ring gedreht. Nach einem etwa viermonatigen Aufenthalt im KZ kam sie zum Arbeitsdienst.[36] Ferner gibt es vier Überlebensberichte von Lagerinsassinnen, die als nichtlesbische Frauen dem Phänomen »Frauenbeziehungen« auch entsprechend hilflos gegenüberstehen.[37]

Die Überlebensberichte nichtlesbischer Frauen geben ein vages und verzerrtes Bild über die Situation lesbischer Frauen in Massenvernichtungslagern. Die schreibenden Frauen stehen gewissermaßen fassungslos vor der Tatsache, daß Frauen Frauen lieben können. Für sie ist diese Liebe »buhlerisch« (Zywulska), »ungeordnet« oder ein »Laster« (Vermehren). Die Einteilung in »geordnete« und »ungeordnete« Liebe (Vermehren) trifft auch Margarete Buber-Neumann, auch wenn sie – mit Isa Vermehren – insgesamt eine weniger stigmatisierende Schilderung abgibt:

»Leidenschaftliche Freundschaften waren unter den Politischen genauso häufig wie unter den Asozialen und Kriminellen. Nur unterschieden sich die Liebesbeziehungen

der Politischen von denen der Asozialen oder der Kriminellen meistens dadurch, daß die einen rein platonisch blieben, während die anderen ganz offen lesbischen Charakter hatten. Die Lagerleitung verfolgte solche Liebesverhältnisse besonders rabiat. Liebe wurde mit Prügelstrafe geahndet.«[38]

Es ist, als ob die Autorinnen annähmen, die Trägerinnen des schwarzen Winkels seien zu Recht im KZ. Hierbei ist allerdings zu bemerken, daß auch die Trägerinnen des schwarzen Winkels auf die mit dem Judenstern herabschauten. Fania Fénelon berichtet, daß die »Asozialen« nicht mit den Jüdinnen die gleiche Toilette benutzen wollten: »Ich kann eben nicht neben dieser dreckigen Jüdin sitzen bleiben.«[39]

Vom Haß und der Verachtung auf die Frauen, die sich Zuneigung auch in diesem Vorhof der Hölle entgegenbrachten, berichtet Isa Vermehren:

»Ein andermal schreckte ein ganz fürchterliches, vielstimmiges Geschrei mich aus meinen Gedanken. Vor der Schreibstube sammelten sich zahllose laut keifende und gestikulierende Häftlinge, soweit ich erkennen konnte, vor allem Blockälteste und Lagerpolizei, die im Halbkreis um zwei Mädchen standen, deren eine todblaß und schweratmend an der Wand lehnte. Ich konnte anfangs gar nichts verstehen, bis sich mehrmals das Wort ,ELEL' (Bezeichnung für lesbische Liebe) wiederholte und ,Gib's doch zu, daß du mit ihr geschlafen hast!', ,Lüg' doch nicht, du bist doch ihre Freundin' und ähnliches mehr. (S. 54 f.) ... Mit Püffen trieben sie sie über den Lagerhof, und am nächsten Tag wurde sie im Strafblock eingeliefert.«[40]

Die Verfasserinnen dieser Überlebensberichte fragen nicht, worin die »Asozialität« der inhaftierten Trägerinnen des schwarzen Winkels bestand. Der Jurist Klare war der Überzeugung, daß Homosexuelle die »Träger des asozialen Prinzips überhaupt« seien. Unter dem Vorwand der Asozialität wurden dann lesbische Frauen in die KZs eingeliefert. Oftmals scheinen es auch Prostituierte gewesen zu sein bzw. wurden zumindest dafür gehalten. Fania Fénelon schreibt z. B. über die in einem eigenen Block separierten lesbischen Frauen im KZ Auschwitz Birkenau »Die ganze Gesellschaft hier besteht aus deutschen Prostituierten – arisch natürlich!«[41] Das Kapitel trägt die Überschrift

34 Vgl. Kurt R. Grossmann: Die unbesungenen Helden – Menschen in Deutschlands dunklen Tagen, Berlin 1957, S. 61–63

35 Staatsarchiv Nürnberg, KV-Prozesse, Fall I, Dokument NO-3060, zit. nach: Heinz-Dieter Schilling (Hrsg.): Schwule im Faschismus, Berlin 1983, S. 152

36 Gertie, (o. T.), in: Annette Dröge: In dieser Gesellschaft überleben – Zur Alltagssituation lesbischer Frauen, Berlin 1982, S. 76–82

37 Isa Vermehren: Reise durch den letzten Akt – Ein Bericht (10. 2. 1944– 29. 6. 1945), Hamburg 1948; Zitate nach der Neuauflage unter dem Titel: Reise durch den letzten Akt – Ravensbrück, Buchenwald, Dachau – eine Frau berichtet, Reinbeck bei Hamburg 1979

Margarete Buber-Neumann: Milena – Kafkas Freundin, München 1977

Krystyna Zywulska: Wo früher Birken waren – Überlebensbericht einer jungen Frau aus Auschwitz-Birkenau, Darmstadt 1979

Fania Fénelon: Das Mädchenorchester in Auschwitz, Frankfurt/Main 1980, 2. Auflage 1982

Von betroffener Seite wird das Problem dargestellt in: Dokument über ein Lesben-KZ, in: Ina Kuckuc: Der Kampf gegen Unterdrückung, München 1975, S. 127 ff.

38 Buber-Neumann: Milena ..., a. a. O., S. 50

39 Fénelon: Das Mädchenorchester ..., a. a. O., S. 258

40 Vermehren: Reise ..., a. a. O., S. 56

»Beim Ball der schwarzen Dreiecke« und ist die ausführlichste Beschreibung unter diesen Texten. Auch in Krystyna Zywulskas Bericht wird der schwarze Winkel erwähnt; die Bezeichnung »... eine Deutsche mit einem schwarzen Winkel, ein ausgesprochen männlicher Typ« legt nahe, daß es sich um eine lesbische Frau handelt.[42] Die Einteilung zwischen eher maskulinen und eher femininen lesbischen Frauen treffen auch andere Autorinnen:

»Die jüngeren Insassinnen des Strafblocks waren zum größten Teil diesem Laster verfallen, und unschwer konnte man sie erkennen an ihren sehr maskulinen Äußerlichkeiten. Sie trugen kurzgeschnittene Haare, die sie mit der typischen Jungenbewegung der ganzen flachen Hand und weitausladenden Ellbogen sich immer wieder über den Kopf strichen.«[43]

Bei Fania Fénelons Schilderung über den »Ball der schwarzen Dreiecke« wimmelt es von lesbischen Paaren:

»In diesem komischen Frauenclub sind die Rollen sehr genau verteilt. Abendkleidung ist vorgeschrieben, die ,Herren' sind im Pyjama, aus Seide selbstverständlich, ein Geschenk ihrer ,netten Freundinnen'! Die ,Damen' tragen entzückende, transparente, fließend weiche, mit schwarzen Spitzen besetzte Hemden ...«[44]

Wenn die Autorinnen Sympathie für die Trägerinnen des schwarzen Winkels zeigen, geben sie der Vermutung Ausdruck, die Umstände seien für das homosexuelle Verhalten verantwortlich. Auch sie treffen damit die Unterscheidung zwischen angeborener Homosexualität und erworbener (Pseudo) Homosexualität:

»Kaum eine von ihnen übrigens war Trägerin des rosa Winkels; also waren sie nicht wegen lesbischer Tendenz eingeliefert worden, sondern diese hatte sich erst im Lager herausgebildet, bei den meisten wahrscheinlich aus ganz harmlosen Anfängen, deren echte Zartheit sehr bald zerrieben wurde von der Rohheit, mit der die Umgebung die beginnende Neigung zu spiegeln wußte.«[45]

»Neunzig Prozent der Frauen waren homosexuell geworden, zweifellos aus Mangelerscheinungen, aber auch, weil ein paar dazu reichten, dieses Gesetz zu erzwingen.

Wer sich weigerte, wurde so verprügelt, daß er lieber mitmachte, vor allem die Jüngeren.«[46]

In diesen Komplex gehört auch, daß den weiblichen Kapos lesbische Neigungen unterstellt wurden, bzw. tatsächliche lesbische Neigungen mit Interesse konstatiert und beobachtet wurden (Zywulska, Fénelon). Zusammenfassend läßt sich sagen, daß die wenigen Berichte über lesbische Frauen in den Konzentrationslagern die gesellschaftliche Diskriminierung in z. T. verstärkter Form widerspiegeln.

Wie aber überlebten sie außerhalb der KZs während der NS-Zeit? Für viele begann die Zeit der Maskierung. Unauffälligkeit war die Devise, sie heirateten, gingen in andere Städte, wo sie niemand kannte, zogen aufs Land oder zogen sich in ihre Cliquen zurück. Einige, die aus anderen Gründen verfolgt wurden – als Kommunistinnen oder Jüdinnen –, tauchten unter.

Es ist ein historisches Paradox, daß einige lesbische Frauen trotz der Unterdrückung die NS-Zeit in guter Erinnerung haben. Die Zeit der Arbeitslosigkeit war vorbei, sie waren größtenteils in die Rüstungsindustrie und den Wehrmachtsapparat integriert. Sie arbeiteten entgegen aller Nazipropaganda hart und »unweiblich« und waren aufgrund des eigenen Einkommens unabhängig. Sie konnten zudem auch wieder Hosen tragen. Lange Hosen, die nach der Nazipropaganda eine Frau unweiblich machten, mußten nun getragen werden. Und gegen Ende des Krieges kamen viele Frauen auch gar nicht mehr aus ihren verschiedenen Uniformhosen heraus, da sie Tag und Nacht im Einsatz waren.

Mit Beginn des Krieges verschwanden auch nach und nach die Männer aus der Arbeitswelt. Lesbische Frauen berichteten mir, daß sie endlich, endlich wieder ungeniert miteinander flirten konnten. Auch heterosexuelle Frauen waren einem Flirt nicht abgeneigt, denn die Männer waren ja weit weg.

»Meine ersten Hosen durfte ich 1941 tragen. Das waren Skihosen, die ich nur zum Sport tragen durfte, aber ich habe sie dann nur noch getragen. Weil Kleidung dann knapp wurde, haben Frauen, deren Männer an der Front waren, sich aus deren Hosen Frauenhosen gemacht. Hier zugenäht und da ei-

41 Fénelon: Das Mädchenorchester..., a. a. O., S. 263
42 Zywulska: Wo früher Birken..., a. a. O., S. 66
43 Vermehren: Reise..., a. a. O., S. 56
44 Fénelon: Das Mädchenorchester..., a. a. O., S. 263
45 Vermehren: Reise..., a. a. O., S. 56 f.
46 Fénelon: Das Mädchenorchester..., a. a. O., S. 266

nen Reißverschluß rein – auf einmal war die Hosenmode da – was war ich froh! Ich wußte übrigens gar nicht, daß ich lesbisch bin, das wußten aber zwei Frauen aus unserer Bekanntschaft, die fragten mich: Hast du denn schon 'ne Freundin? – Ich habe mehrere! – Ach so eine bist du! – Die Frauen waren auch lesbisch ... Sonst hatte ich das Gefühl gehabt, es gab viel mehr Männer als Frauen, viel mehr Jungs als Mädels, denn die Frauen waren zuhause, während die Männer viel mehr in der Öffentlichkeit auftraten. Im Krieg waren auf einmal die meisten Männer weg bis auf so ein paar Tattergreise (ab vierzig war für mich damals uralt). Wenn ich nun irgendwas zu besorgen hatte, waren immer junge Frauen da, die ich auch von der Schule her kannte, man brauchte keine Angst zu haben. Es war die angenehme Atmosphäre eines heimlichen Matriarchats ...«[47]

Trotz der furchtbaren Belastungen in der NS-Zeit werden heute die wenigen positiven Momente in der Erinnerung zurückgeholt: »Ich habe in der Nazizeit den entzückendsten Flirt meines Lebens erfahren. Und zwar in meiner Dienstverpflichtungszeit im Munitionslager ...«[48]

Alle älteren Frauen, mit denen ich gesprochen habe – und sie sind bisher die einzige Quelle unseres Wissens – waren froh, als das »Dritte Reich« zusammenbrach:

»1945 nach dem Krieg ... wie die ganzen ‚Lokalitäten' wieder aufgemacht worden sind, und wir wieder regulär in Freiheit waren, nachdem Hitler von der Bildfläche weg war, da ist dann ein Sub nach dem anderen aus dem Boden geschossen ... Also es war wunderschön gewesen. Wir haben wieder in Freiheit leben können und nicht mehr so unterdrückt, wie wir bei Hitler gelebt haben. Bei Hitler war das so, daß wir uns gegenseitig immer verstecken mußten ...«[49]

Dokument über ein Lesben-KZ

»Meine Freundin Helene G. aus G. in Schleswig-Holstein war in den Jahren 1943–1945 Luftwaffenhelferin in Oslo. Sie war als Fernschreiberin tätig und stand unter Geheimhaltungsvorschrift. Sie hatte u.a. Fernschreibkontakte mit der deutschen Botschaft in Stockholm bezüglich Spionage und Agentenverkehr. In der Luftwaffenunterkunft lebte sie in intimer Gemeinschaft

mit einer anderen Luftwaffenhelferin zusammen, die das Pech hatte, einem Leutnant der Luftnachrichtentruppe zu gefallen. Als sie die Zudringlichkeiten dieses Vorgesetzten zurückwies, gerieten die beiden Lesben in die Schußlinie des nationalsozialistischen Kriegsrechts. Beide Frauen wurden von der geh. Feldpolizei verhaftet und getrennt. Helene G. wurde wegen Wehrkraftzersetzung vor ein Kriegsgericht gestellt, aus der Wehrmacht ausgestoßen und in das KZ Bützow in Mecklenburg gebracht. Dort kam sie mit 6 anderen Lesben in einen Extrablock. Das KZ Bützow war ursprünglich ein Kriegsgefangenen-Straflager. Ein Block war mit Frauen belegt. Die Lesben kamen in einen vollständig leeren Block und wurden von männlichen Kapos bewacht. Bei der Einlieferung sagten die SS-Posten zu den Kriegsgefangenen: ‚Die hier sind der letzte Dreck. Die würden wir nicht mit dem Sofabein ficken. Wenn ihr die ordentlich durchzieht, kriegt ihr jeder eine Flasche Schnaps.' Dazu muß man wissen, daß in der Nazizeit der Intimverkehr zwischen deutschen Frauen und Ausländern strafrechtlich verfolgt wurde. Die SS-Posten hetzten zunächst russische und französische Kriegsgefangene auf die gefangenen Lesben, um sie, ‚mal richtig durchzuficken'. Die Lesben wurden – streng von anderen Frauen getrennt – unter SS-Bewachung zur Arbeit geführt und bekamen das übliche KZ-Essen (Wassersuppen ohne Fleisch und Fett mit verfaulten Kohlblättern udgl.). 2 Frauen starben dort an Hunger. Meine Freundin überlebte das 1. Nachkriegsjahr und starb dann an Lungentuberkulose.«[50]

Nach dem Zusammenbruch des Dritten Reiches kam es zu einem kurzen Aufblühen der lesbischen Subkultur. An den alten Plätzen um den Alexanderplatz und im Bezirk Schöneberg wurden wieder die Lokale eröffnet. Kati R. stellt eine Kontinuität zwischen der Weimarer Zeit und der Nachkriegszeit her. Sie hatte schon in der Weimarer Zeit Bälle organisiert (*Die Freundin* berichtete mehrmals von ihr) und die Besucherinnen durch Gesangseinlagen erfreut. Sie eröffnete zuerst in der Nähe des Alexanderplatzes ein Lokal für Frauen, später im Bezirk Kreuzberg. Seit den 50er Jahren organisierte sie einmal im Monat einen »Elitetanzabend«. Von diesen Tanzabenden wissen nur eingeweihte Frauen. Vor noch nicht

47 Lilo Z.: privater Mitschnitt aus einer Podiumsdiskussion über ältere lesbische Frauen am 23.1.1983, veranstaltet vom Lesbenreferat des ASTA der FU Berlin

48 Brief einer 80jährigen Frau an die Verfasserin vom 9.2.1983

49 Gertie: in: Annette Dröge, a.a.O., S.77

50 Schriftliche Mitteilung an die Verfasserin

Loulou Albert-Lasard (1885–1969),
Frauen im KZ Gurs vor dem Kom-
mandanten, aus einer Mappe von 83
Zeichnungen aus dem KZ Gurs, 1940,
Feder, blau laviert, 20,5 x 26,5 cm,
Privatbesitz, Photo: Bartsch, Berlin

allzu langer Zeit fanden diese Bälle in verschiedenen Lokalen statt, bei denen die Besucherinnen die Hintereingänge benutzten. In der Zeit des »Kalten Krieges« verkrochen sich die lesbischen Frauen wieder in ihre Zirkel. Gelegentlich wurden Versuche unternommen, ein Kontaktnetz aufzubauen. So erschien in Hamburg 1952 die Zeitschrift *Wir Freundinnen* mit mehreren Ausgaben. In Berlin kursierten hektografierte Zeitschriften, die eher Informationsblätter waren. In den Zeitschriften für homosexuelle Männer gab es Frauenbeilagen und Frauenseiten; doch alles spielte sich im Verborgenen ab. Die einzigen Orte, an denen lesbische Frauen sich als lesbische Frauen treffen konnten, waren die Damenbars in den Großstädten. Da Homosexualität als krank und pervers betrachtet wurde, gingen die Frauen oft auch nur unter großen Vorbehalten in die Bars. Die Liebe zwischen Frauen wurden in den 50er Jahren genauso diffamiert und stigmatisiert wie in der NS-Zeit. Erst zu Beginn der 70er Jahre begann eine neue Phase der Selbstorganisation lesbischer Frauen, und es zeigten sich Ansätze einer Einstellungsänderung der Bevölkerung gegenüber lesbischen Frauen.

Katharina Vogel

Zum Selbstverständnis lesbischer Frauen in der Weimarer Republik

Eine Analyse der Zeitschrift »Die Freundin« 1924–1933

Die Freundin war wohl die populärste und meist verbreitete Lesbenzeitschrift der Weimarer Republik. In Berlin, bei jedem Zeitungshändler erhältlich, wurde sie 1924 zunächst als »Monatsschrift« und ab 1925 halbmonatlich zu einem Preis von 30 Pfennig vom Friedrich-Radszuweit-Verlag herausgegeben. 1926 erschien *Die Freundin*

Titelblatt »Die Freundin«, 4. Jg., 1928, Photo: Berlin Museum

nicht. Die Ursache dafür ist nicht bekannt. Ab Januar 1927 war sie mit 8seitigem Umfang 14tägig wieder regelmäßig erhältlich, bis sie im Juni 1928 für die Dauer von 12 Monaten auf die Liste für »Schund- und Schmutzliteratur« gesetzt wurde. Der Herausgeber Friedrich Radszuweit entschied sich für die Einstellung des Blattes, da es nicht mehr öffentlich bei den Zeitungshändlern ausgehängt werden durfte. Er versuchte das Aushangverbot zu umgehen, indem er eine Ersatzzeitschrift mit dem Titel *Ledige Frauen* herausgab. Wieviele Ausgaben von dieser als Wochenschrift angekündigten Zeitschrift tatsächlich erschienen, ist heute nicht mehr bekannt.

Ab Juli 1929 gab es dann *Die Freundin* wieder ununterbrochen als Wochenschrift bis zum 8. März 1933.

Neben *Der Freundin* publizierte der Bund für Menschenrecht (BfM) die *Blätter für Menschenrecht, Das Freundschaftsblatt* und die *Insel,* die sich an homosexuelle Männer richteten. Die *Insel* erreichte 1930 eine Auflage von 150000 Exemplaren. Über die Auflage der *Freundin* ist nichts bekannt, jedoch dürfte ihre Zahl weit über der Auflagenhöhe liegen, die Lesbenzeitschriften der Nachkriegszeit je erreicht haben.

Die Freundin beinhaltete zur Hälfte lesbische Kurzgeschichten und Gedichte, zwei Seiten waren jeweils für Veranstaltungshinweise, Kleinanzeigen und Literaturlisten reserviert, und durchschnittlich ein Artikel enthielt eine theoretische Stellungnahme. Zeitweise war der *Freundin* ein *Sonderteil für Transvestiten* beigefügt, dieser Teil war manchmal aber auch einfach durch transvestitische Belange betreffende Artikel in der Zeitschrift integriert.

In der Zeit von 1924 bis 1925 zeichnete Aenne Weber als verantwortliche Redakteurin der *Freundin,* gleichzeitig war sie 1. Vorsitzende der »Damengruppe des BfM« und bot wöchentlich eine Sprechstunde an, in der sie »kostenlos Rat in allen Familien-,

Aufruf
an alle gleichgeschlechtlich liebenden Frauen

Frauen, ihr alle, die ihr das gleiche Geschlecht liebt, werdet von den Heterosexuellen wegen eurer Veranlagung ebenso verlacht und verspottet wie die homosexuellen Männer. Diese kämpfen im Bund für Menschenrecht seit zehn Jahren nicht nur gegen die gesellschaftliche Achtung, sondern vor allem gegen den § 175. Der Kampf war nicht vergeblich. Vieles ist erreicht, mehr muß erreicht werden. Um den vollen Sieg auf der ganzen Linie zu erringen, bedarf der B. f. M. der Mithilfe aller gleichgeschlechtlichliebenden Frauen, die die Achtung der anderen als Unrecht und Schmach empfinden.

Frauen, empfindet ihr nicht die schwere Schmach, die wegen eurer schuldlosen Veranlagung auf euch und euerm Namen lastet?

Empfindet ihr nicht das Schmachvolle eurer Lage, eure Freundin im Dunkeln verbergen und eure Liebe vor den Menschen verheimlichen zu müssen?

Wer von euch all die Ungerechtigkeit und Schmach, die euch fort und fort angetan wird, nicht empfindet, hat kein Ehrgefühl.

Nicht nur Tanz und gesellige Veranstaltungen können euch Gleichberechtigung bringen, sondern auch Kampf ist nötig, wenn ihr Ansehen und Achtung haben wollt.

Kampfeslust muß eure Herzen erfüllen und aus euren Augen leuchten. Darum organisiert euch in eurer Vereinigung „Violetta", die dem B. f. M., E. V., korporativ angeschlossen ist.

Eure Führerin Lotte Hahm arbeitet gemeinsam mit dem Hauptvorstand des B. f. M., E. V., zu eurem Wohl, und nur hier werden eure Interessen sachgemäß und energisch vertreten.

Fort mit allen Eigenbröteleien aus euren Reihen. Besucht keine Veranstaltungen von sogenannten „Damenklubs", die gegen den B. f. M., E. V., und damit gegen eure Sonderorganisation „Violetta" hetzen.

Die homosexuellen Männer Deutschlands haben sich restlos im B. f. M., E. V., und den ihm korporativ angeschlossenen Vereinen organisiert. So muß es auch in Zukunft bei den gleichgeschlechtlichliebenden Frauen sein.

Der B. f. M., E. V., repräsentiert allein die gesamte, ernstzunehmende homosexuelle Bewegung Deutschlands, und dazu gehört auch ihr.

Anläßlich des zehnjährigen Bestehens des B. f. M., E. V., werden in den Tagen vom 20. bis 23. September große Veranstaltungen abgehalten, an denen jede homosexuelle Frau um ihrer selbst willen, teilnehmen muß.

Eure Organisation „Violetta" beteiligt sich am Freitag, den 20. September an der großen Kundgebung im ehem. Herrenhaus, Leipzigerstr. 3.

Am Sonnabend, dem 21. September findet ein großer Festabend mit reichhaltigem künstlerischem Programm und Festball im Amerikanischen Tanzpalast (Zauberflöte), nur für Damen statt. Die Herren sind gesondert in der I. und II. Etage („Florida" und „Orientalisches Kasino").

Sonntag, den 22. September großer Festball im unteren Saal nur für Damen, in der ersten Etage nur für Herren.

Für Montag, den 23. September ist eine große öffentliche Frauen-Versammlung im unteren Saal vorgesehen, wo die bekannte Schriftstellerin Elsbeth Killmer über die Gleichberechtigung der homosexuellen Frauen sprechen wird.

Gleichgeschlechtlichliebende Frauen zeigt, daß ihr nicht nur da seid, um geduldet zu werden, sondern daß ihr auch bereit seit, zum Kampf für eure Freiheit.

Erscheint in Massen zu den oben angegebenen Veranstaltungen.

Bund für Menschenrecht,
Sitz Berlin S 14, Neue Jakobstr. 9.
Der Hauptvorstand.

Berufs- und Bundesangelegenheiten« (*Freundin*, 1. Jg., Nr. 4 vom 1. 10. 1924) erteilte. Die »Damengruppe des BfM« mit ihrer wöchentlichen Zusammenkunft konstituierte sich als Alternative zu den Tanzveranstaltungen mit Lesungen, Diskussionen über Tagesereignisse und Angelegenheiten des BfM sowie Musik und Gesellschaftsspiele – kurz: »um geistige Interessen zu pflegen«. (*Freundin*, 1. Jg., Nr. 6 vom 1. 11. 1924). Männer hatten zu diesen Abenden keinen Zutritt.

Die innerredaktionellen Entscheidungskompetenzen der Mitarbeiter und Mitarbeiterinnen der *Freundin* sind nur noch indirekt nachvollziehbar, die Ursache für die Fluktuation der Autorinnen ist gänzlich unbekannt, da dies in der Zeitschrift nie thematisiert wurde: Nach der Erscheinungspause von 1926 war der Mitarbeiterinnenstamm ein völlig anderer und als verantwortliche Redakteurin zeichnete nun Elsbeth Killmer.

Die Freundin veränderte sich ab 1927 insofern, als unter den Rubriken: »Briefe an ‚Die Freundin'« oder »Unsere Leser haben das Wort« öfter Leserinnen zu Wort kamen, die über ihr Lesbischsein und aktuelle Alltagsprobleme berichteten und damit auch eine erhöhte Resonanz im Leserinnenkreis der *Freundin* dokumentierten.

Dank dieser Rubrik und theoretischen Artikeln aus dem Kreis der Mitarbeiterinnen lassen sich heute, wenn auch lückenhaft, Rückschlüsse auf das Selbstverständnis und Lebensgefühl der Leserinnen und der im BfM organisierten Frauen ziehen:
Sie bezeichneten sich selbst als »gleichgeschlechtlichliebend«, »homosexuell«, »homoerotisch« oder »lesbisch« und sprachen sich gegenseitig als »Artgenossin« an, da sie davon überzeugt waren – ganz nach den damals populär gewordenen sexualwissenschaftlichen Theorien –, daß ihre Liebe zum eigenen Geschlecht eine »angeborene Naturveranlagung« sei.

Die Stellungnahmen der Redakteurinnen und Leserinnen waren geprägt vom Glauben an die (sexual)wissenschaftlichen Autoritäten und deren Macht, den Forderungen der homosexuellen Frauen nach gesellschaftlicher Akzeptanz Gehör zu verschaffen.

links:
Detail aus dem Anzeigenteil »Die Freundin«, 8. Jg., Nr. 3, 20. 1. 1932, Photo: Berlin Museum

rechts:
Aufruf der Damenabteilung des »Bundes für Menschenrecht«, aus: »Die Freundin«, 5. Jg., Nr. 12, 18. 9. 1929, Photo: Berlin Museum

Damenklub Violetta

veranstaltet in der

Zauberflöte, Kommandantenstr. 72

diesen Mittwoch **Bunten Abend** Eintritt frei f. M.

Diesen Sonnabend, den 9. November

Eine Nacht im Paradies

mit intimem Ballett von Adam und Eva

Tanzleitung Kati   Eintritt 50 Pf. f. M.

Anfang 8 Uhr   Ende 3 Uhr

Diesen Sonntag

Damen-Ball mit Windbeutel-Wettessen

Um zahlreiches Erscheinen bittet die Klubleitung

Lotte Hahm

Nur Damen haben Zutritt!   Nur Damen haben Zutritt!

Achtung Transvestiten!

Am 1. Dezember erscheint die Monatsschrift „ Transvestiten" Preis 1.—

Jeden Donnerstag: Großer Ball in der Zauberflöte

Kommandantenstr 72 Eintritt 50 Pf.

Lotte Hahm
I. Vorsitzende des Damenklubs
Violetta und Monbijou

---

links:

Anzeige des Damenklubs Violetta mit Lotte Hahm, aus: »Die Freundin«, 5. Jg., Nr. 19, 6. 11. 1929, Photo: Berlin Museum

rechts:

Leserinnenbrief, aus: »Die Freundin«, 7. Jg., Nr. 42, 21. 10. 1931, Photo: Berlin Museum

U. a. wurden Magnus Hirschfelds Veröffentlichungen häufig rezipiert, lobend erwähnt und als über den Friedrich-Radszuweit-Verlag beziehbare Literatur im Anzeigenteil regelmäßig empfohlen.

Friedrich Radszuweit selbst griff ab 1930 in mehreren Leitartikeln Magnus Hirschfeld an und warf ihm vor, der homosexuellen Emanzipationsbewegung zu schaden: Durch seine Gutachtertätigkeit in Gerichtsprozessen um den § 175, in denen er häufig für den Angeklagten gemäß § 51 (Unzurechnungsfähigkeit) plädierte, habe er homosexuelle Menschen als »minderwertig« in der Öffentlichkeit dargestellt. Auch an der Auffassung vieler Ärzte und Forscher, Homosexualität sei eine Krankheit, sei Hirschfeld nicht unschuldig (*Freundin*, 7. Jg., Nr. 26 vom 1. 7. 1931, S. 2). Und schließlich habe Hirschfeld die gesamten Homosexuellen »in ein sehr schlechtes Licht gebracht«, da er in der Öffentlichkeit immer wieder »Abnormitäten« gezeigt habe, und diese »als homosexuelle Menschen hinstellte«(*Freundin*, 8. Jg., Nr. 7 vom 17. 2. 1932, S. 2).

Die Frauen innerhalb des BfM äußerten sich zu diesen Konflikten in der *Freundin* nicht.

Im Juli 1929 veröffentlichte die Redaktion der *Freundin* unter der Überschrift »Was ist Homosexualität?« die gekürzte Fassung der bereits 1904 erschienenen Schrift: »Die Liebe des dritten Geschlechts« von Johanna

---

Apachenball! / Lu Bilse

Man schreibt uns:

„Was tut man nicht alles aus Liebe . . .," heißt es in einem netten Schlager. Ach ja, man tut schon allerhand! — Eine ganze Reichsmark und 50 Pfg. habe ich geopfert, um mich zu verschönen und den süßen Frauen zu gefallen! Ich erstand eine Mütze und ein knallrotes Tuch, lieh mir einen Anzug und nahm einen Riesenpump auf (hört! hört!) und landete in der Zauberflöte. Junge, Junge, da war Betrieb! Stimmung hatte ich, Geld hatte ich, und Frauen, schöne, entzückende Frauen. Allerdings die Frauen hatte ich nicht; aber sie waren da und das war die Hauptsache. „Seid umschlungen Millionen, diesen Kuß der ganzen Welt . . .", so ungefähr war mir zumute. Ich hockte an der Bar, turne auf den hohen Stühlen herum, teile ehrlich links und rechts Küsse aus (Donnerwetter!), und ertränke mein durstiges Gemüt in Alkohol. — Aber die Seele vons Janze is Kati. Wenn Kati sagt: „Na, Kinder, wollen wir noch mal, weil's so schön war?" Da gibt's keinen, der nicht wollte und man tanzt, tanzt unermüdlich, Auge in Auge mit einer schönen Frau oder einem schweren Jungen! — Nach einem solchen Abend bedauere ich immer wieder, daß in den anderen Städten Deutschlands die Damen sich nicht zu einer festen Vereinigung zusammenfinden. Wieviele freudige, anregende Stunden könnten sie sich verschaffen. Wenn sie einmal einen Abend in Monbijou und Violetta verbracht haben, werden sie empfinden, wie schön es ist auf Stunden unter gleichgesinnten Menschen zu weilen!

Elberskirchen. Diese Artikelfolge beinhaltete – auch gerade in ihrer Widersprüchlichkeit – im wesentlichen die Ansichten über Homosexualität, die sich durch die gesamten Jahrgänge der *Freundin,* sowohl in den Kurzgeschichten als auch Leserinnenbriefen und theoretischen Texten, ziehen: Einerseits stellte Johanna Elberskirchen die »Natürlichkeit« der Heterosexualität in Frage, indem sie definierte:

»Es gibt keinen absoluten Mann. Es gibt kein absolutes Weib. Es gibt nur bisexuelle Varietäten ... Schließlich sind wir doch alle genau betrachtet Homosexuelle, – der eine mehr, der andere weniger ...« (*Freundin*, 5. Jg., Nr. 4 vom 24. 7. 1929, S. 2 zitiert nach Johanna Elberskirchen: »Die Liebe des dritten Geschlechts«, Leipzig 1904, S. 18 u. 19). Diese konstitutionelle Zweigeschlechtlichkeit habe im embryonalen Zustand ihren Ursprung. Dort sei eine »Trennung in weibliches oder männliches Geschlecht überhaupt, auch mikroskopisch, nicht festzustellen«. Wenn sich dann später aus dieser Uranlage die geschlechtliche Differenzierung entwickle, behielte doch jeder Mensch neben seinem Hauptgeschlecht Anteile seines »konträren Nebengeschlechts«. Diese beiden Geschlechter seien mit »vielen Varietäten, Verschiebungen und Komplizierungen der Geschlechtsneigung« in einem jeweils unterschiedlichen Mischungsverhältnis zueinander entwickelt.

Andererseits definierte sie trotz dieser mit Hilfe der Biologie begründeten Infragestellung der Grenzen zwischen Heterosexualität und Homosexualität am Ende die Homosexuellen als Naturerscheinung für sich, als »Drittes Geschlecht«, jenseits von Mann und Frau.

Die Selbstdefinition bzw. Selbstdarstellung lesbischer Frauen in den 20er Jahren als »Bubi« und »Dame« – »virile« und »feminine« Lesbierin orientierte sich zwar an den gesellschaftlich definierten vorgegebenen Rollenstereotypen von »männlichem« und »weiblichem« Verhalten, jedoch sollte sie eher als Auseinandersetzung über die Verschiedenheit lesbischer Lebensstile und Lebensgefühle begriffen werden und weniger als Nachahmung oder Anpassung an heterosexuelle Beziehungsmuster, da die Definition des »Bubi« und der »Dame« innerhalb einer eigenen Welt, jenseits von »Mann« und »Frau« – der Welt des »Dritten Geschlechts« – konstruiert wurde.

Daß die Selbstdarstellung eines lesbischen Paares in der Öffentlichkeit als »Bubi« und »Dame« als ein offensiver Protest gerade gegen die heterosexuelle Umwelt empfunden wurde und daher den eher versteckt lebenden Lesben unangenehm war, zeigt sich deutlich in einer Diskussion, die Ende 1931 über 7 Ausgaben in der *Freundin* geführt wurde:

»Im großen und ganzen finde ich das Benehmen unserer männlichen Frauen etwas verzerrt. Es erscheint oft, als ob virile Homoerotinnen die Männlichkeit, die ihnen doch nach außen hin immer nur zum Teil zu eigen sein wird, mit Gewalt bei sich forcieren wollen...« (eine Leserin in der Ausgabe vom 4.11.1931); oder: »Es sind oft nur geringfügige, leicht vermeidliche Äußerlichkeiten, die herausfordernd wirken und mehr Schaden anrichten als man glauben sollte (eine Leserin in der Ausgabe vom 25.11.1931). Eine andere Leserin riet:

»Ihr Frauen, die ihr selbst in so starkem Maße von eurem vermeintlichen Mannestum überzeugt seid, vergeßt nicht, daß ihr dies nur ganz unter Euch frei und offen zeigen dürft. Verzerrt nicht durch dickaufgetragene Farben das Bild Eures eigensten Innenlebens, welches ja schließlich nur Euch und Eurer Freundin gehört... Wir erkennen

oben:
Selli Engler, geb. am 28. 9. 1899, war ab 1924 die Alleinherausgeberin der Lesbenzeitschrift »BIF« (»Blätter Idealer Frauenfreundschaften«), die sich im Untertitel »Monatsschrift für weibliche Kultur« nannte und für 50 Pf. auch beim Zeitungshändler erhältlich war. Wie lange Selli Englers Zeitschrift im Selbstverlag tatsächlich erschien, ist nicht bekannt. Eine Ausgabe von 1927 lädt alle BIF-Leserinnen zur Gründung des »Damen-BIF-Club« ein, der jeden Freitag im Nationalhof Bülowstr. 37 tagen sollte. Bis zum Herbst 1929 arbeitete sie an der Zeitschrift »Frauenliebe« mit und erklärte am 18. 9. ihren Wechsel zur »Freundin«. Am 28. 9. 1929 eröffnete sie den Damenklub »Erato« in der Kommandantenstr. 72, der lesbischen Frauen eine »Heimstätte« sein sollte, wo sie sich täglich ab 16 Uhr treffen konnten. Ab Mai 1931 taucht ihr Name und der Damenklub »Erato« in der »Freundin« nicht mehr auf. Selli Engler starb 1982 in Ostberlin. Photo aus: »Die Freundin«, 5. Jg., Nr. 16, 16. 10. 1929, Photo: Berlin Museum

links:
Übertrittserklärung von Selli Engler, aus: »Die Freundin«, 5. Jg., Nr. 12, 18. 9. 1929, Photo: Berlin Museum

Euch schon an Eurer Art, an der Hemdbluse und Kostüm, Ihr braucht Euch wirklich nicht noch die schlechtesten männlichen Eigenschaften anzueignen« (*Freundin*, 9.12. 1931).

Dagegen meinte eine Leserin am 16.12. 1931: »Ich halte es nicht für unrecht, wenn eine Frau das Männliche in ihrem Wesen noch betont, auch in Äußerlichkeiten sollte man, meiner Meinung nach, seine Gesinnung nicht verleugnen« (*Freundin*, 16.12. 1931). Die Leserin, die am 23.12.1931 zu dieser Thematik Stellung nahm, macht durch die Schilderung ihres eigenen Lebens die »Austauschbarkeit« der Rollen in der Bubi-Dame-Beziehung deutlich: Sie selber habe sich zwar immer schon als Junge gefühlt. Doch hieße das für sie nicht, daß sie sich ein komplementäres »weibliches« Gegenstück als Partnerin vorstelle: »Denn mir sind süße, weiche Puppengesichter eigentlich fast verhaßt« (*Freundin*, 23.12.1931).

Das Bewußtsein der physiologisch bedingten Ausnahmestellung und die Erklärung ihrer Liebe zu Frauen als ein rein biologisches Schicksal hielt die verantwortliche Redakteurin Elsbeth Killmer nicht davon ab, ihre Solidarität mit der Frauenemanzipationsbewegung zu bekunden. Unter der Überschrift »Was jede Frau wissen muß« erläuterte sie in einem Leitartikel der *Freundin* Ursachen und Auswirkungen der Frauenunterdrückung: Durch die matrilineare Abstammungsfolge habe die Frau in früheren Jahrtausenden eine freie und hochgeachtete Stellung eingenommen. »Mit dem Sturze des ‚Mutterrechts‘ sei dann später das Privateigentum entstanden, – das Sklaventum, und mit diesem ‚die Entartung‘ des Geschlechtstriebes des Mannes, womit das ‚freie Weib‘ in die Leibeigenschaft des Mannes geriet« (*Freundin*, 5. Jg. Nr. 9 vom 28.8.1929, S. 6). Merkmale des Sklaventums seien der Frau eigen: Furcht, Verlogenheit, Unselbständigkeit: »Das hat der Mann aus ihr, der Frau, gemacht.« Nur durch »strenge Selbsterziehung« könnten es die Frauen erreichen, dem Mann wieder ebenbürtig, gleichberechtigt zu werden. Die Berufstätigkeit aller Frauen war für Elsbeth Killmer das zentrale Moment ihrer Emanzipation, wobei sie die Probleme der Frauenerwerbstätigkeit nicht ignorierte: Wenige Berufe stünden der Frau offen und viele böten für die Frau keine Entfaltungsmöglichkeiten. Als vorläufige Lösung dieses Problems sah sie die Weiterbildung, »unermüdliches Schaffen, Streben und Ehrgeiz« jeder einzelnen, um im Beruf Karriere zu machen – und das Engagement in der Frauenbewegung.

Auch innerhalb des BfM setzte sich Elsbeth Killmer für einen Zusammenschluß der Frauen ein. Im Januar 1927 wurde durch die Gründung eines »Bundes für Frauenrecht«, der dem BfM »korporativ angeschlossen« sein sollte, und der Konstituierung eines eigenen Hauptvorstandes der Versuch unternommen, eine autonome Organisierung der Frauen des BfM zu erreichen. Dieser Versuch scheiterte jedoch offenbar langfristig, da im Laufe des Jahres 1927 der Zusammenschluß der Frauen wieder nur als »Damenabteilung des BfM« in den Veranstaltungshinweisen auftauchte.

Am 30. April 1928, kurz vor dem Aushangverbot der *Freundin* und der einjährigen Erscheinungspause, verkündete *Die Freundin* die Reorganisierung der »Damenabteilung« unter neuer Leitung. Und am 7. Mai 1930 rief Lotte Hahm, seit 1929 eine der aktivsten Frauen, zur Gründung eines »Bundes für ideale Frauenfreundschaft« auf: »Die Frauenorganisation muß, wenn sie wirklich ernst genommen werden und im Kampf etwas leisten will, auf ähnlicher Grundlage wie der BfM aufgebaut werden« (*Freundin*, 7.5.1930). Daß dies jedoch nicht in größerem Ausmaß gelang, zeigt das häufige Beklagen der Passivität der Frauen in Leserinnenzuschriften. Was innerhalb des BfM nicht möglich war, erreichten jedoch einzelne Frauen mit der Gründung von Damenklubs, die eine Mischung von Unterhaltung, Tanzveranstaltung, wissenschaftlichen Vortragsreihen und gemeinsamen Unternehmungen (z. B. Wanderungen und Dampferpartien) anboten.

Einer von ihnen war der 1926 von Lotte Hahm gegründete Damenklub »Violetta«, der 400 Mitglieder zählte. Ebenso wie der Damenklub »Erâto«, unter der Leitung von Selli Engler, und der »Klub der Freundinnen« stand »Violetta« mit dem BfM in enger Verbindung, war aber insofern ein eigener Frauenzusammenschluß, da er nicht organisatorisch in den BfM eingebunden war.

Auch in anderen größeren Städten des »Deutschen Reiches«, in denen Ortsgruppen des BfM existierten, z. B. in Hamburg, Leipzig oder Stuttgart, wurden Versuche zur Gründung von »Damengruppen« unternommen. Von der weiteren Verbreitung der *Freundin* über Berlin hinaus zeugen zahlreiche Anzeigen und Leserinnenbriefe von Frauen, die aus der »Provinz« über die Unmöglichkeit eines »Zusammenschlusses Gleichgesinnter« klagten. Auch in der Schweiz und in Österreich wurde *Die Freundin* gelesen. Zwei Aufrufe zur Gründung einer Damengruppe in Wien erschienen in der *Freundin* 1927 und 1932. Die Österreicherin Emma Zelenka, die 1931 und 1932 zahlreiche Gedichte und Kurzgeschichten in der *Freundin* veröffentlichte, beklagte am 14.9.1932 eine hohe Selbstmordrate von homosexuellen Frauen in Wien, deren Ursache sie in der gesellschaftlichen Diskriminierung und der wachsenden sozialen Not sah. Die Arbeitslosigkeit und die daraus resultierende Armut sah auch Charlotte Falk, eine Leserin aus Österreich, als ihr größtes Problem an.

Heftige Diskussionen wurden in der *Freundin* um »bisexuelle« Frauen geführt. Eine Leserin aus Duisburg schrieb: »Die Schuld, warum sich im Rheinland ein Klub nicht hält, liegt wohl nur an den bisexuellen Frauen. ... nur durch die bisexuelle Frau wird unser Menschentum in den Schmutz getreten...« (*Freundin* vom 4.12.1929).

Im Leitartikel der Ausgabe vom 9.4.1930 unter der Überschrift: »Soll eine homosexuelle Frau mit einer bisexuellen Freundschaft schließen?« warnte eine Leserin aus Essen: »Hände weg von verheirateten, bisexuellen Frauen und solchen Ledigen, die auch noch dem Manne gehören! Hände weg von jenen Zweinaturen, die aus Lust an der Wollust beide Geschlechter genießen! – Sie treten unsere Liebe in den Schmutz!« (*Freundin*, 9. 4. 1930)

Bisexuelle Frauen waren ein Symbol für »Lasterhaftigkeit«, »Ausschweifung« und freie Wahlentscheidung zwischen homosexuellem und heterosexuellem Verhalten, und damit auch zur Heterosexualität »bekehrbar«, was dem Selbstverständnis der sich als »Drittes Geschlecht« begreifenden Frauen widersprach. Denn ihr Kampf gegen die Ausdehnung des § 175 auch auf gleichgeschlechtliche Liebe unter Frauen, von der sie sich in den 20er Jahren ständig bedroht fühlten, gründete sich auf die Argumentation, daß die Liebe zum eigenen Geschlecht nicht »ausrottbar« sei, da es sich um eine »Veranlagung« handele – und deshalb eine Kriminalisierung ohne »Erfolg« bleiben würde. Indem sie bisexuelle Frauen als »lasterhaft« und »pervers« bezeichneten, übernahmen sie allerdings dieselben Begriffe, mit denen die Befürworter einer Kriminalisierung die homosexuellen Menschen insgesamt bedachten.

Jedoch lag die eigentliche Ursache für eine derartige leidenschaftliche Ablehnung bisexueller Frauen – (»Dieser Ausschuß der Frauen, dieser Abschaum ist es, den die wirklich homosexuelle Frau bekämpfen sollte« – eine Leserin am 20. 2. 1928) – sicher in der konkreten Erfahrung, der Enttäuschung, von einer Frau wegen eines Mannes verlassen worden zu sein. Eine sich als »lesbisch« definierende Frau wollte und konnte diesen Weg zur sozialen Sicherheit und gesellschaftlichen Akzeptanz, die eine Heirat oder Beziehung mit einem Mann mit sich brachte, nie beschreiten.

In der Transvestitenbeilage kamen hauptsächlich männliche Transvestiten zu Wort, die für das Recht des Auslebens ihres »naturgemäßen«, »angeborenen« Dranges, die Kleidung des anderen Geschlechts zu tragen, eintraten.

Jedoch gab es auch Frauen, die sich als »Transvestitinnen« bezeichneten, z. B. »Frau Lina Es«, die mehrere Kurzgeschichten über Transvestitinnen veröffentlichte (z. B. »Großmuttergeschichten« am 15. 12. 1924, »Oster-

wasser und Spießruten« am 15. 4. 1925) und sich 1927 bemühte, innerhalb des BfM einen Zusammenschluß von Transvestiten/innen zu gründen.

1929 und 1930 leitete Lotte Hahm eine »Transvestitengruppe«, die sich zum Ziel gesetzt hatte, auf Behörden und Öffentlichkeit einzuwirken, bei Schutzmaßnahmen und Beratungen zu helfen und die Presse zu informieren (vgl. *Freundin* vom 30. 10. 1929). Eine gesetzliche Bestimmung, die das Tragen der Kleidung des anderen Geschlechts verbot, gab es in den 20er Jahren nicht mehr, jedoch konnten Frauen, die Männerkleidung trugen und Männer, die Frauenkleidung trugen, immer noch nach § 360, 11 RStrGB (der »groben Unfug« definierte), oder nach § 183 RStrGB (»Erregung öffentli-

Titelblatt »Die Freundin«, 5. Jg., 1929, Photo: Berlin Museum chen Ärgernisses«) angezeigt und bestraft werden. Davon, daß eine derartige juristische Verfolgung auch viele Frauen, die öffentlich Männerkleidung trugen, betraf, zeugen etliche Berichte und Veröffentlichungen von Pressemeldungen in der *Freundin*. Die betroffenen Frauen selbst argumentierten gegen diese Sanktionen, daß das Tragen von Männerkleidung – ebenso wie die Liebe zum gleichen Geschlecht – ihrem angeborenen Wesen entspräche. So bekräftigte eine Leserin (am 11.7.1927) diese Überzeugung damit, daß sie erklärte, schon als Kind hätte sie immer das Bedürfnis gehabt, Hosen zu tragen.

Der Auseinandersetzung mit politischen Parteien und deren Haltung zur Homosexualität sind in der *Freundin* zahlreiche Leitartikel gewidmet. Irene von Behlau, Mitglied im Hauptvorstand des im Januar 1927 gegründeten »Bund für Frauenrecht« und Mitarbeiterin der *Freundin* bis 1932 rief unter der Überschrift »Die homosexuelle Frau und die Reichstagswahl« am 14.5.1928 zur Wahl der SPD auf. In den Jahren 1930 bis 1933 unterzeichneten der Herausgeber, Friedrich Radszuweit, und nach seinem Tod im April 1932 sein Nachfolger, Paul Weber, Stellungnahmen zur Parteipolitik.

Im Leitartikel vom 6.8.1930 begründet Friedrich Radszuweit die Notwendigkeit der »Neutralität« des BfM. Da die Mitglieder des BfM sich aus allen politischen Parteien zusammensetzten, würde »politisches Parteigezänk« die Organisation zerschlagen. Nach einer Statistik von 1926 bekannten sich nahezu ebenso viele Mitglieder des BfM zu linken wie zu rechten Parteien. Diese parteipolitische Polarisierung habe in den Jahren 1926 bis 1930 noch zugenommen. Jedoch empfahl er den Leserinnen immer wieder, nur diejenige Partei zu wäh-

len, die für die Abschaffung des § 175 eintrete.

Die große Beliebtheit der *Freundin* in den 20er Jahren ist sicher auch auf die lesbischen Kurzgeschichten zurückzuführen, von denen regelmäßig zwei bis drei pro Ausgabe – häufig auch in Fortsetzungen – abgedruckt wurden. Als Autorinnen zeichneten sowohl Mitarbeiterinnen und Mitglieder des BfM als auch Leserinnen der *Freundin* aus anderen deutschen Städten, Österreich und der Schweiz.

Die Geschichten thematisieren Liebesglück und Liebesleid lesbischer Frauen, Schwierigkeiten, die »passende Freundin« zu finden und Diskriminierungserfahrungen durch Umwelt und Elternhaus.

Sie sind häufig in höheren gesellschaftlichen Kreisen oder im Künstlerinnenmilieu inszeniert. Die Wahl eines solchen Rahmens für eine lesbische Begegnung hat sicher den eigenen Wunsch nach Freiraum innerhalb einer zwangsheterosexuellen, lesbenfeindlichen Umwelt als Ursache – eines Freiraumes, der ja tatsächlich für die reichen, von finanziellen Sorgen befreiten oder für die in Künstlerinnenkreisen lebenden Frauen teilweise existierte. Doch auch die Welt der Verkäuferinnen, Büroangestellten und Arbeiterinnen bildet häufig den Rahmen für lesbische Kurzgeschichten. Diese boten oft positive Identifikationsmuster an: Zwei Frauen überwinden gemeinsam die schweren Probleme ihres Alltags, auch die der Diskriminierung als lesbische Frauen – oder die Solidarität unter »Gleichgesinnten« stärkt die einzelne. Die literarische Qualität ist nach literaturwissenschaftlichen Kriterien sicher als »trivial« zu bezeichnen. Doch konstruieren die Geschichten insgesamt eine eigene lesbische Welt: Selbstverständlichkeit und »Alltäglichkeit« lesbischer Lebensformen.

Petra Schlierkamp

Die Garconne

»Man könnte einwenden: Wir haben genug Zeitschriften, die über die Frau berichten und für sie eintreten, wir haben so viele, daß man nicht weiß, welche man sich halten soll. Nun, bei ‚Garconne' ist es ein klein wenig anders. Sie wird ihre eigene Note gegenüber allen anderen Frauenzeitschriften haben, denn sie tritt für die alleinstehende Frau als Mensch, als Individualität und nicht als Geschlechtswesen ein. ‚Garconne' soll für alle, die einmal gern die ‚Frauenliebe' lasen und alle, die diese um des Titels willen nicht lasen, (...), ein in jeder Hinsicht gediegenes, aufklärendes und anregendes Unterhaltungsblatt sein, das, dem Titel entsprechend, alle Gebiete, die ins Bereich der Junggesellin fallen, streifen will. Nicht zuletzt soll es auch ein Mittler werden für Homo- und Heterogen.«
(Aus dem Geleitwort zur ersten Nummer der Garconne, 1/1930, S. 2).

Die Garconne erschien als Halbmonatsschrift von Mitte Oktober 1930 bis Ende Oktober 1932, also über einen Zeitraum von gut zwei Jahren, im Berliner Bergmann-Verlag. Im freien Verkauf war sie zumindest im Berliner Raum erhältlich, darüber hinaus konnte sie im Abonnement bezogen werden. Durch diese Vertriebsform wurde sie auch überregional gelesen, was zahlreiche Kleinanzeigen oder Leserinnenbriefe aus anderen Städten und Orten des Landes bestätigen. In ihrer Berichterstattung über die Ereignisse in den Damenklubs, bei Ankündigungen von kommenden Veranstaltungen der Klubs wie Inseraten von den Treffpunkten der Damenwelt blieb sie jedoch auf Berlin zentriert. Ob sie mehr von den Damen Berlins oder von den Damen der »Provinz« gelesen wurde, wie hoch ihre Auflage insgesamt war, bleiben offene Fragen.
Wie bereits angedeutet, trat die Garconne die Nachfolge der Wochenschrift Frauenliebe an, die seit 1926 bestand und laut Sperlings Zeitschriften- und Zeitungsadreßbuch zu dieser Zeit eine Auflagenhöhe von 10 000 Stück hatte.

Eine kurze Übergangzeit erschienen sowohl die neue Garconne als auch die alte Frauenliebe, in der für das neue Blatt geworben wurde, bis schließlich die Frauenliebe als fester Bestandteil in der neuen Zeitschrift weitergeführt wurde.
Die Frauenliebe war zugleich »Wochenschrift des Deutschen Freundschaftsverbandes«, einer im Vergleich zum »Bund für Menschenrecht« kleinen Homosexuellen-Organisation, die auch ähnliche Blätter für homosexuelle Männer herausgab (Die Freundschaft und Die neue Freundschaft). Folgerichtig wurde in der Zeitschrift für einen Beitritt zum Deutschen Freundschaftsverband geworben.

Neben der Frauenliebe hatte die Garconne noch weitere feste Bestandteile, die ebenfalls stets unter eigenem Titel herauskamen. So gab es wie in der Freundin, dem Konkurrenzblatt des Bundes für Menschenrecht, anfangs regelmäßig eine Seite unter der Überschrift »Der Transvestit«. Zusammenhänge zwischen der Lebenssituation der teils homo-, aber überwiegend heterosexuellen Transvestiten und der des Leserinnenkreises der Garconne versuchte Marie Weiß, die den »Transvestiten« in Alleinregie

oben:
Garconne, *Nr. 5, 1930*

unten:
Aus Garconne, *Nr. 26, 1931, S. 4*

Garçonne
Junggesellin

Preis 30 Pfennig | Mit den Beiblättern: „Frauenliebe". — „Femina", Blätter für somatische Veredelung und Schönheitspflege. — Der Transvestit. Die Romanbeilage. | 15. Dez. 1930, Nr. 5

Wochenschrift des deutschen Freundschaftsverbandes

FRAUEN-LIEBE
Wochenschrift für Freundschaft Liebe u. sexuelle Aufklärung

Hauptschriftleiterin: Karen.
Ständige Mitarbeiter: Prof. Karsch-Haack, Herta Laser, Annette Eick, Helga Well, Käthe Wundram, Ikarus, Beba, Hedwig Aries, Ruth Marg. Röllig, Käte Lippert, Hildegard G. Frisch, John Mac Leen, Lo Hilmar, u. a.

5. Jahrgang
Nr. 49/50

links:
Aus Garconne, Nr. 5, 1930, S. 3

rechts:
Aus Garconne, Nr. 6, 1930, S. 11

FEmInA
Blätter für somatische Veredelung und praktische Schönheitspflege
Ständige Mitarbeiter: Dr. Agnes Strettel, Dr. H. Bahn, Schönheitspflegerin Herta Lion (Baronin Barneckow), Ada v. Niendorf, Gymnastik-Lehrerin; Herbert Gerwig. — Für den Gesamtinhalt verantwortlich: Franz Scott, Berlin. — Adresse für alle Zuschriften: Bergmannverlag, Berlin SW 19, Roßstraße 19 20

Nummer
5

führte, folgendermaßen herzustellen: Transvestiten sind gemeinsam mit den Homosexuellen Außenseiter der Gesellschaft, deshalb sollte sich eine geschlossene Kampfesfront homosexueller und transvestitischer Menschen bilden. Als gemeinsame Interessen der Frauen und der Transvestiten nennt sie eine Änderung der gesetzlich verankerten Vorherrschaft des Mannes und damit verbunden eine Änderung der Stellung der Frau im Berufsleben. Beides sei nur durch eine gesellschaftliche Neuordnung zu erreichen, was als drittes ein gemeinsames politisches Interesse zwischen Frauen und Transvestiten darstelle. Die Einstellung des »Transvestiten« nach einer halbjährigen Lebenszeit bleibt wie so vieles andere in der Zeitschrift unkommentiert.

Auch *Femina,* die »Blätter für somatische Veredelung und Schönheitspflege«, hatte ihren festen Platz in der *Garconne* und einen eigenen Mitarbeiterinnenkreis. Hier wurden vorwiegend kosmetische Ratschläge erteilt und auf Anfrage der Leserinnen Schönheitsprobleme erörtert. Außerdem wurde für bestimmte kosmetische Produkte geworben, die auch über den Bergmann-Verlag zu beziehen waren. Über den Wandel des Schönheitsideals durch die Jahrhunderte, die Expansion der Kosmetikindustrie oder etwa über den Sinn und Nutzen des Frauensports – nur in Maßen, meine Damen! – wurde gelegentlich ebenfalls nachgedacht. *Femina* hatte eine Lebensdauer von eineinhalb Jahren. Mit einem Wechsel in der Leitung der *Garconne* wurde ihr Erscheinen eingestellt.

Als viertes gab es schließlich noch eine Romanbeilage, die in Fortsetzungen belletristische Werke, beispielsweise Ruth Margarete Roelligs »Ich klage an ...« und Elsa von Bonins »Das Leben der Renée von Catte«, vorstellte.

Die Mitarbeiterinnen der *Garconne* arbeiteten offensichtlich ehrenamtlich. Dies schien selbst für Karen, ihres Zeichens »Hauptschriftleiterin«, zu gelten, da erwähnt wird,

daß sie neben der verantwortlichen Leitung der *Garconne* wie der Frauenliebe noch einem anderen Beruf nachging, der vermutlich ihr eigentlicher Broterwerb war. Als Besonderheit gilt anzumerken, daß in der *Garconne* Männer nur in Ausnahmefällen zu Wort kamen: so etwa, wenn es sich um anerkannte Größen der damaligen Sexualwissenschaft handelte (siehe den Abdruck einer längeren Serie von Prof. Karsch-Haack. Die *Garconne* war zugleich das Organ des Damenklubs »Monbijou«, der dem Deutschen Freundschaftsverband angeschlossen war, respektive der Damenklub »Monbijou« war das Vereinslokal der *Garconne* und ihres festen Leserinnenkreises. In der Zeitschrift wird zu dieser Verknüpfung geäußert, daß der »Klub Monbijou (...) Hand in Hand mit der *Garconne* strebt und wirkt« (5/1932, S. 2). Der Klub hatte sein Domizil zunächst im Cafe Dorian Gray in der Berliner Bülowstraße 57, ab April 1931 tagte er dann im Hohenzollern-Café, Bülowstraße 101. 1930 erhielt der Klub den Status eines eingetragenen Vereins und ab 1931 wurden 50 Pfennig Monatsbeitrag gefordert. Die Mitgliedschaft gewährte den Damen ermäßigten Eintritt zu den Veranstaltungen des Klubs sowie nach einer gewissen Zeit der Vereinszugehörigkeit die ermäßigte Nutznießung eines geplanten Erholungsheimes, dessen Grundstück bereits erworben war. Das Vorhaben, ein eigenes Ferienhaus in der Umgebung Berlins einzurichten, konnte jedoch – vermutlich aufgrund der allgemeinen Wirtschafts-und Finanznot – nicht verwirklicht werden.

Wie in den zahlreichen anderen Berliner Damenvereinigungen veranstaltete der Klub »Monbijou« vorwiegend Unterhaltungsabende: Feste, Bälle, Lesungen, »Autoren-Abende der *Frauenliebe* und der *Garconne*«. Männer hatten zum Klub in der Regel keinen Zutritt, ja einmal wurde den Damen anläßlich einer bevorstehenden Lesung gar gedroht: »Es ist nicht geplant, Herren für diese Veranstaltung zuzulassen.

Von diesem Vorsatz wird nur dann abgewichen, wenn der uns nahestehende Frauenkreis versagen sollte!« – womit gemeint war, nicht zahlreich genug erscheinen würde. (4/1932, S. 4).

Welchen Lesestoff bot die *Garconne* ihren Leserinnen an? Neben den schon erwähnten Seiten des »Transvestiten«, der »Femina« und der Romanbeilage entsprach sie vor allem ihrem Anspruch, Unterhaltungsblatt zu sein, d. h. überwiegend Belletristisches (Erzählungen, Novellen, kurze Plaudereien oder Anekdoten) und eine beträchtliche Anzahl von Gedichten bestimmten ihr Erscheinungsbild. Diskussionen und Reflexionen, die im Zusammenhang mit der lesbischen Identität der Mehrzahl der *Garconne*-Leserinnen standen, traten demgegenüber in den Hintergrund. In den Erzählungen wurde immer wieder das Thema Liebe in seiner Vielfalt von Aspekten variiert.

Kennzeichnend für nahezu alle Erzählungen ist, daß sie an der realen Lebenssituation der Leserinnen weit vorbeigingen, indem sie meist in der Welt der Künstlerinnen, Schriftstellerinnen, Sängerinnen, Schauspielerinnen etc. oder aber in den »höheren« Gesellschaftskreisen spielen, deren Damen es als Selbstverständlichkeit betrachten, ein in materieller Hinsicht sorgenfreies Leben zu führen. Hinzu kommt die allgegenwärtige Göttin »Zufall«, die in den Erzählungen immer dann auf den Plan tritt, wenn es just darum geht, Unüberwindliches aus dem Weg zu räumen, Unvorhergesehenes, aber zutiefst Ersehntes eintreten zu lassen. Viele Erzählungen sind durch Gefühlsüberschwang und Sentimentalitäten gekennzeichnet; mit einem Wort, sie sind von trivialer Art.

Die zahlreichen Gedichte unterscheiden sich nicht wesentlich hiervon: sie beschäftigen sich gleichfalls vorwiegend mit der geliebten oder von Ferne verehrten Herzensdame, die Angebetete wurde dabei häufig mit bestimmten Bildern – gerne aus der Blumenwelt (»Magnolie«, »lila Astern«) entlehnt – in Verbindung gebracht.

Eine rühmliche Ausnahme von der so skizzierten Mehrzahl der Gedichte sei hier vorgestellt, da sie sich mit einem Problem befaßt, das die lesbischen Frauen des öfteren beschäftigte: die Neugier und der Erlebnishunger ihrer nicht lesbischen Schwestern.

Die Fremde

Nur Neugier trieb sie in den kleinen Raum. Sie saß zurückgelehnt, trank Sekt und lachte. Weil sie an Mann und die Verwandtschaft dachte. Wenn die das wüßten! auszudenken kaum – –

Wie fühlte sie sich kühn und wie mondän. So überlegen allen diesen Frauen – – – Doch plötzlich zog sie hoch die feinen Brauen, ganz seltsam wurde sie dort angeseh'n –

Trauer und Hoffen lag in jenen Blicken – die ernsten Augen störten ihren Spott. Ein Abenteuer? Ach du lieber Gott! – Und dennoch wagte sie ein schnelles Nicken.

Auf ihren Händen ruhte bald ein Mund und heiße Lippen wissen viel zu sagen von ruhelosen Nächten, bangen Tagen, die eine Seele quälten todeswund – –

Die schöne blonde Frau sieht nach der Uhr – »Sie gehen? Wer erwartet Sie?« »Mein Mann« – Zwei unbequeme Augen schau'n sie an – »War ich das Spielzeug einer Laune nur?« –

Sie ging leicht lächelnd wie sie kam. Nur Neugier trieb sie zu den Lesbierinnen, doch heimlich spürte sie tief innen den Schatten einer leisen Scham –

Anja E. (22/1931, S. 2)

Ihren festen Platz in der *Garconne* besaßen auch die Zusammenfassungen und Stimmungsbilder von den Veranstaltungen des Klubs Monbijou. Vereinzelt wurde ebenso über die Aktivitäten von auswärtigen Damenvereinigungen berichtet, um das Geschehen in den anderen Berliner Damenklubs herrschte jedoch Schweigen. Desweiteren gehörten kurze Hinweise auf empfehlenswerte Bücher, Inserate von Lokalen und die Kleinanzeigenseite zum Inhalt der *Garconne*.

Den Kleinanzeigen kam sicher besonders große Bedeutung zu, da sie für auswärtige und isoliert lebende Frauen häufig die einzige Möglichkeit waren, in Kontakt zu Gleichgesinnten zu treten. Dieses Bedürfnis spiegelte sich auch in der großen Zahl von Kontaktanzeigen wider: Frauen suchten Freundinnen oder zunächst Briefwechsel mit anderen Frauen. Unter dem Gesichtspunkt der Häufigkeit folgten danach die Anzeigen von Transvestiten, die verständ-

Aus Garconne, *Nr. 26, 1931, S. 4*

nisvolle Damen oder Herren, Briefkontakte oder gebrauchte Kleidungs- und Wäschestücke suchten; dann die Wünsche und Gesuche nach Kameradschaftsehen, mit denen sich homosexuelle Männer und lesbische Frauen den konventionellen und somit schutzbietenden Rahmen der Ehe schufen.

In den ersten zwölf Nummern der *Garconne* wurde eine großangelegte Serie von Prof. Karsch-Haack zum Thema »Junggesellin und Junggeselle« verbreitet, die wohl u. a. durch die damals aktuelle Diskussion um die Einführung einer Ledigensteuer angeregt war: »Die Frage, ob Ledigbleiben der Einehe vorzuziehen sei, ist ja gegenwärtig in der deutschen Republik durch Einführung einer Ledigensteuer akut geworden. ... Ein Volk von lauter Ehepaaren läßt sich ja mit Notverordnungen aller Art leichter knebeln, als eine Welt von ledigen, selbstdenkenden Frauen und Männern. ... Lieber also Ledigensteuer bezahlen, als zum Ehesklaven werden!« (1/1930, S. 3)

In der Folge wurden zur Aufhellung der »Gründe der Ehescheu« berühmte Ledige aus der Kulturgeschichte der Menschheit vorgestellt, zunächst die Junggesellen: Philosophen, Dichter und Künstler, unter ihnen viele angebliche Homosexuelle (Platon, Vergil, Walther von der Vogelweide, Leonardo da Vinci, Michelangelo, Beethoven und viele andere mehr). Dann folgten die Junggesellinnen (Jeanne d'Arc, Christine von Schweden, Annette von Droste-Hülshoff, Louise Michel, Rosa Bonheur).

Außerdem wurden die seelischen Ursachen ermittelt, die zur Ledigkeit oder »Halbledigkeit« der Frau führten, wobei in diesem Abschnitt die Neigung zum eigenen oder zum anderen Geschlecht eine dominierende Rolle übernahm. Mit der Gesamtbezeichnung »Männin« wurden die Hauptströmungen gekennzeichnet. »Unter Männin wird eine Frau verstanden mit sehr starkem männlichen Einschlag, sei es in körperlicher, sei es in seelischer Beziehung, oder auch in beiden Beziehungen zugleich. Die Männin ist ein Gemisch von Frau und Mann. ... Ihr Gegenstück ist im anderen Geschlecht der ... verweiblichte Mann.« (6/1930, S. 3)

Erster Typus der Männin: die Lesbierin. Sie ist die geborene Junggesellin. Ihr Wesen und ihre sexuelle Orientierung wird von Karsch-Haack folgendermaßen erklärt: »Die Natur ist außerstande, zwei vollkommen gleiche Gebilde auf dem Zeugungswege zu schaffen ... Auf diese Weise erklären sich dann auch die zahllosen Übergangsformen zwischen der weiblichsten Frau und dem männlichsten Mann mitsamt deren unbegrenzten Mischungen. Und dies Naturgesetz gilt nicht nur für die körperlichen Formen der Lebewesen, sondern es hat auch Geltung für das ganze reiche Seelenleben, für Geist und Gemüt.« Diesen Gedankengang logisch weiterverfolgend gelangt Karsch-Haack zu der Ansicht, daß die Entstehung der Heterosexualität gleichfalls unklar ist: »Genug, der Geschlechtstrieb, der auf das andere Geschlecht beschränkt bleibt, ist für denkende Menschen ebenso rätselhaft, wie der auf das eigene Geschlecht gerichtete.« (1/1931, S. 2)

Damit vertrat er die »Theorie der sexuellen Zwischenstufen«, die Lesbianismus als eine natürliche und naturgewollte Erscheinung betrachtete.

Karsch-Haack machte noch eine für das damalige Verständnis wichtige Unterscheidung: er trennte »die mehr männlich fühlende und auftretende Frau, lateinisch ,Virago', die ,Männin' oder das ,Mannweib' von der ,mehr Zärtlichkeit als Triebhaftigkeit' zeigenden, das ,Männliche ihres Wesens' verschleiernden ,Lesbierin' (1/1931, S. 3). Diese Polarisierung in »Bubi« – »Dame«, »Vati« – »Mutti«, zieht sich in vielerlei Gestalt durch die *Garconne*.

In einer weiteren Folge dieser Serie wies Karsch-Haack auf die seiner Meinung nach drohende Gefahr eines erneuten Versuchs hin, auch die weibliche Homosexualität unter Strafe zu stellen. Er befürchtete, daß unter dem Einfluß der »Zentrumspolitik« und durch die »in bedrohlichem Maße um sich greifende Reaktion in Deutschland« ein solches Ansinnen wiederauferstehen könne, und warnte: »Sapphische Frauen Deutschlands seht euch wohl vor! Wartet nicht seelenruhig ab, bis es zu spät geworden ist!« (3/1931, S. 3)

Zweiter Typus der Männin ist die Transmutistin oder Transvestitin. Hier ist der Drang, sich männlich zu kleiden, vorherrschend und in den meisten Fällen besteht gleichzeitig Neigung zum anderen und Abneigung gegen das eigene Geschlecht.

Als dritter und noch wenig erforschter Typus der Männin gilt die Amazone, »für welche die Richtung des Geschlechtstriebes und die Wahl der Gewandung unwesentlich sind, da sie von einem anderen Haupttriebe, dem des Herrschens, geleitet wird« (6/1930, S. 3). Nachdem in diesem Zusammenhang die griechische Amazonensage und ihr geschichtlicher Ursprung gestreift wurden, brach die Serie trotz der Ankündigung »wird fortgesetzt« unvermittelt ab.

Sie diente vermutlich im wesentlichen dazu, den Leserinnen der *Garconne* durch die vielen Beispiele berühmter Frauen aus der Geschichte positive Identifikationsmuster anzubieten, sie somit der Vereinzelung und Geschichtslosigkeit zu entheben und ihnen gleichzeitig Stellungnahmen zur weiblichen Homosexualität darzulegen, die Heterosexualität als etwas ebenso Natürliches wie Homosexualität und nicht als maßgebende Norm zu betrachten.

Mit der Nummer 5/1930 begann die *Garconne* auf ein Problem aufmerksam zu machen, auf das sie im folgenden immer wieder zurückkam: auf die Situation lesbischer Frauen in Kleinstädten und auf dem Lande.

Eine Autorin, Lo Hilmar-Neiße, appellierte in ihrem engagierten Artikel an die Großstädterinnen, diese Frauen nicht zu vergessen und sie mit Rat und Tat zu unterstützen. Sie erbat außerdem Zuschriften von Kleinstädterinnen, um sie miteinander in Kontakt zu bringen.

Die problematische Situation der Lesbierin in der Provinz wurde in vielen Zuschriften von Leserinnen bekräftigt: »Mir ist die Zeitschrift sozusagen fast alles, denn Görlitz ist zu klein, es gibt kein einziges Klublokal hier…« (8/1931, S. 12), »Ich kann ohne diese Zeitschrift *Garconne* nicht mehr sein, da ich doch mit meinen Artgenossinnen in Fühlung bleiben möchte, denn hier in Karlsruhe ist gar kein Klub, viel weniger irgend eine Zusammenkunft« (24/1931, S. 4).

Zugleich wird deutlich, welch große Bedeutung die Zeitschriften als Kommunikationsmittel für lesbische Frauen hatten: »In diesem Blatte finden sie den Ton, der Art von ihrer Art ist. Aus ihm ersehen sie, daß sie nicht allein sind, daß viele Frauen mit ihnen das gleiche Los tragen müssen und an diesem Wissen allein richten sie sich schon etwas auf« (10/1931, S. 5).

Ähnliches galt auch für die lesbischen Frauen in der Schweiz. Von dort meldete sich vor allem »eine Stimme« zu Wort – Fredy Thoma, die vom »harten Los« der Lesbierinnen in der engen Schweiz berichtete. »Niemand sagte mir, wohin ich gehöre, keine Zeitschrift brachte Licht und Aufklärung in mein Dunkel und Tasten, keine Vereinigung Gleichgesinnter wies mir den Weg.« Sie fragte, ob es »unbedingt notwendig (ist), daß noch mehr solcher suchender Frauen sich verirren…, bis sie endlich durch irgend einen Zufall einem Menschen begegnen, der ihnen Licht in ihr Dunkel bringt? Doch wer schafft uns Freiheit, wenn nicht wir selbst es zustande bringen durch intensiven Zusammenschluß, durch hilfsbereite Handreichung seitens der Großstädter« (alle Zitate aus 8/1931, S. 1–2).

Um einen solchen Zusammenschluß ins Leben zu rufen, schrieb Fredy Thoma drei Nummern später in der *Garconne* 11/1931 einen flammenden Aufruf unter der Überschrift »Leidensgenossinnen der Schweiz vereinigt Euch!« »Schwestern Lesbos, auch ihr habt das volle Recht auf Liebe und deren Freiheit. …Durch kräftigen Zusammenschluß wollen wir unser Daseinsrecht und damit unseren Anspruch auf Liebe und Glück behaupten. Steht nicht feige zurück, sondern bekennt Farbe! Wir sind kein Ausschuß der Menschheit: wir gehören nicht unter Sittlichkeitsaufsicht!« (11/1931, S. 1). Sie bat die an der Gründung eines Klubs interessierten Damen, sich zunächst brieflich bei einer angegebenen Adresse zu melden. Die *Garconne* 1/1932 berichtete dann stolz von der Gründung des Schweizer Damenklubs »Amicitia« in Groß-Zürich.

Eine lange und zum Teil heftige Kontroverse löste ein Artikel von Käthe Wundram aus, der unter dem Titel »Die Treue der maskulinen und die der femininen Frau« in der *Garconne* abgedruckt wurde. Die Autorin stellte folgende Thesen auf: Frauenfreundschaften würden in der Regel von einer virilen und einer femininen Homoerotin geschlossen, wobei die Partnerinnen im Hinblick auf ihre Treue bzw. Untreue unterschiedlichen seelischen Beweggründen folgten. Die maskuline Frau, der »wählende und werbende Teil«, sei aufgrund ihrer männlichen Einstellung »polygamer«. Sie habe den »Drang, erobern zu müssen«, der keinesfalls mit wirklicher Untreue identisch sei. Gleichzeitig habe sie die Fähigkeit, eine Partnerin, die sie auf Dauer fesseln könne, zu erkennen; sie sei anhänglich und würde selbst bei Erkaltung der erotischen Empfindungen ihre Partnerin nicht aufgeben, denn sie betrachte sie als »erkämpftes Eigentum«. Ihr »geistiger Horizont (sei) für gewöhnlich ungleich weiter gesteckt« und die Freundin solle ihr die »Seitensprünge als Folgeerscheinung einer hervorstechenderen Männlichkeit« nachsehen und verzeihen. Demgegenüber träte in erotischen Ruhepausen einer Beziehung bei der femininen Frau »verletzte Eigenliebe« auf, denn sie sei »gewöhnt, umworben zu werden«. Da es sich bei der weiblicheren Frau »in den meisten Fällen nur um kleinliche Naturen handelt«, käme ihr »angeborener Hang zur Koketterie« zum Vorschein, der als ersten Schritt zur vollzogenen Untreue die gedankliche Untreue hervorbringe. Weil sie außerdem der »stärkere Sinnenmensch« und die Liebe ihr »ausschließlicher Lebenszweck« sei, fände sie – »sich einmal anderweitig fortgegeben habend« – kaum zur Freundin zurück, sondern wende ihre ganze Leidenschaft der neuen Partnerin zu. Sie vergäße die alte Liebe bald, weshalb ihre Untreue insgesamt viel schwerwiegender zu beurteilen sei. »In der rechten Erkenntnis dieser Wesenzüge der femininen Frau vertritt daher die virile Homoerotin den so häufig als einseitig und unberechtigt belächelten Standpunkt, daß ihr erlaubt sei, was sie der weiblicheren Geliebten nicht zugestehen könne« (alle Zitate 15/1931, S. 1–2).

Eine große Anzahl von Autorinnen nahm zum angeschnittenen Thema Stellung. Karen vertrat den Standpunkt, daß bei dauerhaften Frauenfreundschaften beide Partnerinnen männlichen Einschlag haben, beide vom »normalen weiblichen Typ« abweichen, wobei die »weiblichere von beiden die größere geistige Beweglichkeit« habe und eher zu Seitensprüngen neige.

Lo Hilmar sprach anschließend im Namen der »weiblichen« Frauen. Sie sah in Käthe Wundrams Auffassung von den femininen Frauen Einseitigkeit und die »echt männliche Art, ... alles Weibliche herabzusetzen« und fragte: »Haben Sie sich noch niemals darüber Gedanken gemacht, daß so manche Frau wohl zu ihresgleichen flüchten mag, weil sie den männlichen Beherr-

schungstrieb ... einfach nicht mehr ertragen kann?«

Bezüglich der unzähligen »seichten Liebeleien« äußerte sie: »im übrigen stehe ich auf dem Standpunkt, daß gerade wir andersgearteten unsere Liebesbeziehungen ernster nehmen sollten als jede andere Frau das Ehe- oder Liebesverhältnis ..., weil sie uns so viel ersetzen müssen, was jede klein-bürgerliche Ehefrau ihr eigen nennen darf und was uns immer versagt bleiben wird«.

Ähnlich äußerte sich Ilse Schwarze, eine weitere Autorin: »Ist Männlichkeit gleichbedeutend mit Intelligenz? Und seit wann sind Seitensprünge die Folge ‚geistiger Beweglichkeit'? ... Ist es schön, daß die Männer in ‚normalen' Ehen ihre Frauen betrügen? Ist es unbedingt nötig, daß die männliche Frau sich diesen anmaßenden Standpunkt zu eigen macht?« (20/1931, S. 1–2).

Dagegen vertrat Thea Neumann die Auffassung, daß die »angeborenen Gegensätze zwischen den Partnerinnen« nicht zu überbrücken und Konzessionen an die Wesenszüge der anderen schließlich beiderseits notwendig seien: Macht denn die männliche Frau der weiblichen Partnerin nicht auch bereitwillig Zugeständnisse, wenn sie darauf verzichtet, bei ihr Verständnis für ihren Stimmungswechsel, für ihre seelischen Konflikte zu finden?«

Auch Käthe Wundram, deren Artikel die lange Diskussion ja in Gang gebracht hatte, sah sich veranlaßt, noch einmal Stellung zu beziehen. Kameradschaft und Liebesfreundschaft waren für sie streng voneinander zu unterscheidende Begriffe zur Bestimmung eines Sympathieverhältnisses. Charakterlich ähnliche Menschen zur Kameradschaft prädestiniert: »Gleiche Anlagen und gleiches geistiges Niveau schaffen gleiche Weltanschauung, gleiche Interessen«. Hierbei fehle allerdings das erotische Moment, denn »es mache die Kameradschaft zu einem toten Begriff«. Die Liebe hingegen suche in der anderen »das Abweichende, die Ergänzung. Liebe will schützen, umwerben oder aufsehen, bewundern, sich führen lassen können«. Somit sei wiederum bewiesen, daß die »Begriffe männlich-weiblich mit dem der Liebe innig verwachsen sind«. In einer »gesunden« Liebesbeziehung sei »das erotische Moment dominierend. Mit dem Erlöschen desselben ist die Liebe passé ...«. Folglich: »Man hüte sich vor der Idee,

Titelbild Garconne, Nr. 7, 1931

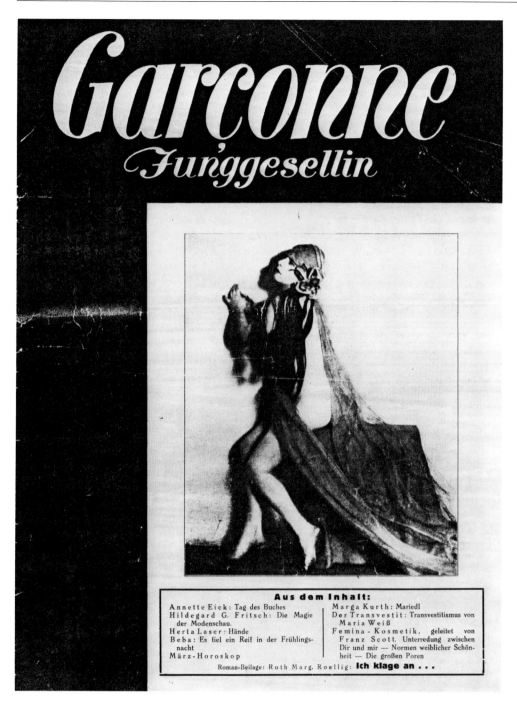

Garçonne
Junggesellin

Aus dem Inhalt:

Annette Eick: Tag des Buches
Hildegard G. Fritsch: Die Magie
der Modenschau.
Herta Laser: Hände
Beba: Es fiel ein Reif in der Frühlings-
nacht
März-Horoskop

Marga Kurth: Mariedl
Der Transvestit: Transvestitismus von
Maria Weiß
Femina-Kosmetik, geleitet von
Franz Scott. Unterredung zwischen
Dir und mir — Normen weiblicher Schön-
heit — Die großen Poren

Roman-Beilage: Ruth Marg. Roellig: **Ich klage an . . .**

von vornherein ein Liebesverhältnis auf kameradschaftlicher Basis errichten zu wollen.« Denn: »Liebe will Mysterium bleiben« (24/1931, S. 1–2).

An der gesamten Kontroverse zum Thema »Treue«, die ein halbes Jahr lang die Seiten der *Garconne* füllte und hier nur bruchstückhaft in ihren extremsten Positionen vorgestellt werden konnte, fällt eines auf: So unterschiedlich die Frauen auch das »Wesen« und das daraus resultierende Verhalten der maskulinen oder femininen Part-

nerin einer Frauenbeziehung beurteilten, so wenig stellten sie diese Einteilung grundsätzlich in Frage. Alle Autorinnen blieben der Polarisierung in »männlich-weiblich« verhaftet. Darin bildeten sie das kulturell vorgegebene, heterosexuelle Beziehungsmuster ihrer Umgebung ab. Einen treffenden bildlichen Ausdruck fand diese Denkweise einmal auf einem Titelbild der *Garconne:*

Mit der Nummer 8/1932 hatte die *Garconne* ihren absoluten Tiefpunkt erreicht – ihr Umfang betrug lediglich zwei Seiten. Da sie seit Juni 1931 auf der Liste für Schund- und Schmutzschriften stand und 1 Jahr lang an den Kiosken nicht öffentlich sichtbar ausgehängt werden durfte, war Werbung für sie unmöglich. Es entstanden beträchtliche Verluste. Hinzu kam noch die Veränderung in der Redaktion, »indem Frau Karen die Schriftleitung … niederlegte«. Alle diese Faktoren führten dazu, daß der Umfang der Zeitschrift reduziert werden mußte, jedoch zum Ausgleich vorjährige Nummern der *Garconne* beigelegt wurden. Der Verlag hoffte, die Schwierigkeiten bald zu beheben, und appellierte an die Solidarität der Leserinnen.

Doch erst mit der Nummer 12/1932, die gleichzeitig als erste Nummer der *Garconne* nach Ablauf des Aushangverbotes erschien, war Ersatz für Karen gefunden. Die Schriftleitung übernahm Karla Mayburg in Arbeitsgemeinschaft mit Margo Altenberg. Karla Mayburg, die sich früher schon häufig in der Zeitschrift zu Wort gemeldet hatte, sah ihre neue Aufgabe zum einen im Wirken nach außen – *Garconne* »soll helfen, Verständnis zu wecken« –, zum anderen im Wirken nach innen. In den eigenen Reihen, so scheine es ihr manchmal, müsse »überhaupt noch für viele ein Lebensgefühl geschaffen werden. … So viel Unsicherheit, so viel Tasten und Suchen, so viel Resignation« müsse erst noch ausgeräumt werden, um einem Gemeinschaftsgefühl zu weichen. Sie forderte besonders die älteren Damen zur Mithilfe auf und hoffte, daß Rivalitäten zugunsten der »großen gemeinsamen Linie« beiseite blieben.

Den Gemeinschaftsgedanken betonte auch Margo Altenberg in ihrer Absichtserklärung. Höchstes Ziel des Blattes sei: »Aus den vielen kleinen ‚Ichs' ein einziges großes ‚Wir' zu schmieden« (12/1932, S. 1–2). Mit dem Wechsel in der Leitung änderte sich aber in der Folge die Gestaltung der Zeitschrift nur geringfügig. Ihr Volumen wuchs wieder auf 8 Seiten an.

Das wichtigste Thema, mit dem sich die neue Schriftleitung kontinuierlich beschäftigte, war eine denkbare Unterstützung für »die ganz Jungen unter uns«, d. h. für junge Lesbierinnen, die möglicherweise noch mitten im Prozeß der Selbstfindung steckten. »Abgesehen von einigen Ausnahmen, die durch glücklichen Zufall von Anfang an in die für sie richtige Sphäre geraten, wird es kaum einem von uns erspart bleiben, in dem Augenblick des Über-sich-klar-seins vorerst ziemlich allein auf weiter Flur zu stehen. Man weiß zwar, daß es Gefährten gibt, aber nicht, wie man zu ihnen kommen kann.«

Auch könne die erste Begegnung mit der lesbischen Damenwelt auf eine Unerfahrene einen deprimierenden Eindruck machen, denn diese wirke wie ein geschlossener Kreis. »Vorurteil und Unverständnis haben hier eine scheinbare Einheitsfront herbeigezwungen. Es gibt hier so viele Unterschiede in Bezug auf Charakter, Erziehung, Bildungskreis und Interessen wie überall.« So bleibe häufig nur der Ausweg, auf den Zufall zu warten.

Ein paar Ausgaben später erschien die *Garconne* überraschend mit einer Doppelnummer (20–21/1932) in stark veränderter Aufmachung und unter der Überschrift »Ernsthafte Mitteilungen an unsere Leser!« Diese Ausgabe war mit Schreibmaschine getippt und mittels einer Vervielfältigungsmaschine im Verlag hergestellt worden. In ihren »Ernsthafte(n) Mitteilungen« teilten die beiden Schriftleiterinnen mit, daß die vorliegende Nummer nur unter größten Schwierigkeiten fertiggestellt werden konnte. Sie baten dringlichst um Hilfe zur Erhaltung der Zeitschrift. Die vielen Briefe von vereinzelten und einsamen Frauen bewiesen, daß *Garconne* notwendig sei, es geradezu nötiger denn je sei, »aufrechte Gesinnung, Lebensbejahung und Lebenswillen« zu zeigen, weil eine neuerliche Bedrohung durch »moralinsaure Schnüffelei und Verbote« vor der Tür stehe. Gegen das Fremdbild von Lesbierinnen, das ihnen einzig »schwülstige Schwärmerei und übertriebene Gefühlsausbrüche« unterstelle, müsse eine realistische Lebenseinschätzung gesetzt werden, es müsse deutlich werden, daß die Frauen »mit beiden Beinen fest im Leben stehen«.

Karla Mayburg und Margo Altenberg erwogen deshalb, die »*Garconne* auf unser Risiko zu übernehmen«. »… (*Garconne*) muß bleiben, und wenn wir sie Ihnen auch weiterhin auf vervielfältigten Blättern schicken müßten.« Bei ihrem Vorhaben waren sie allerdings auf die Unterstützung durch die Leserinnen angewiesen, und so riefen sie diese dazu auf, über den Verlag Bücher zu

6. Jahrgang Nr. 13/14 F r a u e n l i e b e Seite 9 *Aus Garconne, Nr. 7, 1931, S. 9*

Kleine Anzeigen ● Gebt für den Baufonds!

Zahlungen können mit dem Vermerk „Baufond" auf das Postscheckkonto Bergmann-Verlag, Berlin 162 168, geleistet werden.

Deutscher Freundschafts-Verband
Geschäftsstelle: Berlin SW 19, Roßstraße 19—20

bestellen, in der Zeitschrift verstärkt zu inserieren und wenn möglich Geld zu spenden. Hilfe sei vielleicht nur vorübergehend für ein halbes Jahr, aber vor allen Dingen schnell vonnöten. Sie regten dazu an, eine »Notgemeinschaft« für die *Garconne* zu bilden (20–21/1932, S. 1–2).

Aber offensichtlich fanden sie die so dringlich erbetene Unterstützung nicht oder nicht schnell genug, denn meines Wissens erschien keine weitere Ausgabe.
Bei einem Rückblick auf die Themen der *Garconne* fällt auf, daß einige Bereiche gänzlich ausgespart wurden: beispielsweise

die Berufstätigkeit als gewichtiger Faktor im Leben lesbischer Frauen oder Fragen der Alltagsbewältigung im Zusammenhang mit dieser Doppelbelastung.

Auch auf theoretischer Ebene fand keine Auseinandersetzung mit der politischen, wirtschaftlichen wie sozialen Entwicklung im Staat und deren Bedeutung und Auswirkungen für die Frauen statt, obwohl unter den Frauen als den besonderen Opfern der Krise die Arbeitslosigkeit beträchtlich war. Diese Feststellung schließt nicht aus, daß sich in wenigen Fällen nicht doch einmal eine kurze Randbemerkung zu diesem Problem in der Zeitschrift finden läßt, wie zum Beispiel die folgenden: »Die Arbeitslosigkeit, die gerade in unserem Kreise sich recht bemerkbar macht, hat manchem das Weihnachtsfest verleidet« (1/1932, S. 4); »Mehr oder weniger bleiben gewiß alle Zusammenkunftsstätten von Garconne-gerichteten Frauen bemüht, in diesen Tagen des Sorgens und der Notverordnungen Optimismus und Abwechslung zu bieten« (3/1932, S. 4).

Als Parallele hierzu erscheint, daß gleichfalls nicht über die Positionen und Bestrebungen der damaligen Frauenbewegung diskutiert wurde. Sicherlich flossen an der einen oder anderen Stelle Erkenntnisse und Überlegungen der Frauenbewegung in die Artikel der Garconne ein, sie wurden jedoch niemals zum Gegenstand eigenständiger Veröffentlichungen erhoben.

Ob in einer Zeitschrift, die vorwiegend für lesbische Kreise gedacht war, nun unbedingt eine Auseinandersetzung über männliche Denk- und Verhaltensweisen geführt werden sollte oder ob die Damen die Männlichkeit kurzerhand links liegen lassen konnten, bleibt eine streitbare Alternative.

Dringlicher wäre eine Stellungnahme zur Homosexuellenbewegung gewesen, zumal die Garconne einen männerdominierten Homosexuellenbund, dem Deutschen Freundschaftsverband, angeschlossen war. An dieser Stelle wäre ein Einblick in die Gedankenwelt der Damen hochinteressant, insbesondere um herauszufinden, ob sie sich vorwiegend in gemeinsamer Linie mit den homosexuellen Männern beim Kampf um gesellschaftliche Anerkennung sahen oder ob die Tatsache, daß sie lesbische Frauen waren und damit wie alle Frauen dem Patriarchat unterstanden, sie stärker von den homosexuellen Männern trennte und mehr zur Frauenbewegung hinführte.

Desweiteren blieben Krankheit, Alter, Tod und Sexualität ebenso tabuisierte Themen, wie sie es heute größtenteils noch sind.

Ein letzter Bereich soll noch einmal beleuchtet werden: Die Diskriminierungserfahrungen, die die Frauen als Lesbierinnen machten. Wie aus der Themenübersicht hervorgeht, wurde dieses Problem auf den Seiten der Garconne so gut wie nicht behandelt – trotz des Erscheinungs- bzw. Aushangverbots der Frauenliebe/Garconne. Wiederum nur als Randerscheinung fanden sich dennoch vereinzelte und versteckte Äußerungen zu diesem Komplex. Einerseits stand in der Nummer 6/1930 (S. 7) das folgende Gedicht:

Freundinnen 1930
Allenfalls für eure älteren Tanten seid ihr noch sensationell. Ihr fürchtet euch nicht mehr vor dem Portier im Hotel. Ihr geht miteinander lachend oder nachdenklich zu Bett. Eure Herzen sind kein zerdrücktes Veilchenbukett ...

Andererseits versuchte Ikarus schon in der zweiten Nummer der Garconne, mit dem folgenden Argument die Damen zum Abonnement des Blattes anzustiften: »Ich bekomme zur richtigen Zeit meine Zeitschrift in völlig neutralem Umschlage, und brauche mich nicht der Situation auszusetzen, in die wohl schon jeder gekommen ist, der an einem florierenden Kiosk oder Geschäft eines der beiden Blätter verlangte!« (2/1930, S. 9, Hervorhebung durch die Garconne, gemeint sind Frauenliebe und Garconne).

Eine Leserin beschwerte sich in einer später veröffentlichten Zuschrift an die Redaktion darüber, daß viele es ablehnten, die bekannten Lokalitäten der lesbischen Damenwelt zu betreten: »... es ablehnen müssen, einen eindeutig festgelegten Ort aufzusuchen – sei es der Familie oder der Stellung im öffentlichen Leben halber« (13/1931, S. 1). Sie schlug u.a. gemeinsame »Sport- und Badesonntage an neutraler Stelle« vor. »Und vor allen Dingen müßte die Hemmung fallen, die wohl viele haben: Es kann ja jeder in der Zeitung feststellen dann und dann, da und da! Es gibt neutrale Treffpunkte und es gibt auch unauffällige Erkennungszeichen. Sie sagen vielleicht: Wozu, wer nicht einmal für sich selbst eintreten will? Ja – es ist aber so! Und vielleicht wird der Bewegung und dem Einzelnen zum Schluß mehr geholfen als jetzt, wo zweifellos viele im Hintergrund bleiben« (13/1931, S. 1).

Die Ausführungen bestätigen, daß Diskriminierungsängste und -gefühle bei den lesbischen Frauen verbreitet waren. Inwieweit diese Ängste auf reale Diskriminierungserfahrungen zurückgehen oder eine vorweggenommene Selbst-Stigmatisierung darstellen, läßt sich aus den Äußerungen nicht weiter entnehmen. So muß auch Spekulation bleiben, ob die Mehrzahl der *Garconne*-Autorinnen ein überaus starkes Selbstbewußtsein und Selbstwertgefühl besaß und deshalb Diskriminierungsgefühle oder -erfahrungen nicht weiter thematisierte oder ob die Redaktion der *Garconne* bewußt darauf verzichtete, ihnen Raum und Gewicht in der Zeitschrift zu geben, um dem ein positives Selbstverständnis entgegenzusetzen.

Es ist das Verdienst der *Garconne*, sich immer offen für die Interessen von lesbischen Frauen eingesetzt zu haben. Dazu gehört auch, daß neben vielen anderen Umschreibungen wie etwa »garconne-gerichtet« und »andersgeartet« häufig die Begriffe »lesbisch« und »Lesbierin« verwendet wurden. Stets wurde versucht, den lesbischen Frauen Mut zu machen, sich zu ihrer Lebensart zu bekennen. Denn: »Nicht wir erklären uns für anders als die andern, sondern die Welt bringt uns in dieses Licht« (2/1932, S. 6).

Die *Garconne* kämpfte dafür, – »unter Ausschaltung jeglicher Parteipolitik und ohne Ansehen der Religion« – den lesbischen Frauen »Achtung, persönliche Wesensfreiheit, Geselligkeit, Unterhaltung und das Gefühl der Zusammengehörigkeit zu verschaffen« (1/1932, S. 1).

Ihrer erklärten Absicht, »Mittler für Homo- und Heterogen zu werden«, entsprach sie, indem sie engagiert und parteiisch über die Belange von Lesbierinnen berichtete und so für interessierte Heterosexuelle eine Möglichkeit bot, über die geistigen Beschränkungen bestehender Vorurteile hinwegzuschauen und sich selbst ein unmittelbares Bild zu machen.

Bezüglich der eigenen Reihen war ihr Hauptanliegen, trotz aller Unterschiede zwischen den Frauen einen Zusammenschluß im Sinne einer Solidargemeinschaft zu erreichen, getreu der Erkenntnis: »Solange es eben Einzelnen genügt, selbst Freiheit zu haben, ohne sich für die anderen einzusetzen, muß alles Stückwerk bleiben!« (2/1932, S. 6).

Mein Dank gilt Ilse Kokula, die durch großzügige Bereitstellung des Materials meine Nachforschungen erst ermöglichte.

Alle Photos: Berlin Museum

Margarete Schäfer

Theater, Theater!

Nein, das Thema wurde nicht mehr totgeschwiegen.

Es gibt – allerdings nur einige wenige – Darstellungen der »verirrten Liebe«, der »tragischen Perversion« im Theater der wilhelminischen und der Weimarer Zeit. Sie sind
zumeist sichtbar beeinflußt durch die »erschütternde Tragödie einer unglückseligen,
aber wurzelechten Leidenschaft« (Vossische Zeitung 21.12.1918), der Leidenschaft
nämlich der Gräfin Geschwitz zu Lulu in
Wedekinds Drama »Die Büchse der Pandora«. So sehr beeinflußt, daß ein Feuilleto-
nist 20 Jahre nach Erscheinen des Stückes
darauf rechnen konnte, verstanden zu werden, wenn er, was wir heute schlicht
»coming-out« nennen würden, als Entwei-
chen in die »Geschwitzschen Gefilde« bezeichnete. (Berliner Lokalanzeiger, 3.9.
1920)*

Lassen Sie mich, bevor wir uns der Gräfin
Geschwitz und ihren Nachfolgerinnen
nähern, die Frage stellen, die mich vor allem
bewegt: Was mag eine lesbische Frau empfunden haben, wenn sie diese Darstellungen sah? Ging sie daraus gestärkt oder
geduckt hervor? Konnte sie sich identifizieren? Wenn ja, war es eine positive Identifikation oder eine scheue, bedrückte? Und die
meist männlichen Schriftsteller, Kritiker,
Regisseure, wie wollten sie eine lesbische
Frau sehen? Gab es jemanden, der bzw. die
ausdrückte, was eine lesbische Frau der Zeit
wirklich empfunden haben mochte, ohne
sie als verruchtes, dekadentes oder armseliges Wesen darzustellen? Man war ja frei in
der Weimarer Republik, so frei, daß z.B. Tilla
Durieux – will man dem Theaterklatsch
Glauben schenken – sich genierte, die Rolle
des lesbischen adeligen Fräuleins (adelig
oder Gräfinnen sind sie alle) in Sudermanns
»Die Freundin« zu übernehmen (BZ. 3.9.
1921).*

Aber sehen wir uns genauer an, was auf den
Berliner Bühnen gespielt wurde. *Die Büchse
der Pandora,* um die Jahrhundertwende geschrieben, wurde von der wilhelminischen
Zensur verfolgt. Aufführungen der Zeit,

auch die berühmt gewordene, die Karl
Kraus 1905 in Wien zustande brachte,
waren zumeist geschlossene Aufführungen.

Die Befreiung von der Zensur verband sich
mit der ersten Berliner Aufführung im
Dezember 1918 im Kleinen Schauspielhaus
unter der Regie von Carl Heine. Sie war vor-
züglich besetzt: Gertrud Eysoldt als Lulu,
Emil Jannings als Rodrigo Quast, Werner
Krauß als Schigolch. Hermine Körner verleiht der Geschwitz »eine melancholische
Vornehmheit und die starre Trauer der Verdammten« (Lokal-Anzeiger 21.12.1918).* Es
gab aber auch herbe Kritik: »Die Aufführung
bleibt unter anderem … die Lebenswahr-
scheinlichkeit und damit die Tragik der Gräfin Geschwitz schuldig. Dieses Produkt einer fahrlässigen Natur, die sich nicht zu ent-
schließen vermochte, einen Mann oder ein
Weib zu bilden. Hermine Körner ist in sinn-
fälliger Erscheinung gerade das, was die
Geschwitz nicht sein soll, ein Vollweib. Mit
allen äußerlich erkennbaren Attributen. Ein
körperlich verkümmertes Zwitterwesen
hat sich in pervertierten Trieben für Lulu zu
verzehren; Frau Körner wirkt aber neben
dieser Lulu wie Aphrodite.« (Norbert Falk,
BZ, 21.12.1918).*

Ein körperlich verkümmertes Zwitterwesen, anders konnte sich der Kritiker die Gräfin Geschwitz also nicht vorstellen. Wie sah
Wedekind sie? Erinnern wir uns: Die Gräfin
Geschwitz setzt in Aufopferung, Tatkraft
und Todesverachtung alles für Lulu aufs
Spiel. Lulu nimmt an – und tritt die Geschwitz mit Füßen. Für sie ist diese abscheulich,
ein Spott der Natur, ein Nichts: »Du bist
im Leib deiner Mutter nicht fertig geworden, weder als Weib noch als Mann. Du bist
kein Menschenkind wie wir andern. Für
einen Mann war der Stoff nicht ausreichend
und zum Weib hast du zu viel Hirn in deinen
Schädel bekommen. Deshalb bist du ver-
rückt!« (II. Aufzug) Zum Schluß ist die ver-
schmähte Gräfin gerade noch gut genug
dazu, daß der Mörder Lulus, der nebenbei
auch sie als Verteidigerin ihrer Freundin

Frank Wedekind, Die Büchse der Pandora, 1892/1902, Berliner Aufführung
1918 im Kleinen Schauspielhaus

»Die Büchse der Pandora«, Programm-seite mit der Besetzung des Stückes der Aufführung vom 20. Dez. 1918 im Kleinen Schauspielhaus, Photo: Akademie der Künste, Berlin

absticht, seine von Lulu blutigen Finger an ihrem Unterrock abwischt.

Die Gräfin Geschwitz erscheint in dem Stück als die einzige Liebende, so bis zum Schluß hingegeben liebend, daß sie es auf sich nimmt, immer wieder die Düpierte, kraß Ausgenutzte zu sein, obwohl sie weiß, daß ihre Liebe keinerlei Aussicht auf Verwirklichung hat. Sie ist auch die einzige unböse, unegoistische Gestalt und das, im Zusammenhang mit ihrer lesbischen Disposition, wird natürlich als lächerlich, minderwertig, tragikomisch begriffen – obwohl andererseits sicher kein Zuschauer umhin konnte, mit ihr mitzuempfinden.

So will es auch Wedekind. Für ihn ist, wie er im Vorwort ausdrücklich betont, die tragische Hauptfigur des Stückes nicht Lulu, sondern die Gräfin Geschwitz, auf der – bei höchster sittlicher Entwicklung – »das

furchtbare Verhängnis der Unnatürlichkeit« laste: »Trotzdem hätte mich der Fluch der Unnatürlichkeit allein nicht dazu verlockt, ihn zum Gegenstand dramatischer Gestaltung zu wählen. Ich tat das vielmehr, weil ich dieses Verhängnis, wie es uns in unserer heutigen Kultur entgegentritt, tragisch noch nicht behandelt fand. Mich beseelte der Trieb, die gewaltige menschliche Tragik außergewöhnlich großer, völlig fruchtloser Seelenkämpfe dem Geschick der Lächerlichkeit zu entreißen und sie der Teilnahme und Barmherzigkeit aller nicht von ihr Betroffenen näher zu bringen.«
Trotz der höchsten »seelischen Evolution«, die Wedekind der Gräfin Geschwitz zuerkennt – es bleibt die lesbische Liebe ein Verhängnis und indem Wedekind sie »dem Geschick der Lächerlichkeit« zu entreißen sucht, stößt er sie in eine aussichtslose Tragik.

Hermann Sudermann, Die Freundin, 1913/14, Berliner Aufführung 1920 im Residenztheater

Hermann Sudermann beweist da mit seinem Schauspiel *Die Freundin* – 1913/14 geschrieben, aufgeführt im September 1920 im Residenztheater Berlin – weniger Skrupel. Die Freundin, die »perverse Dame«, die »ruchlose Juliane«, (»überschlanke, schmalhüftige Gestalt ... klarer herrschender Blick, der sich in gegebenen Momenten zu ansaugender Inbrunst verschleiert. Zitternde Aktivität des Wesens. Durchgeprobtes Raffinement. Spielende Zielsicherheit.« I. Akt, 10. Szene) ist gnadenlos gefährlich. Sie bringt es innerhalb von drei Tagen mit dämonischen Intrigen fertig, sich ihrer beiden Rivalen zu entledigen, wobei sie einen davon in den Tod treibt, sowie die geliebte, unschuldige, reizende, zarte Alice von ihrem Sohn weg in »Geschwitzsche Gefilde« zu entführen.

»Die Freundin« ist Teil einer Trilogie »Die entgötterte Welt«. Zwei Stücke dieser Abrechnung mit dem vorweltkrieglichen Zeitalter, so bemerkt die Kritik ironisch, haben »die Menschheit schon erheblich gebessert und nun ist das Einleitungsstück an der Reihe, in welchem der Dichter gleichsam die Stimmgabel seiner sittlichen Entrüstung schwingt« (Emil Faktor, BZ, 3. 9. 1920).*

Man nimmt die »ruchlose Juliane« nicht mehr ganz ernst. Die Kritik lobt die hervorragende Leistung von Tilla Durieux (»Dämonisch; erhebend; Intrigantin; Schlange; voll Herrschsucht und überlegen; im Kern unglücklich ... Die Durieux war prachtvoll in der zehrenden Wut einer gewissen Mannweibheit.« (Alfred Kerr, Tageblatt, 3. 9. 1920).*

Aber das Ganze? Altmodisch, ein bißchen fad, es gibt nichts zu sehen als »eine gewisse widernatürliche ,Freundschaft' zwischen Frauen. Doch wer etwa seine Kenntnis im einzelnen mehren wollte, kam nicht auf die Kosten« (ders. ebd.). Das Problem ist sowieso nicht recht ernstzunehmen:

»Also die Krankheit lesbischer Freundschaften mag unerquicksam oder bedauernswert sein (für die Zuschauer, wohl nicht für die Beteiligten) – doch um eine Weltgefahr zu bilden, ist sie nicht verbreitet genug. Um eine Zeitgefahr zu bilden, nicht häufig genug – im Vergleich zur Vergangenheit. Ja, die Krankheit, Herr Autor, ist vermutlich heut seltener, je freier die Erlaubnis zur freieren Liebe zwischen Mann und Weib geworden ist« (ders. ebd.). Vergebliche Liebesmüh. Der

Autor stampft mit den Füßen, die Kritik gibt sich amüsiert-überlegen.

Dabei ist Juliane, bei aller Überzeichnung, nicht ganz uninteressant. Was Sudermann als »Selbstkult des Individuums« geißelte, das »die göttlichen, die menschlichen und wie hier womöglich auch die Gesetze der Natur auf den Kopf gestellt, (IV. Akt, 20. Szene), uns scheint es erstmals Züge von Selbstbestimmung, wenn auch im Bösen, zu haben. Und nicht so ganz abwegig hört es sich an, wenn Juliane, gefragt, was ihr bleibt, wenn nicht Gott, die Natur oder der Pflichtgedanke, um sich selbst eine Direktive zu geben, antwortet:

»Ich bleibe mir. Das voraussetzungsfreie, autonome ... Ich. Und ich versichere Sie, Hochwürdigster: ist dieses winzige, kraftlose, mit Recht mißachtete Ding sich seiner erst einmal ganz bewußt geworden, so meistert es die Welt. Ich zum Beispiel wüßte nicht, was mich verhindern könnte, mich selbst und dieses Leben ... in mich hineinzutrinken und auszugenießen bis auf die Neige. Und ich tue das mit solcher Inbrunst, daß kein Meer mir wild genug ist, daß ich die steilsten Gipfel erklettere, daß ich nicht schlafen kann vor lauter Kraft und lauter Fülle. Ich bin dann alles, Wind und Flamme, Wurm und Gott, Mann und Weib – alles zugleich ... Und ich finde: schon deshalb allein lohnt es sich, zu sein wie ich.« (III. Akt, 1. Szene).

Hatte Juliane noch aufbegehrt gegen die Abhängigkeit von einem Mann (»Unsereins kommt erst zum Frieden, wenn man die Männer nicht mehr wichtig nimmt ... Nur gegen das Gesetz der eigenen Seele handeln darf man nicht« III, 9), so geht die lesbische Gräfin Désirée in Ferdinand Bruckners *Krankheit der Jugend* – geschrieben 1926, Aufführung im Berliner Renaissancetheater im April 1928 – schon ganz cool dem Gesetz der eigenen Seele, d. h. ihren Leidenschaften und ihrer Todessehnsucht nach.

Was passiert? Die »erotische Wirrnis eines studierenden Mädchens (Marie; d. Verfasserin) wird enthüllt, das an der Liebe zu einem femininschwächlichen Mann leidet, der wieder von einer anderen ... unterworfen wird. Und ... Marie wird von der schon bewußt lesbischen Désirée, einem depressiven Geschöpf, das an Selbstmordverlangen krankt, seitdem es lebt, so lange

Ferdinand Bruckner, Krankheit der Jugend, 1926, Berliner Aufführung 1928 im Renaissance-Theater

links:
Szenenphoto der Aufführung »Krankheit der Jugend« (26. 4. 1928, Renaissance-Theater) aus der Berliner Illustrierten, April 1928 mit Anni Mewes als Désirée, Hilde Koerber als Lucy, Elisabeth Lennartz als Marie, Photo: Akademie der Künste, Berlin

rechts:
Szenenphoto aus »Die Gefangene« von Edouart Bourdet« mit Helene Thimig als Irène de Montcel und Ernst Deutsch als Jaques Virieu, Aufführung 1926 in der Komödie am Kurfürstendamm, Photo: Ullstein Bilder, Berlin

umworben, bis sie sich ergibt. Désirée, deren Unbürgerlichkeit sich schließlich auch gegen diese »Ehe« auflehnt, nimmt dann die doppelte Dosis Veronal, die sie hinüberwiegt in den ersehnten Zustand des Nichts. Die Nacht, in der sie stirbt, ist mit Exzessen überladen und Marie erliegt den Bissen eines sich bis zum Lustmord aufpeitschenden ... Poseurs« (Norbert Falk, BZ am Mittag, 27. 4. 1928)*, der, muß noch hinzugefügt werden, zuvor auch der potente Liebhaber Désirées war. So ungefähr und noch vieles mehr. Anni Mewes ist es, »die das immer noch Unerhörte des Eigengeschlechtsfiebers mit Anmut gestaltet« (2**). Es dürfte allerdings auch der geneigten Zuschauerin schwer gefallen sein, sich mit der dekadenten Désirée zu identifizieren. Sie ist weder dazu angelegt, moralische Empörung respektive Lachlust wie ihre Vorfahrin Juliane noch Mitleiden wie ihre Urahnin die Gräfin Geschwitz zu provozieren. Eher könnte schon, in gehöriger Entfernung, Lulu Patin gestanden haben. Nur: Désirée macht auf eine eher selbstverständliche Weise alles durch, Mann, Frau, Veronal – es gibt keinen Grund zur Erschütterung. Sie ist auch gar nicht bös, nur seltsam müde, isoliert, egoistisch, übersättigt.
Liebe ist für Bruckner ohnehin etwas Krankes; lesbische Liebe scheint ihm – im Rahmen des allgemeinen Krankheitszustandes – natürlich zu sein und ebenso natürlich

gehen Désirée und Marie von Mann zu Frau zu Mann über. Weder dämonisch noch lächerlich, kein erhobener Zeigefinger – nur leider müssen beide Frauen zum Schluß sterben, wie gehabt: es wird ihnen keine Fähigkeit zum Leben zugestanden. Gestärkt geht die geneigte Zuschauerin nicht nach Haus, vielleicht aber mit dem kleinen Trost, daß das einzige Aufflackern einer positiven Emotion und einer Zartheit in dem Stück zwischen Marie und Désirée geschieht.
1926 kam *Die Gefangene* von Edouard Bourdet, ein im gleichen Jahr geschriebenes Boulevardstück Pariser Ausprägung in der »Komödie« am Kurfürstendamm zur Aufführung. Das Wissenschaftlich-humanitäre Komitee äußerte sich begeistert:
»Dieses Stück ist ein Manifest. Die Berliner Aufführung unter Reinhardts Regie bedeutet letzte Auslösung eines von hundert Seiten oftmals beleuchteten, bisher nicht *durch*leuchteten Problems ... Irène, das junge Mädchen aus guter Familie, versucht (in der Heirat mit einem Jugendfreund), aus der Gefangenschaft ihrer leidenschaftlichen Neigung zu einer Frau die vermeintliche Befreiung von gesellschaftlichen und innerlichen Konflikten. Vergeblich. Die Natur läßt sich nicht vergewaltigen. Der Ehemann, noch vor der Heirat von seinem Freund (eben der Mann jener gefürchteten Freundin) über die Zwecklosigkeit eines ‚Abwehr-Ehebündnisses‘ in einer dramati-

Edouard Bourdet, Die Gefangene, 1926, Berliner Aufführung 1926 in der Komödie

»Gestern und Heute«, Programmseite mit der Besetzung des Stückes der Aufführung vom 4. (?) April 1931 im Theater in der Stresemannstraße, Photo: Akademie der Künste, Berlin

Postkartengruß von Hertha Thiele, Photo: Theaterwissenschaftl. Institut der FU Berlin, Slg. Unruh

schen Unterredung aufgeklärt, muß nach Ablauf eines Jahres einsehen, daß Irènes Hingabe die einer unbelebten Statue bleibt. Ein Wiedersehen mit der Freundin genügt, die Statue – und nicht für ihn! – zu beleben. Er geht zurück zu seiner Maitresse, – Irène den Weg in ihre erneute Gefangenschaft freigebend ... Die Thimig als Irène erschütterte, Lil Dagover als wirkliches Weib bezauberte, und Deutsch als ... Ehemann war ... unvergleichlich« (Alix Schütz, Mitteilungen des WhK Nr. 2, September 1926).

So die wohlmeinende Kritik des WhK. Indessen bedeutete die Aufführung so wenig eine, wie das WhK meinte »widerstandslose Einreihung (des Sujets; d. Verfasserin) ins Selbstverständliche«, daß die bürgerliche Presse ganz unbeeindruckt von »der Kranken«, dem »tragischen Schicksal einer in ihrem Liebesempfinden kranken Frau« sprechen konnte. Wenn Bourdet hie und da zu Mitteln greift, »die vielleicht sentimental-kitschig anmuten, so liegt das« – nicht etwa in einer gewissen Unfähigkeit des Autors, sondern – »in der Problemstellung begründet: das süßlich-schwüle Parfüm gehört dazu« (Ludwig Sternaux, o. O., 1926).**

In der Tat, die arme Irène vermag keinen Mut einzuflößen. Mit 27 völlig abhängig von ihrem Vater, sieht sie sich gezwungen, ihren Jugendfreund um Heirat anzuflehen, um den Nachforschungen ihres Vaters über ihre wahren Empfindungen und um diesen wahren Empfindungen selbst zu entgehen. Sie geht aus der Gefangenschaft ihres Vaterhauses in die Gefangenschaft der Ehe in die Gefangenschaft der Liebe zu ihrer Freundin. Für dieses unselbständige, vom Mann abhängige Geschöpf kommt die lesbische Neigung jedenfalls einer Tragödie gleich. Man fragt sich, wovon und wie die beiden Frauen, zum Schluß beide von ihren Männern getrennt, ohne den Schutz derselben denn eigentlich leben sollen. Das kann nur im Abseits und in der Misere enden. Deprimierend. Immerhin gelangt Bourdet zu einer differenzierten Einschätzung des Problems, wenn er den Jugendfreund Irènes von dem ja selbst betroffenen Ehemann der Geliebten Irènes warnen läßt: »Wenn sie einen *Geliebten* hätte, würde ich Dir sagen: Geduld, mein Lieber, Geduld und Mut. Nichts ist verloren. Ein Mann, das ist nicht von Dauer im Leben einer Frau. Du liebst sie. Sie wird zu Dir zurückkommen. Aber in diesem Fall sage ich dir: Warte nicht auf sie. Es lohnt sich nicht. Sie wird nicht zurückkommen. Und wenn das Schicksal sie dir jemals wieder über den Weg führt – fliehe sie. Fliehe sie, hörst du. Wenn nicht, bist Du verloren. Du wirst dein Leben damit verbringen, hinter einem Trugbild herzulaufen, daß Du niemals erreichst. Denn man erreicht sie niemals. Man muß sie unter sich in ihrem Schattenreich lassen. Sich ihnen nicht nähern. Sie sind gefährlich. Vor allem: nicht etwas für sie bedeuten wollen, so wenig es auch sein mag. *Das* ist die Gefahr. Denn sie haben uns trotz allem ein bißchen im Leben nötig. Es ist nicht immer einfach für eine Frau zu leben. Deswegen, wenn ein Mann ihr vorschlägt, mit ihr zu teilen, was er hat, und ihr seinen Namen zu geben, nimmt sie natürlich an. ... Nur, kannst Du Dir vorstellen, wie das Leben des Mannes aussieht, der das Unglück hat, den Schatten, neben dem er lebt, zu lieben? ... Verstehst Du: sie sind nicht für uns ... Sag nicht: ,Wenn es weiter nichts ist – leidenschaftliche Freundschaft – überzärtliche Intimität – nicht sehr schlimm. Das kennen wir!' Nein! Das kennen wir nicht! Das ist geheimnisvoll und zum Fürchten. Die Freundschaft, ja, das ist eine Maske. Unter dem Deckmantel der Freundschaft schleicht sich eine Frau in eine Ehe ein, wann sie will, wie sie will, zu jeder Stunde des Tages, und sie vergiftet alles, sie bringt alles durcheinander, ohne daß der Mann, dessen Heim sie im Begriff ist zu zerstören, überhaupt bemerkt, was ihm geschieht. Wenn er es bemerkt, ist es zu spät, er ist allein. Allein gegenüber dem geheimen Bündnis zweier Wesen, die sich verstehen, die sich erraten, weil sie gleich sind, weil sie vom gleichen Geschlecht sind, von einem anderen Planeten als er, der Fremde, der Feind« (II. Akt).

Ist es nun einer Frau, einer betroffenen Frau überdies, gelungen, das Thema wirklichkeitsnäher zu gestalten?

1930 hatte Christa Winsloes Theaterstück *Ritter Nérestan* am Leipziger Schauspielhaus Premiere. Das Problem der lesbischen Beziehung zwischen Schülerin und Lehrerin kam in dieser Inszenierung nicht zum Tragen. Anders in der Berliner Inszenierung 1931, im Theater in der Stresemannstraße, jetzt mit dem Titel *Gestern und Heute*, unter der Regie von Leontine Sagan, mit Gina Falkenberg und später Hertha Thiele als Manuela, Margarete Melzer als Fräulein von Bernburg, Emilie Unda als Oberin. Hier war, so sagt Hertha Thiele heute anläßlich eines Interviews, »das lesbische Moment eindeu-

tig herausgearbeitet« (Frauen und Film, Nr. 28, Berlin 1981).
Das Manuskript des Stückes ist nicht mehr aufzufinden, von daher ist mir eine genauere Betrachtung nicht möglich. Indessen konnte Christa Winsloe 1934 – bereits in der Emigration – das Buch zu dem, oder, wie Christa Reinig sagt, *gegen* den 1931 gedrehten Film »Mädchen in Uniform« herausbringen, eine bei aller Zartheit eindeutige, wie das Stück tragisch endende Liebesgeschichte, bereichert noch um die Geschichte der Kindheit des Mädchens Manuela. Hört man auf die Kritik, so muß das Stück dem Geist des Buches entsprochen haben. Hier stellvertretend nur eine Stimme: »Das Stück, das von Leipzig nach Berlin kam und gewiß über alle deutschen Bühnen gehen wird, heißt jetzt ,Gestern und Heute' ... ,Gestern' ist der altpreussische Geist, das uradelige Gespenst, die byzantinische Groteske in einem Mädchenpensionat, das als wirkliches Kadettenkorps mit Stillgestanden und Rührt Euch gedrillt wird. ... Die Verfasserin sagt, was *sie* erfahren hat, was *sie* weiß, und vor allem, daß dieses Gestern noch sehr heutig ist, Drillanstalt für Soldatentöchter, die wieder Soldatenmütter werden sollen und weiter nichts. Was geht es uns an, wenn solcher Stumpfsinn sich noch im Verborgenen weiter fristet! Es ging uns an, dieses Schauspiel; es geht uns immer an, wenn junge Menschen ohne Liebe aufgezogen, und besonders, wenn zarte Frauenseelchen vergewaltigt werden. ... Die Verfasserin hat die Schwärmerei der kleinen Schülerin für ihre Lehrerin sehr zart behandelt. Manuela sucht die Mutter, die sie nicht mehr hat, und sucht noch etwas anderes, was sie beim Namen nicht zu nennen weiß. Weil ihr Gefühlchen Sünde heißt, rettet sie sich aus der Schande in den Tod. Die Erzieherin selbst bekämpft eine Zärtlichkeit, die ihr gefährlich wird, und die sie in strenge Güte oder Mütterlichkeit abzuwandeln versucht. Und nun laßt es euch, ihr deutschen Autoren, von dieser neuen Kollegin sagen, und gebt es leise weiter, daß ein erotisches Motiv, auch in zarter, verdeckter Behandlung, dem Publikum durchaus willkommen sein kann. Ich weiß nicht, ob auf eine Dramatikerin Christa Winsloe weiter zu rechnen sein wird. ... Aber das hat sie gut gemacht ... Ich muß die Zartheit der Hand loben, die auch eine

Christa Winsloe, um 1933, Photo: Ullstein Bilderdienst, Berlin

Leontine Sagan, 1927, Photo: Ullstein Bilderdienst

Christa Winsloe, Gestern und Heute, 1930, Berliner Aufführung 1931 im Theater an der Stresemannstraße

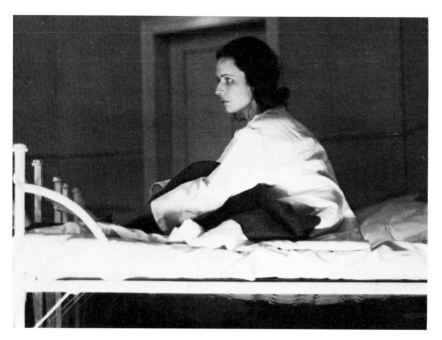

links:
Gina Falkenberg als »Manuela« in
»Gestern und Heute« in der o. g. Auf-
führung, Photo: Ullstein Bilderdienst,
Berlin

rechts:
Margarete Melzer als »Fräulein von
Bernburg« und Gina Falkenberg als
»Manuela« in Christa Winsloes
»Gestern und Heute«, April 1931,
Theater in der Stresemannstraße,
Photo: Ullstein Bilderdienst, Berlin

* = Archiv der Akademie der Künste,
Berlin
** = Theaterwissenschaftliches Institut
der Freien Universität Berlin, Slg.
Unruh

der Seele ist. Dieses Stück von Kindern und Frauen ... holte sich seinen Erfolg ohne die von den Direktoren geforderte und beweinte Starwirtschaft. ... Der Erfolg des Erfolges, Margarete Melzer als angeschwärmte Lehrerin, eine schöne, große Person ... ganz gedämpfte Kraft, ein dunkler, samtweicher, ein merkwürdig streichelnder und zugleich beruhigender Celloton. Damit holte sie sich Liebe und Verliebtheit auch im Publikum, bei den Männern und bei den Frauen.« (Arthur Eloesser, o. O., 1931).**

Auch wenn empfindende Frauen zu Frauenseelchen und Gefühle zu Gefühlchen werden, der männliche Kritiker steht der Erotik dieses Stückes nicht verständnislos oder hämisch gegenüber. Sie berührt ihn nicht nur voyeurhaft. Sicher läßt sich das Lesbischsein hier leichter verdauen, weil es nicht direkt auf der Bühne stattfindet, weil nichts wirklich *passiert* und weil die Gefühle auf eine sehr subtile Weise zu Tage treten. Die durchweg positive bis begeisterte Reaktion auf die Aufführung hat aber noch einen anderen Grund: die Liebenden sind als fühlende Menschen dargestellt, nicht karrikiert, grob verzerrt, dekadent, lächerlich, in ihrem Gefühlsleben verstümmelt oder unglückselig. Widernatürlich ist die Umwelt, an der sie scheitern.

Rosi Kreische

Lesbische Liebe im Film bis 1950

Filme zur männlichen Homosexualität wie »Anders als die Andern« (1919) und »Michael« (1924) wurden in der Filmgeschichte stets als Klassiker des Schwulen-Films angesehen. Diese Beachtung haben Filme, in denen Lesbierinnen, Frauenliebe und -freundschaft gezeigt werden, von einer breiteren Öffentlichkeit nie erhalten. Erst feministische Filmkritikerinnen haben dafür gesorgt, daß der lesbische Diskurs dieser Filme zur Sprache kam, insbesondere Karola Gramann und Heide Schlüpmann. Der unterschiedliche Umgang des Kinos mit männlicher und weiblicher Homosexualität ist darauf zurückzuführen, daß die patriarchale Gesellschaft der erstgenannten sexuellen Orientierung immer mehr Aufmerksamkeit, im positiven wie im negativen Sinn, beigemessen hat. Lesbische Liebe hat die Öffentlichkeit dagegen entweder nicht ernst genommen oder ignoriert, und ihre Darstellung im männlich dominierten Medium Film geschah fast ausnahmslos aus männlicher Perspektive.[1]

Vor dem Hintergrund allgemein gesellschaftlicher Tabuisierung von Homosexualität war es ein Wagnis, als 1919 der Regisseur Richard Oswald in Zusammenarbeit mit Magnus Hirschfeld einen Film mit dieser Thematik drehte. Der Film »Anders als die Andern«, der in Form einer Spielhandlung auf die Folgen des § 175 aufmerksam macht, erregte großes Aufsehen und wurde sofort mit Wiedereinführung der Filmzensur 1920 verboten. Mit einer freien Handhabung sexueller Themen im Film war es von da an zunächst vorbei.

Ein Film, der die Tabuisierung weiblicher Homosexualität in den darauffolgenden Jahren beispielhaft belegt, ist »La Garconne«. Dieser französische Film wurde 1925 in Berlin uraufgeführt. Es ist die Verfilmung des gleichnamigen Romans von Victor Margueritte, der wegen seines lesbischen Inhalts bereits 1924 in Deutschland konfisziert worden war. Der Kinematograph schreibt zu diesem Film:

»... Was dieses (Buch) für normale Leser fatal und ungenießbar machte: die breite Ausmalung lesbischer Liebesverhältnisse, fällt im Film nahezu ganz fort. Ein paar schnell vorüberhuschende Bilder geben wohl Ausschnitte aus diesem Milieu, das so gedeutet werden kann. Dem harmlosen Zuschauer aber werden auch diese Szenen ganz unverfänglich erscheinen, zumal in ihnen nichts ‚geschieht‘.«[2]

Daß bei der inhaltlichen Beschneidung der Romanvorlage für den Film so manche Szenenfolge den Zuschauer/-innen nicht verständlich wird, ist in der sogenannten Filmbeschreibung an anderer Stelle zu lesen. Erst vor dem Hintergrund einer allgemeinen Liberalisierung der Sexualmoral in der Weimarer Republik war es dann doch möglich, weibliche Homosexualität im Film zu thematisieren. In dieser Zeit waren es im wesentlichen zwei Filme, die lesbische Liebe »deutlich« auf die Leinwand brachten. In »Die Büchse der Pandora« (1929) tritt die lesbische Gräfin Geschwitz auf, und in »Mädchen in Uniform« (1931) wird Lesbisches in der Liebe einer Schülerin zu ihrer Lehrerin sichtbar.

Viel häufiger befaßt sich das Medium Film nur auf der Latenzebene mit weiblicher Homosexualität.

»Es sind im wesentlichen drei Elemente, durch die das Kino mit der latenten Homosexualität spielt: das androgyne Starimage, die Hosenrolle und das Beziehungs- und Handlungsmuster der Frauenfreundschaften.«[3]

Diese Art von Filmen bietet in jeweils unterschiedlicher Weise einen Reiz für Lesbierinnen. An der androgynen Erscheinung läßt sich das Spiel mit den Geschlechterrollen bildhaft festmachen, sie verkörpert die Möglichkeit, rollenspezifische Grenzen zu überschreiten. Als eine der ersten Darstellerinnen von androgynem Reiz ist Asta Nielsen zu nennen, die in dem Film »Jugend und Tollheit« (1912) in einer Hosenrolle begeisterte und 1920 einen weiblichen Hamlet im gleichnamigen Film spielte.

Herrenschnitt und Damen in Hosenrollen stellten das Modeideal der 20er Jahre dar.

1 Karola Gramann, Heide Schlüpmann: Unnatürliche Akte. Die Inszenierung des Lesbischen im Film, in: Karola Gramann, Gertrud Koch u. a.; Lust und Elend. Das erotische Kino, München-Luzern 1981, S. 70 ff.
2 Der Kinematograph, Düsseldorf, Jg. 19, Nr. 946, 1925
3 Karola Gramann, Heide Schlüpmann: Unnatürliche Akte ..., a. a. O., S. 80

links:
,Hamlet', 1920, Asta Nielsen, Photo:
Stiftung Deutsche Kinemathek, Berlin

rechts:
,Dona Juana', 1927, Elisabeth Bergner
und Li Hayda, Photo: Stiftung
Deutsche Kinemathek, Berlin

unten:
,Marocco', 1930, Marlene Dietrich,
»Ich finde nur, daß ich in Männerklei-
dern anziehender wirke.« (M. Dietrich
in: Mein Film 1932, Nr. 381, S. 7),
Photo: Deutsches Institut für Film-
kunde, Frankf. a. M.

rechte Seite oben:
,Schwarzer Jäger Johanna', 1935,
Marianne Hoppe, Photo: Deutsches
Institut für Filmkunde, Frankf. a. M.

rechte Seiten unten:
,Viktor und Viktoria', 1933, Renate
Müller, Friedl Pisetta, Fritz Odemar,
Photo: Film-Foto-Archiv Serkis, Berlin

"Dona Juana"

Filmstars, die diesem Bild entsprachen, waren Brigitte Helm (»Die Herrin von Atlantis« (1932), Elisabeth Bergner (»Dona Juana« 1925, »Der Geiger von Florenz« 1927), Louise Brooks (»Die Büchse der Pandora« 1929) und Greta Garbo (»Königin Christine« 1934).

Marlene Dietrich, die auch privat Männerkleidung trug, wurde nach ihrem Film »Der Blaue Engel« (1930) zum Idol vieler Lesbierinnen in Berlin:

»... Es gab damals einen Trend, sich wie die Dietrich anzuziehen und möglichst so zu sein unter Freundinnen, und jede nannte sich Marlene wie sie.«[4]

Mit dem Aufkommen des Nationalsozialismus veränderte sich der öffentlich bevorzugte Frauentyp; äußerlich eindeutige Zuordnung zum jeweiligen Geschlecht war wieder gefragt. In den Hosenrollen der Renate Müller (»Viktor und Viktoria« 1933), Marianne Hoppe (»Schwarzer Jäger

4 Karola Gramann, Heide Schlüpmann, Amadou Seitz: Interview mit Hertha Thiele, in: Frauen und Film, Nr. 28, Berlin 1981, S. 40

Johanna« 1935), Lilian Harvey (»Capriccio« 1938) etc. sind unter den Männerkleidern weibliche Rundungen deshalb deutlich zu sehen. Als typische Gemeinsamkeiten der Hosenrollen gelten nach Hans Scheugl, »daß eine z. B. beruflich erfolglose Frau alles darauf anlegt, sich in einer sonst Männern vorbehaltenen Umwelt (Militär, Beruf, Klub) durchzusetzen. Dies gelingt ihr nur, indem sie sich als Mann ausgibt, wobei sie mit Vorliebe eine Kleidung verwendet, die auch dem Mann das Selbstvertrauen stärkt: Uniform und Frack. Jetzt stellt sich der volle Erfolg ein.«[5]

Assoziationen zur lesbischen Liebe treten in den Hosenrollen-Filmen meist dann auf, wenn der vermeintliche Mann von den Frauen begehrt, bewundert, umschwärmt wird. Sie wirken sich auch erotisierend auf die Phantasie des nichtlesbischen Publikums aus. In »Viktor und Viktoria« (1933) ist Renate Müller in männlicher Kleidung und Aufmachung als Damenimitator erfolgreich. In den Filmvorführungen steigert sich der Applaus der Damen immer dann, wenn sich Viktor/Viktoria auf der Bühne als Mann zu erkennen gibt. Für die Zuschauerinnen liegt der Reiz dieser Szene darin zu wissen, daß der vermeintliche Mann eine Frau ist. Und wenn die englische Lady (Hilde Hildebrand) die Heldin zu verführen versucht, wird der lesbische Reiz dieser Inszenierung am deutlichsten.

»Von der erotischen Ausstrahlung der Hildebrand her ist man nicht sicher: fällt sie auf das männliche Äußere herein, oder fühlt sie sich vom eigenen Geschlecht angezogen.«[6]

In »Capriccio« (1938), von Hitler als »Mist in höchster Potenz«[7] bezeichnet, aber nicht verboten, werden lesbische Wünsche aktualisiert. Lilian Harvey, verkleidet als Mann mit dem Namen Don Juan di Casanova, erhält nachts den Besuch einer Dame, die ihr ihre Liebe gesteht. Vielleicht kommt die eine oder andere Lesbierin auch bei der Szene ins Träumen, wenn Lilian Harvey mit ihren männlichen Begleitern ein Bordell besucht und dort vor den bewundernden Blicken aller anwesenden Frauen mit ihren »Eroberungen« prahlt.

Latente Homosexualität spielt auch in Filmen, die Frauenfreundschaften darstellen, eine Rolle. Zwei Beispiele dafür sind »Acht Mädels im Boot« (1932) und »Anna und Elisa-

beth« (1933). Der Film »Acht Mädels im Boot« wird in der Zeitschrift *Die Freundin* folgendermaßen besprochen:

»Ein geschickt gespielter und gut geschnittener Film voll Sommer, Sonne, Wasser, Luft, der die Kameradschaft der Mutterschaft entgegenstellt. Von acht Gymnasiastinnen, unter Leitung ihrer Führerin Hanna treu zusammengehalten, wird eine Christa Engelhardt von einem jungen Studenten geschwängert, der zu einem operativen Eingriff rät. Doch Christa flieht ... und entdeckt sich Hanna. Diese empfindet – der Film deu-

5 Hans Scheugl: Sexualität und Neurose im Film, München 1974, S. 264
6 Karola Gramann, Heide Schlüpmann: Unnatürliche Akte ..., a. a. O., S. 88
7 Peter Hagemann, Kraft Wetzel: Zensur – Verbotene deutsche Filme 1933–1945, Berlin 1978, S. 50

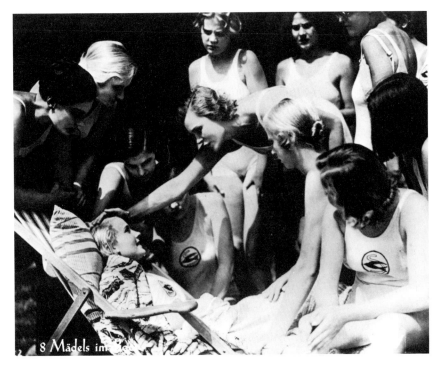

8 Mädels im Boot

links:
,Acht Mädels im Boot', 1932, Photo:
Stiftung Deutsche Kinemathek, Berlin

rechts:
,Capriccio', 1938, Lilian Harvey, Photo:
Film-Foto-Archiv Serkis, Berlin

8 »Die Freundin«, Berlin Nr. 45, 9. 11.
1932
9 Vgl. Siegfried Kracauer: Von Caligari
zu Hitler – Eine psychologische Geschichte des deutschen Films, Frankfurt a. M. 1979, S. 270 f.
10 Die Büchse der Pandora; Stummfilm, schwarz/weiß; Regie: G. W. Pabst;
Produktion: Nero Film, Berlin; Darsteller: Louise Brooks (Lulu), Alice Roberte
(Gräfin Geschwitz), Fritz Kortner
(Dr. Schön), Franz Lederer (Alwa), Carl
Goetz (Schigolch), Gustav Diessl (Jack
the Ripper); Uraufführung: 9. 2. 1929 in
Berlin.
11 Frank Wedekind: Frühlings Erwachen und andere Stücke, München/
Wien 1977

tet es unaufdringlich an – lesbisch. Sie liebt
Christa und versucht, ihr aus dieser verzweifelten Situation herauszuhelfen. Aber
schließlich, nachdem sich Christas Vater
und der Verführer wieder um diese bemühen, verläßt Christa Hanna und die
Gruppe.«[8]
Der lesbische Aspekt dieses Films verliert
für Lesbierinnen insofern an Attraktivität,
als die »Führerin« Hanna z. T. ein Verhalten
zeigt, das faschistische Züge trägt.[9]
In dem Film »Anna und Elisabeth« (1933) legt
allein schon die Tatsache, daß die Protagonistinnen Hertha Thiele und Dorothea Wieck,
bekannt aus »Mädchen in Uniform«, erneut
als »Paar« auftreten, lesbische Assoziationen
nahe. Zweifellos wollte der Regisseur Frank
Wysbar mit der Wahl dieser Hauptdarstelle-
rinnen an den Erfolg von »Mädchen in Uniform« anknüpfen. Da der Film aber nicht
nationalsozialistischen Vorstellungen von
Filmkunst entsprach, wurde er kurz nach
seinem Erscheinen verboten. Das Bauern-
mädchen Anna (Hertha Thiele) wird für die
Dorfbewohner im Film zur Wunderheilerin,
als in ihrer Gegenwart der bereits totge-
glaubte Bruder wieder erwacht. Die Tatsache, daß die gelähmte Gutsherrin Elisabeth (Dorothea Wieck) nach einer Begegnung mit Anna wieder gehen kann, wird
von allen als Bestätigung für Annas Hei-
lungskräfte angesehen. Daß die danach ent-

standene Beziehung zwischen den beiden
Frauen vor allem für Elisabeth mehr als
bloße Freundschaft bedeutet, suggerieren
die Bilder, deuten Dialoge an.
Der Faschismus zerstörte endgültig eine
offene filmische Auseinandersetzung mit
weiblicher Homosexualität. Die Zeit der
Verfolgung und Diskriminierung wirkte im
deutschen Film bis in die 50er Jahre. Das
Thema lesbische Liebe wurde verschwiegen. Erst 1957 wurde in Deutschland wieder
ein Anfang gemacht, ganz dezent, erneut
mit »Mädchen in Uniform«, diesmal mit
Romy Schneider und Lilli Palmer in den
Hauptrollen.

Die Büchse der Pandora, 1929

Am 9. Februar 1929 hatte im Gloria Palast
Berlin der Stummfilm »Die Büchse der Pan-
dora« Premiere.[10]
In diesem Film wird zum ersten Mal in ein-
deutiger Weise eine Lesbierin auf die Lein-
wand gebracht.
Der Film basiert inhaltlich auf den beiden
Dramen Frank Wedekinds, »Erdgeist« und
»Die Büchse der Pandora«.[11]
Er erzählt vom Aufstieg und Niedergang der
Varietétänzerin Lulu, die durch ihr triebhaf-
tes, gefühlloses Handeln die mit ihr in Ver-
bindung stehenden Menschen ins Verder-
ben stürzt. Diese sind: der alte Schigolch, ihr
Ziehvater; Rodrigo Quast, ein Kraftmensch;

Dr. Schön, Lulus Liebhaber, den sie dazu bringt, sie zu heiraten; dessen Sohn Alwa und die lesbische Gräfin Geschwitz, die beide Lulu unglücklich lieben. Bei ihrer Hochzeit mit Dr. Schön erschießt Lulu diesen aus Versehen. Des Mordes angeklagt und verurteilt, befindet sie sich von nun an auf der Flucht, begleitet von Alwa, Schigolch und Quast. Auf ihren Kopf wird eine Belohnung ausgesetzt. Durch ständige Erpressungsversuche verarmt sie. Als sie auch noch von Quast mit der Auslieferung an die Polizei bedroht wird, ist es die Gräfin Geschwitz, die sie aus dieser verzweifelten Situation rettet. Sie kommt Lulus Bitte nach, sich mit Quast sexuell einzulassen, um ihn von der Denunziation abzuhalten. Während des sexuellen Aktes, den sie nur als Vergewaltigungsversuch empfinden kann, wird Quast plangemäß von Schigolch umgebracht. Erneut gelingt Lulu die Flucht. Gemeinsam mit Schigolch und Alwa haust sie dann in einer Dachkammer in Soho und sorgt für den Unterhalt, indem sie auf den Strich geht. Dabei trifft sie auf Jack the Ripper, der sie schließlich ersticht.

Wie wird nun in diesem Film die »Figur« der Lesbierin Gräfin Geschwitz dargestellt? Der Untertitel des Films »Variationen auf das Thema Frank Wedekinds – Lulu« verdeutlicht, daß es dem Regisseur nicht um eine getreue Verfilmung der literarischen Vorlage ging. Daß die vielen Auslassungen im Vergleich zu den Stücken aber in hohem Maß die Darstellung der Person Gräfin Geschwitz treffen, wird sicher kein Zufall gewesen sein. Ob Pabst an der »Figur« der Geschwitz persönlich nicht ausdrücklich interessiert war, oder ob er bei einer engagierteren Darstellung der Lesbierin den Rotstift der Filmzensur befürchtete, läßt sich nicht entscheiden. Denkbar ist beides.

Während die Geschwitz im Drama eine Hauptfigur darstellt und mit einer autonomen Persönlichkeit ausgestattet aktiv Handelnde ist, vermag sie im Film kaum Interesse zu erwecken. Sie tritt nur als etwas lächerliche Verehrerin Lulus neben den männlichen Rivalen auf.

Lesbisches wird in diesem Film in eine Nebenrolle gedrängt. Dennoch ist bemerkenswert, daß Pabst die Geschwitz überhaupt in Szene setzt, denn in der Wedekind-Verfilmung fünf Jahre zuvor kam nichts Lesbisches vor.[12] Man kann davon ausgehen,

,Anna und Elisabeth', 1933, Dorothea Wieck und Hertha Thiele, Photo: Stiftung Deutsche Kinemathek, Berlin

,Mädchen in Uniform', 1957, Romy Schneider und Lilli Palmer, Photo: Stiftung Deutsche Kinemathek, Berlin

daß es bis 1929 zu einer Liberalisierung der Sexualmoral in der Weimarer Republik gekommen war, die derartige Filme möglich machte. Die in der Öffentlichkeit geführte Sexualitätsdebatte, vorangetrieben vom radikalen Flügel der Frauenbewegung[13] und den Veröffentlichungen des Wissenschaftlich-humanitären Komitees, haben entscheidend zu dieser Entwicklung beigetragen.

Für die Rolle der Gräfin Geschwitz engagierte Pabst die belgische Schauspielerin Alice Roberte, eine gutaussehende, anziehende Frau, die aber nicht in dem Maß wie Louise Brooks (Lulu) dem Idealtyp der androgynen Frau entsprach. Louise Brooks äußere Erscheinung traf voll den Zeitgeschmack, sie vereinte in sich das sogenannte Zwiegeschlechtliche, das sowohl auf Frauen wie Männer anziehend wirkt. Diese äußerliche Bisexualität wurde noch dadurch unterstrichen, daß der androgyne

12 Erdgeist; Stummfilm, schwarz/weiß; Regie: Leopold Jessner; Produktion: Leopold Jessner-Film, Berlin; Buch Carl Mayer; Darsteller: Asta Nielsen (Lulu); Uraufführung: 22. 2. 1923 in Berlin

13 Karola Gramann, Heide Schlüpmann: Liebe als Opposition, Opposition als Liebe. Gedanken über Hertha Thiele, in: Exil (Sechs Schauspieler aus Deutschland), Kat. zur Retrospektive der 33. Internationalen Filmfestspiele 1983, hrsg. von der Stiftung Deutsche Kinemathek, Berlin 1983, S. 36

14 Corinne Frottier: Weibliche Homosexualität im gesellschaftlichen Diskurs und deren Niederschlag im deutschen Film bis 1933, Magisterarbeit an der Universität Köln, Köln 1982, S. 66
15 Ebd., S. 66
15 a In heutigen Filmen kommt die Lesbierin meist nur noch als Vampirin mit dem Etikett Comtess (Comtess des Grauens, 1970) oder Baronin (Blut an den Lippen, 1970) vor, dafür findet man sie um so häufiger im Milieu der Wohlhabenden (Trotta, 1971; Die Bankiersfrau, 1980; Il Conformista, 1969; Emanuelle, 1973). In diesen Kreisen können Frauen es sich durchaus leisten, auch ein bißchen lesbisch zu sein. Die Kombination Luxus und Homosexualität entzieht das Lesbischsein dem Umfeld des »Alltagsmenschen« und macht es zur dekadenten Randerscheinung.
16 Louise Brooks: Lulu in Berlin und Hollywood, München 1983
17 Ebd., S. 121
18 Ebd.
19 Corinne Frottier: Weibliche Homosexualität, S. 67
20 Ebd.

rechte Seite:
,Die Büchse der Pandora', 1929, Alice Roberte, Louise Brooks; ,Ist es nicht möglich, daß du mir diese schwerste Prüfung ersparst?' Photo: Filmarchiv München

Frauentyp im Film in einen lesbischen Zusammenhang gestellt wird. In Filmen wie »Marocco« 1930 und »Blonde Venus« 1932 mit Marlene Dietrich kommt dieser Zusammenhang auch zum Ausdruck. Dort wurden vom Regisseur Sternberg zur Steigerung der erotischen Attraktivität der Dietrich bewußt lesbische Akzente gesetzt: in Marocco z. B. singt Marlene Dietrich in Frack und Zylinder ein Lied und küßt danach eine Frau auf den Mund.

Das Bild der Lesbierin Gräfin Geschwitz wird lediglich durch etliche Stereotypen im Film präsentiert: Luxus und Dekadenz machen lesbisch; die Geschwitz entstammt der Aristokratie, der man um die Jahrhundertwende, als Wedekind diese Dramen schrieb, eine »extravagante und ausschweifende Lebensweise« nachsagte.[14] Es entsprach also einem gängigen Klischee, wenn die »perverse« Erscheinung der Geschwitz in diesem Klima: angesiedelt ist. Die Dekadenz der Aristokratie verbindet sich im Film noch höchst publikumswirksam mit der Verworfenheit eines traditionell verrufenen Milieus: hier »bewegt sich die Gräfin Geschwitz vorwiegend in der Welt der Bohemiens und Artisten.«[15]

Auch die äußere Aufmachung der Geschwitz ist stellenweise stereotyp. Bei ihrem ersten Auftritt im Film trägt sie ein der männlichen Kleidung entlehntes Nadelstreifenkostüm, darunter ein weißes Hemd mit Schleife.

Als Zeichen ihrer professionellen Tätigkeit hält sie die Kostümentwürfe für die Varietéshow unterm Arm und nimmt selbstverständlich die ihr angebotene Zigarette an. Äußerliche Aufmachung und Verhalten der Geschwitz werden hier ganz im Sinne des Weiblichkeitsideals der 20er Jahre eingesetzt: Die moderne Frau war berufstätig, hatte in ihrer Kleidung Elemente der Herrenmode und rauchte. Die Verwendung dieser Attribute im Film kennzeichnen die Lesbierin stereotyp als eine männlich herbe Erscheinung.

Beim Hochzeitsempfang wird durch ein sehr weibliches Auftreten der Gräfin Geschwitz bewußt erotische Spannung inszeniert, als diese im langen Abendkleid mit tiefem Rückenausschnitt Lulu zum Tanzen auffordert. Niemand der Anwesenden nimmt Anstoß am Tanz der beiden Frauen, so daß

man zunächst die Szene ungehindert genießen kann. Hier ist die weibliche Kleidung der Geschwitz gerade dazu angetan, männlich-voyeuristische Bedürfnisse zu befriedigen, denn eine männliche Kleidung würde hier eher Rivalitätsgefühle hervorrufen.

Louise Brooks beschreibt in ihrem Buch »Lulu in Berlin und Hollywood«[16] die näheren Umstände des Zustandekommens dieser Szene sehr anschaulich. Alice Roberte haßte ihre Rolle, Louise Brooks und Berlin. Sie befürchtete, durch die Darstellung einer Lesbierin im Film auch in der Realität vom Publikum als lesbisch bezeichnet zu werden und so ihren »guten Ruf zu verlieren«. Diese Angst kam nun besonders in der Hochzeitssequenz zum tragen, wo mehr gezeigt wird als bloßes Verkleiden. »Plötzlich wurde ihr (A. Roberte) klar, daß sie eine andere Frau berühren, umarmen, lieben sollte. Ihre blauen Augen traten hervor und ihre Hände zitterten.«[17]

Nach einem Gespräch mit Pabst hinter den Kulissen war sie dann, so schildert Louise Brooks, in der Lage, die Szene folgendermaßen drehen zu lassen:

»Ich war nur da und verstellte die Sicht. Bei unseren Zweieraufnahmen und ihren Großaufnahmen, die über meine Schulter hinweg photographiert wurden, täuschte sie ihren Blick an mir vorbei zu Mr. Pabst, der ihr hinter der Kamera verliebte Augen machte. Aus der verzwickten Komik dieses Arrangements heraus gestaltete Mr. Pabst sein verkniffenes Porträt einer sterilen lesbischen Leidenschaft, und Madame Roberte bewahrte auf zufriedenstellende Weise ihren Ruf.«[18]

Alice Robertes Angst spiegelt auf ganz persönliche Weise wider, daß lesbisch zu sein nicht gesellschaftsfähig war.

Lesbische Liebe ist nicht zu lebbar. Verzicht, »Unerfüllbarkeit des Begehrens bilden das Leitmotiv in der Beziehung der Geschwitz zu Lulu.«[19] In diesem Punkt sind die Unterschiede zwischen literarischer Vorlage und filmischer Darstellung eklatant. Im Drama wird die Hoffnungslosigkeit der lesbischen Liebe als zentrales Thema behandelt und problematisiert. »Im Film degeneriert das Verhältnis der beiden Frauen zur bloßen Unterstreichung von Lulus ,animalisch-destruktiver' Ausstrahlung.«[20]

Die Gräfin erhält wie die übrigen Personen nur eine Zuliefererfunktion und erscheint nur im Zusammenhang mit Lulu.

Als Lesbierin rangiert sie ohnehin auf der untersten Stufe in der Reihe der Lulu-Verehrer. Alwa, der zunächst in seiner unglücklichen Liebe zu Lulu mit der Geschwitz gleichgestellt war, erhält eine Aufwertung, indem er nach Dr. Schöns Tod dessen Platz an Lulus Seite einnehmen kann. In der Rivalität zu den Männern um Lulu ist die Geschwitz immer die Verliererin.[21]

Die Lesbierin kam 1929 im Film als Liebespartnerin nicht in Frage. Ihre Gefühle dagegen waren gut ausbeutbar. Dies zeigt sich in der Szene, als Lulu sie bittet, sich mit Quast einzulassen. Die Geschwitz begibt sich, um Lulus Liebe zu erhalten, in eine demütigende Situation. Während es im Drama heißt, daß sie sich »unter Aufbietung aller seelischer Energie« und nach einer eindrucksvollen Auseinandersetzung mit Lulu opfert[22], vermittelt der Film nichts von den inneren Qualen der Geschwitz. Spätestens an dieser Stelle des Films hört die lesbische Zuschauerin auf, sich mit der Gräfin Geschwitz zu identifizieren, vorausgesetzt, es war ihr zuvor jemals möglich. Nach dem geschlechtlichen Zweikampf mit Quast, der mit dessen Ermordung endet, ist die Geschwitz im Film nicht mehr zu sehen. Sie hat keine Funktion mehr.

Trotz allem ist die Inszenierung der »Figur« Geschwitz in Pabsts Wedekind-Verfilmung von 1929, im Vergleich zum Ausland, sexualpolitisch und emanzipatorisch gesehen als fortschrittlich zu betrachten. So fallen z. B. in englischen Aufführungen die Szenen mit der Geschwitz der Zensur zum Opfer. Ein Jahr zuvor hatte dort auch der Prozeß gegen den Roman »Quell der Einsamkeit« von Radclyffe Hall stattgefunden. Auch Amerika bekommt zunächst die saubere Filmversion zu sehen.[23] Es ist daher bemerkenswert, daß die Gräfin Geschwitz im Deutschland von 1929 auf der Leinwand erscheinen kann, wenn auch nur in ihrer speziellen Verbindung mit Luxus, Dekadenz, Verzicht und masochistischer Selbstaufgabe.

Mädchen in Uniform, 1931

Nach dem Erfolg des Bühnenstücks »Gestern und Heute«[24] von Christa Winsloe, übernahm die »Deutsche Filmgemeinschaft« die Verfilmung dieser Internatsge-

schichte. Wie zuvor beim Theater führte Leontine Sagan Regie. Christa Winsloe schrieb gemeinsam mit F. D. Andam das Drehbuch. Es entstand zum ersten Mal in der Filmgeschichte eine Inszenierung mit rein weiblicher Besetzung. Bei allen »Einstellungen« ist dennoch einem Mann das letzte Wort geblieben, Carl Froelich, später Präsident der Reichsfilmkammer. Er hatte die künstlerische Oberleitung des Projekts, was für die Filmversion der Liebesgeschichte zwischen der Schülerin Manuela und ihrer Lehrerin, Fräulein von Bernburg, nicht ohne Bedeutung blieb. Carl Froelich wählte für den Film vorsichtshalber den Titel »Mädchen in Uniform«. Dieser Titel erschien ihm publikumswirksamer: »da denken sie (die Zuschauer), da hampeln Mädchen in Uniform rum und zeigen Beine.«[25] Ihm lag hauptsächlich daran, genügend Geld einzuspielen. »Mädchen in Uniform« hatte am 27. 11. 1931 im Gloria Palast Berlin Premiere.[26]

Die Handlung spielt in einem Potsdamer Stift für Töchter unbemittelter aristokratischer Offiziere. Die Oberin des Internats verkörpert den »Geist von Potsdam«. Preußisch bis ins Mark, gestützt auf einen Stock, wie der »Alte Fritz«, erteilt sie ihre Anweisungen: »Durch Zucht und Hunger, durch Hunger und Zucht werden wir wieder groß« lautet ihre Parole, mit der versteckte Klagen der Schülerinnen über mangelnde Verpflegung und allzu strenges Reglement abgeschmettert werden. Das sensible Mädchen Manuela von Meinhardis, die nach dem Tod der Mutter ins Stift gekommen war, leidet be-

21 Dieses Gefühl ist der Lesbierin in neueren Filmen ebenso vertraut. Sobald ein Mann auftaucht, verliebt sich eine der beiden Frauen in ihn und die andere muß verzichten oder teilen (The Fox, 1967; Harlis, 1973; Les Biches, 1967).

Daß es auch eine andere Entwicklung geben kann, zeigt der Film »Lianna« (1983). Lianna, eine über 30jährige Frau, verheiratet, zwei Kinder, entdeckt, daß sie lesbisch ist, verläßt ihren Mann, um zukünftig Frauen zu lieben.

22 Frank Wedekind: Frühlings Erwachen . . ., a. a. O., S. 167

23 Vgl. Vito Russo: The Celluloid Closet. Homosexuality in the Movies, New York 1981, S. 25

24 Christa Winsloes Bühnenstück hieß bei der Uraufführung 1930 in Leipzig »Ritter Nerestan« und wurde für die Berliner Inszenierung im Theater an der Stresemannstraße, dem heutigen Hebbel-Theater, in »Gestern und Heute« umbenannt.

25 Karola Gramann, Heide Schlüpmann, Amadou Seitz: »Gestern und Heute« . . ., a. a. O., S. 41

26 »Mädchen in Uniform«; Buch: Christa Winsloe, F. D. Andam; Regie: Leontine Sagan unter der künstlerischen Oberleitung von Carl Froelich; Kamera: Franz Weihmayr und Reimar Kuntze; Produktion: Deutsche Filmgemeinschaft GmbH; Darsteller: Dorothea Wieck (Fräulein von Bernburg), Hertha Thiele (Manuela von Meinhardis), Emilie Unda (Oberin), Hedwig Schlichter (Fräulein von Kesten), Ellen Schwanneke, Annemarie von Rochhausen, Dora Thalmer, Erika Mann u. a. (Schülerinnen).

Uraufführung: 27. 11. 1931 im Gloria Palast in Berlin.

sonders unter der kalten Atmosphäre des Hauses. In Fräulein von Bernburg findet sie die einzige Lehrerin, die Mitgefühl zeigt, und sich für eine humanere Behandlung der Schülerinnen einsetzt: »Ich kann es einfach nicht mit ansehen, wie Sie aus den Kindern verängstigte Wesen machen«, entgegnet sie der Oberin, die solche Auflehnung nicht dulden will. Manuela empfindet bald mehr als bloße Schwärmerei für die Lehrerin, zumal sie spürt, daß diese ihre Gefühle erwidert. Bei einer Stiftsfeier begeistert Manuela mit ihrer Theaterrolle als Don Carlos alle, besonders aber Fräulein von Bernburg. Anschließend bricht sie, durch den Genuß von Punsch enthemmt, ihrer Liebe zur Lehrerin dadurch Bahn, daß sie ihre Gefühle laut hinausschreit. Der Skandal ist da, für Manuela sind die Folgen schrecklich. Isoliert von den anderen, fühlt sie sich auch von der geliebten Lehrerin im Stich gelassen. Als sie sich in ihrer Verzweiflung aus dem obersten Geschoß des Treppenhauses stürzen will, sind es die Mitschülerinnen, die eine Katastrophe verhindern. Erschüttert muß die Oberin einsehen, daß Verständnislosigkeit und Härte beinahe eine Schülerin in den Tod getrieben hätten. Unter den vorwurfsvollen Blicken der Mädchen zieht sie sich geschlagen zurück.

Durch diesen für Manuela positiven Ausgang der Geschichte geht ein Stück der ursprünglichen Aussage verloren, denn in der Vorlage wurde Manuela »nicht gerettet, sondern zerstört und diese Zerstörung wollte Christa Winsloe zeigen«.[27] Den Sprung aus dem Fenster hielt Froelich filmisch für grotesk[28] und setzte sich durch die Abänderung des Schlusses über die von Christa Winsloe eigentlich beabsichtigte Aussage hinweg.

Der Fall Manuela ist authentisch, allerdings ohne den tödlichen Ausgang. Im Kaiserin-Augusta-Stift in Potsdam, wo Christa Winsloe erzogen wurde, hatte sich die wirkliche Manuela »runtergestürzt, und blieb für ihr Leben hüftlahm«.[29]

»Mädchen in Uniform« wurde ein Riesenerfolg, weltweit. Bis heute entstanden zwei Remakes, 1950 in Mexiko[30] und in der Bundesrepublik Deutschland 1957[31]. Letztere Version, unter der Regie von Geza von Radvanyi, mit Romy Schneider und Lilli Palmer in den Hauptrollen, erlangte eine größere Popularität als die erste Fassung.

Als Theaterstück war »Mädchen in Uniform« zum letzten Mal 1976 in der Freien Volksbühne Berlin zu sehen. Dem Programmheft dieser Inszenierung ist zu entnehmen, daß mit dem Stück vor allem auf die psychische Zerstörung von Schülern/-innen durch autoritäre Strukturen im Schulsystem hingewiesen werden sollte.

Der Film thematisiert sowohl die lesbische Liebe als auch eine Kritik am preußischen Erziehungsgeist und Militarismus. Den lesbischen Gehalt belegt allein schon die Tatsache, daß »Mädchen in Uniform« mittlerweile zu einem Kultfilm der Lesbenbewegung geworden ist. Seit Mitte der 70er Jahre setzen sich feministische Filmkritikerinnen – in Amerika z. B. Ruby Rich und Nancy Scholar, in Deutschland Karola Gramann, Heide Schlüpmann und Corinne Frottier – mit dem lesbischen Diskurs des Films auseinander.[32]

Von der Tages- und Filmpresse 1931 wurde der lesbische Aspekt in der Beziehung zwischen Manuela und Fräulein von Bernburg zwar nicht übersehen, seine Erörterung wies aber z.T. gängige Vorurteile auf. Hier einige Ausschnitte zeitgenössischer Kritiken:

»... Wundervoll der zweite Teil, diese stille und darum so ergreifende »Revolte im Erziehungshaus«. Manuelas, des neuen blonden Zöglings, zärtliche Liebe zu der einzigen Lehrerin, die die Kinder versteht und mit ihnen fühlt, beschwört den lange schon schlummernden Konflikt zwischen altem und neuem System, zwischen Strenge und Liebe, zwischen gestern und heute herauf. ... Ein aktueller Film, ein Film ohne Kitsch. Alle Mütter sollen ihn sich ansehen!« (Vossische Zeitung, Berlin, Nr. 562 vom 28. 11. 1931, Abend-Ausgabe)

»... Die leicht lesbisch betonte Tragödie der Erzieherin Fräulein von Bernburg und der Schülerin Manuela von Meinhardis ist auch in anderem Milieu möglich als in diesem Potsdamer Adelsstift...« (Herbert Jhering, in: Berliner Börsen-Courier, 64. Jg., Nr. 556, 28. 11. 1931)

»... Es ist eine überdurchschnittliche Leistung, wenn es somit gelang, den an sich diffizilen Stoff mit filmischen Mitteln höchst überzeugend und doch dezent zu gestalten: die unbewußt-erotische Atmosphäre des streng konservativen Töchter-Pensionats und die kaum ausdeutbaren Beziehun-

27 Christa Reinig über Christa Winsloe, in: Christa Winsloe: »Mädchen in Uniform«, München 1983, S. 243

28 Karola Gramann, Heide Schlüpmann, Amadou Seitz: »Gestern und Heute«..., a. a. O., S. 35

29 Ebd., S. 24

30 1950 »Muchachas de uniforme«; Darsteller: Irasema Diliàn (Manuela), Marga Lòpez (Lucila, d. i. Fräulein von Bernburg), Rosaura Revueltas (Oberin), Regie: Alfredo B. Crevenna.

31 1958 »Mädchen in Uniform«; Regie: Géza v. Radvanyi; Darsteller: Romy Schneider (Manuela), Lilli Palmer (Fräulein von Bernburg), Therese Ghiese (Oberin).

32 Ruby Rich: »Mädchen in Uniform«. From Repressive Tolerance to Erotic Liberation, in: Jump Cut, Nr. 24/25 (März 1981), S. 44–50

Nancy Scholar: »Mädchen in Uniform«, in: Patricia Erens (Hrsg.): Sexual Stratagems, The World of Women in Film, New York, S. 219–223

Karola Gramann, Heide Schlüpmann: Liebe als Opposition, Opposition als Liebe. Gedanken über Hertha Thiele, in: Exil (Sechs Schauspieler aus Deutschland), Kat. zur Retrospektive der 33. Internationalen Filmfestspiele 1983, hrsg. von der Stiftung Deutsche Kinemathek, Berlin 1983

Corinne Frottier: Weibliche Homosexualität im gesellschaftlichen Diskurs und deren Niederschlag im deutschen Film bis 1933, Magisterarbeit an der Universität Köln, Köln 1982, S. 66

gen einer Pensionärin zu einer Lehrerin, dieses ‚Erwachen des Weibes' im seelisch-labilen Pubertätsstadium...« (Hans Wollenberg, in: Licht Bild Bühne, 24. Jg., Nr. 285, 28. 11. 1931)

»... Ohne zu verniedlichen, ohne durch billige Tendenzeffekte zu verschärfen, hat man die heikle Geschichte aus dem Potsdamer Mädchenstift verfilmt...« (Rudolf Arnheim, in: Die Weltbühne Berlin, 27. Jg., Nr. 47, 8. 12. 1931)

»... und eines Tages bringt die ‚kleine' Manuela, die sensibelste und empfindsamste der Schülerinnen, ihren Enthusiasmus so überschwenglich zum Ausdruck, daß ihr diese ideale Schwärmerei als perverse Verirrung gedeutet und sie von den übrigen Mädchen isoliert wird.« (Mein Film, Nr. 317, 1932)

Die Kritiker drücken sich darum, das Schülerin/Lehrerin-Verhältnis als lesbisch zu bezeichnen. Sie überschütten die Inszenierung mit Lob und sind erstaunt darüber, daß die Darstellung dieses »heiklen« Themas nicht ins Geschmacklose abgeglitten ist. Im Ganzen gesehen, bleibt bei der Lektüre der Kritiken dennoch der Nachgeschmack: lesbische Liebe ist eine pubertäre Erscheinung, perverse Verirrung, hervorgerufen durch die lieblose Atmosphäre eines Mädcheninternats.

Der Film selbst stellt in den Dialogen ein Musterbeispiel für die Tabuisierung lesbischer Liebe dar. Um diese dennoch verstehen zu können, durfte das Publikum von 1931 nicht allzu »harmlos« sein. Edelgard, die nicht versteht, warum sie nach dem »Skandal« nicht mit Manuela sprechen darf, erhält von Fräulein von Kesten, die Erklärung: »Ich kann dir das nicht erklären – Manuela ist eben, dazu bist du noch zu jung!« Fräulein von Kesten will sicher sagen, Manuela könnte lesbisch sein und dies ist verwerflich. Und auch in der entscheidenden Auseinandersetzung zwischen der Oberin und Fräulein von Bernburg werden die Dinge nicht beim Namen genannt, obwohl es um die Frage geht, ob »Manuelas Leidenschaft« für die Lehrerin pervers ist, »oder dem großen Geist der Liebe« entspringt, »der tausend Formen hat«.[33]

Dies sind zwei Beispiele für die Halbherzigkeit aller Dialoge und Handlungen, die Lotte H. Eisner zu dem Fazit veranlaßte:

‚Mädchen in Uniform', 1932, Photo: Stiftung Deutsche Kinemathek, Berlin

»Pubertätswirren oder Liebe zum gleichen Geschlecht – der Film läßt das offen, und das ist gut so, Imponderabilien werden nicht zerstört, dürfen im Reich der Zwischentöne verbleiben...«[34]

Sie trifft mit ihrer Einschätzung das, was später von Hertha Thiele ausgesprochen wurde: »Die Art der Frauenbeziehung hat er bewußt offen gelassen, damit der Film auch von Männern akzeptiert wird.«[35] Hinzu kommt, daß Ende 1931 die nationalsozialistische Hetze gegen Homosexuelle lauter wurde. Insofern hätte die eindeutigere Darstellung der Beziehung Manuela/Bernburg den Erfolg des Films von vornherein in Frage gestellt. Dennoch bleibt Lesbisches spürbar. Das ist zum einen der Tatsache zu verdanken, daß für Drehbuch und Regie Frauen verantwortlich waren, die selbst Frauen liebten. Zum anderen besaßen die Protagonistinnen, Hertha Thiele und Dorothea Wieck, die Fähigkeit, die Erotik in der Beziehung Manuela/Bernburg zu erfassen und umzusetzen.

In der Zeitschrift Die Freundin heißt es dazu 1932:

»Eine Frau (Leontine Sagan) hatte die Spielleitung und nur Frauen spielten unter ihrer feinsinnigen Regie. Alle spielten gut. Ganz besonders gaben sich aber drei – Emilia Unda, Dorothea Wieck, Hertha Thiele – an die Handlung hin...

Hertha Thiele, die die Figur (Manuela) verkörperte, fand erschütternde, sprechende Blicke und prägnante Gesten für ihre Sehnsucht nach Bemutterung, Zärtlichkeit und Leidenschaft...

Wundervoll, namentlich in den Szenen mit Manuela, wußte Dorothea Wieck darstellerisch wie sprecherisch den Kampf zwischen ihrer Selbstbeherrschung und ihrer Veranlagung zum Ausdruck zu bringen. Sie wies

33 Karola Gramann, Heide Schlüpmann: Liebe als Opposition, Opposition als Liebe. Gedanken über Hertha Thiele, in: Exil (Sechs Schauspieler aus Deutschland), Kat. zur Retrospektive der 33. Internationalen Filmfestspiele 1983, hrsg. von der Stiftung Deutsche Kinemathek, Berlin 1983, S. 27

34 Film-Kurier, Jg. 13, Nr. 279, vom 28. 11. 1981

35 Karola Gramann, Heide Schlüpmann, Amadou Seitz: »Gestern und Heute«, Interview mit Hertha Thiele, in: Frauen und Film, Nr. 28, Berlin 1981, S. 41

'Mädchen in Uniform', 1932, Dorothea Wieck und Hertha Thiele, Photo: Stiftung Deutsche Kinemathek, Berlin

36 Die Freundin, Berlin, Jg. 8, Nr. 3, vom 20. Januar 1932

37 Corinne Frottier: Weibliche Homosexualität im gesellschaftlichen Diskurs und deren Niederschlag im deutschen Film bis 1933, Magisterarbeit an der Universität Köln, Kön 1982, S. 99

38 Karola Gramann, Heide Schlüpmann, Amadou Seitz: Interview mit Hertha Thiele, in: Frauen und Film, Nr. 28, Berlin 1981, S. 40

39 Karola Gramann, Heide Schlüpmann: Liebe als Opposition, Opposition als Liebe. Gedanken über Hertha Thiele, in: Exil (Sechs Schauspieler aus Deutschland), Kat. zur Retrospektive der 33. Internationalen Filmfestspiele 1983, hrsg. von der Stiftung Deutsche Kinemathek, Berlin 1983, S. 33

40 1968, Thérèse und Isabell; Regie: Radley Metzger; Film nach dem gleichnamigen Roman von Violette Le Duc.

41 Filmtext des Fräulein von Bernburg.

42 Christa Reinig über Christa Winsloe, in: Christa Winsloe: »Mädchen in Uniform«, München 1983, S. 243

sich dadurch als eine Künstlerin aus, die ein volles Anrecht darauf hat, unter die hervorragendsten Interpretinnen psychologisch schwieriger und menschlich wahrer Frauencharaktere gerechnet zu werden ...«[36]

Daß es diesen Frauen gelungen ist, gegen die Interessen von Carl Froelich, den lesbischen Teil der Aussage zu retten, führt Corinne Frottier »nicht zuletzt darauf zurück, daß Homosexuelle bis heute darauf geschult sind, ihre Botschaften zu verklausulieren, so daß sie in ihrer vollen Bedeutung nur aus dem parteilichen Blickwinkel zu erkennen sind.«[37]

Hertha Thiele meint rückblickend, daß »den wirklichen Lesbierinnen unser Film zu kindlich, zu harmlos und nicht ausgesprochen genug« war.[38] Das mag wohl sein, denn bis auf »den gar nicht mütterlichen Kuß«[39] auf Manuelas Mund, zu dem sich Fräulein von Bernburg beim abendlichen Ritual des Gute-Nacht-Sagens hinreißen läßt, kommt im Film körperliche Leidenschaft nicht vor. Auch die angedeuteten erotischen Beziehungen zwischen einigen Schülerinnen haben nichts von der Heftigkeit, mit der sich z. B. »Thérèse und Isabell« 30 Jahre später lieben.[40] Händchen halten, Liebesbriefchen schreiben, ein Herz mit den Initialen E. B. (Elisabeth von Bernburg) in die Haut ritzen, sind unbestritten kindliche Verhaltensweisen in Sachen Liebe.

Es muß etwas anderes sein, was die Anziehung des Films für Lesbierinnen ausmacht. Abgesehen davon, daß bei der geringen Anzahl von Filmen, die Lesbisches thematisieren, jeder Film einen unverhältnismäßig großen Stellenwert erhält, bietet »Mädchen in Uniform« (lesbischen) Frauen die Möglichkeit, sich zu identifizieren. In den Zwischentönen der Spielhandlung und der Dialoge bleibt genügend Raum zur Reaktivierung eigener Erlebnisse aus der Schulzeit und dem »Coming Out«. Lesbische Assoziationen können ungehindert fließen, denn kein Mann stört das reine Frauenmilieu auf der Leinwand.

Die Liebesgeschichte der Manuela ist nicht außergewöhnlich, viele Frauen, auch heterosexuelle, haben eine Lehrerin oder eine andere »erwachsene« Frau umschwärmt, geliebt, und wenn es nur ein Filmstar war.

Stellvertretend für viele lebte Manuela diese Liebe ohne Vorbehalte aus, mit der emotionalen Sicherheit, daß die Lehrerin ihre Gefühle erwidert. Hat Fräulein von Bernburg nicht in gewisser Weise diese Gefühle mit ausgelöst, oder Wünsche aktualisiert, die schon vorhanden waren? Der Film bezieht dazu keine klare Position. Die Filmanalyse von Corinne Frottier enthält etliche Hinweise, die eine solche Vermutung bestätigen.

Aber auch in Fräulein von Bernburg werden Probleme angesprochen, die lesbischen Frauen vertraut sind. Zur entdeckten »Veranlagung« zu stehen, sich öffentlich dazu zu bekennen, beängstigt nach wie vor. Auch heute haben Lehrerinnen die nicht unbegründete Befürchtung, Angriffen ausgesetzt zu werden und ihre Stelle zu verlieren, wenn ihre lesbische Lebensweise bekannt wird. Fräulein von Bernburg, die sehr wohl weiß, was es in dieser Gesellschaft heißt, lesbisch zu sein, will Manuela helfen, indem sie auf einer Trennung besteht: »Du mußt mit allen Mitteln der Strenge geheilt werden – du darfst mich nicht so liebhaben!«[41] Darin aber liegt der Verrat an der Schülerin und an sich selbst. Sie ist eben eine jener »Dunkellesben«[42], wie sie auch 1984 noch anzutreffen sind, die ihr Lesbischsein als strikt privat ansehen.

Es bleibt noch zu erwähnen, daß die Nazis den Film nicht verboten, obwohl er doch auch eine deutliche Kritik am Militarismus enthält. Entweder ist ihnen dieser Aspekt schlichtweg entgangen, oder sie hielten ihn in der Darstellung für nicht ketzerisch genug. Schließlich sind es ja »nur« Frauen, die sich dazu äußern. Und noch etwas machte den Film für die Nazis verwendbar: Erziehungsleitsätze wie Arbeit und Pflichterfüllung, die trotz aller Humanisierungsbestrebungen des Fräulein von Bernburg nicht grundsätzlich in Frage gestellt werden, passen zu den nationalsozialistischen Forderungen an die Jugend, wie sie z. B. u. a. der BDM vertrat. Der Film blieb, Christa Winsloe mußte gehen. 1933 folgt sie ihrer Freundin Dorothy Thompson in die USA. Das Buch zum Film, mit dem Titel »Das Mädchen Manuela«, erschien nicht mehr in Deutschland, sondern 1934 in Wien.

Claudia Schoppmann

Ein Lesbenroman aus der Weimarer Zeit: »Der Skorpion«

M wie Mette. Die Frau, die diesen ungewöhnlichen Namen trägt, ist die Hauptfigur eines Romans, der in den 20er Jahren äußerst beliebt war, zumindest in Homosexuellen-Kreisen. Für die Popularität des Romans finden sich zahlreiche Belege in der Zeitschrift *Die Freundin*. Auch war in den 20er Jahren eine Verfilmung geplant, die jedoch aus mir unbekannten Gründen nicht realisiert wurde. Die Bedeutung des Romans liegt darin, daß er sich positiv von anderen zeitgenössischen Werken unterscheidet, in denen Homosexualität mit Verbrechen, Krankheit, Sünde etc. assoziiert wird. Die heute unbekannte, vergessene Autorin, Anna Elisabet Weirauch, stellt vielmehr die gesellschaftliche Diskriminierung einer lesbischen Frau in den Mittelpunkt und nicht die Frage nach den vermeintlichen Ursachen der Homosexualität.

Als seltenes zeitgeschichtliches Dokument ist der Roman auch heute noch von Interesse. Aus diesem Grund gab das Lesbische Aktions-Zentrum (LAZ) Berlin 1977 den ersten Band der Trilogie (der einzige, der damals auffindbar war) neu heraus; er war schnell vergriffen. In den USA erreichte »Der Skorpion« zahlreiche Neuauflagen. Die Roman-Trilogie, die über einen Zeitraum von 12 Jahren erschien (1919, 21 und 31) handelt vom Lebensweg einer lesbischen jungen Frau, Melitta Rudloff, genannt Mette, und von den Diskriminierungen, die sei seitens ihrer Familie und von Vertretern gesellschaftlicher Institutionen (Psychiater etc.) erfährt.

Mette ist eine »höhere Tochter« aus gutbürgerlichem Hause. Diese Herkunft ist lediglich die Voraussetzung für ihre Entwicklung und Selbstfindung, jedoch kein Hinweis darauf, daß die Autorin Homosexualität als bourgeoise Dekadenzerscheinung begreift. Als Tochter eines einflußlosen Vaters wächst Mette auf unter der repressiven Herrschaft einer Tante. Ihre ganze Liebe gilt zunächst ihrem Kinderfräulein: E. Weirauch stellt in diesem Zusammenhang Mettes

Homosexualität als angeboren dar und vor allem als natürlich, nicht als krankhaft.

Damit schließt sie sich – wenn auch nicht explizit – der damals populären Theorie vom sog. »Dritten Geschlecht« an.

Im Alter von etwa 18 Jahren lernt Mette die rund 10 Jahre ältere Olga Radó kennen, von der sie völlig fasziniert ist. (Deren Unterkunft, die Pension Flesch, hatte übrigens die heutige Pension Cäcilie in der Berliner Motzstraße/Ecke Victoria-Luise-Platz zum »Vorbild«.) Zwischen den Frauen entsteht eine Freundschaft und Liebesbeziehung, die von Mettes Familie auf vielfältige Art bekämpft wird: sie werden beide von einem Detektiv beschattet, womit über Olga das Damoklesschwert des §176 schwebt, der die »Verführung Minderjähriger« beinhaltete. Schon einmal hatte sie unter dieser Anklage gestanden.

Desweiteren gibt es einen Psychiater, der Mette zu überzeugen sucht, daß sie aufgrund ihrer Homosexualität unweigerlich an Schwachsinn oder Rückenmarksschwund enden werde, wenn sie sich nicht wieder auf den »richtigen Weg« bringen lasse. Prophylaktisch wird sie zwangsweise aufs Land verschickt, doch sie flüchtet zurück zur Geliebten. Die Schilderung ihrer Beziehung widerlegt entschieden den häufig gemachten Vorwurf, Jugendliche könnten gegen ihren Willen zur Homosexualität verführt werden.

Olga hält dem gesellschaftlichen Druck nicht stand: als Mettes Familie mit der Polizei vor der Tür steht, um Mette abzuführen, verleugnet Olga ihre Beziehung. Wenig später erschießt sie sich, aus Gram über ihr Verhalten der Freundin gegenüber.

Mette ist inzwischen allen erdenklichen Vorurteilen über Lesben und deren angeblich zwangsweisem Verderben schutzlos, d. h. ohne ein felsenfestes Selbstbewußtsein, ausgesetzt. Aus Unsicherheit und Angst will sie in eine Ehe flüchten – sie verlobt sich. Doch als sie von Olgas Verzweiflungstat, deren Selbstmord, erfährt, findet

Anne Elisabet Weirauch, 1930, Photo: Ullstein Bilderdienst, Berlin

Bibliographische Angaben:
1 Weirauch, Anna Elisabet: Der Skorpion. Ein Roman. 2. Auflage. Bd. 1, Berlin 1919; 1. Neuauflage: Berlin-West 1977
Dies.: Der Skorpion. Ein Roman. Bd. 2., Berlin 1921
Dies.: Der Skorpion. Ein Roman. Bd. 3., Berlin 1931
2 Bruckner, Ferdinand (d. i. Theodor Tagger): Krankheit der Jugend, Berlin 1929.
3 Döblin, Alfred: Die beiden Freundinnen und ihr Giftmord, Reinbek 1978, Erstausgabe 1924

sie wieder zu sich selbst. Sie gibt alle Sicherheiten auf und begibt sich auf eine Fahrt ins Ungewisse. In München hat sie Kontakt zu homosexuellen Frauen und Männern, lernt deren Subkultur kennen und hat eine aufreibende Affäre mit einer Gleichgesinnten. Sie verkraftet diese Affäre nicht, da sie mit ihren Moralvorstellungen, in denen Sexualität Liebe voraussetzt, nicht übereinstimmt.

Sie flüchtet nach Hamburg, wo sie unter einer Maske der Normalität und »Wohlanständigkeit« sich selbst verleugnet und sich anzupassen versucht. Dieser Versuch wird von einer bisexuellen Frau vereitelt, die Mette Avancen macht. Das nimmt ihr die Illusion von der moralischen Überlegenheit ihrer Umwelt. Auch der 2. Band endet mit einer Fahrt ins Ungewisse. Im letzten Teil des Romans versucht Mette, ihr Glück in einem Eigenheim auf dem Lande zu finden. Um diesen Wunsch verwirklichen zu können, muß sie noch einmal nach Berlin fahren. Und schon wieder begibt sie sich in eine aufreibende Beziehung mit einer Frau, die ehemals Olga Radós Geliebte war. Diese schenkte Olga einst ein Zigarettenetui, in das ein Skorpion eingraviert war, was dem Roman seinen Namen gab. Schließlich kann sich Mette dem Einfluß dieser Frau entziehen und beginnt ein Leben auf dem Land.

Die Möglichkeit einer glücklichen lesbischen Beziehung wird zwar bei diesem Romanende in weite Ferne gerückt; Mette erleidet jedoch – und das ist positiv zu vermerken – nicht das Schicksal lesbischer Charaktere anderer Autor/innen, die zur Heterosexualität »bekehrt« werden oder in irgendeiner Form an der Homosexualität zugrunde gehen. Zur Veranschaulichung seien hier das Drama »Krankheit der Jugend« von Ferdinand Bruckner[2] und die Erzählung »Die beiden Freundinnen und ihr Giftmord« von Alfred Döblin[3] genannt. Ersteres endet mit einem Selbstmord der Hauptfigur; Döblin dagegen stellt Homosexualität in unmittelbaren Zusammenhang mit Krankheit und Verbrechen.

Die Hauptfigur des Romans macht zwar einen Selbstfindungsprozeß durch, doch ihrer persönlichen Verwirklichung sind Grenzen gesetzt: »Der Skorpion« endet nicht mit einem lesbischen Happy-End in ländlicher Idylle.

Nicht mehr nachzuweisen ist heute, welchen Einfluß die Zensur bei der Gestaltung des Romans spielte und besonders bei dessen Ausgang, den man als Kompromiß bezeichnen könnte. Fest steht jedoch, daß »Der Skorpion« (und drei weitere Bücher der Autorin) 1926 auf dem Index des § 184 stand, der als »unzüchtig verdächtige« Schriften zum Opfer hatte.

Eingedenk der Moralvorstellungen der Gesellschaft war es nicht verwunderlich, daß Darstellungen lesbischer Sexualität der Staatsanwaltschaft und den Zensoren ein besonderer Dorn im Auge waren. Das erklärt z. T. auch die »blumige« Sprache, die die Autorin besonders bei der Darstellung von Sexualität benutzt. Dennoch enthält »Der Skorpion« die für seine Zeit ausführlichste Darstellung einer Liebesszene zwischen zwei Frauen.

Daß Vorsicht bei einer solchen Beschreibung angebracht war, zeigt ein Blick nach England. Dort wurde Radclyffe Halls Plädoyer für lesbische Frauen, der »Quell der Einsamkeit«, 1928 öffentlich verbrannt und verboten. Dem Roman bzw. der Autorin wurde »Obszönität« vorgeworfen, was sich jedoch nicht – wie man vermuten würde – auf Sexualität beziehen konnte, da dieses heikle Thema schon wohlweislich ausgespart blieb.

Daß der Roman nicht in die (männlich dominierte) Literaturgeschichte einging, dürfte nicht nur an seiner sprachlichen Konventionalität/Trivialität, sondern vor allem am tabuisierten Thema gelegen haben. Ein ähnliches Schicksal des Vergessens widerfuhr der Autorin.

Elisabet Weirauch findet sich heute kaum in einem Literaturlexikon. Angaben zu ihrem Leben machte mir ihre Lebensgefährtin, die ungenannt bleiben möchte. E. Weirauch wurde am 7. 8. 1887 in Galatz/Rumänien geboren und kam um die Jahrhundertwende nach Deutschland. Sie bekam früh Schauspielunterricht und wurde von Max Reinhardt, ab 1905 Leiter des Deutschen Theaters, entdeckt; von 1906 bis zum 1. Weltkrieg trat sie in zahlreichen Reinhardt-Inszenierungen auf. Nach dem Krieg widmete sie sich nur noch dem Schreiben; sie soll im Lauf ihres Lebens annähernd 100 Romane, Theaterstücke und Artikel etc. verfaßt haben. Gewohnt hat sie lange Zeit in der Zietenstraße 16, Berlin-Schöneberg.

»Der Skorpion« ist, nach den Aussagen ihrer Freundin zu urteilen, nicht autobiographisch. Allerdings zeugen die Schilderungen von einer Authentizität, die meiner Meinung nach nicht nur auf einer guten Beobachtungsgabe beruhen kann. E. Weirauch hat nie geheiratet; sie sei mit ihrer Arbeit »verheiratet« gewesen, berichtete mir ihre Lebensgefährtin. Nach 1933 wohnte die Autorin in Gastag/Oberbayern.

Auch im »Dritten Reich« wurden einige Bücher von ihr veröffentlicht, was ihre Mitgliedschaft in der NS-Organisation für Schriftsteller/innen, der »Reichsschrifttumskammer«, voraussetzte. In der NSDAP war sie nicht.

Nach dem Krieg wohnten E. Weirauch und ihre Freundin zunächst in München. 1961 zogen sie wieder nach Berlin. E. Weirauch starb dort am 21. Dezember 1970.

Pia Garde*

Karin Boye in Berlin
oder:
Versuch der Neubewertung einer zur Heiligen
stilisierten lesbischen Schriftstellerin

Bücher von Karin Boye (Auswahl)

Moln – Dikter –
Stockholm 1922

Gömda Land
Stockholm 1924

Hardana – Dikter –
Stockholm 1927

För trädets skull
Stockholm 1935

Kallocain
Stockholm 1940
(dt. Zürich 1947 und München 1978)

Gedichte erschienen in:
Nelly Sachs, Von Welle und Granit,
Querschnitt durch die schwedische
Lyrik des 20. Jahrhunderts, Berlin 1947

* Vgl. Erläuterung, letzter Absatz des
Artikels
1 Karin Boye in einem Brief an Th. Ole-
sen-Løkken 1932, wiedergegeben
nach Margit Abenius: Drabbad av
renhet, Stockholm 1950, S. 202
2 Karin Boye, aus dem Tagebuch ihrer
Griechenlandreise im Sommer 1938
via Berlin und Prag, wiedergegeben
nach Margit Abenius: Drabbad av
renhet, S. 317
3 Nelly Sachs: Von Welle und Granit.
Querschnitt durch die schwedische
Lyrik des 20. Jahrhunderts, Berlin 1947,
S. 46
4 Peter Weiss: Ästhetik des Widerstan-
des, Frankf. a. M. 1981, Bd. 3, S. 28
5 Bei dieser »Taverne« handelt es sich
nicht um ein gleichnamiges Lokal für
lesbische Frauen, sondern um eine alt-
berliner Kneipe, in der Courbière-
straße, in der sich skandinavische
Intellektuelle trafen.

»Berlin ist eine unheimliche Stadt, aber lehr-
reich. Hier siedet der Kessel von Europas
Arbeitslosigkeit. Imponierend ist es unleug-
bar, aber trostlos. Von der Literatur, die
einem empfohlen wird, bekommt man den
gleichen Eindruck. Das ist hier eine ster-
bende Welt, oder Mittelpunkt und Konzen-
trat einer sterbenden Welt...«[1]
»Nach Berlin, wo ich allein mitten auf der
Straße bitterlich weinte über die gelben
Bänke in den Parks – den einzigen, auf
denen Juden sitzen durften – machte es
einen so überwältigten Eindruck, die vergol-
deten Ketten an der Decke des Raumes im
Rathaus zu sehen, in dem der Rat der Stadt
zusammentritt – das waren die Ketten, mit
welchen jeden Abend das Ghetto geschlossen wurde, bis sie, als das Ghetto abge-
schafft wurde, hier angebracht wurden,
den Stadtvätern zur Ansicht und zu bedan-
ken...«[2]
Nelly Sachs charakterisiert in dem von ihr
herausgegebenen Buch »Von Welle und
Granit. Querschnitt durch die schwedische
Lyrik des 20. Jahrhunderts« Karin Boye als
»bedeutende Lyrikerin von tiefem gedank-
lichem Ernst, einem reichen, fast männlich
zu nennenden Geist«[3]. In der Metropole
Berlin lebte Karin Boye 1932 und 1933. Peter
Weiss stellt sie deutschen Leserinnen und
Lesern in seiner »Ästhetik des Widerstan-
des« vor. Es muß darauf hingewiesen werden, daß seine Beschreibung – vor allem,
was ihre Berlin-Periode betrifft – zweifelhaft
ist. Damals kannte er sie nicht persönlich.
Seine Schilderung hinterläßt den Eindruck,
daß Karin Boye in Berlin sich zur Nationalso-
zialistin entwickelte: »... noch am Vorabend
des Umsturzes habe sie gemeint, eine nationale Erhebung stehe bevor, und sich selbst
von der Verzückung mitreißen lassen... mit
ihrer vorgegebenen Blindheit...«[4]
Dieser Eindruck ist irreführend. 1925 hatte
sie sich der sozialistischen Clarté-Bewegung

des französischen Pazifisten Henri Barbusse
angeschlossen und war einige Zeit General-
sekretärin der Clarté. Sie besuchte, wie viele
skandinavische Intellektuelle der Zwi-
schenkriegszeit, die Sowjetunion, kehrte
allerdings enttäuscht von der sowjetischen
Wirklichkeit zurück. In den 30er Jahren kam
eine Abscheu vor der Ausbreitung des Faschismus und Nationalsozialismus hinzu.
Sie verhalf jüdischen Freundinnen aus Berlin
zur Flucht in das sichere Schweden.

Vilhelm Scharp, von 1928 bis zum Winter
1936/37 Schwedischdozent an der Hum-
boldt-Universität in Berlin, schreibt über
Karin Boye in Berlin und über ihre Konfrontation mit dem Faschismus:

»Im Januar 1932 kam Karin Boye nach Berlin... überrumpelnd aggressiv und entwaff-
nend impulsiv und unternehmungslustig
war sie während ein paar spannender Früh-
lingsmonate Mittelpunkt in einem lebendi-
gen, aber heterogenen Debattierkreis...
Hinter dem kameradschaftlichen Jargon
verbargen sich viele persönliche Konflikte:
... Karins Abbruch ihrer Analyse bei Dr.
Schindler – und rund um uns der schritt-
weise Untergang des demokratischen
Deutschlands...
Es war am Sonnabend, den 12. März 1932,
als ich zusammen mit Karin und Nic [Hœl,
ihre spätere Analytikerin] von der Empore
im Sportpalast aus Görings Propagandarede
zugunsten von Adolf Hitler als Präsident-
schaftskandidat zuhörte... [Die Rede war
gehalten] in Form einer Serie von Anschuldigungen gegen seinen Gegenkandidaten
Hindenburg, gespickt mit ironischen Ehrer-
bietungsformeln nach dem Vorbild von
Shakespeares klassischer Antoniusrede.
Geschüttelt von der effektvoll dirigierten
Gewaltekstase der Massenversammlung
und mit bösen Ahnungen suchten wir Ent-
spannung in der ,Taverne'[5]. Es war eine apo-

kalyptische Stimmung in jener Nacht, in der wir chaotische Gespräche führend, durch die Straßen Berlins gingen ...«[6]

Karin Boye war von dem Unrecht, das sie sah, betroffen, es stieß sie ab. Sie verstand nationales Pathos und soziales Pathos, aber nicht das faschistische Pathos.

Über ihre lesbische Lebensweise in Berlin ist wenig bekannt. Die heute noch lebende Kajsa Lönngren (jetzt Höglund), die jahrelang mit ihr befreundet war und mit ihr im Bezirk Schöneberg in der Landshuter Str. 33 zusammenwohnte, berichtete, daß sie manchmal zusammen ins »Eldorado« und in die »Silhouette« gingen. Sie erinnert sich auch an einen Kreis lesbischer Frauen, die in Kontakt mit Käthe Kollwitz standen. In diesem Kreis sei auch Karin Boye gewesen.

In einem Brief an Kajsa Lönngren berichtet Karin Boye Ende Februar 1932 von dem inoffiziellen Teil ihres Lebens in Berlin: »Ansonsten habe ich wirklich sehr nette Leute hier getroffen: [hier folgt eine Ausführung über verschiedene Personen, d. V.] ... ja – und dann ist eigentlich Schluß mit den offiziellen Bekannten. (Ich habe nämlich auch einen Teil inoffizielle gemacht, während diverser Streifzüge durch die Unterwelt. Die sind oft genauso fesselnd. Insbesondere habe ich mit einer kleinen Athenerin Bekanntschaft gemacht, die ich als Gigolo in einem weniger bekannten Damenclub fand ... Eine Figur wie ich noch nie vorher ihresgleichen sah, lustig – würdige kleine Person, pessimistisch und jungenhaft, immer in Herrenkleidung. Hier darfst Du aber nichts erzählen, das schickt sich nicht.).«[7]

Im übrigen kann man nur ahnen, was für ein Erlebnis das Leben in Berlin für Karin Boye gewesen ist, mit allem, was es enthielt an unmittelbarem Leben, im Zentrum des Geschehens. Sie hatte Kontakt mit jüdischen und nichtjüdischen Schriftstellern, Journalisten, Kommunisten, Sozialisten. Die Biografin Margit Abenius berichtet, daß Karin Boye in der Landshuter Straße mit Kajsa Lönngren eine besonders glückliche Zeit erlebt habe. Kajsa Lönngren erzählt, wie sie beide, mit Decken abgeschirmt, damit die Nachbarn nichts hörten, die Dreigroschenoper auf dem Grammophon gehört haben. Und sie erzählt, daß alle wichti-

Karin Boye auf dem Balkon, Landshuter Straße (Berlin-Schöneberg), Photo: Pia Garde, Stockholm

gen Gespräche draußen auf dem Balkon geführt wurden, damit die lauschende Vermieterin nicht hören konnte, was sie sprachen. Nachdem Kajsa Lönngren ihren Anteil an der Untermiete für die beiden ineinander übergehenden Zimmer nicht mehr bezahlen konnte, wohnte Karin Boyes spätere Geliebte Margot H. dort.

Karin Boye war emotional und sexuell an mehr als einer Person interessiert. 1918 hatte sie Anita Nathorst in einem Sommerlager kennengelernt. Ihr blieb sie in tiefer Zuneigung bis zu ihrem Tod 1941 verbunden. 1927 traf sie in der Clarté-Bewegung den sieben Jahre jüngeren Leif Björk, den sie 1929 heiratete. Die Ehe löste sich aber kurze Zeit später auf. Während ihrer Ehe hatte sie eine stürmische Liebesaffäre mit der Ehefrau eines der prominentesten schwedischen Schriftsteller, Gunnar Ekelöf. 1932 tauchte sie – wie viele andere Künstlerinnen – in die lesbische Subkultur Berlins. Von ihrer Analytikerin, der Norwegerin Nic Hœl war sie dazu ermuntert worden, Frauenliebe ohne Schuldgefühle auszuleben. Von den Schuldgefühlen und dem langsamen Durchringen zur Akzeptierung des eigenen Lesbischseins zeugt ein in Deutschland wenig bekanntes Gedicht, das 1935 in dem Zyklus »För Tredets shull« (Um des Baumes willen) erschien und den Titel »Bekenntnis« trägt.

6 Vilhelm Scharp: Tavernan, Stockholm 1971, S. 85–87
7 Karin Boye in einem Brief an Kajsa Lönngren, wiedergegeben nach Margit Abenius, Drabbad av renhet, S. 193 f.

Bekenntnis

Eigne mich nicht zum Aufrührer
und bin doch gezwungen, es zu werden.
Warum ist mein Schicksal nicht privat?
Warum wühle ich darin?
Oder: wenn ich doch kämpfen muß,
warum geschieht es mit Plage?
Warum nicht mit klingendem Spiel,
wenn ich's schließlich – gezwungen –
                            wage?
Blut meines Blutes, die ihr hart über mich
                            urteilt,
mich in die Scham verstoßen habt,
ich spürte dennoch, da ich
                    hinausgeschleudert wurde,
daß ich gegen ein Ganzes verstieß,
fühlte eine heilige Gemeinschaft
hinter den Urteilsworten,
wußte mit Angst: Ihr seid ich –
und wurde zu Boden gebeugt.

Aber da ich lag und glaubte mich stumm,
hörte ich das Dunkel wimmern.
Seelen aus dem Raum der gleichen Qual
atmeten an meiner Seite.
Ich hörte meinen eigenen Ruf nach Hilfe
aus öden Wüsten steigen,
wußte mit Angst: ich bin Ihr –
und konnte nicht schweigen.

Feige, feige, dreifach feige,
mußte ich dennoch fechten,
zu Boden geschlagen mich wieder erheben
an allen Nerven gebrochen
sollte ich die Urteile der Unerbittlichen
wie Brenneisen spüren –
und einem schmerzenden Feuer folgen und
                            folgen,
das hervor aus dem Dunkel blüht.

(Übersetzung*)

Das Gedicht zeigt aber auch die Suche nach dem »besonderen« Leben und die Unfähigkeit, es zu tragen. Das Berlin der Weimarer Zeit ermöglichte ihr, dieses Leben in Ansätzen zu verwirklichen. Karin Boye hatte es schwer, in Berlin zurechtzukommen. Zu finanziellen Schwierigkeiten und ihren psychischen Problemen – die vermutlich auch mit dem Tod des Vaters 1931 zusammenhingen – kam hinzu, daß sie in Berlin als Schriftstellerin noch keinen Namen hatte, während sie in Schweden bereits ein Begriff war. In einem Brief schrieb sie, daß sie sich nach Hause sehne, an ihren Platz im Kulturkampf und nach ihrer eigenen Sprache.

Aber es gab auch Vorteile, ein Niemand in Berlin zu sein. Sie traf Frauen, vor allem Margot H., von der sie um ihrer selbst willen geliebt wurde, hier und jetzt, mit Leib und Seele und nicht, weil sie Dichterin war, oder gar Madonna – wie sie in der Schule genannt wurde – mit, wie sie selbst sagte, unverdient gutem Ruf.

Für die damals 32jährige Karin Boye war dies ein großes Erlebnis. Margot H. war eine Berliner Bürgerstochter, Halbjüdin und 19 Jahre alt, als sie Karin Boye traf. Sie stammte aus einer kinderreichen Familie, in der es zwar streng zuging, aber doch alle glücklich lebten. Ein Bruder und eine Schwester überlebten das »3. Reich«, weil sie in privilegierten Mischehen mit Ariern verheiratet waren. Ein Bruder ist verschollen. Vermutlich starb er in einem KZ, in das er möglicherweise wegen seiner Homosexualität eingeliefert worden war. Margot H. war, als sie Karin Boye kennenlernte, ein kleines mageres Mädchen mit großen, dicken Brillengläsern. Wegen ihres Sehfehlers hatte niemand geglaubt, sie könne einen Beruf ausüben, weswegen sie auch keine Ausbildung erhielt. Sie war auch keine Intellektuelle. Karin Boye war für sie eine Offenbarung. Ihr ganzes Leben veränderte sich. Von dem Augenblick an, an dem sie sich kennenlernten, war es für Margot H. unmöglich, ohne Karin Boye zu leben. 1933 ging sie mit ihr nach Schweden.

Karin Boyes Leben dagegen war weitaus chaotischer. Sie hatte Liebesbeziehungen zu Männern und zu Frauen. Sie litt unter ihrem chaotischen Gefühlsleben. Um von ihrer Neigung zu Frauen befreit zu werden, unterzog sie sich einer Psychoanalyse. Aber das Gegenteil sollte geschehen:

In Berlin sollte sie sich für ihre homosexuellen Neigungen entscheiden. Hier in Berlin blühte sie auf, traf Frauen, verliebte sich. Sie stürzte sich in eine Reihe von Liebesaffären; sie liebte eine junge Griechin, als Junge erzogen – wie Stephen in Radclyffe Halls »Quell der Einsamkeit« –, die sich allerdings als ein zu teurer Gigolo erwies, den sich Karin Boye nicht leisten konnte. Sie verliebte sich in eine Malerin, in eine Tänzerin sowie in die Tochter eines bekannten deutschen Sozialisten und »verführte« – wie sie es ausdrückte – Margot H.. Eines Nachts wurde Kajsa Lönngren dadurch geweckt, daß Karin Boye auf ihrer Bettkante saß und sagte: »Ich habe ein unschuldiges Mädchen verführt, was soll ich nun machen?« Die Freundin antwortete etwas verschlafen, daß sie dann wohl, wie jeder Mann, der ein Mädchen aus gutem Haus verführt hat, die Verantwortung übernehmen, also, sich ihrer annehmen müsse. Kajsa Lönngren merkte zu spät, daß Karin Boye die Antwort ernst nahm.

Um die verwirrenden Daseinsfragen zu klären, um der eigenen seelischen Zerrissenheit Frau/Herr zu werden, suchte Karin Boye wie gesagt Zuflucht bei der Psychoanalyse. Alles, was sie auf der Couch ihres ersten Analytikers, dem Berliner Dr. Schindler, tat, war weinen. Und er, Dr. Schindler, warnte ihre Freunde, sie werde innerhalb von zehn Jahren tot sein. Sie hatte eine tiefwurzelnde Depression, die, ebenso wie tief wurzelnde Aggressionen, aus ihrer Kindheit stammten. Sie blieb bei Dr. Schindler nur zwei Monate. Dafür gab es verschiedene Gründe. So befürchtete sie, nicht mehr schreiben zu können, wenn sie von den Depressionen geheilt wäre, außerdem entdeckte sie das Eldorado Berlins – wie hätte sie es auch umgehen können? – und hatte inzwischen die norwegische Analytikerin Nic Hœl getroffen, die sie dazu ermunterte.

Im Oktober 1932 kam Karin Boye völlig verändert nach Schweden zurück. Niemand mochte sie so, wie sie jetzt aussah, mit einem neuen Stil, sich zu kleiden, schwarz gefärbtem Haar und Make up. Es war der Stil des Pagenhaften, der bekannte Garçonnestil. Sie kam dann noch einmal nach Berlin zurück und nahm 1933 Margot H. mit nach Schweden, um dort mit ihr zusammenzuleben. Margot H. besuchte eine Schule, um Schwedisch zu lernen, begann anschließend eine Buchbinderlehre und restaurierte die Bücher von Karin Boye und deren Freunden. Die offizielle Version für das Zusammenleben war allerdings, daß Margot H. ein armer Flüchtling sei. Aus diesem Grund hatten viele von Karin Boyes Bekannten keine Ahnung, daß sie eine Lesbierin war.

Das folgende, in »Von Welle und Granit« veröffentlichte Gedichte ist Margot H. gewidmet.

Idyll
Deine Stimme und dein Schritt fallen
weich wie Tau auf meinen Arbeitstag.
Dort, wo ich sitze, ist es Frühling in der
Luft von deiner lebenden Wärme um
mich her.
Du blühst in meinen Gedanken, du blühst
in meinem Blut, und ich möchte nur
wissen,
Ob nicht meine glücklichen Hände
ausschlagen in schweren Rosen.
Jetzt schließt sich des Alltags Raum um
uns zwei, gleich einem weichen leichten
Nebel.
Hast du Angst, gefangen zu werden,
Angst, zu ertrinken im Grauen?
Sei nicht ängstlich: im Innersten des
Alltags, Im Herzen allen Lebens,
Brennt mit stillen, summenden Flammen
ein tiefgeheimes Fest.[9]

Ein weiteres, bisher noch nicht übersetztes Gedicht, ist ebenfalls Margot H. zugeeignet:
Nach einem Vögelchen mit Kanonen
schießen
ist dumm.
Eng muß man ja die Kugelbahnen
schließen
um es herum.
Weil es sonst entschlüpft
und weiter hüpft.
(Übersetzung[*])

Darüber hinaus schrieb sie noch die Kurzgeschichte »För tung« (etwa: »Zu schwer«, d. V.) über Margot H. und eine weitere Frau, in die sie sich verliebt hatte, die schon erwähnte Tochter eines bekannten Sozialisten. Diese war – als Rettung vor den Nationalsozialisten von Karin Boye 1933 nach Schweden geholt worden. Schon 1932 begann Karin Boye in Schweden wieder als Lehrerin zu arbeiten, denn die Jahre nach ihrer Rückkehr waren für sie als Dichterin wenig erfolgreich. Gedichte waren in dieser Zeit nicht gefragt. Außerdem mußte sie für zwei Personen sorgen.

Die Schule, an der sie unterrichtete, war ein Zentrum für politische Flüchtlinge. In dieser Schule wurden auch Friedenskonferenzen abgehalten. Sie arbeitete in verschiedenen Gruppen der Friedensbewegung, darunter auch in der heute noch bestehenden »Hochschule für Frieden«. Nach dem Tod von Margot H.s Mutter (sie starb aus Angst

[*] Vgl. Erläuterung, letzter Absatz des Artikels
8 Kajsa Lönngren war wie Karin Boye in der schwedischen Clarté-Bewegung, ab 1933 war sie konspirativ in Berlin tätig.
9 Siehe Anm. 3

EN NY I DE NIO

*I "Samfundet De Nio", Lotten von Kræmers testamentsinstitution, har efter dr Kerstin Hård af Se-
gerstad, som avsagt sig, invalts fru Karin Boye, fil. mag. och författarinna till tre be-
tydande diktsamlingar.*

*Titelblatt der von Karin mitbegründe-
ten Zeitschrift »Iduna«, 1931
Photo: Berlin Museum*

10 Karin Boye: Kallocain, Stockholm
1940; deutsch unter gleichem Titel,
Zürich 1947 und München 1978

schränkt arbeiten. Im Frühjahr 1941 nahm sie sich nach mehreren angekündigten Selbstmordversuchen das Leben. (Hier sei erinnert, daß die bisexuelle englische Schriftstellerin Virginia Woolf im Februar 1941 Selbstmord verübte). Allein gelassen und von Karin Boyes Freunden gemieden, nahm sich Margot H. im Sommer 1941 das Leben.

Vor ihrem Tod wurde Karin Boye noch ein literarischer Erfolg zuteil. 1940 wurde ihr Zukunftsroman »Kallocain«[10] veröffentlicht. In diesem Science-Fiction-Roman verarbeitete sie ihre Eindrücke im Nazi-Deutschland und der Sowjetunion unter Stalin. »Kallocain« zählt zu den negativen Utopien, in denen sich bedrohliche Entwicklungen der Gegenwart in düsteren, schreckenerregenden Zukunftsvisionen niederschlagen. In einem fiktiven »Weltstaat« des 21. Jahrhunderts erfindet der Chemiker Kall die nach ihm benannte Wahrheitsdroge »Kallocain«. Der Weltstaat unterwirft alles menschliche Dasein seiner Kontrolle und macht es seinen Zwecken dienstbar. Keine individuelle Entfaltung wird geduldet. Die Wahrheitsdroge hilft, die geheimsten gegen den Staat gerichteten Gedanken aufzuspüren. Das Buch endet mit der Übernahme des Weltstaates durch einen noch mächtigeren »Universalstaat«.

Ihre Eindrücke von Görings Rede im Sportpalast 1932 wurden in diesem Roman verarbeitet.

Dieser Beitrag basiert auf dem bisher unveröffentlichten Artikel »Ett försök att omvärdera en lesbisk helgonförklarad författarinna – Karin Boye-till förmån för de levande«, Stockholm Januar 1983 von Pia Garde und auf einer englischen Version dieses Artikels. Die Übersetzung besorgten Donata von Burgsdorf, Gabi Müller und Mechthild Nauck. Sie übersetzten auch Passagen aus der Biografie von Margit Abenius und Vilhelm Scharps »Tavernan«.
Donata von Burgsdorf sammelte die Materialien und stellte sie Ilse Kokula zur Verfügung, die diesen Beitrag dann zusammenstellte.

vor der Gestapo) versuchten beide Frauen Margots Schwester Gerda und deren Kind, zur Flucht ins sichere Schweden zu verhelfen, jedoch ohne Erfolg. Diese Schwester überlebte dann untergetaucht im Sudetenland.
Die Verfolgung der Juden wurde in Schweden mehr und mehr bekannt. Karin Boye reagierte mit einem physischen und psychischen Zusammenbruch. Ihr linker Arm wurde gelähmt, sie litt ständig unter Schmerzen und konnte nur noch eingeschränkt arbeiten.

Marcella Schmidt

Gertrude Sandmann (1893–1981)

Über Kindheit und Jugend Gertrude Sandmanns ist nichts bekannt. Sie wurde am 16.11.1893 als Tochter einer wohlhabenden, jüdischen Kaufmannsfamilie in Berlin geboren. Eine spätere Freundin erinnert sich, daß sie in ihren Erzählungen häufig von ihrem Vater sprach, der eine ausgesprochen lebensbejahende Einstellung gehabt haben muß, die sich wohl auch auf sie übertrug. Zumindest die Selbstzeugnisse ihrer letzten Lebensjahre zeugen von einem gewissen Optimismus, den ihre Biographie nicht unbedingt nahelegt. Von eher kleiner und zierlicher Gestalt, schien sie von einem unbegrenzten Arbeitseifer besessen zu sein. Weit über tausend Arbeiten weist ihr Nachlaß auf, der jedoch in diesem Zusammenhang nicht erfaßt und aufgearbeitet werden konnte.

Ihr Ausbildungsgang läßt sich nur unvollständig rekonstruieren. Nach eigener Aussage studierte sie bei Otto Kopp (geb. 1879) in München und Käthe Kollwitz an der Berliner Akademie. In einem Brief aus sehr viel späterer Zeit (1976) spricht sie von einer Studienzeit in München von 1917–22, die für sie nicht nur in künstlerischem Sinne von Bedeutung war, sondern auch ihr politisches Engagement zeigte. Sie war Mitglied der USPD, »weil sie als einzige Partei gegen den Krieg stimmte.«[1] Ein Studium bei Käthe Kollwitz ist erst seit deren Ernennung zur Professorin an der Berliner Akademie 1919 denkbar; ein genauer Zeitpunkt läßt sich heute noch nicht ermitteln, ebensowenig wie für ihren Parisaufenthalt. Mit der Familie Kollwitz verband sie bis an ihr Lebensende eine intensive Freundschaft. Angesichts der Schwierigkeiten, mit denen Frauen bei der Aufnahme in die Akademie zu rechnen hatten, wenn sie eine künstlerische Laufbahn einschlagen wollten, ist anzunehmen, daß Gertrude Sandmann erst relativ spät mit dieser Ausbildung beginnen konnte, also bereits 24 Jahre alt war. Sie selbst schreibt dazu:

»Bis zum Ende des ersten Weltkrieges wurde an der Berliner Hochschule für bildende Künste (damals ‚Akademie‘ genannt) keine Frau als Schülerin zugelassen, ganz gleich wie begabt sie war. Die Folge: emanzipierte Frauen gründeten den ‚Verein Berliner Künstlerinnen, Graphikerinnen und Bildhauerinnen‹, der Malerinnen, Graphikerinnen und Bildhauerinnen ausbildete und Ausstellungen machte. (Jedes Jahr feierte der ‚Verein‹ ein großes, sensationelles Kostümfest, zu dem nur Frauen Eintritt hatten – damals etwas Einmaliges.)«[2]

Sie war auch Mitglied der 1926 in Hamburg gegründeten GEDOK, der »Gemeinschaft der Künstlerinnen und Kunstfreunde«[3], der sie auch nach deren Neugründung 1960 angehörte. Da der Nachlaß Gertrude Sandmanns bisher der Öffentlichkeit nicht zugänglich gemacht wurde, können derzeit keinerlei Aussagen über das Werk Gertrude Sandmanns vor 1933 getroffen werden.[4]

Während des Faschismus in Deutschland wurde sie als Jüdin mit Arbeitsverbot belegt. Sie emigrierte jedoch nicht wie andere jüdische Künstlerinnen, sondern lebte versteckt bei Freundinnen in Berlin, die sie nach einem fingierten Selbstmord aufnahmen und versorgten. Der durch das Nichtauffinden der Leiche mißtrauisch gewordenen Gestapo konnte, trotz zahlreicher Verhöre, der Aufenthalt Gertrude Sandmanns verheimlicht werden. Die Absurdität der Lage steigerte sich noch in der Zeit der Bombenangriffe auf Berlin. Die Zeitspanne, in der andere um ihr Leben bangten, war für Gertrude Sandmann die einzige, während der sie sich frei bewegen konnte. Nach der Entwarnung verkroch sie sich in einem Schreibtisch (!), um nicht vom Luftschutzwart entdeckt zu werden. Eine Untersuchung der Auswirkungen dieser extremen Lebenssituation auf das Werk Gertrude Sandmanns wäre möglicherweise sehr aufschlußreich. Wir kennen jedoch lediglich eine Zeichnung der Kabarettistin Rosa Valetti aus dem Jahre 1935. Dieser Tatsache ist zu entnehmen, daß die Künstlerin in dieser Zeit offenbar noch gearbeitet hat.

1945 wurde sie von ihrer Freundin Kitty K. aus dem noch von den Nazis kontrollierten Norden Berlins geholt und nach Steglitz

1 Brief an Ilse Kokula vom 30.7.1976, auszugsweise abgedruckt in: Lesbenstich, 5/83, S. 40

2 Gertrude Sandmann: Die Situation der Frau als bildende Künstlerin, in: UKZ 1/76, 2. Jg., S. 25

3 GEDOK, die Abkürzung erklärt sich durch den Zusammenschluß österreichischer und deutscher Künstlerinnen.

4 In der Düsseldorfer Ausstellung 1976, in der Galerie Vömel, waren lediglich etwa 50 vor allem neuere Arbeiten zu sehen. Nur das Pastell »Mondlicht und Laterne«, welches das Elternhaus Gertrude Sandmanns zeigt, stammte von 1932, wurde jedoch 1962 überarbeitet. Die im Katalog genannten Ausstellungen vor 1933 konnten bislang noch nicht verifiziert werden.

Gertrude Sandmann in ihrem Atelier,
Ende der 60er Jahre, Photo: Ullstein
Bilderdienst, Berlin

Zur Berufssituation der Lesbierin

*Ich habe bisher, weil ich Lesbierin bin,
weder privat noch beruflich Schwierigkeiten gehabt. Als bildende Künstlerin
ist man gleicherweise unabhängig, man
ist niemanden über das Privatleben
Rechenschaft schuldig. Die Künstler-
Kollegen zeigen so wie so meist mehr
Toleranz für ihre Mitmenschen, als es
sonst üblich ist, und bei den anderen
hat das heitere Künstlervölkchen »ein
Stück Narrenfreiheit«.*
*Meine Unabhängigkeit gibt mir die
Möglichkeit und die Verpflichtung,
mein Lesbischsein nicht zu verleugnen
und bei jeder Gelegenheit für die
Gleichveranlagten einzutreten. Das tue
ich.*
Gertrude Sandmann

5 1949 »Männerkopf« hat die Nr. 209
(ohne Abb.)
6 1958 GBK »Klagende«, Nr. 770 und
»Wartende«, Nr. 771 (ohne Abb.)
7 Die Galerie Vömel zeigte wiederholt Kunstwerke von Berliner Künstlerinnen und Künstlern aus diesem Bereich. (Z. B. hatte diese Galerie bis 1956
den Vertrieb von Werken Renée Sintenis.)
8 Gertrude Sandmann: Was ich über
meine Zeichnungen sagen kann (ihr
Wesen, Sinn und Ziel), Mai 1974
9 Interviewfragen von Cäcilia Rent-
meister an Gertrude Sandmann, Februar 1977, nicht publiziert. Eine von
Gertrude Sandmann abgezeichnete
Kopie ist im Besitz der Verfasserin.

gebracht. Nachdem sie kurze Zeit in Zeh-
lendorf gewohnt hatte, bezog sie eine Ate-
lierswohnung in der Eisenacher Straße 89 in
Schöneberg, wo sie bis zu ihrem Lebensende mit ihrer Freundin Tamara zusammen-
lebte. Mit Tamara war sie bis zu deren Tod
(1979) unzertrennlich, und beide lebten
geradezu spartanisch von Wiedergutma-
chungsgeldern und dem geringen Lohn,
den Tamara für ihre anstrengende Arbeit als
Kraftfahrerin verdiente, sowie von der
Unterstützung durch die Familie Kollwitz.
Gertrude Sandmann begann wieder öffentlich zu arbeiten und war auf den ersten
Nachkriegsausstellungen auch vertreten. So
bei der sogenannten Weihnachtsausstel-
lung 1949 im Schloß Charlottenburg mit
einer Rötelzeichnung (»Männerkopf«)[5] und
im gleichen Jahr bei der Graphischen Ausstellung im Schöneberger Rathaus. Erst 1958
ist sie mit zwei Arbeiten auf der Großen Berliner Kunstausstellung wieder vertreten
(»Klagende« – Bleistiftzeichnung und »Wartende« – Filzstiftzeichnung)[6]! 1974 hatte sie
ihre einzige, bekannte Einzelausstellung in
der Galerie Vömel in Düsseldorf.[7] Gertrude
Sandmanns Œuvre besteht vorwiegend aus
Zeichnungen.
»Eine Zeichnung ist für mich nicht Vorarbeit
zu einem Bild in anderer Technik, sondern
bereits selbst das Bild in dieser zeichneri-
schen Technik.«
Es ging ihr dabei vornehmlich um die Thematisierung von Gegensatzpaaren: »kon-

vex/konkav,   durchsichtig/undurchsichtig,
Undeutliches, Wachsein und Schlaf etc.«
Obwohl auf der genannten Großen Berliner
Kunstausstellung 1949 die Zeichnung eines
Männerkopfes zu sehen war, liegt das
Hauptinteresse ihrer Arbeiten auf Frauendarstellungen. Gertrude Sandmann war lesbisch und bekannte sich dazu in aller Offenheit. Auf die Frage »Was für eine Psyche und
was für eine Lebensform scheinen Ihnen für
eine Künstlerin erforderlich oder günstig?«,
antwortete sie:
»Erforderlich oder zumindest günstig ist es
für eine Künstlerin, nicht in einer Verbindung zu leben, die Ansprüche im Sinne der
patriarchalischen Rollenverteilung an sie
stellt, sondern in einer Bindung, die ihre
Arbeit nicht hindert, ihre Entwicklung nicht
hemmt, also eine Verbindung, die viel
Gegenseitig-Kameradschaftliches enthält.
Darum erscheint es mir als ein Glück, wenn
man als Künstlerin Lesbierin ist und sich
auch wie ich ohne Schuldgefühle dazu
bekennen kann.
Für die Künstlerin, die mit einer Frau lebt, fallen die Schwierigkeiten, die sich aus Kinder-
haben und -erziehen ergeben, fort, ebenso
der Druck durch die üblichen Anforderun-
gen an eine Frau als Hausfrau.
Homosexuell zu sein, ist nicht nur eine
Sexualvariante, sondern eine sich durch
diese Veranlagung ergebende andere Einstellung auf vielen Gebieten.
Ebenso wie Käthe Kollwitz erscheint es mir
als fast notwendige Vorbedingung, daß der
Künstler nicht einheitlich Mann oder Frau
ist, sondern deutlich beides, Aktives und
Passives, in sich vereint, wenn er das vielleicht auch nicht auslebt. Es ist so, daß die
Wesensart des Künstlers homosexuell oder
zumindest bisexuell ist.«[9]
Aus der Zeit vor dem Zweiten Weltkrieg
wissen wir über Gertrude Sandmanns lesbische Beziehungen nur sehr wenig. Bekannt ist lediglich, daß zur Zeit des Faschismus regelmäßige Treffen mit einem Kreis
lesbischer Künstlerinnen und Akademike-
rinnen einen überlebenswichtigen Kontakt
bedeuteten. Die Zerschlagung der organisierten Frauenbewegung durch den Faschismus wirkte bis in die 70er Jahre hinein.
Es ist daher anzunehmen, daß das Lesbische
in dieser Zeit sich auf den rein privaten
Bereich beschränkte, etwa in Porträts ihrer
langjährigen Lebensgefährtin. Ein offensives

Bekenntnis zu ihrem Lesbischsein – und damit verbunden der Versuch einer entsprechenden künstlerischen Verarbeitung – ist in der Unterstützung der Gründung der Gruppe L 74 (im November 1974) zu sehen, der ersten Selbsthilfeorganisation älterer Lesbierinnen in Berlin (Gertrude Sandmann war zu dieser Zeit bereits 81 Jahre alt!). Gertrude Sandmann und Tamara gehörten neben der Initiatorin Kitty K. auch zu den ständigen Mitarbeiterinnen der UKZ (Unsere kleine Zeitung), die von der Gruppe bis heute herausgegeben wird. Das von Gertrude Sandmann entworfene Titelblatt »Liebende« stieß auf eine solche Zustimmung, daß es drei Jahre beibehalten wurde.

Ihr Engagement erstreckte sich auch auf die Mitgründung des »Coming Out«-Verlages, in dem 1977 der Roman »Sandra« von Ann K. Hartwin erschien, den diese im Londoner Exil geschrieben hatte.[10] Ihre langjährige Freundschaft sowie der Umstand, daß dieser Lesbenroman ungewohnt positiv endet, bewog Gertrude Sandmann zur Titelillustration.[11] Darüber hinaus unterstützte sie zahlreiche weitere Projekte der autonomen Frauenbewegung der 70er Jahre (Druckwerkstatt, Frauenbuchladen Labrys, Frauenbuchvertrieb), wobei sie auch vor deftiger Kritik nicht zurückschreckte (»Wer konnte ahnen, was für eine Schweinsbande … druck ist? Aber wir geben nicht auf.«[12]). Ihr Engagement für Frauen, in welcher speziellen Interessenlage auch immer, schlug sich auch in ihrer künstlerischen Arbeit nieder. Zumindest in ihren letzten Lebensjahren scheint sie sich bei der Darstellung von Menschen ausschließlich auf Frauen beschränkt zu haben.

»Ich zeichne Frauen, die natürliche Bewegungen haben, die ausdrücken, was sie fühlen und zeichne Gesichter, die keine Masken sind oder nur Masken, durch die ich hindurchsehen kann, – also Menschen, die erlebten und erlitten, – viele Arten von Menschen. Nur Frauen zeichne ich, weil sie mir näher sind als Männer, da ich ihr Wesen und ihre Körperlichkeit durch mein eignes Frau-Sein nachfühlen kann.«[13]

Diese selbstgesetzte thematische Eingrenzung bedeutete für Gertrude Sandmann offenbar nicht, das Lesbische ikonographisch vorrangig sexuell zu thematisieren, vielmehr kommt eine besondere Sensibilität bei ihren Frauendarstellungen zum Aus-

druck. Ihr Einfühlungsvermögen wird zum Beispiel bei ihren Zeichnungen zum Thema »Wachende und Schlafende« sichtbar, welche ihr so wichtig waren, daß eine bei ihrer Düsseldorfer Ausstellung 1974 auf dem Titel des Katalogs erschien. Mehrfach wehrte sie die Vermarktung der Kunst ab, ja forderte, daß die Künstler/innen auf jeden Fall ohne Gedanken an den Verkauf arbeiten und sich womöglich durch einen »Brot«-beruf absichern sollten, da »der Künstler … nicht zum ‚Gewerbetreibenden‘ werden [darf]. … Ein Bild, das mit dem Gedanken an Verkauf gemacht wird, … macht die innere Stimme lautlos stumm.«[14]

Zur Berufssituation der lesbischen Künstlerin hat sie sich dezidiert geäußert. Gertrude Sandmann hat es vorgezogen, ihr langes und ereignisreiches Leben nicht in einer Selbstbiographie zusammenzufassen, sondern häufig und gezielt zu Einzelfragen Stellung zu nehmen, die hier auszugsweise wiedergegeben werden. Gertrude Sandmann war wie gesagt nicht »heimlich« Lesbierin,

Die Kabarettistin Rosa Valetti, Kohlezeichnung, 1935, Privatbesitz, Photo: Berlin Museum

10 Der Roman »Sandra« von Ann K. Hartwin wurde mittlerweile 1983 zum 3. Mal aufgelegt. Ann K. Hartwin hatte in Deutschland vor 1933 bereits bei Paul Cassirer »Die Silberfuchsfarm« publiziert. Dies erwähnte Gertrude Sandmann in einem Brief an Charlotte Wolff vom 22. 6. 1978, in dem sie diese um eine Besprechung des Buches bat (Brief im Besitz der Verfasserin).
11 Die Titelillustration dient im Katalog des Frauenbuchvertriebs zur Werbung für den Roman, für das Buch hat Gertrude Sandmann einen auf den Farbwirkungen (grün/rot) basierenden Einband entworfen.
12 Brief vom 9. 5. 1978 an Christiane von Lengerke, in Besitz d. Verf.
13 Interviewfragen ebd., Frage 7, Antwort auf die Frage: »Sie stellen hauptsächlich Frauen dar. Haben Sie so etwas wie einen ‚Idealtyp‘ entwickelt, eine Art ‚Schönheitsideal‘?«
14 Gertrude Sandmann: Kunst in unserer Zeit, 1976, maschinengeschriebenes Manuskript im Besitz von Christiane von Lengerke

oben:
Illustration zum Titelblatt des Romans
»Sandra« von Ann K. Hartwin, Bleistift,
1977
rechts:
»Frau mit rotem Haar«, Pastell,
17,5 x 36 cm, auf der Rahmenrück-
seite eigenhändig bez., sign. u. dat.,
1974, Privatbesitz, Photo: Berlin
Museum

denn gleichgeschlechtliche Beziehungen waren ihr nicht nur Teil einer im Verborgenen gelebten »Vorliebe« sondern sie bezeichnete es als Glück, Lesbierin zu sein und erklärte dies auch offen. Jedoch mündete die Tatsache ihrer differenzierten Betrachtungsweise und die damit gegebenen vielfältigen Ausdrucksmöglichkeiten einer lesbischen Künstlerin für sie in der – meines Erachtens nicht überraschenden – Aussage, daß »…es überhaupt nicht Männer- oder Frauen-Kunst, sondern nur Menschenkunst (gibt), und zwar von Menschen, die *Männliches* und *Weibliches* in sich vereinen.«[15]

Anläßlich der großen »Künstlerinnen international« Ausstellung 1977 in der Orangerie des Charlottenburger Schlosses in Berlin, an der sie sich selbst nicht mehr beteiligen wollte, faßte sie die Aufgabe der Kunst als Engagement für die Menschen nochmals zusammen:

»Die freie bildende Kunst, meine ich, hat diese *überzeitlichen* Aufgaben, die ich nannte. Es sind nicht Aufgaben des Künstlers im ‚Elfenbeinturm‘, sondern dessen, der weiß, was er andern Menschen geben kann und will. Ich glaube, gerade in der Erkenntnis dieser Aufgaben, nicht in ‚feministischen Inhalten‘ von Bildern liegt der besondere Beitrag der Frau zur Kunst. Denn ihr Ziel ist, wie auch sonst, außer der eignen Befreiung und der ihrer Schwestern, mehr Menschlichkeit zu bewirken: Brücken von Mensch zu Mensch – Kunst als eine der Brücken.«[16]

Ausstellungseröffnung

Zu barbarischer Zeit, morgens um 11 Uhr, zu der die nachts von der Muse geküßten sonst noch dahindämmern, »wird eröffnet.« (Schon das! Diese Zeit!)

Kurz vorher schleichen die Delinquenten, die Künstler, heran, je nach dem Maße ihrer Selbstkritik, stolz oder leicht verlegen. Sie werden von der Ausstellungsleitung empfangen: an der Art der Begrüßung läßt sich der Grad ihrer »Prominenz« ablesen. Aber diese Unterhaltung ist kurz, denn jeder Künstler hat nur eins im Sinn: »Wo hängen *meine* Bilder? Habe ich einen guten Platz bekommen oder im Dustern bei ‚Ferner liefen‘? Denn das weiß man ja nicht, sondern nur, daß die Bilder angenommen wurden.

Also schielt jeder nach dem Eigengewächs und gibt sich den Anschein, als ob er sich für die anderen interessiert.

Sodann läßt man sich auf in Reih und Glied gestellten Stühlen nieder, und eine Prominenz oder der Veranstalter (in diesem Fall war es der Bürgermeister) erzählt den Anwesenden in blumigen Worten, das, was sie wissen: nämlich, daß dieses hier eine Ausstellung ist. Nachdem er sich reihum bei den Künstlern, Veranstaltern, Jury und Hängekommission bedankt hat, erklärt er die Ausstellung für »eröffnet«.

Woraufhin man anstandshalber nochmals besichtigt, was einen schon vorher nicht interessiert hat. Bei der Gelegenheit ergeben sich kleine Schwätzchen mit Kollegen, die man kennt und lange nicht sah. Auch will die Kunstamt-Leiterin einen evtl. mit jemandem bekannt machen, »der sich das schon lange gewünscht hat«. Etc. etc. Man hat dann bald den Wunsch, sich wieder ins Privatleben zurückzuziehen. Dieser Abschied geht als-

15 Interviewfragen ebd., Frage 6, Antwort auf die Frage: »Manche Künstlerinnen behaupten stolz, ‚meine Bilder hätte auch ein Mann malen können‘. Würden Sie das auch von Ihren Werken sagen?«
16 Gertrude Sandmann: Offener Brief vom 12. 5. 1977 an die Redaktion der Zeitschrift »Emma«, auszugsweise abgedruckt in »Emma« 7/1977, S. 63

dann mit Bedankung bei der Ausstellungsleitung vor sich.
Das Ganze: ein Krampf!

Gertrude Sandmann, 1957

*Was ich über meine Zeichnungen sagen
kann (ihr Wesen, Sinn und Ziel)*

I.

Auch für mich ist die Welt nicht »heil«.
Aber gerade darum suche ich in dieser
Unheil-Welt das tröstliche »Noch Heile«
und finde es im unscheinbaren Schönen,
das uns umgibt und übersehen wird. An seiner stillen Schönheit erfreue ich mich und
stelle sie dar, – damit andere sie auch sehen
und sich daran erfreuen. Das ist der »Sinn«
meines künstlerischen Arbeitens.

II.

Ich arbeite in vielen Techniken. Sie sind für
mich wie verschiedene Musikinstrumente,
je nach dem Bildanlaß zu wählen.
Aber: Das interessante Instrument ist an sich
noch nichts, es kommt darauf an, was man
damit spielt.
Immer wieder ist Zeichnen für mich »Zauber, Zauber« – und es soll auch so sein: fast
unbegreiflich, daß man mit so wenigen Mitteln und Andeutungen das Charakteristische der Erscheinung festhalten kann, –
mit Auslassungen, so daß die Phantasie des
Betrachters mitarbeitet.
Für mich gibt es eine Reihe von Themen, die
mir unerschöpflich erscheinen und die ich
immer wieder aufnehme, z. B. Konvex/Kon-
kav; durchsichtig und undurchsichtig;
Undeutliches; Wachsein und Schlaf etc. etc.

Eine Zeichnung ist für mich nicht Vorarbeit
zu einem Bild in anderer Technik, sondern
bereits selbst das Bild in dieser zeichneri-
schen Technik.

III.

Ich brauche nichts zu »verfremden«: Mir
erscheint alles immer wieder »neu«, wie
noch nie gesehen, und darum fremd genug.

Warum sollte ich das, was ich sehe, erst ent-
stellen? Es ist mir auch ohne das unerschöpflich und interessant genug.

IV.

Drei Arten des Zeichnens gibt es:
1. die *Naturstudie* zum Auffüllen des For-
mengedächtnisses;
2. sie ist auch die Grundlage der *geplanten
Zeichnung,* die ein Vorstellungsbild sichtbar
macht und die sich im Laufe des Arbeitens
immer mehr vereinfacht.
3. Die *Zeichnung,* die *aus dem Spiel* mit
dem Material entsteht: Es taucht dabei ein
Bild auf, wird herausgeholt, deutlich gemacht.

(Durch diese Art des Zeichnens kommt
man wieder in Gang, wenn man eine
stumpfe leere Zeit hat.)

Gertrude Sandmann, Mai 1974

*»Schlafendes Mädchen«, Kohlezeich-
nung, 1949, Privatbesitz, Photo: Berlin
Museum*

Nicht Achtung kannst du dem, der dich nicht achtet, schenken, oder du mußt sogleich von dir geringer denken

Käthe K., genannt Kitty, Jahrgang 1904, erzählt aus ihrer Jugend, die sie in Berlin verbrachte. 1974 hat Kitty die Gruppe L 74 initiiert, eine Gruppe älterer lesbischer Frauen, die sich regelmäßig trifft und die UKZ, Unsere Kleine Zeitung, herausgibt. Kitty war mit Gertrude Sandmann gut befreundet und half ihr nach dem Krieg zu überleben. 1978 hat sie sich aus dem Gruppenleben zurückgezogen. Sie hat bei der Vorbereitung der Ausstellung in der Frauengruppe mitgearbeitet.

Das Folgende ist ein Ausschnitt aus dem, was Kitty im Sommer 1983 auf Tonband erzählt hat.

Kitty mit Mutter, 1907

Meine Mutter...

Meine Mutter war –, ach, das ist so schade. Wir haben auch nie irgendwie zusammen gesprochen. Es war immer nur das, daß sie gesagt hat: »Auf Kitty kann ich mich verlassen.«

Auch so: als ich 14 Jahre alt war, bekam ich einfach 'nen Hausschlüssel. Und im nächsten Jahr wurde mein Bruder 14. Da sagte er: »Mama, ich krieg doch auch 'nen Hausschlüssel.«

»Nee!« Obwohl sie meinen Bruder, ich will nicht sagen, lieber mochte. Aber, er war in den ersten drei Jahren immer so krank, daß man dachte, er stirbt.

Meine Mutter ist auch tragisch gestorben. Sie war schwer nervenkrank, daß sie plötzlich Schmerzen hatte. Aber sie wußte, nach zwei, drei Stunden war alles wieder weg. Aber sie hatte einen Humor! So einen stillen Humor!

Bis zu meinem zwölften Lebensjahr – bis dahin war mein Vater da – haben wir es schön gehabt. Meine Mutter war nur für uns da. Die ist wohl schon um fünf aufgestanden, weil mein Vater ja weg mußte, um sechs, als Arbeiter. Und war immer angezogen von oben bis unten: tip top. Meine Mutter war immer humorig und nett, nur – so oft – hatte ich das Gefühl, ihre Augen weinen.

Wenn ich noch daran denke, wie mir meine Mutter den Puppenwagen schenkte mit der Puppe, die sie selbst in der Kindheit hatte, mit echten Haaren von ihr! (Meine Mutter hatte später wenig Haare.) Die Puppe war vielleicht 30 cm groß, aber die hatte so viel

Kleidung, immer passend, Mäntel mit Baskenmützen und dies und jenes. Und wie ich reinkam zu Weihnachten, war ich entsetzt, denn da stand dieser Puppenwagen mit der Puppe. Mir tat meine Mutter – und ich war ein Kind von 6 Jahren vielleicht – so leid. Ich wußte gar nicht, was ich sagen sollte. Und dann bekam ich einen Druckkasten, so 'nen kleinen. Den hatte ich noch, bis ich 30 Jahre alt war. Da stand da hinten drauf: 95 Pfennig. Mit dem hab ich immer gedruckt ...
Meine Mutter hat daneben gesessen und hat dann die Puppe angezogen, um mir zu zeigen, wie ich damit spielen sollte. Meine Freundinnen spielten damit. Ich nicht, ich habe nie mit Puppen gespielt. Und dann bekam ich noch mal eine Puppe. Und das war ein Baby, und da sagte meine Mutter: »Sieht das nicht nett aus?« »Ja, ja«, sagte ich. Und da bekam ich das, und mein Großvater machte dazu ein Bettchen in weiß und dazu eine lachsfarbene Steppdecke. Und wieder war ich entsetzt.

Wir wohnten ...

Wir wohnten auf der Insel in Schöneberg, in der Gotenstraße. Wir wohnten aber immer im Vorderhaus, Wohnung mit Bad und Balkon, obwohl mein Vater Schlosser war – er kommt allerdings aus einer ganz vermögenden landwirtschaftlichen Familie. Er ist mit 14 Jahren ausgerückt – ja, und jedenfalls hat er sich nachher hochgearbeitet, und 1919 war er selbständig und hat einen eigenen mechanischen Betrieb gehabt.
Meine erste Freundin, die war schick angezogen, nur Schneiderkostüme, echte seidene Strümpfe. Und ihre Brüder – sie hatte zwei ältere Brüder – schick angezogen. Der eine war Ingenieur und der andere Maler. Und die haben in solchen Wohnungen gewohnt, die ich mir wünschte.
Mein Vater war ja in der SPD. Aber sowie der Inhaber der Fabrik das wußte, erzählte er mir später, wurde er entlassen. Aber das hat er nicht meiner Mutter erzählt, er hat sich sofort eine andere Stellung gesucht ...
Einmal, wie ich in der Schule Theater gespielt habe, mit 14 Jahren (also 1918), da hab ich mich fotografieren lassen, bzw. in der Schule hat der Lehrer das fotografiert. Und stell' Dir vor, als meine Mutter starb, finde ich im Kleiderschrank, daß sie nach diesem Bild, ja, wo ich in Hosen als Radler bin – von meinem Vetter hatte ich seinen Schulanzug

und seine Schülermütze auf – das Bild vergrößert hatte, auf einen Meter.
Also, meine Mutter hat mich nie nach meinen Freundschaften gefragt. Sie wußte doch, daß ich befreundet war.

Meine erste Freundin ...

Ja. Mit meiner ersten Freundin (von 16 bis 23 Jahren). Erstmal ging ich ja gleich mit 14 in den Jugendbund für Mädchen. Das war meine Freude, dreimal in der Woche, und dann auf Fahrt Sonnabend/Sonntag. Mit 16, wie gesagt, habe ich mich angefreundet im Jugendbund ... Dort lernte ich diese Freundin kennen. Die war 5 Jahre älter als ich. Die war '99 geboren und ich '04. Ich lernte sie dort kennen und, damals, wie ich schon erzählte, war sie schick angezogen. Und ich weiß überhaupt nicht, wie ich mich da verhalten habe. Weißt Du, ich habe sie einfach nach Hause gebracht und stundenlang vor ihrer Haustür erzählt. 1918 war ich 14 Jahre alt, aus der Volksschule entlassen, dann 1 ½ Jahre Handelsschule. 1920/21 begann in Berlin die Einrichtung der Volkshochschulen ... Da habe ich mir überhaupt, wie ich mir so sage, mein Allgemeinwissen geholt (denn in der Volksschule hab' ich ja kaum etwas gelernt). Über Entstehung der Erde, wie man sich die Sternenwelt vorstellt, wie man sich die Entwicklung der Tiere, die Entwicklung des Menschen vorstellt. Und dort habe ich auch einen Vortrag über Psychologie gehört von einem Arzt, der auch Homosexualität erwähnt hat. Ja, ohne abfällig darüber zu sprechen. Ich weiß nicht mehr ganz, ob er vielleicht die Menschen ein bißchen bedauert hat. Das weiß ich nicht mehr ganz.
Dann sind wir alleine schwimmen gegangen, ja und alleine zwischendurch (meine Freundin und ich) z.B. mittwochs nach Treptow zum Kahnfahren gegangen, sind ins Konzert oder die Oper. Und sagen wir, wirklich zusammen konnten wir ja nur auf Fahrt sein. Weißt Du, wenn wir übernachteten, auf dem Heuboden oder sonst, ja. Und wie ich schon mal erzählte, und ich glaube, ich war wohl schon 18, sagte sie plötzlich: »Weißt Du auch, daß Du homosexuell bist?« Also ich dachte, mich rührt der Schlag – also dieser Ausspruch hat mich derart geschockt, aber nicht irgendwie unangenehm oder wie. ... Ich bin dann nach Hause gegangen und war einige Tage nicht mehr

Kitty im Wandervogelkittel, 1922

mit ihr zusammen. Wir waren eigentlich fast jeden Tag zusammen, und ich hab' sie abgeholt vom Dienst, oder sie mich. Und da habe ich mir das einige Tage, ich weiß nicht, wie lange, überlegt und zum Schluß konnte ich mich erinnern, was ich da im Volkshochschulkurs gehört hatte. Und da dachte ich: Ja, natürlich bin ich homosexuell. Und dann bin ich nach Tagen zu ihr gegangen und hab' gesagt: »Ja, und ich liebe Dich.« Und das hat mich nicht etwa traurig berührt oder daß ich dachte: Das ist ja furchtbar!

Ich nannte mich Fritz Förster...

Und dann konnte ich mich auch erinnern, als Kind, als Schulkind, wie ich mit meinen Freundinnen gespielt habe, da sind wir sehr oft bei uns zu Haus gewesen oder bei anderen und haben »Vater und Mutter« gespielt und so was. Und die Mädchen wollten mich immer zum »Vater« machen, das hab' ich abgelehnt, »das nicht!«

Ich nannte mich Fritz Förster, und zwar hatte das auch eine Bewandnis. Also Fritz, weil es eben ein Jungenname ist. Und auf Schönheit legte ich da noch keinen Wert, ja. Und Förster: ich verehrte ein Mädchen (das zwei Jahre älter war) während der Schulzeit. Und wir wußten, sie hieß Förster, Grete Förster. Weiß ich noch wie heute. Sie hatte ganz lange, blonde Zöpfe, war ein sehr hübsches Mädchen. Und immer, wenn wir zufälligerweise zur gleichen Zeit aus der Schule kamen, ging ich immer hinter ihr, stumm. Ich hab' sie nie angesprochen. Naja, jedenfalls so hat sich das entwickelt.

Und die andern, meine Freundinnen, die haben das alles akzeptiert, ohne weiteres angenommen. Und die haben dann manchmal mit meinen Puppen gespielt und dem Wagen oder sonstwas erzählt, aber ich war eigentlich isoliert, ja, in meiner Art. Ich kann das gar nicht schildern, weißt Du. Ich habe da gar nicht richtig mitgespielt. Ich war für mich. Ich lebte in meiner Welt. Ich war jetzt ein Junge. Ich war Fritz Förster, ja.

Nachher war ich an der Handelsschule...

Nachher war ich mit 14 Jahren anderthalb Jahre an der Handelsschule.

Da waren wir nur 17 in der Klasse, während in der Volksschule 45 oder 47 Kinder waren, stell' Dir mal vor: da konnte man ja gar nichts lernen. Also wenn wir nicht, meine beiden Freundinnen und ich, wenn wir nicht von zu Hause Deutsch gelernt hätten... ich hatte 'ne schnelle Auffassungsgabe; z. B. in Geschichte, das lag mir gar nicht, aber schnell in der kleinen Pause alles durchgelesen, schon wußte ich Bescheid. Weißt Du, ich behalte immer die »Essenz«, während die andern müssen dann Sätze auswendig lernen. Ich nicht. Ich weiß das ganze Bild, das ist so, und dann erzähl ich in freier Rede.

Na, jedenfalls sagte eine Schülerin »Na, Du weißt doch, die und die. Du weißt doch, die sind doch andersrum...« Was das eigentlich war, wußte ich nicht.

Ich selber hatte da immer irgendeinen Liebling, ja, von unseren Schönebergern. Der trug ich die Tasche, aber sonst war weiter nichts. Und nur mit der einen hab' ich mich dann mal getroffen im Kleistpark. Das hat sie eigentlich mehr animiert. Die hatte schon so einen Freund, oder wie sie sagte oder was, und da sind wir im Kleistpark in den Kolonnaden, die ja da heute immer noch gesperrt sind [Hier irrt sich Käthe K.; die Königskolonnaden sind tagsüber für das Publikum geöffnet. – Anm. der Hrsg.], spazieren gegangen, ja. Na, und dann hab' ich sie mal geküßt und ihre Brust angefaßt. Na, jedenfalls war ihr das angenehmer als mit diesem doofen Freund, wie sie sagte.

auch noch sagen wollte: Als Kind hab' ich immer gedacht: Ich heirate ja doch mal eine Frau. Das habe ich niemand gesagt, ja, aber für mich war das ganz klar: Ich heirate mal eine Frau. Das hätte ich niemals mal jemand gesagt. Aber wenn ich mal weiter darüber nachdachte, da konnte ich gar nicht. Da war irgendwie eine Barriere, weißt Du, was ich selbst nicht verstand.

Und ich habe mich sonst außer diesem einen Mädchen während der Schulzeit oder so niemals jemand körperlich genähert. Ich mochte das auch nicht. Ich hatte da, wir waren Freundinnen, 5 oder 7, ja, aus der Klasse. Und ich war ja immer der Anführer. Und die gingen, wenn irgendwas war, haben gelacht und so, wie eben so junge Mädchen sind. Und ich konnte das nicht vertragen. Und alle gingen sie untergehakt. Aber ich nicht. Wehe! Ja? Ich ging immer nebenher. Aber trotzdem, kann ich sagen, die mochten mich alle gut leiden.

Bei Junkers...

Sagen wir mal, ich hab' einen Vorteil und Nachteil, daß ich überhaupt nicht neugierig bin. Weißt Du, wenn irgendwas ist. Die andern sagen dann, wie war denn das, wie ist denn der, oder.

Das interessierte mich gar nicht...

Nur eine einzige Lehrerin in der Volksschule, die mal vertreten hat, die konnte mit mir umgehen. Ja, das war auch eine prima Lehrerin, die, mußt Du Dir vorstellen, wir waren also 13 Jahre, das war 1917, da hat die ihre Parallelklasse sexuell aufgeklärt... Erstens mal hat sie davon gesprochen, daß sie die Menstruation bekommen, was ja soundsoviele nicht wußten. Icke ooch nich. Wußte gar nichts, da bekamen welche in der Klasse die Mensis. Ich dachte, wat is denn det? Ach, dachte ich, Quatsch. Interessiert mich auch gar nicht. (Weißt Du, ich habe erst mit 15/16 überhaupt meine Periode bekommen.) Und dann hat sie ihnen auch kurz gesagt: Da gab's damals gerade einen Film über Geschlechtskrankheiten für die Schülerinnen von 14 Jahren. Da sind aber die meisten meiner Mitschülerinnen ohnmächtig geworden davon. Naja, aber weißt Du, die haben mehr angegeben und sagten: »Das ist ja furchtbar!« Aber mich hat das völlig kalt gelassen. Ich dachte, das kommt ja gar nicht in Frage. Oder das würde mich gar nicht berühren. Ach so, was ich

Bei Junkers. Da habe ich eine selbständige Arbeit gehabt, wie alle Ingenieure arbeitete ich an einem Schreibtisch. Stell Dir vor, Junkers hatte damals, wie ich da war (1935 bis 1937) 10000 Arbeiter und Angestellte. Da kam die Büroleitung und hat sich angesehen, welche einzige Frau in diesem riesen Betrieb einen »Schreibtisch« hat? Das war ich. Aber ich hab' immer so nette Chefs gehabt...

47 Jahre habe ich gearbeitet, von 15 ½ Jahren bis 62. 47 Jahre, und niemals war da im Büro überhaupt eine Frau, für die ich mich interessiert hätte. Bis auf Junkers. Da war eine nette Frau – ich war damals ungefähr so 30 – die auch. Die gefiel mir – die hatte eine wunderbare Sprache. Und da sagte ich ihr einmal: »Wissen Sie, Sie sprechen so schön!« Und da kam's raus: Sie war Schauspielschülerin und nahm Unterricht. Ich hab' so was gern, weißt Du, wenn einer eine schöne Sprache hat. Da hab ich ein Faible für, weißt Du. Wenn einer eine schöne Stimme, eine schöne Sprache hat, das hab ich ihr gesagt. Und wir sind manchmal nur – ich wohnte damals in Dessau – auf die sogenannte Kavalierstraße gegangen. Da ist sie mal mitgekommen. Aber das war weiter nichts, weil ich auch das Gefühl hatte, die muß wohl einen Freund haben. Aber wenn sie verreist war, dann schickte sie mir einmal

von der Nordlandreise auch ihre Fotografie. Und dann schrieb sie runter: »Ihr Stern«. Obwohl ich nie so etwas gesagt hatte, nein, ich habe sonst niemanden gefunden während der ganzen Bürozeit. Und auch niemand, weißt Du, wo ich hätte denken können, der wäre auch so veranlagt. Ich hab' keinen getroffen oder bemerkt.

Die ganze Schule war so freiheitlich ...

Selbst in der Handelsschule hab' ich nicht gemerkt, daß da zwei Paare waren, die sich liebten. ... Ich habe bemerkt, daß zwei Lehrerinnen miteinander »befreundet« waren. Die haben da keinen Hehl draus gemacht. Und das war auch alles – diese ganze Schule war so freiheitlich in jeder Weise. Und diese beiden Lehrerinnen waren befreundet, und das wußte der ganze andere Lehrkörper auch. Die Leiterin war ein Frl. Mietke, eine richtige Berliner Type aus ihrer Sprache – so wie man das bei mir ja auch merkt. Eine hochintelligente Frau, zwar mit ihrem Stehkragen, aber die war auch, wie soll ich sagen, wirklich für die Jugend da, ja, obwohl sie für uns ja irgendwie eine Respektsperson war. Aber es war einfach großartig. Also ich bin da mit solcher Freude hingegangen, das kann ich gar nicht sagen. Und als der Abschied kam, da hab' ich heimlich geheult ...

Meine Freundin N ...

Da hab' ich auch meine Freundin, die in London ist, die wurde N. genannt von ihrem Rektor, die heißt eigentlich Elli, kennengelernt. Die war auch in der Volksschule im Wedding. Und die war nun richtig, wie man so sagt, ein nordisches Gesicht: schmaler Kopf, groß, obwohl sie selber immer sagte: Weißt Du, ich komm mir vor wie eine Germania oder Juno, so groß. Und hatte so sprenkliges Haar, ja. Und jeder im Verband der Brandenburger Jugend kannte N. und ihren Bruder Kurt. Und ich spielte zu den Volkstänzen Geige. Und da hieß es, so wie es Erna und Otto, Helmut und Anne hieß, so hieß es denn: und Kitty und N., mit einer Selbstverständlichkeit, die mir gar nicht auffiel. Ach das, die fiel mir gar nicht auf! Und bei all den Eltern, ja, da war ich überall gern gesehen und eingeladen.

Ich war vielleicht 24 Jahre, ja. Und da ist jemand an mich herangetreten, ein Leiter einer Singschar, der war mindestens schon 36. Phile nannten wir den. Das war der erste Mann meiner Freundin N. Sie war damals, wie sie später sagte, sehr geschmeichelt, nicht, daß sich so ein »alter« Mann überhaupt für sie interessierte. Na, jedenfalls war das aber eine furchtbare Ehe ...

Weißt Du, auf der einen Seite bin ich so doof und merke nichts und auf der anderen Seite, ja. Naja, jedenfalls stellte sich heraus, wir – N. und ich – waren da drei Tage, glaube ich, in Freienwalde oder wie, na, und das hat sich so ergeben, wir sind zusammen gewandert, und auf einmal hat sie mir so ein bißchen erzählt.

Na, jedenfalls, als wir dann in der Jugendherberge übernachteten, kam sie zu mir in mein Bett, ja. Und hat mir weiter erzählt und zwar – also da ist weiter nichts geschehen. Für mich war das erschütternd, weißt Du, was du theoretisch alles weißt. Der Phile – sie sagte, sie schätzt ihn, und was er weiß, er komponierte und leitete die Singschar und war sonst ein netter und reizender Mensch. Alle mochten ihn leiden, ja. Und, aber er hat sie immer gedrängt, sexuell zusammen zu sein. Und wie man merkte, die war überhaupt noch gar nicht so weit, weißt Du. Für die war das furchtbar. Und er hat sie dazu gezwungen, und dann hat er ihr jedes Mal danach ein Schmuckstück geschenkt. Und da hat sie dann gesagt: »Ich bin doch keine Prostituierte«. Und er hat dann geweint, geklagt, so und weißt Du, und was nicht alles.

Na, jedenfalls, ich fand das ja alles furchtbar und hab' sie getröstet, und sie hat geweint und war verzweifelt. Was hat sich ergeben? Sie hat ihrem Mann das erzählt, ja. Und er hat mit mir gesprochen und ich mit ihm. Da hab' ich ihn zu dem Dr. Hodan, weißt Du, wo wir neulich von gesprochen haben, der das Buch geschrieben hat »Geschlecht und Liebe«, geschickt.

Und dann sind wir auch auf Fahrt gegangen. Da hat sie mir wieder von ihrer Ehe erzählt. Naja, und da haben wir denn sozusagen zusammen geschlafen. Ja, das hat sich ergeben, ich weiß gar nicht wie, ja. Und sie fand das einfach, wie soll ich sagen, schön und wunderbar, ja, und sie liebt mich. Und ist sofort zu ihrem Mann gegangen und hat gesagt, sie liebt mich. Und, o Gott, ich sage Dir. Jedenfalls er gleich, er läßt sich scheiden.

Und weißt Du, was sie mit mir alles machen wollten: Mich wollten sie kurz und klein

hauen, so ungefähr. Jedenfalls, in dem Moment, eines Nachts hat er sie gezwungen und hat die Pistole gezogen. Und da ist sie ausgerückt und zu uns nach Hause gekommen, ja. Ich wohnte bei meiner Mutter. Mein Vater kam ja doch nie. Jedenfalls, ich habe zu ihr gesagt: »N., das geht nicht, das erweckt sozusagen den Eindruck – und das will ich nicht.« Ich habe ihr dann in der Nähe ein Zimmer besorgt, und dann habe ich ihr über die Gewerkschaft, was ja damals schwer war, eine Anstellung besorgt.

Na, kurz und gut, und da war ja auch alles noch kameradschaftlich so zwischen uns. Und ich wollte nicht. Ich hatte auch so aufgrund meiner psychologischen Studien, ja, ich habe gedacht: Gerade, weil sie in dieser Situation ist, ja, da hängt sie sich vielleicht an mich, und das ist gar nicht das Richtige, ja. Das habe ich ihr auch gesagt. Das weiß ich noch, da haben wir im Tiergarten gesessen und stundenlang gesprochen, und ich habe ihr gesagt: »Sieh' mal, Du weißt gar nicht, jetzt bist Du soundso, und bist enttäuscht und so weiter. Und weil ich so nett bin und helfe Dir und vielen, ja. Und wir wollen uns eine ganze Zeitlang nicht sehen und so.« Ich habe die Stellung besorgt und so. Nein, es war nichts zu machen, und sie hat – dann ist die Scheidung durchgeführt worden.

Aber mit als Scheidungsgrund bin ich da drin ...

Da hat sie zu ihrer Mutter gesagt, ja im Sexualverkehr hat sie eben überhaupt kein Empfinden mit ihm. Da sagt ihre Mutter: »Also, das hat man doch auch gar nicht als Frau.« Stell Dir das mal vor ...

Wir haben uns getroffen, sie hat sich ausgesprochen und war bei uns zu Hause, hat bei uns gegessen. Und da hab' ich meine Mutter gefragt, und durfte dann das Vorderzimmer, wo ein Balkon dran war, durfte ich völlig für mich einrichten. Und dann hab' ich das, weiß ich noch wie heute, tütenblau streichen lassen und die Wände sonnengelb oben, ja.

Und dann nachher haben wir noch ein richtiges Bett gekauft, ein breites. Und dann hat N. bei uns gewohnt. Und da hat meine Mutter sogar Sonntag früh hat sie uns das Frühstück ans Bett gebracht. Meine Mutter hat nie was dazu gesagt und ich auch nicht. Wenn ich heute das alles höre, ich verstehe es selbst nicht. Weißt Du, meine Mutter war, wie man so sagt, eine sehr feine Frau, ja. Ich kenne auch kein böses Wort, ich kenne auch nicht, daß wir ausgezankt worden sind. Was sie sich eigentlich gedacht hat, weiß ich nicht. Und hinterher tut es mir so leid, daß wir dauernd noch Sonnabend, Sonntag auf Fahrt gegangen sind, und sie war immer allein.

Abkürzungen

AGB	Amerika Gedenkbibliothek
ATO	Allgemeine Treuhandorganisation
BfM	Bund für Menschenrecht
BZ	Berliner Zeitung
DFV	Deutscher Freundschaftsverband
Diss.	Dissertation
GdE	Gemeinschaft der Eigenen
GEDOK	Gemeinschaft der Künstlerinnen und Kunstfreunde
Jb	Jahrbuch
J. f. s. Z.	Jahrbuch für sexuelle Zwischenstufen
MdWhK	Mitteilungen des Wissenschaftlich-humanitären Komitees
Pg	Plattengröße
RStGB	Reichsstrafgesetzbuch
Slg	Sammlung
SMPK	Staatliche Museen Preußischer Kulturbesitz
StrGB	Strafgesetzbuch
UKZ	Unsere Kleine Zeitung
WhK	Wissenschaftlich-humanitäres Komitee

Leihgeber

Austin/Texas:
University of Texas, Humanities Research Center
Bamberg:
Staatsbibliothek
Berlin:
Akademie der Künste
Amerika Gedenkbibliothek
Antiquariat Schomaker und Niederstrasser
Berlinische Galerie
Bildarchiv Preußischer Kulturbesitz
Bröhan-Museum
Deutsches Archäologisches Institut
Film-Foto-Archiv Serkis Bagdikian
Galerie Nierendorff
Galerie Taube
Galerie Werner Kunze
Georg Kolbe-Museum
Jeanne Mammen Gesellschaft e. V.
Landesarchiv
Landesbildstelle
Magnus-Hirschfeld-Gesellschaft
Museum für Verkehr und Technik
Spinnboden, Archiv zur Entdeckung und Bewahrung von Frauenliebe gem. e. V.
Staatliche Museen Preußischer Kulturbesitz
– Kunstbibliothek
– Kupferstichkabinett
– Museum für Deutsche Volkskunde
– Nationalgalerie
– Skulpturengalerie
Staatsbibliothek Preußischer Kulturbesitz
Stiftung Deutsche Kinemathek
Technische Universität und Plansammlung
Universitätsbibliothek
Theaterwissenschaftliches Institut der Freien Universität, Sammlung Unruh
Ullstein Bilderdienst
rosa Winkel, Archivverlag
Zitronenpressverlag
Braunschweig:
Amazonenverlag
Essen:
Museum Folkwang
Hamburg:
Kunsthalle
Köln:
Deutsche Sporthochschule, Bibliothek
Theatermuseum
Lüneburg:
Nord-Ost-Bibliothek
Marbach:
Schillerarchiv
Minusio:
Museo Elisarion
München:
Bayerische Staatsbibliothek
Filmmuseum der Stadt München
Staatliche Graphische Sammlung
Münster:
Universitätsbibliothek
Offenbach:
Klingspor-Museum
Stockholm:
Svenska Filminstitutet
Stuttgart:
Sammlung Lütze II
Wiesbaden:
Deutsches Institut für Filmkunde
Wuppertal:
Von der Heydt-Museum
sowie ungenannter Privatbesitz.
Angesichts der großen Zahl von Ablehnungen danken wir allen Leihgebern besonders herzlich für ihre Unterstützung.